Bernd Mattheus
Georges Bataille
Eine Thanatographie

I
Chronik 1897–1939

II
Chronik 1940–1962
Materialien
Bibliographie
Index

Bernd Mattheus

GEORGES BATAILLE

Eine Thanatographie

I

Matthes & Seitz Verlag
München

© 1984 Matthes & Seitz Verlag GmbH, Mauerkircher Straße 10, 8 München 80. Alle Rechte vorbehalten, besonders die der fotomechanischen Wiedergabe und des Nachdrucks. Herstellung und Umschlaggestaltung Bettina Best, München, unter Verwendung eines Hermann Nitsch-Aktionsfotos. Satz: fertigsatz, München. Druck und Bindung: Passavia, Passau
ISBN: 3-88222-225-5

Inhalt

Im Text gebrauchte Abkürzungen

I   = *Œuvres complètes de Georges Bataille,* Gallimard, Paris 1970 ff.: nach dieser Ausgabe wird unter Angabe der Band- und Seitenzahl (Bd. I jedoch nach der 2. Aufl. von 1973) im fortlaufenden Text zitiert.

AC   = Bataille, *Abbé C.,* dt. von Max Hölzer, Luchterhand, Neuwied-Berlin 1966.

AÖ   = Bataille, *Die Aufhebung der Ökonomie (Der Begriff der Verausgabung. – Der verfemte Teil. – Kommunismus und Stalinismus),* dt. von Traugott König und Heinz Abosch, Rogner & Bernhard, München 1975. (Neudruck 1985, Matthes & Seitz)

BH   = Bataille, *Das Blau des Himmels,* dt. von Sigrid von Massenbach und Hans Naumann, Deutscher Taschenbuch Verlag, München 1969 (dtv-Tb., sr 76).

B.N.   = *Papiers Georges Bataille – Correspondance,* Handschriftenabteilung der Bibliothèque nationale, Paris: der Signatur folgt die Blatt-Nummer.

Cr.   = Zeitschrift *Critique.*

ER   = Bataille, *Der heiliges Eros,* dt. von Max Hölzer, Ullstein, Frankfurt-Berlin-Wien 1974 (Ullstein-Tb. 3079).

OW   = Bataille, *Das obszöne Werk,* dt. von Marion Luckow, Rowohlt, Reinbek 1972.

PSF   = Bataille, *Die psychologische Struktur des Faschismus. – Die Souveränität,* dt. von Rita Bischof, Elisabeth Lenk und Xenia Rajewsky, Matthes & Seitz, München 1978.

TE   = Bataille, *Die Tränen des Eros,* dt. von Gerd Bergfleth, Matthes & Seitz, München 1981.

Benutzte Übersetzungen habe ich ggf. stillschweigend modifiziert.
Sekundärliteratur: Autor, Jahr der Publikation, Seitenzahl.
Genauere Angaben in der Bibliographie am Schluß des Bandes.
Bei Zitaten aus nicht katalogisierten Briefen werden lediglich Absender, Empfänger und Datum des Briefes angegeben.

»Von einem zeitgenössischen Schriftsteller wie von einem Menschen sprechen, der in Ekstase geriet, sich in Irreligiosität übte, die Ausschweifung lobte, das Christentum durch den Nietzscheismus und diesen durch den Hinduismus ersetzte, nachdem er um den Surrealismus herumgeschlichen war (ich resümiere einige wohlmeinende Rezensionen), heißt das Denken zur Schau stellen und eine Romanperson schaffen, ohne das geringste Bemühen um die Feinheiten der Wahrheit. Woher kommt dieses Bedürfnis, das Wahre nur auf dem Niveau der Anekdote und vermittels des Falschen, des Pittoresken zu suchen? Sicher, wir wissen es, jeder von uns wird von seinem Golem bedroht, dem groben Abbild aus Ton, unserem falschen Double, dem lächerlichen Idol, das uns sichtbar macht und gegen das, solange wir am Leben sind, es uns gegeben ist, durch die Diskretion unseres Lebens zu protestieren; aber siehe da, wenn wir tot sind, verewigt uns das Idol: wie kann man es daran hindern, aus unserem Verschwinden, sei es auch das geräuschloseste, den Augenblick zu machen, wo wir, zum Erscheinen verurteilt, übereilt im öffentlichen Verhör antworten müssen und bekennen, was wir nicht waren? Und manchmal sind es unsere nächsten Freunde, die, mit der guten Absicht, an unserer Statt zu sprechen und uns nicht zu rasch unserer Abwesenheit zu überlassen, zu dieser wohlwollenden oder boshaften Entstellung beitragen, in der man uns von da an sehen wird. Nein, für die Toten, jene, die sterben, nachdem sie geschrieben haben, gibt es keinen Ausweg; in der rühmlichsten Nachwelt habe ich immer nur eine prätentiöse Hölle erkannt, in der die Kritiker – wir alle – ziemlich armselige Teufel darstellen.« (Maurice Blanchot, *L'expérience-limite*, in: *L'Entretien infini*, Paris 1969, p. 301)

Ein deutscher *homme de lettres*, Herausgeber einer Zeitschrift, schrieb: »Ich habe mit Bataille Nächte in Paris und in der Auvergne verbracht, 1947/48. Der Mann war ein lebendes Paradox, nämlich eine Mischung von Bauerntum und Pariser Intellektualistik. Das habe ich in meinem Leben nur einmal erlebt. Ihre Freunde komplizieren diesen Mann viel zu sehr und vergessen seine Bauernschläue.« – Das wirksamste Mittel zur Desillusionierung: man versuche, sein »Idol« persönlich zu erleben, »kennenzulernen«. Allerdings klärt diese Übung nur über unseren eigenen Geisteszustand und unsere Begeisterungsfähigkeit auf, niemals über das »Idol«! Idololatrie, die im Primat der Wertschätzung des Gelebten oder des Lebens vor den Werken wurzelt. Das Ideal wäre die bruchlose Kongruenz zwischen beidem: das Werk rechtfertigt das Leben seines Autors, das Leben des Autors rechtfertigt, bekräftigt oder erschließt sein Werk – und moralisches Gewissen, Harmoniebedürfnis usw. kommen auf ihre Kosten. »Man soll einen Künstler nie nach dem Maße seiner Werke messen.« Nietzsche widerspricht sich nicht, wenn er an anderer Stelle sagt: »Das Produkt des Philosophen ist sein Leben (zuerst, vor seinen Werken).« Beide Male vor der Gefahr warnen wollend, die Person, geblendet vom Glanz ihrer Werke, zu überschätzen. Wie man sieht, setzt der zitierte *homme de lettres* eine ehrwürdige Denktradition fort . . .

»Wie die bloße empirische Person dessen, der denkt, hinter der Gewalt und Objektivität des Gedankens, den er denkt, zurückbleibt, wann immer der Gedanke einer ist, so ist der Anspruch der Wahrheit eines Gedankens nicht dessen abbildliche Angemessenheit an den Denkenden, nicht die armselige Wiederholung dessen, was er ohnehin ist.« (Theodor W. Adorno, *Drei Studien zu Hegel*, Frankfurt a.M. 1974, p. 51)

Unzugänglichkeit der Werke? – Ein langjähriger Freund Batailles, Schriftsteller-Philosoph und Zeichner, stellte mir die Frage: Wozu eine Biographie, wo doch seine Schriften zutiefst autobiographisch sind?

Sich korrigierend, fügte er hinzu, Bataille habe freilich autobiographische »Farcen« in die Welt gesetzt.

Auf *L'expérience intérieure* zu sprechen kommend: es sei vergebliche Mühe, lesend und schreibend sich dem Buch nähern zu wollen, jeglicher Kommentar sei zum Scheitern verurteilt. Die einzige Chance bestünde darin, Batailles Erfahrung zu wiederholen, nachzuerleben. Auf erotischem Gebiet sei Bataille mit seinen Kräften unökonomisch umgegangen, habe also die Theorie der Verschwendung gelebt . . .

Variieren diese Aussagen nicht nur den Wunsch, Leben und Werk mögen eine untrennbare Einheit bilden? Derselbe Imperativ leitet Giorgio Colli, wenn er sich – Nietzsches Denken an seinem Leben messend – fragt: ». . . welchen Sinn hat es, auf die dionysische Bejahung hinzuweisen, auf den Wahnsinn, das Spiel, gegen jede Abstraktion und Mumifizierung, jeden kraftlosen, schmachtenden Finalismus, und darüber das Leben im Schreiben zu verzehren, also in der Komödie, in der Verkleidung, in der Maske, im Nicht-Leben?« *(Nach Nietzsche,* Frankfurt a.M. 1980, p. 149) Bataille:»In Wirklichkeit bin ich überzeugt, daß der Mensch in einer Art völliger Kluft lebt zwischen den Ideen, zu denen er sich bekennt und dem, was tatsächlich in ihm steckt.« (Zit. nach Chapsal 1973, 29).

Es scheint so etwas wie einen Fetischismus zu geben, der nach Exzentrizitäten giert. Die großen Themen Eros und Thanatos faszinieren nur in dem Maße, in dem sie einer Vita das Extreme oder Perverse verleihen. Wer im Bett stirbt, bringt sich um das Interesse der sensationslüsternen Nachwelt, in der fetischistischen Gesellschaft hat er verspielt.

Nur das Leben desjenigen, der etwas verbrochen oder Außergewöhnliches geleistet hat, fasziniert temporär – aber nur, um als »Ausnahme« die »Regel« zu bestätigen. Man genehmigt es sich genüßlerisch, vom Unbekannten auf das Bekannte zu schließen.

»Die Darstellung dessen, was *ist,* lehrt noch nichts über seine Entstehung: und die Geschichte der Entstehung lehrt noch nichts über das, was da ist.« (Nietzsche, *Umwertung aller Werte,* 2. Buch, Nr. 76)

Authentizität. – Sollten die Listen, Lügen, Täuschungen in den »autobiographischen« Schriften in bezug auf ihren Autor nicht aufschlußreicher sein als die dokumentierte reine »Wahrheit«, beziehungsweise die Differenz zwischen Realem und Fiktionalem? Über den Textautor sagt Roland Barthes: »Sein Leben ist nicht mehr der Ursprung seiner Fabeln, sondern eine mit seinem Werk konkurrierende Fabel; es vollzieht sich eine Übertragung des Werkes auf das Leben (und nicht mehr das Umgekehrte); das Werk von Proust, von Genet erlaubt es, ihr Leben wie einen Text zu lesen: das Wort ›Biographie‹ nimmt wieder eine starke, etymologische Bedeutung an; und bei dieser Gelegenheit wird die Wahrhaftigkeit der Aussage, ein wahres ›Kreuz‹ der literarischen Moral, ein Scheinproblem: auch das *Ich,* das den Text schreibt, ist immer nur ein Papier-*Ich.«* (»De l'œuvre au texte.« *Revue d'Esthétique,* Bd. 24, Nr. 3, 1971) Ähnlich das »Lügnerparadox« oder die Logik der Psychoanalyse: es gibt zwei Wirklichkeiten, eine psychische (die der Rede) und eine reale, faktische (nicht verbalisierte). Was der Analysand bejaht, legt ihm der Analytiker als Verneinung aus und umgekehrt . . . Wesentlicher als solche Sophistik scheint mir die Überlegung, daß Autor und Text deshalb nicht miteinander identifiziert werden können, weil Schreiben zu den vollkommensten Formen der Entsubjektivierung, Selbstentäußerung gehört – vorausgesetzt, man läßt das Material, Sprache und Logik, intakt. Noch die rückhaltloseste Selbstentblößung entgeht nicht der Repräsentation, der Dramatisierung – der Inszenierung. »Heuchler! Schreiben, aufrichtig und offen sein, das kann niemand. Ich will es nicht tun.« (V, 295)

Skeptisch bis ungläubig, bin ich soziologischen Sondierungen im Grunde ebenso abgeneigt wie psychoanalytischen, das heißt: dem Regress *ad infinitum,* dem wissenschaftlich verbrämten Sezieren. Unter dem Skalpell nüchterner Objektivität (was ist das?) zerfällt die Gestalt, nichts als jene Verwirrung zurücklassend, die die Anhäufung des Partikularen stiftet.

Dennoch: der Zusammenhang und der Irrtum sind Geschwister, Kohärenz ist das Unmögliche, also Artifizielle.

Es ist gewiß, daß nicht selten autobiographische Äußerungen verkappte Fiktionen, »private« Mythen, Phantasmen, bewußte Provokationen, kurz: Irreführungen sind; sie erfüllen die Funktion einer Selbstentäußerung, um den Autor gleich einem Tintenfisch um so besser zu verbergen.

Hinsichtlich der Frage »Was kann man über einen Menschen wissen?« manifestiert diese Thanatographie vielleicht ein Versagen, ein gründliches Scheitern. Nun, weder die Frage noch die Wege, sie zu »beantworten«, sind von mir: diese phänomenologische Doktrin, das Sein auf den Sinn reduzierend. Eher scheint mir für Batailles Leben (wie für jedes nicht-diskursive), und mehr noch für dieses Buch zu gelten, was Shakespeare Macbeth in den Mund gelegt hat: »A tale told by an idiot, full of sound and fury, signifying nothing.«

Bene vixit, bene qui latuit. – Wenn ich die Erinnerungen der engen Freunde Batailles lese, habe ich immer den Eindruck, daß sie über jemanden geschrieben haben, der ihnen im Grunde sehr fremd war. Pietät, ängstliche Diskretion? Andererseits geben sie Anekdoten preis, aber so, als sprächen sie von einer Legende. Man könnte Bataille für jemand Ungeliebtes halten.

Pierre Klossowski zog sich aus der Affäre, indem er mir gegenüber vorgab, mit Bataille keine »intimen Gespräche« geführt zu haben . . . Batailles Korrespondenz jedoch, in der es Konfidenzen nur selten und wenn, dann bloß wenigen Vertrauten gegenüber gibt, veranschaulicht, was sein Wahlspruch gewesen sein könnte: »lebe aufrichtig und verborgen« (Laure, Georges paraphrasierend, in einem Brief an denselben).

Entsprechend zeigt sich Bataille im Gespräch mit Fremden als Stratege: bevor er sich öffnet, stellt er sein Gegenüber auf die Probe, legt Fallen aus, provoziert etc.: ich stelle mir Bataille von der Freundlichkeit eines Chinesen vor – Politesse, die Distanz errichtet, Gelegenheit gibt, den anderen zu studieren . . . um gegebenenfalls das Messer der Ironie in die verwundbarste Stelle zu senken.

Der Korrelation zwischen Ruhm und Bildwürdigkeit ist es zuzuschreiben, daß wenigen Jugendbildnissen meist eine Vielzahl von Portraits des reifen oder alten Menschen gegenüberstehen (das künstlerische oder fotografische Portrait als zeitgemäßes Mittel, ein Werk zu verkaufen).

Sei es die Verschlossenheit des melancholisch-ernsten Gesichts des Rekruten; das etwas linkisch wirkende Lächeln des Dandys in Gamaschen, den Hut in den Händen; sei es der spärlich behaarte Schädel des Lungenkranken, hageres Gesicht, schmale, halbgeöffnete Lippen – der Kopf eines Mannes, den man zur Hinrichtung zu führen scheint – oder der Sechzigjährige, der mit erschlafften Zügen mal ernst blickt, mal in die Kamera lächelt – ein verschmitztes Lächeln mit geschlossenem Mund, dann ein »sonnenhaftes« mit halbgeöffnetem Mund und »leuchtenden« Augen: das Gesicht Georges Batailles, das die Fotoportraits zeigen, ist durch und durch *Maske*, es enthüllt nichts.

Anders als Maurice Blanchot, der sich beharrlich der Kamera entzieht, aber mit ähnlichem Effekt, läßt Bataille seine Gesichtszüge unkenntlich werden, hinter dem Werk zurücktreten, das sie auslöscht.

Der Betrachter muß sich mit der korrekt, um nicht zu sagen: konventionell gekleideten Person begnügen, das heißt mit der Maske (*persona*).

»Man soll einen Menschen nicht nach einzelnen Werken abschätzen. *Epidermal-Handlungen*. Nichts ist seltener als eine *Personal-*Handlung. Ein Stand, ein Rang, eine Volksrasse, eine Umgebung, ein Zufall – alles drückt sich eher noch in einem Werke oder Tun aus als eine ›Person‹.« (Nietzsche, *Umwertung* . . ., 7. Buch, Nr. 729)

Ernst Jünger zufolge ist der Anarchist einer, der ins offene Feuer rennt, während den Anarchen die Vernunft davor zurückhält. Müßte ich Batailles Opportunismus – der gewahrte Schein eines unauffälligen bürgerlichen Lebens – mit einem Epitheton präzisieren, dann fiele meine Wahl auf »anarchisch«. Unaufhaltsame paranoische Bewegung des Definierens und Klassifizierens . . . Ein paradoxes Denken einordnen, nominalistisch einkreisen, es auf einen Nenner bringen, es präzisieren heißt Ordnung schaffen wollen durch Assimilation – der Vorstufe der Exkretion, die es erlaubt, zur Tagesordnung überzugehen. Unter diesem Gesichtspunkt bekommen Dissertationen die Bedeutung von *excreta*.

Glücklicherweise stehen jene »Werte«, die Bataille artikuliert hat, so quer zu den derzeitig affirmierten, daß sie sowohl dubiosen Beifall als auch tendenziös-polemische Kritik aushalten. Stets muß sich die thetische, ideologische Rede an der paradoxen, kopflosen Batailles messen, nicht zuletzt auch an seinem Lachen, seinem Schweigen . . .

Jede Metasprache projiziert gemäß dem Muster der Paranoia (Interpretationsmanie): die Instanzen der Ideologie, der Geschichte, des Unbewußten sind es, die sich in ihr artikulieren, die sie ausmachen. Die Aussage hier gehört selbst den metaphysischen Redeweisen an . . . Neutralität der Deskription, unendlicher Regreß von Analyse, Exegese oder Anamnese: ein kapitales Scheitern! Der *Wille* zu Kohärenz, Kontinuität, Sinn, den diese Methoden implizieren, vermag allenfalls die Inkohärenz zu systematisieren, die Diskontinuität zum Gesetz des Aleatorischen zu erklären und den Unsinn . . . Vielleicht müßte man für Minuten Bataille sein, um der maßlosen Reduktion zu entgehen: lachend einen Blick in den Abgrund werfen, aus dem der Tod einem entgegenblickt, lachend eintauchen in das Nichtwissen . . .

Verbegrifflichung von (Grenz-)Erfahrungen: intellektuelle Skatologie (analog der Verdrängung).

Die Metasprache homogenisiert (diskursiviert) zwangsläufig das Unmögliche, das Inkommensurable – will sie nicht verstummen, Ohnmacht signalisieren.

Als Gegenstand des Diskurses kann Bataille immer nur Exkrement sein. (Der Redende/Schreibende erleichtert sich, während er seinen Namen evoziert, er wird Bataille los. Begriffs-Diarrhöe . . .)

Was keiner bisher ernst genug genommen hat: um sich zu definieren, wählte Bataille spöttisch die Kategorien der Unberechenbaren, derer, die außer aller Ordnung stehen:

»(. . .) was ich lehre (falls dem so ist . . .), ist keine Philosophie, sondern eine Trunkenheit: ich bin kein Philosoph, sondern ein *Heiliger*, vielleicht ein Irrer.« (V, 218)

Bataille *entweder* als Philosophen *oder* als Dionysiker behandeln heißt willkürlich ein Moment seines Oszillierens zwischen Wissen-wollen (Enträtselung der Welt) und Rausch (die Welt als Gegen-stand der Ekstase) fixieren, privilegieren. Notorische Prophylaxe des Geistes, der gegen Tumult und Schmutz allergisch ist: »Die Theorie lauert unseren Giften auf, bemächtigt sich ihrer und macht sie weniger schädlich. Das ist die Destillierung *von oben her*: der Geist – Liebhaber eines reinen Taumels – ist allem Intensiven feind.« (E.M.Cioran)

»Was (einen Text) ausmacht, ist dagegen (oder gerade) seine Sub-versionskraft hinsichtlich der alten Klassifizierungen. Wie soll man Georges Bataille klassifizieren? ist dieser Schriftsteller ein Roman-cier, ein Dichter, ein Essayist, ein Ökonom, ein Philosoph, ein Mystiker? Die Antwort ist so schwierig, daß man es im allgemeinen vorzieht, Bataille in den Literaturhandbüchern zu vergessen; in Wirklichkeit hat Bataille Texte geschrieben, oder vielleicht sogar stets ein und denselben Text. Wenn der Text vor Klassifizierungs-probleme stellt (das ist übrigens eine seiner ›gesellschaftlichen‹ Funktionen), so weil er stets eine gewisse Erfahrung der Grenze impliziert (. . .).« (Barthes, op. cit.)

Hochmütige, anspruchsvolle Bescheidenheit desjenigen, der Seite um Seite mit seiner zierlichen, akkuraten Schrift bedeckt, weitge-hend unter Ausschluß der Öffentlichkeit.

Einer, der »hinter den Kulissen« mal ein Halleluja, mal ein Anathemata ausgestoßen hat.

»Mehr als einmal verweist das Werk Georges Batailles ebenso getreulich auf die geistige Landschaft des Christentums, wie das Profil der Medaille auf die Gußform. Die Religion Jesu – und insbe-sondere ihr affektives Klima –, mag sie auch in Vergessenheit gera-ten sein, nach dem Negativ, das seine Bücher sind, könnte man sich von ihr noch eine gewisse Vorstellung machen (. . .). Selbst wenn Nietzsche recht hat: ein toter Gott herrscht noch lange durch die ausgleichenden Gegenbewegungen, deren Besetzung er vorschreibt und regelt.« (Julien Gracq, *En lisant, en écrivant*, Paris 1981, p. 212)

Bataille: eine Synthese aus Hegel, Nietzsche, Heidegger et al.? Euphemistisch hatte Philippe Sollers vor Jahren prophezeit, eines Tages werde man über Hegel und Nietzsche nur noch Batailles wegen sprechen . . . »Ein Student fragte: Bataille – das heißt doch battaglia (Schlacht); um welche Schlacht geht es denn hier? Zeichen für die Überforderung des vorwiegend jungen Publikums.« (Elisa-beth Dryander, »Abschied vom Humanismus? – Bemerkungen zur

Tagung ›Goethe und danach‹ in Venedig«. *Süddeutsche Zeitung*, 8. 12. 82)

»Wenn man mich fragte, ›wer ich bin‹, würde ich antworten: ich habe das Christentum jenseits der Wirkungen politischer Art betrachtet und in seiner Transparenz, durch es hindurch die anfängliche Menschheit gesehen: von einem Entsetzen vor dem Tod gepackt, das die Tiere nicht erlangt hatten, eine Menschheit, die ihm die wunderbaren Schreie und Gesten entlockte, in welchen eine Übereinstimmung im Zittern zum Ausdruck kommt. (. . .) in der Transparenz habe ich, vorausgesetzt, ich zittere, das Begehren wiedergefunden, trotz dieses Zitterns dem Unmöglichen – bis zum Ende zitternd – die Stirn zu bieten. *Das erste Begehren . . .*« (Bataille, »Le pur bonheur.« *Gramma*, Nr. 1, 1974)

»Wenn man Sie fragte, was Ihrer Meinung nach das Wichtigste ist, das Sie als Denker entdeckt oder hervorgebracht haben, was würden Sie sagen?

G.B. – Ich würde gerne sagen, daß ich darauf am stolzesten bin, Verwirrung gestiftet zu haben . . . das heißt, die ausgelassenste und schockierendste, die skandalöseste Art zu lachen mit dem tiefsten religiösen Geist verbunden zu haben. Wohlgemerkt, man darf sich nicht einbilden, daß man in dieser Hinsicht zu etwas Neuem gelangen kann; es steht fest, daß die Menschen die äußersten Punkte erreicht haben, ich denke an gewisse Yogis, an Ramakrischna.« (Chapsal 1973, 29)

Sinngebung im nachhinein: »Es ist also unbedingt notwenig zu sterben, *weil es uns, solange wir leben, an Sinngebung fehlt* und die Sprache unseres Lebens (. . .) unverständlich bleibt (. . .).

Nur dank des Todes dient uns unser Leben dazu, uns auszudrükken.« (Pier Paolo Pasolini, *Empirismo eretico*, 1972) Einzig ein der Nekrophagie (ausschließliche Lektüre der Toten) Verfallener vermag sich an dieser Paraphrase eines Gedankens von Roger Martin du Gard (*La mort du père*, 1929) zu delektieren. Dagegenhalten: »Die Dinge haben keine Bedeutung: sie sind einfach da. (. . .) eine wirkliche, wahre Gesamtheit ist eine Krankheit unserer Gedanken.« (Fernando Pessoa)

Jede Historiographie leidet unter einem »zu früh« und einem »zu spät« zugleich. Manuskripte, die von den Erben eifersüchtig gehütet werden, Mutismus möglicher Zeugen, die der Verstorbene tief verletzt zurückließ – verstorbene Zeitgenossen, niedergebrannte Archive etc., man hat die Wahl zwischen systematischer Entstellung

(Fiktion) und genereller Amnesie. Zu spät jedenfalls, um den Irrtum der Daseinsberechtigung zu berauben, grassierende Gerüchte rektifizieren zu wollen. Doch selbst das »zu spät« ist noch Ausdruck eines unhaltbaren positivistischen Optimismus, und die Ambition der Demystifizierung scheint mir selbst auf einem Irrtum zu beruhen: er besteht in der Annahme, ein Optimum von Dokumenten und Zeugnissen, die Totalität von Informationen müsse transparent machen, wer Georges Bataille war.

»Schrift des Todes« (Thanatographie), die die persönlichen Grenzen verneint, die der Knechtschaft der Identität zu entrinnen trachtet. Sie ist, im Sinne Barthes', Biographie, verstanden als permanente Tötung, als ›Tod des schreibenden Ich‹. Diese Tötung und Negativität des Subjekts deklinieren die Pseudonyme Lord Auch, Georges Troppmann, Louis Trente, Dianus, Artistide l'Aveugle . . .
  Wo sie weder ausschließlich Kritik noch pure Hagiographie ist, wo sie die Subjekt-Objekt-Distanz mißachtet, wird eine Biographie selbst zur Thanatographie. (Größte Distanz/angeblich keine Distanz mehr – zwei Schreibweisen, die eine »objektiv«, von oben herab dozierend, die andere »subjektiv« und mimetisch, kaschieren nur notdürftig, was sie sind: Ideologie, affirmative Vereinnahmung.) Dem Gegenspieler weder fern genug noch allzu vertraut zu sein, wäre eine Garantie gegen seine Vereinnahmung und gleichzeitig die Prämisse, sich auf diese seine Subjektivität einlassen zu können. Denken in oder mit anderen Köpfen hat seinerseits wenn nicht den Tod, so wenigstens die irreversible Alteration des Biographen zur Folge.

»Von jetzt an lautet die Frage, nicht wie man das Leben erwerben, sondern wie man's vertun, genießen könne, oder nicht wie man das wahre Ich in sich herzustellen, sondern wie man sich aufzulösen, sich auszuleben habe.« (Max Stirner)

Wenn Grabinschriften, so Hegel, die ersten Biographien waren, dann ist Batailles Werk eine Thanatographie, der die Todesfreude die Hand geführt hat.
  Todeslust: Lebenwollen auf der Höhe des Todes, allem Seinsollen, aller Sorge um das Morgen zum Trotz. Der Tod nicht mehr länger als Antagonist des Lebens verstanden, vielmehr als sein Luxus (Verschwendung), als Bejahung des gegenwärtigen Augenblicks. Begriffe wie Todesmystik oder Thanatophilie verfehlen die äußerste Möglichkeit der Insubordination, die im Todesenthusias-

mus liegt; sie verfehlen die markanten entgrenzenden Erfahrungen des Lachens, der Wollust, der Angst oder des Sich-aufs-Spiel-Setzens: souveräne Zustände (ekstatische Ichlosigkeit, Tod des Denkens), »Simulacren des Todes« (Pierre Klossowski, 1963). »Wo der Tod sich durchsetzt«, schreibt Michel Maffesoli mit Bataille, »wird das Leben exzessiv«.

Der höchste, der letzte Gott des Philozoos Bataille: der Tod.

Was sein Werk beschreibt, glorifiziert, sind nichts als *seine* Vorläufer, *seine* Doubles, *seine* Masken. Wie ein Versprechen reicht jede extreme, nicht-subjektive Erfahrung an die äußerste Erfahrung heran . . . jene, die nicht mehr gemacht werden kann: sie reißt das Subjekt und die Möglichkeit jeglicher Erfahrung mit sich in den Abgrund.

Das Leben im Angesicht dieses Unbesiegbaren verleitet weder zu einem *begrenzten* »Engagement« noch zu fatalistischem Quietismus: es macht tollkühn, todesmutig.

Zusammendenken:
Lebe dem Augenblick!
»Für das Leben in der Gegenwart gibt es keinen Tod.« (Ludwig Wittgenstein)

. . . .

»Wenn ich mich der Einsamkeit [   ] und wenn ich, mich an meine Mitmenschen wendend, ihnen ein Buch gebe, so ist das erste Gefühl, das ich meinen eventuellen Lesern gegenüber zum Ausdruck bringen möchte, der Haß. Ich empfinde keinen Haß für jene, die weder lesen noch schreiben. Aber in dem, was *gesagt* und verstanden wird, ist das sich abspielende Tragische zu bedrückend; zudem erniedrigt jede geschriebene Vulgarität dieses abwesende Geschöpf, das wir sind, noch mehr. Der Mensch wird eine Handelsware.« (VII, 521)

»Die Welt ist nicht ich; persönlich bin ich *nichts*.« (V, 352)

»(. . .) wenn ich ein Wort hervorbringe, spiele ich das Denken der *anderen*, das, was ich zufällig an menschlicher Substanz um mich herum aufgelesen habe.« (V, 353)

»Mein Tod und ich gleiten in den Wind des Außen, wo ich mich der *Ichlosigkeit* öffne.« (V, 365)

»Im Halo des Todes, und nur da, begründet das *Ich* sein Reich (. . .).« (V, 86)

»Es geht nicht mehr darum, das komische Recht zu wahren, sich selbst zu gehören (. . .). Jenseits derer, die bereits überall die Gesamtheit der Menschen auf ihr Reich einengen, ist es möglich geworden, in der Ekstase *dem Tod* anzugehören.« (II, 212 f.)

»(. . .) ich prahle vielleicht, aber der Tod scheint mir das Lächerlichste auf der Welt zu sein. . . Nicht daß ich mich nicht vor ihm fürchte! aber wovor man sich fürchtet, darüber kann man lachen. Ich neige sogar zu dem Gedanken, daß Lachen, auf philosophischer oder paraphilosophischer Ebene, das Lachen über den Tod ist. Die menschliche Zweideutigkeit besteht darin, daß man über den Tod weint, daß man aber, wenn man lacht, nicht weiß, daß man über den Tod lacht. Denn im Grunde sollte man, da wir ja nun einmal sterben, über die Dinge, über die man lacht, eher weinen und umgekehrt. . .
  (. . .) es scheint mir so, daß es für mich zuerst darum ging, den Tod unter seinem furchtbarsten Aspekt zu verschlingen, ohne mich genug beeindrucken zu lassen, um nicht über ihn zu lachen. Es geht da wohl um etwas eindeutig Atheistisches, denn in Gegenwart eines Gottes, der ein Richter ist, kann man über den Tod nicht lachen.« (Bataille zit. nach Chapsal 1973, 31 f.)

»Ich lache über die Todesangst: sie hält mich wach!« (V, 365)

»Ein Mensch dagegen, der nicht die Kraft hat, seinem Tod einen stärkenden Wert zu verleihen, ist etwas ›Totes‹.« (I, 550)

»Die Todesfreude gegen jede Unsterblichkeit.« (II, 386)

»(. . .) an der Schwelle zur Glorie bin ich dem *Tod* in Gestalt der Nacktheit begegnet, geschmückt mit Strumpfhaltern und langen schwarzen Strümpfen. Wer kam je mit einem menschlicheren Wesen in Berührung, wer ertrug je mehr maßlose Wut: diese Wut hat mich an der Hand in meine Höllen geleitet.« (V, 294)

»Das Schweigen, Zweideutigkeit der Ekstase, ist schlimmstenfalls selbst unerreichbar. Oder – wie der Tod – einen Augenblick lang erreichbar.« (V, 242)

»(. . .) ich vermag nichts zu schreiben, das nicht wie ein Schritt auf den Tod zu wirkt. Das ist der einzige Zusammenhang hektischer Aufzeichnungen, für die es keine andere Erklärung gibt. . .« (V, 291)

> »Die Nacht ist meine Nacktheit
> die Sterne sind meine Zähne
> ich werfe mich zu den Toten
> gekleidet in weiße Sonne«
> (III, 211)

»Der Besitz der Lust (. . .) reduziert sich schnell auf den entwaffnenden Besitz des Todes. Doch den Tod kann man nicht besitzen: er enteignet.« (V, 402)

»Freude und Tod sind in der Unbeschränktheit der Gewalt miteinander vermischt.« (»Le pur bonheur.« *Gramma*, Nr. 1, 1974)

»In ihrer anfänglichen Regung ist die Liebe die Sehnsucht nach dem Tod. Doch die Sehnsucht nach dem Tod ist selbst die Regung, in der der Tod überschritten wird.« (V, 409)

»Wenn sie [sc. die Kunst] uns nicht grausamerweise einlädt, verzückt zu sterben, so hat sie zumindest die gute Eigenschaft, einen Augenblick unseres Glücks der Übereinstimmung mit dem Tod zu weihen.« (»L'art, exercice de cruauté.« *Médécine de France*, Nr. 3, 1949)

»Der düstere Damm des Todes reiht die Silben meines Namens aneinander.« (»Aphorismes.« *Arts*, Nr. 424, 1953)

»Eines Tages werde ich vollends tragisch sein, ich werde sterben: nur an jenem Tage, denn ich habe mich im voraus in sein Licht gestellt, das dem, was ich bin, seine Bedeutung verleiht. Ich habe keine andere Hoffnung.« (V, 249)

»Tatsächlich könnte die Sprache, die ich spreche, nur durch meinen Tod zum Abschluß kommen.« (V, 241)

»Es kommt vor, daß ich im Auto den plötzlichen Unfall heraufbeschwöre, der dem Sein in einem sinnlosen Augenblick ein Ende macht; das erschüttert mich nicht, ich amüsiere mich sogar darüber, und dennoch ist das der Vorstellung entgegengesetzt, die ich sonst von einem Sinn habe, mit dem ich verbunden bin. Wie könnte ich schreiben, wenn es diesen Sinn nicht gäbe, wenn ich mir nicht wenigstens sagte: ich werde mein Leben leben, um zu zeigen, daß es keinen Sinn hat außer jenen letzteren – auf gleicher Höhe mit dem Tod zu sein, und der Tod ist gerade das Gegenteil jeden möglichen Sinns! Aber die so verstandene Sinnlosigkeit ist aktiv, ist eine Intention, ein Erwachen und nicht dieses Einschlafen, nicht der Abfalleimer eines zusammenbrechenden Lebens.« (»Le journal jusqu'à la mort.« *Cr.,* Nr. 46, 1951)

»Über unserem gesamten Leben lastet der Tod. – Aber für mich hat der endgültige Tod den Sinn eines seltsamen Sieges. Er badet mich in seinem Licht, er entbindet in mir ein unendlich freudiges Lachen: das des Verschwindens.« (TE, 70)

»Mehr als nach der Frau, die ich dem Exzeß einer beängstigenden Verwirrung öffne, rufe ich nach dem Tod: wer hätte jemals anders nach ihm gerufen denn schweigend?« (IV, 366)

»Was die Existenz mit allem *übrigen* verbindet, ist der Tod: wer auch immer dem Tod ins Auge sieht, gehört keinem Zimmer, keinen Angehörigen mehr an; er gehorcht dem freien Spiel des Himmels.« (V, 283)

(Oktober 1983)

Georges Bataille um 1940

Chronik
1897—1939

Billom

Geburtshaus in Billom

1897

Die Auvergne rühmt sich, die Heimat Blaise Pascals und Teilhard de Chardins zu sein; seit den achtziger Jahren unseres Jahrhunderts schmückt sich die Gemeinde Billom (Département Puy-de-Dôme) mit dem Faktum, daß in ihrer Mitte am 10. SEPTEMBER 1897 Georges-Albert-Maurice-Victor Bataille geboren wurde.

Billom, das heute etwa viertausend Einwohner hat, war Sitz der ersten Universität der Auvergne und galt bis Mitte des 16. Jahrhunderts als bedeutendes Bildungszentrum. Stadttore, Fachwerkhäuser, Wachtturm, alter Marktplatz und die Kirche Saint-Cerneuf bezeugen die mittelalterliche Vergangenheit des Städtchens. Das Geburtshaus Georges Batailles, ein schlichtes, zweistöckiges Gebäude mit dem obligatorischen Garten auf der Rückseite, befindet sich an der Barrière Saint-Pierre, der heutigen Avenue Victor-Cohalion Nr. 31.

Das Département verdankt dem Puy de Dôme seinen Namen, der mit 1500 Metern der höchste von den ungefähr sechzig Vulkanen der Monts Dômes ist, deren vulkanische Tätigkeit zwischen vierzigtausend und achtzig Jahren vor unserer Zeitrechnung liegt. Georges Bataille wird in eine Art Mondlandschaft hineingeboren, die etwas Dämonisches hat: *Wuthering Heights,* verlegt in das Zentralmassiv.

»In der Ferne treten die ausgewaschenen Berge, die öden, kahlen Berge aus dem Schatten der Täler, der menschlichen Ordnung [*Variante:* dem menschlichen Treiben] entzogen. (. . .) Ich war ein Kind, als ich zum ersten Mal in ihnen entdeckte, was ich am meisten liebe: eine Größe, die eine Art düsteres Schweigen gebot.« (V, 295; 532)

In Batailles Vita* liest man, seine Vorfahren, aus der Ariège, dem Puy-de-Dôme und dem Cantal stammend, seien seit mehreren Generationen Bauern gewesen (cf. VII, 459): ich werde zu zeigen versuchen, was an dieser Genealogie Farce, Literatur ist und was nicht, ohne damit Bataille das Recht auf eine selbstgewählte Ahnenreihe abzusprechen, noch deren Aussagekraft unterschätzen zu wollen. Nur: das Bäuerisch-Sanguinische gehört zweifelsfrei zur Pose eines Mannes, der nicht als Intellektueller gelten will.

---

* Vollständig im Anhang des 2. Bandes der Thanatographie. – Bei einer Reihe von zuverlässigen biographischen Informationen, die mir mündlich oder schriftlich übermittelt wurden, habe ich darauf verzichtet, die jeweilige Quelle anzugeben.

Der Vater, Aristide-Joseph Bataille (Cajan 1853 – Reims 1915), im Département Ariège geboren und in dem Dorf La Garandie lebend, sei bereits vor Georges Geburt blind (fortgeschrittene tabische Optikusatrophie?) und ab 1900 paralytisch gewesen (cf. OW, 84, 297). [Fiktionalisierte Autobiographie – autobiographische Fiktion? Nach diesem Befund hätte Georges kaum eine Chance, nicht schon vor der Geburt von seinem Vater infiziert zu werden, das heißt sein Leben in der Nacht zu teilen. – Offenbar möchte er einen leibhaftigen Ödipus zum Vater haben . . . mit dem er sich so identifiziert, daß er 1960 ›Aristide l'Aveugle‹ (IV, 363) als Pseudonym von *Le mort* in Erwägung zieht.] Der Finanzbeamte Aristide-Joseph heiratet 1888 in Riom-ès-Montagnes (Cantal), der ehemaligen Hauptstadt des Herzogtums Auvergne, Marie-Antoinette Tournadre (Riom-ès-Montagnes 1868 – Paris 1930).

Georges älterer Bruder Martial (Cunlhat/Puy-de-Dôme 14. 10. 1890 – Handaye/Pyrénées-Atlantiques 20. 12. 1967) wird als Journalist beim *Figaro* debütieren, wo er zum Leiter des Ressorts Außenpolitik avanciert. Die Ehe mit seiner Frau Paule bleibt kinderlos.

Der *Index Bio-bibliographicus* (Pars C, vol. 13) weist einen Victor-Martial Bataille (1848 – Aydat 1908), Arzt und Senator des Départements Puy-de-Dôme nach, sicherlich ein Bruder von Georges' Vater, der von dem Bibliothekar Masson (1962) mit Aristide-Joseph verwechselt wird.

Während Batailles Großvater mütterlicherseits Bauer ist, begründet sein Großvater väterlicherseits, Martial-Eugène Bataille (Kingstown/Jamaica 1814 – Paris 1878), die naturwissenschaftlich-politische Linie seiner Vorfahren. (Zwischen matrilinealer und patrilinealer Aszendenz liegt der Unterschied, der den freien Agrarier vom städtischen Staatsdiener trennt.) Der Ingenieur veröffentlicht einen *Traité des machines à vapeur* (4 Bde., Paris 1847–1849; dt.: *Handbuch der Dampfmaschinen-Baukunst,* von E. M. Bataille u. C. E. Jullien, Quedlinburg u. Leipzig 1847–1850), dann die republikanische Epistel *Quelques mots du peuple français au gouvernement nouveau* (Clermont 1848), eine kleine, 35seitige Broschüre, von der Georges Kenntnis hatte. 1849 ist Victor-Martial Chef des Regimentsstabes der Pariser Nationalgarde. Seine 1851 begonnene politische Karriere beendet er 1873 mit dem Rang eines Staatsrates.

Unter den ferneren Verwandten sei nur noch Georges Batailles Neffe Michel (geb. 1926) erwähnt, der Sohn des Advokaten Antoine-Martial-Victor Bataille (Riom-ès-Montagnes 1887 – Neuilly-sur-Seine 1975) und seiner Frau Marie-Simone-Geneviève Rocca. Zu Georges in vertrauter und herzlicher Beziehung stehend, wird Michel im Alter von einundzwanzig Jahren als Schriftsteller hervortreten, und manche Titel seiner Bücher erinnern an diejenigen seines Onkels (*Le feu du ciel*, 1964; *Gilles de Rais*, 1967).

1900

Um die Jahrhundertwende läßt sich die Familie in Reims, 69ter Faubourg de Cérès, nieder.

In der Vorstadt »hörte [er] voller Angst das Klagen der Lämmer, denen der Metzger vor dem Haus die Kehle durchschnitt« (Masson zit. nach Clébert, p. 62), erlebt er mit Schrecken, wie den Kaninchen das Fell abgezogen wird (cf. II, 427).

Die Eindrücke, die Straßenbahnen, grobschlächtige Kellereiarbeiter (Champagner-Industrie), Fabrikschornsteine dem Provinzler vermitteln, sind eher Gegenstand seiner Alpträume – etwas Bedrückkenderes als etwa die bombastische, geschichtsträchtige Kathedrale Notre-Dame.

Seinen Vater apostrophiert Bataille abwechselnd als »Vogelscheuche«, »Ödipusgesicht« oder »Blaubart«. Eine Person, der er ambivalente Gefühle entgegenbringt, denn einerseits wird er den Namen des Vaters nie nennen, andererseits erklärt er:»Im Gegensatz zu den meisten Knaben, die ihre Mutter lieben, liebte ich meinen Vater . . .« (OW, 351) Diese Zuneigung scheint wechselseitig gewesen zu sein, aber der Sohn deutet die Zärtlichkeiten des Vaters als (homosexuelle?) Lüsternheit, die ihn ängstigt. In einem Traumprotokoll, 1926/27 abgefaßt, schreibt er:

»Die Schrecken der Kindheit, Spinnen etc. verbunden mit der Erinnerung, auf den Knien meines Vaters die Hosen ausgezogen zu bekommen.
Eine Art Ambivalenz zwischen dem Furchtbarsten und dem Herrlichsten.

Ich sehe, wie er mit einem boshaften, blinden Lächeln obszöne Hände über mich breitet. Diese Erinnerung scheint mir die furchtbarste von allen zu sein.« (II, 10)

Zu dieser Zeit wird Aristide – Joseph zum Pflegefall, die Paralyse macht ihn endgültig zum Krüppel.

»Mein Vater, blind, eingesunkene Augen, eine lange schmale Vogelnase, Schmerzensschreie, langes stummes Gelächter (. . .). (. . .) ich zittere, daß ich während meiner ganzen Kindheit diesen unfreiwilligen, beängstigenden Asketen vor Augen hatte!« (V, 257)

»Mein Vater war syphiliskrank (tabische Syphilis). (. . .) als ich zwei oder drei Jahre alt war, lähmte die Krankheit ihn. Als kleines Kind betete ich diesen Vater an. Nun führten die Lähmungen und die Blindheit unter anderem dazu, daß er nicht wie wir zur Toilette gehen konnte: er mußte sein Wasser im Sessel sitzend lassen und hatte ein Gefäß dafür. Er pinkelte vor mir, unter einer Decke, die er, da er blind war, nicht richtig über sich breitete. Doch das Peinlichste war, wie er dabei blickte. Obwohl er nichts sah, verlor sich seine Pupille des Nachts unter dem oberen Augenlid: es war die gleiche Verdrehung der Augen, die sich gewöhnlich bei der Paarung vollzieht. Er hatte große, weit geöffnete Augen in einem abgezehrten Gesicht, das an einen Adlerschnabel erinnerte. Meist wurden diese Augen, wenn er Wasser ließ, nahezu weiß; sie drückten dann Verwirrung aus; sie hatten nur eine Welt zum Ziel, die er allein sehen konnte und deren Anblick ihm ein abwesendes Lächeln entlockte.« (OW, 84)

Ein angsterfüllter, stets wiederkehrender Traum konkretisiert Batailles kindliche Schrecken:

»Die Erinnerung, daß ich mit meinem Vater in den Keller gestiegen bin: gewiß die älteste meiner Erinnerungen. Falsche Erinnerung? mein Vater war blind, dennoch ging er in den Keller; mit zweieinhalb, drei Jahren konnte ich ihn führen. Wir holten Wein. Der Keller in Reims war tief; man erreichte ihn über Stufen und Gänge à la Piranesi: ich erinnere mich, daß ich an der Tür vor Angst zitterte.

Blitzableiter: in der Angst, unter einem grauen Himmel den Blitz herausfordernd; in dem Haus, in dem ich in Reims wohnte, eine der Stellen, mit dem Keller, an denen sich meine Angst verdichtete.

Mein Vater durchsuchte den Keller, aber da er paralytisch geworden war, hatte er sich in ein erloschenes Licht verwandelt.« (1943: V, 555)

Georges mit seinem Vater und seinem Bruder Martial

Der Zehnjährige in Riom-ès-Montagnes.
»Das unbestimmte Wesen des Kindes, in das wir eingetreten sind und das wir nun verlassen haben. Dieses ›Sein‹, das einst den Abzählreim *Pomme de reinette et pomme d'api* sang – noch heute höre ich es singen. Das ist seine Kontinuität . . . Die Kontinuität der Wesen ist zweifellos im Verhalten des Kindes gegeben, das die Existenz der anderen nicht deduziert, sondern per Kommunikation ganz und gar von ihr weiß: es erkennt seinesgleichen indem es *lacht*!« Bataille, Notiz zu *Sur Nietzsche*

Das Haus seines Großvaters in Riom-ès-Montagnes

1903–1912

Als Georges Bataille das Gymnasium in Reims besucht, bestimmen Trommel, unwirtliche Klassenzimmer, Uniform (Schirmmütze und marineblauer Anzug), Ausflüge in Reih und Glied den Schulalltag der Knaben. Jean Vigo vermittelt in seinem Film *Zéro de conduite* (1933 realisiert, aber bis 1945 indiziert, da sich das napoleonische Schulsystem bis dahin halten sollte) einen Eindruck von der autoritären, verknöcherten Ordnung, die in den damaligen Bildungsanstalten herrschte.

».. . ich brachte den ganzen Unterricht damit zu, mit meinem Federhalter den Anzug meines Vordermanns mit Tinte zu beschmieren. Ich kann mich heute nicht über das Gefühl täuschen, das mich anregte. Das Ärgernis, das sich daraus ergab, unterbrach die aller*geschmackloseste* Glückseligkeit. Später betrieb ich das Zeichnen auf weniger ungestattete Weise, indem ich rastlos mehr oder weniger komische Profile ersann, aber das geschah nicht zu jeder beliebigen Zeit, noch auf beliebigem Papier.« (I, 252)

So beschreibt Bataille seinen destruktiven Weg der Selbstbestätigung als Schüler. In der Pubertät wird sein Widerstand gegen das Pensum, genauer: das Diktat manifest.

»Mit dreizehn (?) Jahren fragte ich jedoch einen Kameraden, wer beim Lernen der Faulste war: ich; aber vom ganzen Gymnasium – wieder ich. In dieser Zeit machte ich mir das Leben schwer, *da ich im Diktatschreiben versagte*. Die ersten Worte des Lehrers bildeten sich willig unter meiner Feder. Ich sehe mein Kinderheft wieder vor mir: ich beschränkte mich rasch aufs Kritzeln (ich tat so, als schriebe ich). Bei Tagesanbruch konnte ich keine Schulaufgabe machen, von der ich den Text nicht gehört hatte: unter verstärkten Bestrafungen machte ich lange das Martyrium der Gleichgültigkeit durch.« (V, 210)

Im DEZEMBER 1912 erklärt er seinen Eltern, daß er nie wieder einen Fuß ins Gymnasium setzen würde. Der Vater hält seinem Trotz das Diktum »Arbeit macht frei« (V, 341) entgegen, aber »kein Zornausbruch konnte meinen Entschluß ändern: ich lebte für mich allein, ging nur selten durch die Felder und mied das Zentrum des Ortes, wo ich Schulkameraden hätte treffen können« (OW, 298).

Wenn ich meine persönlichen Erinnerungen berücksichtige, scheint es so, daß, seit dem Auftauchen diverser Dinge der Welt im Verlauf der frühen Kindheit, für unsere Generation die Formen erschreckender Architektur viel weniger die Kirchen waren, selbst die abstoßendsten nicht, als gewisse große Fabrikschornsteine, echte Verbindungsrohre zwischen dem düster-schmutzigen Himmel und der schlammigen stinkenden Erde der Spinnerei- und Färbereiviertel.

Heute, da erbärmliche Ästheten platterweise die Schönheit *der Fabriken erfinden, um ihre bleichsüchtige Bewunderung anzubringen, scheint mir die trostlose Schmutzigkeit dieser riesigen Tentakel um so ekelhafter; die Pfützen zu ihren Füßen bei Regen, im unbebauten Gelände, der schwarze Rauch, der zur Hälfte vom Wind herabgedrückt wird, die Schlackenberge sind wohl die einzig möglichen Attribute dieser Götter eines Kloaken-Olymps, und ich litt nicht an Halluzinationen, als ich ein Kind war und mein Schrecken mich in meinen riesigen Schreckgespenstern – die mich bis zur Angst faszinierten und manchmal auch vertrieben, so daß ich lief, was ich konnte – die Gegenwart einer furchtbaren Wut erkennen ließ, einer Wut, die, konnte ich es ahnen, später meine eigene werden würde: allem, was sich in meinem Kopf beschmutzte, eine Bedeutung zu verleihen und zugleich allem, was in zivilisierten Staaten gleich einem Kadaver in einem Alptraum auftaucht. (I, 206)*

1913

Im Januar 1913 wird er wegen schlechter Leistungen praktisch von der Schule geworfen, so daß er bis OKTOBER untätig zu Hause bleibt (cf. VII, 459).
Einige Monate darauf kulminiert die Krankheit seines Vaters.

»Eines Nachts wurden meine Mutter und ich von einer Rede geweckt, die der Kranke in seinem Zimmer brüllend hielt: er war plötzlich wahnsinnig geworden. Der Arzt, den ich gerufen hatte, kam sehr rasch. In seinem Redefluß malte sich mein Vater die glücklichsten Erlebnisse aus. Als der Arzt sich mit meiner Mutter ins Nebenzimmer zurückgezogen hatte, schrie der Wahnsinnige mit Stentorstimme:
›SAG BESCHEID, DOKTOR, WENN DU MEINE FRAU ZU ENDE GEVÖGELT HAST!‹ Er lachte. Dieser Satz, der die Wirkung einer strengen Erziehung zunichte machte, löste bei mir eine schreckliche Heiterkeit aus, und unbewußt nahm ich die beständige Verpflichtung auf mich, in meinem Leben und meinen Gedanken entsprechende Vorgänge aufzuspüren.« (OW, 85 f.)
»Als mein Vater (. . .) wahnsinnig wurde, hatte meine Mutter mich am Morgen nach einer von Gesichten erfüllten Nacht geschickt, ein Telegramm auf der Post aufzugeben. Ich erinnere mich, wie ich auf dem Weg dorthin von einem schrecklichen Stolz ergriffen wurde. Während das Unglück mich überwältigte, sagte mir meine innere Ironie: ›Ein solches Grauen macht dich zum Auserwählten.‹« (OW, 297 f.)

»Damals begann ich dunkel die Schreie, die seine stechenden Schmerzen ihm entrissen, zu genießen . . . « (OW, 351) Aussage, die dem Vater Qualitäten des Numinosen verleiht. Eine Art Paroxysmus verwandelt den Schmerz, den Schrecken, die dramatischen, abstoßenden Ereignisse bei Bataille in Heiterkeit, provoziert einen Zustand der Trance, ja Wollust (ein affektives Muster, das sich für ihn als charakteristisch erweisen wird).
Zuvor hat ein Umschlagen seiner Gefühle für den Vater stattgefunden, das, kurz gesagt, eine Entthronung der väterlichen Autorität zur Folge hat. Das Faktum der Demenz, in welcher der Garant der Moral, der Vater, sich entblößt, kann für den Sohn nur eine weitere Erleichterung und zugleich eine Bestätigung seines erfolgten Gefühlsumschwungs sein.

»Während meiner Pubertät verwandelte sich meine Zuneigung zu meinem Vater in eine unbewußte Aversion. Ich litt weniger unter den Schreien, die ihm die stechenden Tabes-Schmerzen unablässig entrissen (die Ärzte zählen sie zu den grausamsten Schmerzen überhaupt). Der übelriechende Schmutz, in dem zu leben ihn seine Gebrechen zwangen (es kam vor, daß er sich mit Kot beschmutzte), war es auch nicht, was mich damals quälte. In allem machte ich mir die Haltung oder Meinung zu eigen, die der seinen entgegengesetzt war.« (OW, 85)

»Was mich mehr bedrückt: daß ich meinen Vater viele Male habe scheißen sehen. Er stieg aus seinem Bett (. . .). Er kletterte mühselig hinaus (ich half ihm), setzte sich auf ein Gefäß, im Hemd, meist trug er eine Baumwollmütze (er hatte einen grauen Spitzbart, der schlecht gepflegt war, eine große Adlernase und ungeheure Augenhöhlen, die starr ins Leere blickten). Es kam vor, daß seine ›stechenden Schmerzen‹ ihm einen tierischen Schrei entrissen und sein angewinkeltes Bein, das er vergeblich mit den Armen festzuhalten suchte, in die Höhe schnellen ließen.« (OW, 296 f.)

»Einige Wochen nach dem Wahnsinnsanfall meines Vaters verlor meine Mutter nach einer häßlichen Szene, die ihr meine Großmutter in meiner Gegenwart machte, ihrerseits den Verstand. Lange Zeit verbrachte sie im Zustand der Melancholie. Die Vorstellungen ewiger Verdammnis, die sie beherrschten, ärgerten mich um so mehr, als ich gezwungen war, sie ständig zu beaufsichtigen. Ihr Delirium erschreckte mich so sehr, daß ich eines Nachts zwei schwere Kerzenleuchter mit einem Marmorfuß vom Kaminsims entfernte: ich hatte Angst, sie würde mich, während ich schlief, damit erschlagen. Es kam so weit, daß ich sie schlug und ihr, am Ende meiner Geduld, in meiner Verzweiflung die Handgelenke verdrehte, um sie zu zwingen, Vernunft anzunehmen.

Eines Tages nutzte meine Mutter einen Moment aus, als ich ihr den Rücken gekehrt hatte, und verschwand. Wir haben sie lange gesucht; mein Bruder fand sie gerade noch rechtzeitig: sie hatte sich auf dem Boden aufgeknüpft. Allerdings kehrte sie dennoch ins Leben zurück.

Sie verschwand ein zweites Mal: ich mußte sie endlos suchen, am Ufer eines Baches, in dem sie sich hätte ertränken können. Im Laufschritt durchquerte ich das sumpfige Gelände. Schließlich erblickte ich sie vor mir auf einem Weg: sie war bis zum Gürtel durchnäßt, und aus ihrem Rock rieselte das Wasser des Baches. Sie war freiwillig aus dem eisigen Wasser herausgekommen (es war mitten im Winter); der Bach war an dieser Stelle zu flach, um sich zu ertränken.« (OW, 86 f.)

Inzwischen hat Georges Bataille das ›irre Haus‹ verlassen und ist im Herbst 1913 aus freiem Entschluß als Pensionär in das Collège von Épernay (Marne) nahe Paris eingetreten. Dort entwickelt er sich zum »guten Schüler«. (Cf. VII, 458)

»Sogar vor Ende meiner Schulzeit habe ich die Philosophie mit dem Sinn meines Lebens verknüpft. Zweifellos so, wie man es in diesem Alter tun kann . . . Doch dieser wesentliche Entschluß, der mich zu Fachstudien hätte hinlenken müssen, hat mich von Anfang an von ihnen abgehalten.« (VIII, 562)

1914–1915

Der Ausbruch des Weltkriegs koinzidiert mit Batailles Konversion. Unter dem Schutz der Kathedrale von Reims habe er wieder das von Gott geschenkte Leben und die Freude genießen können (cf. I, 614), wird er mit der Inbrunst des Neophyten schreiben.

Die Wortwahl »j'étais *rené* à la vie et à la joie« (wieder zum Leben und zur Freude erweckt werden) scheint der Intensität, der Gewichtigkeit dieses Ereignisses angemessen, das er als Wiedergeburt empfindet.

»Mein Vater war irreligiös (. . .). In der Pubertät war auch ich irreligiös gewesen (meine Mutter war gleichgültig). Aber im August 1914 hatte ich einen Priester aufgesucht, und bis 1920 verging selten eine Woche, ohne daß ich meine Sünden beichtete.« (OW, 298)

Mit dem Vorrücken der deutschen Truppen schließt sich Georges (sein Bruder verteidigt als Jagdflieger Frankreich) im August 1914 mit seiner Mutter der flüchtenden Reimser Bevölkerung an. Den Kranken lassen sie mit einer Aufwartefrau und etwas Geld zurück (cf. OW, 297; V, 504). Ein Mann in einem abgerissenen Sessel, vor Schmerz schreiend und zappelnd, das sollte das letzte Bild von seinem Vater sein.

Das Im-Stich-Lassen des Vaters muß als Konsequenz seines Eintritts in den ›Schoß der Mutter Kirche‹ verstanden werden. Der Entscheidung für die Mutter korreliert diejenige gegen den Vater und den Krieg *(bataille)*, dessen Inbegriff der väterliche Name ist. Jahrzehnte später wird Bataille diese Deutung bestätigen:

»Meine Frömmigkeit ist nur ein Fluchtversuch: um jeden Preis wollte ich dem Schicksal ausweichen, ich verließ meinen Vater. (. . .) Niemand auf Erden oder im Himmel hat einen Gedanken an die Angst meines im Todeskampf liegenden Vaters verschwendet. Doch glaube ich, daß er sich, wie immer, gestellt hat. Was für ein ›schrecklicher Stolz‹ lag zuweilen in Papas blindem Lächeln!« (OW, 298)

Bis zum 24. August liest der Kardinal Luçon in Notre-Dame de Reims die Messe für die Armee, für La France (cf. I, 612 f.).

Am 4. September okkupieren die Deutschen Reims, das die französischen Truppen geräumt hatten. Um sich der Neutralität der Bevölkerung zu versichern, plakatieren die Besetzer am 12. September eine Liste der Reimser Geiseln nebst eines Aufrufs zur Ruhe; der erste Name auf jener Liste ist ein Bataille (cf. Landrieux, p. 207). – Bevor der französisch-britische Gegenstoß an der Marne die Deutschen zum Rückzug zwingt, bombardieren sie am 19. SEPTEMBER die Stadt fast bis zur völligen Zerstörung und setzen die Kathedrale in Brand.

Georges hat sich mit seiner Mutter nach Riom-ès-Montagnes (Cantal), dem Heimatort von Marie-Antoinette geflüchtet. Im ›Mutterland‹ beherbergt sie das Haus seines Großvaters mütterlicherseits, direkt neben der Kirche der Ortschaft (das stattliche Haus wird später von der Fondation nationale des volcans d'Auvergne gekauft und als Musée de la Gentiane genutzt). Riom-ès-Montagnes, das ist vulkanisches Gebiet, in 842 Metern Höhe ins Zentralmassiv eingebettet.

Nachdem die Deutschen Reims geräumt haben, will Georges zurückkehren, doch seine Mutter, »die den Gedanken daran nicht ertragen konnte, wurde wahnsinnig. Gegen Ende des Jahres genas sie: sie weigerte sich, mich nach N. [*lies*: Reims] zurückkehren zu lassen. Nur selten erhielten wir Briefe von meinem Vater. Er faselte nur noch« (OW, 297).

Bataille schließt im etwa 70 km entfernten Clermont-Ferrand, der historischen Hauptstadt der Auvergne, seine Gymnasialzeit ab.* Er besucht dort das Gymnasium Blaise Pascal, ein aus Lava errichtetes Gebäude, »schwarz, nüchtern, in meinen Augen mit einem inneren Reiz geschmückt, ein Abbild des harten und dominierenden Besitzes« (V, 533). Aus materiellen und zeitlichen Gründen geht er vorzeitig von der Schule ab, ohne die Reifeprüfung abzulegen.

Während seines Aufenthalts in Clermont-Ferrand fährt er einmal nahe an La Garandie, dem ehemaligen Wohnort seines Vaters vorbei: ». . . ein Dorf (. . .) auf dem Abhang eines Kraters angelegt, ohne Bäume, ohne Kirche, eine einfache Anhäufung von Häusern in einer dämonischen Landschaft.« (V, 533 f.)

Im November 1915 erfahren Georges und seine Mutter, daß Aristide-Joseph im Sterben liege. (Cf. IV, 389)

»Mein Vater ist am 6. November 1915 in einer bombardierten Stadt, vier oder fünf Kilometer von den deutschen Linien entfernt, einsam und verlassen gestorben. (. . .)

Er starb einige Tage vor unserer Ankunft – er hatte nach seinen

---

* Henri Bergson trug bei der Preisverleihung – der traditionellen Auszeichnung der besten Abiturienten – im August 1885 am Lycée von Clermont-Ferrand den *Discours sur la politesse* vor.

Riom-ès-Montagnes

Die Kathedrale von Reims

Der Achtzehnjährige

Der Jugendliche

Georges um 1916 in Uniform

Kindern verlangt: als wir kamen, stand ein zugeschraubter Sarg im Zimmer.« (OW, 297) Der Sterbende hatte den Beistand eines Priesters abgelehnt.

(Bataille wird nie wieder etwas von diesen Familien-Interna veröffentlichen – auch seine Vita aus den fünfziger Jahren übergeht sämtliche familiären Details –, aber dafür schlägt sich sein Schuldgefühl gegenüber dem Vater in seinem Tagebuch nieder, das er während des nächsten Krieges schreiben wird, der Grundlage von *Le coupable* . . . In dem posthum erschienenen Alterswerk *Ma mère* betont er zwar das Moment der Befreiung nach dem Tode des Vaters, aber nur, um einen Ödipus und eine »Transgression post mortem« vorzuführen: seine affektiv-sinnlichen Regungen gegenüber seiner Mutter vermag er sich erst nach deren Tod einzugestehen.) Reims ähnelt indes einer Ruine, einer Wüste, einem Leichenberg. (Cf. I, 614 f.)

1916–1917

Von Januar 1916 an leistet Bataille in der Bretagne seinen Wehrdienst ab, wobei er jedoch nur mit Truppenübungsplätzen und den Lazaretten der Marschunfähigen Bekanntschaft macht (cf. Bisiaux).

Die Mehrzahl der gleichaltrigen Zeitgenossen war traditionalistisch, nationalistisch, sportbegeistert und hatte in Maurice Barrès, Charles Péguy, Henri Bergson oder Ernst Psichari ihre Fürsprecher. Batailles Haltung dagegen muß defätistisch genannt werden. In diesen Jahren

» . . . war der unerbittliche Krieg für mich der einzig mögliche Horizont geworden, ein hoffnungslos geschlossener Horizont. Das Schicksal machte aus mir – mit achtzehn Jahren – nur einen kranken Soldaten, der sich täglich unter älteren Verwundeten und Kranken die Hölle ausmalte, der er versprochen blieb. Ich gab mich in diesem Augenblick nicht mit langen Betrachtungen über die politischen Ursachen oder Konsequenzen ab. Ich empfand Ekel vor dem Gebrauch großer Worte, großer Prinzipien um mich herum und in den Zeitungen: ich zweifelte nicht mehr daran, daß ein Soldat

dem, was ihm an Leben blieb, nur einen Sinn geben konnte, nämlich denjenigen, den ein Gladiator finden konnte (zu finden Gefahr lief), wenn er seinen Tod der Menge anbot, die ihn wünschte. In diesem Augenblick machte ich regelmäßig Aufzeichnungen, die ich mit traurigem Stolz *Ave Caesar* betitelte . . . Aber mein Leben, wie das der Soldaten, unter denen ich lebte, schien mir in einer Art Apokalypse eingeschlossen, die fern war und dennoch zwischen den Krankenhausbetten gegenwärtig. In dieser Vorstellung, in der Recht und Gerechtigkeit tote Worte waren, herrschte einzig der KRIEG, drückend und blind, er genau, er allein, der Blut forderte wie der in den Rängen der Arena sitzende Cäsar. In der Finsternis jener Zeit suchte und suchte ich: ich fand nur eine tote Nacht, eine menschliche Abwesenheit, die zum Schreien waren vor Angst. Wenn ich irgendeinen nahe bevorstehenden Abmarsch ins Auge faßte, war ich nicht feindselig gestimmt, sondern wurde schmerzlich angezogen; ich liebte, aber nicht den Kampf, ich liebte die übermäßige Angst.
Dieses Elend lehrte mich die maßlose Ironie, den in die Augen springenden Nonsens: die Bresche eröffnete den Zugang zur moralischen Roheit, zur *Apotheose*.« (VII, 523 f.)

Genau nach einem Jahr wird er, der schwer erkrankt war, als dienstuntauglich demobilisiert (cf. VII, 459).

In Riom-ès-Montagnes bereitet er sich als Externer auf das Philosophie-Examen vor, d. h. auf das Abitur im sprachlichen Zweig.

»Zufällig, zuerst mangels Geld, dann mangels Zeit, habe ich auf der höheren Schule keine Philosophieklasse besucht.« (VIII, 562) » . . . ich lernte das unbedingt Notwendige, hastig, aus einem in grünes Leinen gebundenen Lehrbuch.« (VI, 416)
»Zweifelt seit 1914 nicht, daß seine Sache in dieser Welt das Schreiben ist, insbesondere die Entwicklung einer paradoxen Philosophie.« (VII, 459)

»Doch auf wohlerwogene Weise beschloß ich, kein Philosophie-Spezialist zu werden«. (VIII, 562) Denn Batailles Faszination gilt noch immer der Religion. Sein Jugendfreund, Dr. Georges Delteil, erinnert sich, daß Georges Bataille mit zwanzig Jahren das Leben eines Heiligen führte, bestimmt von Studien und Meditation. Im Haus seines Großvaters suchte er die Zurückgezogenheit. In seine Gebete vertieft, ließ er sich eines Abends versehentlich in der Kirche des Ortes einschließen. (Cf. Delteil, p. 675)
Angezogen vom mönchischen Leben möchte er nach dem Abitur ins Seminar von Saint-Flour (Cantal) eintreten, wo sich seine Absicht jedoch in Gesprächen mit dem Kanoniker Salièze erschöpft. (Cf. VII, 459)

Batailles Bruder Martial um 1945   Georges um 1916 in Uniform

Priesterseminar von Saint-Flour

Kirche von Riom-ès-Montagnes

Ruinen des Schlosses von Apchon

1918—1919

Während des Sommers 1918 hält er sich abermals in Riom-ès-Montagnes auf. Dabei besichtigt er die Ruinen des Schlosses von Apchon in der Umgebung:

»Eines Tages kam mir die Idee, in der Nacht jene Ruine zu besuchen. Sittsame junge Mädchen und meine Mutter schlossen sich mir an (eines der Mädchen liebte ich, und sie liebte mich, aber wir hatten uns nie ausgesprochen: sie war eine der Frömmsten, und da sie fürchtete, Gott werde sie nicht zu sich rufen, wollte sie im Gebet verharren). Es war eine finstere Nacht. Nach einer Stunde Weges erreichten wir das Ziel. Wir kletterten gerade die steilen Hänge hinauf, über denen die Burgmauern aufragen, als ein weißes, leuchtendes Gespenst aus einem Winkel der Felsen hervortrat und uns den Weg versperrte. (. . .) Von Anfang an überzeugt, daß es sich um einen Scherz handelte, wurde ich gleichwohl von unleugbarem Schrekken ergriffen. Ich ging auf die Erscheinung zu und schrie sie an, sie möge die albernen Späße unterlassen, aber die Kehle war mir wie zugeschnürt. Die Erscheinung löste sich auf: ich sah meinen älteren Bruder davonlaufen. Zusammen mit einem Freund war er uns auf dem Fahrrad vorausgefahren und hatte uns Angst eingejagt . . . « (OW, 82 f.)

(Eine Episode, geeignet, die Naivität des Zwanzigjährigen zu illustrieren.) Seine übrigen Ferienvergnügungen bestehen in: Angeln auf dem großväterlichen Teich, Besorgung kleiner Aufträge für den alten Tournadre (wobei er sich des bäuerischen Feilschens als fähig erweist) sowie in einer nicht verwirklichten Lust, die Spießer, deren Ansehen er genießt, zu provozieren – sei es auch nur habituell. (Cf. Delteil, p. 676)

Daneben frequentiert er in Saint-Flour die Institution de la Présentation de Marie, eine höhere Schule, die die Zöglinge von der Sexta an zum Abitur führt. Bataille taucht in dieser Lehranstalt zu Gesprächen mit den dort unterrichtenden Mönchen auf, unter ihnen der Kanoniker Rouchy.

Während dieser Zeit schreibt er den Traktat *Notre-Dame de Rheims* (I, 611—616), der vermutlich im gleichen Jahr als sechsseitige Broschüre erscheint, gedruckt auf den Pressen des *Courrier d'Auvergne* in Saint-Flour.

Bei der jährlichen Auszeichnung der besten Schüler der Institution de la Présentation, im Rahmen einer Feier mit Lehrern und Eltern, trägt Bataille *Notre-Dame de Rheims* vor. (Gewiß auf Einladung, aber kann man diesen Vortrag nicht als frühe Äußerung seines Bekenntnis- und Bekehrungseifers verstehen, der für das Amt des Priesters oder Politikers prädestinierte – von dem schlichten Bedürfnis nach Auszeichnung, nach Kommunikation einmal abgesehen?) Der Autor, der alles Geplante und je Geschriebene – ganz gleich, ob aufbewahrt, publiziert oder nicht – nicht zu erwähnen versäumt, wird sich nie zu seinem ersten Werk bekennen, das erst in den siebziger Jahren in Saint-Flour wiederentdeckt wurde. (Nach der Lektüre von *Notre-Dame de Rheims* wird klar, was Bataille am meisten beschämte: die inbrünstige Frömmigkeit dieser Schrift, ihr pastoraler Ton, die naive Affirmation der Werte der katholischen Kirche.)

Eine ebenso reaktionäre und patriotische wie christliche Schrift, adressiert an »junge Leute der Haute-Auvergne«. In ihr nimmt Bataille die partielle Zerstörung der mittelalterlichen Kathedrale Notre-Dame zum Anlaß einer Friedensbotschaft, eines Appells zur Frömmigkeit, einer Hymne an das Monument als architektonischer Manifestation der Kontinuität, des Guten, der Jugend und des Glaubens (= These). Der mit dem zeitgenössischen Materialismus zusammenhängende Krieg zerstört mit der Kathedrale die durch sie symbolisierten Werte (= Antithese). Batailles ›Message‹ besteht in der Ermahnung zur ›Negation der Negation‹ der Kathedrale, zur Wiederherstellung der Kontinuität und des Glaubens (= Synthese). (Cf. Hollier 1974a, 46) Auffallend ist der Exzeß weiblicher oder mütterlicher Werte in Batailles Text: die Mutter, der Tod (*la mort*), Jeanne d'Arc, la France, Notre-Dame de Rheims, die Kathedrale, die Jungfrau Maria, der Glaube (*la foi*), der Krieg (*la guerre*). Biographisch koinzidiert seine Flucht vor dem Krieg mit der Flucht vor dem Vater, ein Faktum, das in den knappen Kriegserinnerungen in *Notre-Dame de Rheims* übergangen wird: diese pazifistische Schrift verneint mit dem Krieg zugleich den väterlichen Namen, indem sie ihn ausläßt.

(Die erste und ausführlichste Untersuchung zu diesem Erstlingswerk Batailles hat Denis Hollier vorgelegt. In seinen »Essays über Georges Bataille«, *La prise de la Concorde,* appliziert er die Hypothese, daß jeder Autor sein Leben lang ein einziges Buch schreibe, auf Bataille: sein ganzes *œuvre* sei ein Noch-einmal-Schreiben des Ausgangstextes *Notre-Dame de Rheims,* jedoch mit umgekehrten Intentionen, nämlich um das ideologische System, das die Architektur stützt und symbolisiert, bloßzulegen. Bataille praktiziere das Schreiben fortan als anti-konstruktive, anti-architekturale Geste zwecks Unterminierung oder Dekonstruktion sämtlicher Monumente. – Ihres Modus und der schlüssigen Argumentation wegen möchte ich auf Holliers Studien verweisen, selbst wenn dessen These – wie jede andere – die Notzüchtigung der Batailleschen Texte, an denen sie erprobt wird, nicht immer vermeidet und die gesehene Kontinuität des Werkes, sei es als Idee oder als Fund, der Originalität entbehrt. Das Bataille als Methode unterstellte Nivellieren sollte den Kommentator nicht seinerseits zum Abbruchunternehmer machen, der mit dem Hammer der Ideologie, der Geschichte oder des Unbewußten komplexe Texte auf die Maße seiner These reduziert.)

Im November 1918 tritt Bataille in die École Nationale des Chartes (19, rue de la Sorbonne, Paris 5ᵉ) ein. Diese seit 1821 bestehende Fachschule bildet zum Archivar-Paläographen aus.

In Paris logiert er in einem Studentenzimmer an der Ecke Place Saint-Sulpice/Rue Bonaparte im 7. Arrondissement. (Bataille wird stets diesen Stadtbezirk im Schatten der Kirche Saint-Sulpice, dem Schauplatz von Huysmans Roman *Là-bas*, als Wohngegend bevorzugen.)

Ein Schulkamerad bezeichnet den Weihrauchgeruch, der Bataille damals anhaftete, als »romantischen Mystizismus«:

»Er war in die École des Chartes eingetreten, weil er sich in das Mittelalter vernarrt hatte, das er bei seinen Besuchen der Kathedrale von Reims und während der Lektüre der *Chevalerie* von Léon Gautier* kennengelernt hatte. Die Aufnahmeprüfung hatte er in der Geistesverfassung eines Ritters am Vorabend des ›Ritterschlags‹ vorbereitet. Begeistert von verbalen Forschungen und voller Verachtung für klassische Satzkonstruktionen, schwelgte er in halbbarbarischen Worten, die den Übergang vom Lateinischen zum Französischen bilden. Das Klagelied der Heiligen Eulalia war die rituelle Inkantation zu seinen Textvorbereitungen, und er rezitierte ekstatisch, mit dumpfer Stimme die langen Aufzählungen der Philologiestunde, die sein unfehlbares Gedächtnis mühelos speicherte. Sein Lieblingsbuch in jenem ersten Jahr an der École des Chartes war *Le Latin mystique* von Rémy de Gourmont.« (Masson 1962, 475)

Vom Klagelied der spanischen Märtyrerin Eulalia ist es nicht weit zu den Dichtern des Antiphonars, die Rémy de Gourmont (1858–1915) in Textbeispielen vorstellt. *Le Latin mystique. – Les poètes de l'antiphonaire et la symbolique au moyen âge*, Préface de J. K. Huysmans, Paris 1892, gräbt mit der Leidenschaft der Verehrung Asketen, Mönche, Märtyrer und Priester des 3.–18. Jahrhun-

---

* Paris 1884. Gautier, der auch unter dem Pseudonym Christian Defrance publizierte, war Lehrer an der École des Chartes. (B. M.)

derts aus, die als Dichter unbekannt blieben und von der Kirche ignoriert wurden, während ihre Verse durch mündliche Überlieferung eine gewisse Popularität erreichten: Claudius Mamertus (Claudianus), Odo von Cluny, Petrus Damiani, Marbod von Rennes, Bernhard von Clairvaux, Adam von Saint-Victor, Thomas von Aquino, Thomas von Kempen et al.

Von Huysmans *(A rebours)* über Bloy *(Belluaires et Porchers)* bis hin zu Hugo Ball *(Die Flucht aus der Zeit)* gelobt, dürften Bataille nicht zuletzt die grausamen und erotischen Themen dieser Dichtungen fasziniert haben. (Das *Latin mystique* zeigt den Gelehrten und verbirgt den Décadent Gourmont, dessen belletristisches Werk von sadistisch-sakrilegischen Motiven beherrscht wird. Dort profaniert der Ungläubige religiöse oder mystische Texte, parodiert die Gläubigkeit und bedient sich ihrer als Stimulans einer morbiden Sensualität. Von daher läßt sich seine Liebe zum Kirchenlatein als pure Exzentrizität verstehen.)

1920–1921

Die tief Verwundeten haben das olympische Lachen; man hat nur, was man nötig hat.
Nietzsche, 1888

Das verehrende Herz zerbrechen, als man *am festesten gebunden* ist. Der freie Geist. Unabhängigkeit. Zeit der Wüste. Kritik alles Verehrten (Idealisierung des Unverehrten), Versuch umgekehrter Schätzungen.
Nietzsche, 1884

Von Geschichtsstudien eingenommen, ist der Chartist regelmäßig Primus seines Jahrgangs. Die ›Berufung‹ zur Schriftstellerei, bezie-

NOTRE-DAME DE RHEIMS

PAR GEORGES BATAILLE

de Riom-en-montagne

1914 .. REIMS — Après le bombardement
Intérieur de la Cathédrale

REIMS — After the bombardment
Interior of the Cathedral

Umschlag der Broschüre *Notre-Dame de Rheims*, 1918

Quarr Abbey, Isle of Wight

Tod des Toreros Manolo Granero, Madrid 1922

hungsweise zum Philosophieren, manifestiert sich allerdings nicht in gezielten Lektüren (wie Nietzsche sollte Bataille auch künftig natur-wissenschaftliche, geschichtliche, theologische oder literarische Werke den rein philosophischen den Vorzug geben).

1920, während eines zweimonatigen England-Aufenthalts, ist er zu Gast bei den Benediktinern der Quarr Abbey (bei Fishbourne), an der Nordostküste der Isle of Wight. Das Bild der mönchischen Harmonie bannt ihn:

» . . . ein französisches Kloster auf der Isle of Wight, wo ich 1920 zwei oder drei Tage verbrachte – erinnert als ein von Kiefern umgebenes, in mildes Mondlicht getauchtes Haus am Meer; das mit der mittelalterlichen Schön-heit der Offizien verbundene Mondlicht – alles, was ein mönchisches Leben an Feindseligem enthält, erlosch in meinen Augen –, an diesem Ort emp-fand ich nur noch das Ausgeschlossensein von der übrigen Welt; ich ver-setzte mich in das Kloster, zurückgezogen vor dem geschäftigen Treiben, und stellte mir mich für einen Augenblick als Mönch vor, befreit vom zerstückelten, diskursiven Leben . . . « (V, 72)

»1920 änderte ich erneut meine Einstellung und hörte auf, an irgend etwas anderes zu glauben als an mein Glück.« (OW, 298) Er verliert plötzlich seinen Glauben, »weil sein Katholizismus eine Frau, die er liebte, zum Weinen gebracht hatte« (VII, 459).

Mitbeteiligt an seiner Konversion dürften die Konsequenzen des ersten Kontaktes mit der offiziellen Philosophie in Gestalt des Lebensphilosophen Henri Bergson (1859–1941) sein, dem er in London begegnet.

» . . . zuerst hatte ich gelacht, gegen Ende einer langen christlichen Fröm-migkeit hatte sich mein Leben mit einer frühlingshaften Böswilligkeit im Lachen aufgelöst. (. . .) vom ersten Tag an zweifelte ich nicht mehr: Lachen war Erkenntnis, eröffnete den Grund der Dinge. Ich erzähle den Anlaß, aus dem dieses Lachen hervorging: ich befand mich in London (im Jahre 1920) und saß mit Bergson zu Tisch; ich hatte nichts von ihm gelesen (von anderen Philosophen übrigens auch so gut wie nichts); ich war neugie-rig und verlangte, als ich mich im British Museum befand, das *Lachen* (sein schmalstes Buch); die Lektüre verärgerte mich, die Theorie schien mir einfach (darauf enttäuschte mich die Person: dieser kleine vorsichtige Mann ein Philosoph!), aber die Frage, der verborgen gebliebene Sinn des Lachens, war seitdem in meinen Augen die Schlüsselfrage (verbunden mit dem glücklichen, inneren Lachen, von dem ich, wie ich sofort erkannte, besessen war), das Rätsel, das ich um jeden Preis lösen werde (das, einmal gelöst, von sich aus alles lösen würde). Lange Zeit kannte ich nur eine chaotische Euphorie.« (V, 80)

»... das Problem des Lachens schien mir unbestritten das Fundament zu sein. Ich stellte mir nicht vor, daß mich *Lachen* vom *Denken* dispensierte, sondern daß *Lachen*, da es in gewisser Hinsicht Vorbedingung für mein Denken ist, mich weiter bringen würde als das Denken. *Lachen* und *Denken* schienen sich mir anfangs zu ergänzen. Das Denken ohne das Lachen kam mir verstümmelt vor, das Lachen ohne das Denken war auf diese Bedeutungslosigkeit reduziert, die ihm gemeinhin eingeräumt wird, und das Bergson sehr armselig beschrieben hatte. Von da an kam in meinen Augen *Lachen*, da es nicht mehr auf den armseligen Komiker Bergsons beschränkt war, auf der Ebene der erlebten Erfahrung Gott gleich (. . .). (. . .) Mein fundamentales Interesse für die Philosophie manifestierte sich in dieser Haltung auf die allerheftigste Weise, blieb jedoch zunächst völlig folgenlos. Ich betrieb sogar keinerlei Lektüre. (Ich beschränkte mich aufs Nachdenken, obgleich ich den Abgrund wahrnahm, der mein embryonales Nachdenken vom ins Auge gefaßten Ergebnis trennte.)« (VIII, 562)

Batailles Mystizismus löst sich im Lachen und einer »glücklichen Sensualität« auf, aber er bleibt empfänglich für alles Rituelle, für das Geheimnisvolle – bestünde es auch nur im Ernstnehmen spiritistischer Praktiken wie das Tischrücken! (Cf. Delteil, p. 676) Mutwille, feierliches Gebaren und Eleganz konstituieren das habituelle Profil des mittelgroßen, schlanken Mannes mit den ausdrucksstarken blauen Augen und Lippen, auf denen stets ein Anflug von Lächeln liegt. – Überflüssig zu erwähnen, daß er den von Tzara nach Paris importierten Dadaismus mit Interesse verfolgt.

Gegen Ende seiner Studienzeit, 1921, schließt er mit Alfred Métraux (1902–1963)*, der an der École des Chartes zu studieren beginnt, Freundschaft.

»Unser erstes Gespräch habe ich ganz genau in Erinnerung. Es fand an einem Herbstnachmittag in der Bibliothek der École statt. Ich weiß nicht, unter welchem Vorwand das Gespräch sich zwischen uns entspann, aber später haben wir es uns eingestanden: die Regung, die uns aufeinander zugetrieben hatte, war auf ein dunkles Gefühl einer gewissen physischen

---

* Métraux wendet sich ab 1923 der Ethnologie zu (Studium bei Marcel Mauss). Seine Forschungsreisen führen ihn nach Südamerika, Polynesien, zu den Antillen und nach Afrika. 1934 begegnet er erstmals Michel Leiris, den er stark beeinflußt, 1939 in Brasilien Lévi-Strauss. 1948 studiert er mit Leiris auf Haiti Vaudou-Kulte. Mit den Ethnologen Paul Rivet und Georges-Henri Rivière gibt er bei Gallimard die Reihe ›L'Espèce humaine‹ heraus. Als Bataille nicht mehr in Paris wohnt, reißt ihr Kontakt ab, erneuert sich 1962. Im Jahr darauf tötet sich Métraux. – Publikationen: *L'île de Pâques* (1935); *Myths of the Toba and Pilagá Indians of the Gran Chaco* (1946); *Le Vaudou* (1955); *Le Vaudou haïtien* (1958); *Religions et magies indiennes d'Amérique du Sud* (1967); *Itinéraires 1. Carnets de notes et journaux de voyage* (1978).

Ähnlichkeit zurückzuführen. Wie dem auch sei, die gewechselten Worte habe ich nicht vergessen. Bataille teilte mir mit, daß er kurz vor der Abreise nach der Madrider École française stand, zu der er, statt zur Römischen École, die er knapp verfehlt hatte, berufen worden war. Ich selbst hatte gerade einen Monat in Andalusien verbracht. Mit scheinbarer Naivität, die sich mit einer konzentrierten Miene verband, die die Banalität meiner Auskünfte nicht rechtfertigte, fragte er mich lang und breit über Spanien aus. Er schien sich nicht um die wissenschaftlichen Arbeiten zu sorgen, die seinem Aufenthalt als Vorwand dienten, sondern er drängte mich, von arabischen Überresten und Stierkämpfen zu sprechen.« (Métraux 1963, 677)

Fernande Schulmann, Métraux' Gefährtin, skizziert den Beginn dieser Freundschaft nach den Erzählungen von Métraux wie folgt:

»Als Studenten ähnelten sich Métraux und Bataille nämlich so sehr, (. . .) daß man sie häufig für Brüder hielt: die gleiche Statur, das gleiche tiefschwarze Haar, die gleiche Regelmäßigkeit der Gesichtszüge und wahrscheinlich eine ebensolche Ähnlichkeit des Ausdrucks, ein mit Leidenschaftlichkeit und Entschlossenheit vermischter sanftmütiger Ausdruck. Mit Ungestüm erlebten sie die unmittelbare Nachkriegszeit, deren Brodeln bereits der Geschichte angehört. Zwei Anfänger, erregt von den ihrem Alter eigenen Sorgen und Begeisterungen, zu welchen eine weniger normale Tugend der Unschuld hinzukam, die weder der eine noch der andere je verloren.
(. . .) Der letztere [sc. Métraux] erwähnte mir gegenüber wiederholt, wie sehr er dem Älteren zu Dank verpflichtet war, der ihn ermutigt hatte, die Zurückhaltung des Waadtländers, des Provinzlers zu überwinden (. . .).
Métraux, voll melancholischen Humors, beschwor auch die Liebschaften herauf: diese Damen in Pyjamas aus schwarzer Seide, mit langen Zigarettenspitzen aus Gold und mit Bubikopf, die sich in undefinierten und eher zweifelhaften Kreisen bewegten . . . « (Schulmann, p. 672).

Alfred Métraux

*In ihrem [sc. der Wollust] unermeßlichen Reich, in das ich allein und heim-
lich eingedrungen war, lebte ich heute ohne Furcht und ohne Schuldgefühl.
Dabei machte ich mir den anfangs empfundenen religiösen Schauer zunutze:
ich machte ihn zur geheimen Triebfeder meiner Lust. Das intime Leben des
Körpers ist abgrundtief: es entreißt uns jenen furchtbaren Schrei, neben dem
der Eifer der Frömmigkeit nur ein feiges Stammeln ist. Die Frömmigkeit,
einmal überschritten, ist nichts als Langeweile. (. . .) Was in mir von der
brennenden Religiosität noch lebendig war, verband sich der Ekstase eines
Lebens in der Wollust, löste sich von den ungeheuren Rückständen des Lei-
dens. Innerhalb kurzer Zeit hörte das niemals von Lust verklärte Antlitz für
mich zu leben auf, die ausschweifenden Vergnügungen verlockten mich
(. . .). (OW, 230 f.)*

1922

Anfang des Jahres schließt Bataille seine Studien als Zweitbester des Jahrgangs mit dem Diplom des Archivars-Paläographen ab. Seine Examensarbeit besteht in einer textkritischen Ausgabe von *L'Ordre de Chevalerie*, einer anonymen Verserzählung aus dem 13. Jahrhundert (publiziert in: *École nationale des Chartes: Positionen der von den Schülern des Jahrgangs 1922 vorgelegten Dissertationen zur Erlangung des Diploms des Archivars-Paläographen, Paris 1922*), die er mit einer Einführung und Anmerkungen (I, 99–102) versieht. *L'Ordre de Chevalerie*, einem Geistlichen aus der Picardie zugeschrieben, sei weniger als Dichtung denn als Dokument über das Rittertum von Bedeutung, schreibt Bataille.

Er »wird beim Verlassen der École des Chartes zum Mitglied der École des Hautes Études Hispaniques in Madrid (der künftigen Casa de Velazquez) ernannt« (VII, 459), wo er sich ein knappes halbes Jahr zu Recherchen in Bibliotheken aufhält. (Die École des Hautes Études war eine Einrichtung der Universität von Bordeaux. Das Ministerium für Unterrichtswesen und die Pariser Universität setzten Stipendien aus, die es Jungakademikern verschiedener Disziplinen, meist Doktoranden, aber auch Künstlern und verdienten Frontkämpfern, gestattete, in Madrid ihre Forschungen zu treiben. Also eine Art französisches Goethe-Institut, das übrigens aus seinem Patriotismus kein Hehl machte.)

»Ich betrachte eine Fotografie, die von 1922 datiert, auf der ich mich in einer Gruppe – in Madrid, auf dem Terrassendach eines Hauses befinde. Ich sitze am Boden, mit dem Rücken an X. gelehnt. Ich erinnere mich meiner liebenswürdigen, ja sogar tadellosen Haltung. Ich existierte auf diese einfältige Weise.« (V, 356)

Mit den Corridas entdeckt er in Spanien etwas, das er eine »authentische Kultur der Angst« nennen wird, in meinem Verständnis ein thanatophiles Lebensgefühl.

Bataille wird Zeuge, wie am 7. MAI der berühmte Torero Manolo Granero während des Stierkampfs getötet wird. (Cf. VII, 459; OW 62 f., 83) Die tödliche Blendung Graneros erlebt er aus Distanz mit, da er sich auf der anderen Seite der Arena befindet. Der Torero wird umgestoßen, gegen die Barrera geschleudert, wo das Horn des

Stiers ihm Auge und Hirn durchbohrt*. Es ist dies Batailles erste Konfrontation mit einem ›tödlichen Unfall‹.

»... in der Arena, in der sich die zahllose Menge von ihren Plätzen erhoben hatte, trat in irgendeinem Augenblick ein drückendes Schweigen ein; dieser theatralische Einzug des Todes, mitten im Fest, in der Sonne, hatte irgend etwas Sinnfälliges, Erwartetes, Unerträgliches.

Seitdem ging ich nie mehr zu Stierkämpfen, ohne daß die Angst mir die Nerven intensiv spannte. Die Angst milderte in keinem Maße das Verlangen, in die Arena zu gehen. Sie steigerte es im Gegenteil und paßte sich einer fieberhaften Ungeduld an. Damals begann ich zu begreifen, daß das Unbehagen oft das Geheimnis der größten Freuden ist. Die spanische Sprache besitzt, um diese Art von Erregung zu bezeichnen, die die Angst stillschweigend voraussetzt, ein präzises Wort, *la emoción*: es ist genau jenes Gefühl, das Stierhörner einflößen, die *um Haaresbreite* den Körper des Toreros verfehlen. Es handelt sich um eine gut definierte Kategorie von Empfindungen, wo mit der Gefahr die Wiederholung, die Geschwindigkeit, die Eleganz (in den Bewegungen des Körpers oder im Werfen einer Capa) zum Tragen kommen. Doch das Wesentliche dabei ist der Tod, der eine Haltung ständiger Herausforderung einleitet, die sich nur an der kaum vermiedenen Grenze einer Bewegung befindet, die um so mehr zu Herzen geht, als sie langsam, genau, winzig klein ist.

Erlebt zu haben, wie vor meinen Augen jemand stirbt, ließ mich mit einem Male gänzlich, ja bis zur Grenze des Erträglichen in das Innerste eines solchen Spiels eindringen.« (Bataille 1946, 120)

Nach einiger Zeit eignet sich Bataille – dank einer inneren Bereitschaft, einer gewissen Disposition und verstärkt durch das Todeserlebnis – die Mentalität, genauer: die Emotionalität der Madrider an. Mehrere Tage lang und jeden Abend, an dem sie auftritt, besucht er die Vorstellung einer Tänzerin.

---

* Fiktionale Reminiszenzen: »... Granero, hintenüber geneigt, gegen die Barrera gedrängt, und über der Barrera die Hörner, die in vollem Schwung dreimal zustießen: eines der Hörner drang in das rechte Auge und in den Kopf ein. (...) Männer stürzten herbei und bemächtigten sich Graneros.
Die Menge in der Arena war von den Plätzen aufgesprungen. Das rechte Auge des Leichnams hing heraus.« (OW, 66)
»Er war zwanzig Jahre alt, als er von einem Varagua-Stier getötet wurde, der ihn einmal hochhob, dann gegen das Holz am Fuß der *barrera* schleuderte und nicht von ihm abließ, bis das Horn den Schädel zerbrochen hatte, so wie man einen Blumentopf zerbrechen mag.« (Hemingway 1978, 44) Vgl. auch *For Whom the Bell tolls,* Kap. 19.

» . . . ihr Tanz, auch sie selbst, flößte mir eine Angst ein, die schon begann, noch bevor sie die Bühne betrat. In Spanien tanzt eine namhafte Tänzerin nicht in einem Dekor, sondern vor einem Wandbehang aus schwarzem Samt. Die Bühne ist vor jedem Tanz leer mit diesem schwarzen Hintergrund: eine kurze Unterbrechung, und das leise Klappern der Kastagnetten hinter dem Wandbehang kündigt an, daß unsichtbar noch, aber von überlegener Schönheit und begehrenswert, die Tänzerin da ist, bereit, in der Herrlichkeit eines Kleides mit Volant und eines Umschlagtuchs ihres Amtes zu walten. Der Tanz, im wesentlichen eine Pantomime der angsterfüllten Lust, steigert eine Herausforderung, die einem den Atem verschlägt. Er vermittelt eine Ekstase, eine Art atemlose Offenbarung des Todes und das Gefühl, das Unmögliche zu berühren.« (Ibd., p. 122)

In der Alhambra bei Granada, während eines Wettbewerbs im Flamenco-Gesang, wohnt Bataille der Entdeckung des »vorsintflutlichen« Sängers Bermudez, den eine tiefe »Rotweinstimme« auszeichnet, bei:

»Auf der Bühne sitzend, sang er nach einigen Gitarrenakkorden (er stieß vielmehr in einer Art unerträglichem, zerrissenem, langgezogenem Schrei seine Stimme hervor, und als man ihn erschöpft glaubte, erreichte er in jener Dehnung eines Röchelns das Unvorstellbare):
Und sie begraben ihn / und sie begraben ihn / und sie begraben ihn / und sie begraben ihn / und sie begraben ihn / und sie begraben ihn / und sie begraben ihn / und sie ließen ihn begraben / in dem kleinen traurigen Denkmal / seiner Enttäuschungen.
Diese paar Zeilen haben für sich genommen gewiß wenig Sinn, aber der erst klagende, dann beinahe irrsinnig schrille Gesang erreichte jenes äußerste Gebiet des Möglichen, das uns heftiges Schluchzen nur selten zugänglich macht.« (Ibd., p. 124)

Am 10. JUNI tritt Bataille als Bibliothekar in die Bibliothèque nationale (Rue de Richelieu, Paris 2ᵉ) ein, wo er dem Cabinet des Médailles (Münzkabinett) zugeteilt wird. (Cf. VII, 459) Glasvitrinen in einem marmorverkleideten Ausstellungs-Saal, zu dem man durch ein schmiedeeisernes Gitter gelangt – das ist der äußere Aspekt des Münzkabinetts.

Sainte-Beuve und Charles Nodier waren Bibliothekare, Rémy de Gourmont war viele Jahre an der Bibliothèque nationale angestellt (bis ihn seine Germanophilie die Stellung kostete), und Bataille wird Kollegen begegnen, deren Horizont nicht auf die Katalogsäle einer Staatsbibliothek beschränkt bleibt. Vom Privileg der Muße abgesehen, die private Lektüren oder Aufzeichnungen gestattet, hat der Beruf des Bibliothekars wenig Attraktives, denn lukrativ ist er nicht: die Besoldung eines Bibliothekars der 6. Rangstufe entspricht zu dieser Zeit derjenigen eines Hochschulassistenten, die höchste Besoldungsstufe kommt derjenigen eines »chef de travaux« (Forschungsleiters) an der Universität von Paris gleich.

Vézelay (Yonne), etwa 200 km von Paris entfernt, macht Bataille bis 1925 zu seinem Hauptwohnsitz (17, Rue Saint-Etienne). Ein Dorf (mit etwa fünfhundert Einwohnern) auf einem freistehenden Hügel, den die Basilika Sainte-Madeleine krönt, eine der gewaltigsten und bemerkenswertesten Abtei-Kirchen Frankreichs. Vézelay verdankt seine Entstehung einer im 9. Jahrhundert gegründeten Abtei, war im Mittelalter Wallfahrtsort, und Bernhard von Clairvaux rief hier 1142 zum zweiten Kreuzzug auf . . . Bataille hinter den Mauern – nicht direkt eines Klosters, sondern einer Ortschaft, die von diesen einst geschützt wurde.

1923

Da er zum Reisen entschlossen ist, lernt er an der École des Langues Orientales (dem heutigen Institut national des Langues et Civilisations orientales, Rue de Lille 2) Russisch, Chinesisch und Tibetisch, gibt die Studien jedoch bald wieder auf (cf. VII, 459; VIII, 563). Diese Unstetigkeit, eine Art Widerwille gegen Spezialstudien, wird sich als Merkmal Batailles erweisen. Andererseits überpointiert er in der Selbstdarstellung sein Phlegma und seine Unwissenheit: seine konkreten, mehrfach unter Beweis gestellten polyglotten Kenntnisse, zumindest was die indoeuropäischen Sprachen betrifft, widerlegen das.

Mit fünfundzwanzig Jahren liest Bataille erstmals Nietzsche, und zwar im Original. Der Grad geistiger Affinität überwältigt ihn zunächst so sehr, daß er ihn paralysiert.

»Diese Lektüre flößte mir übrigens ein entscheidendes Gefühl ein: warum weiter nachdenken, warum zu schreiben beabsichtigen, da ja mein Denken – mein ganzes Denken – so vollständig, so bewunderungswürdig ausgedrückt worden war? (Nietzsche hat vielleicht von der Erfahrung des Lachens keine hinreichende Darstellung, aber als erster ihr einen Platz gegeben.) Wirklich, ich versank in eine Art Sichgehenlassen.« (VIII, 562)

Priorität des Lachens, über die Bataille im Zusammenhang mit einer Reise in die Toskana bemerkt:

»Ich erinnere mich, daß ich damals behauptete, der Dom von Siena habe mich, als ich am Platz anlangte, zum Lachen gebracht. ›Das ist unmöglich‹, entgegnete man mir, ›das Schöne ist nicht lächerlich‹.
Es gelang mir nicht, zu überzeugen.
Und dennoch hatte ich gelacht, glücklich wie ein Kind, auf dem Vorplatz des Domes, der mich in der Juli-Sonne beeindruckte.

Ich lachte mit Lebenslust, mit meiner italienischen Sinnlichkeit – der sanftesten und raffiniertesten, die ich kennengelernt habe. Und ich lachte über die Ahnung, in welchem Maße in diesem sonnigen Land das Leben das Christentum spielend überwunden hatte, indem es den blutlosen Mönch in einen Prinzen aus *Tausendundeiner Nacht* verwandelte.
Der Dom von Siena, umgeben von rosafarbenen, schwarzen und weißen Pälästen, ist mit einem riesigen Kuchen vergleichbar, bunt und vergoldet (mit bestreitbarem Geschmack).« (VI, 82)

Er macht sich Nietzsches Sentenz » . . . das Glück des Tieres, als des vollendeten Zynikers, ist der lebendige Beweis für das Recht des Zynismus« (*Unzeitgemäße Betrachtungen*, 2. Buch) zur Maxime und ersinnt einen Roman, in welchem ein »fröhlicher Zyniker« nach verschiedenen Schicksalsschlägen einen Clochard ermordet (cf. Schulmann, p. 672). Die Roman-Idee fußt auf einem Erlebnis in Batailles Jugend:

»Ich erinnere mich, daß ich, als ich sehr jung war, ein langes Gespräch mit einem *Landstreicher* geführt habe. Es zog sich über einen großen Teil der Nacht hin, die ich damit verbrachte, in einem kleinen Anschlußbahnhof auf einen Zug zu warten. Natürlich wartete er auf keinen Zug, er hatte nur den Schutz des Wartesaals ausgenutzt und verließ mich gegen Morgen, um an einer Heide Kaffee zuzubereiten. Es war nicht genau das Wesen, von dem ich spreche, er war sogar geschwätzig, vielleicht mehr als ich. Er schien zufrieden mit seinem Leben, und als Greis hatte er seinen Spaß daran, vor dem Jungen von fünfzehn bis zwanzig Jahren, der ich war und der ihm voller Bewunderung zuhörte, sein Glück zum Ausdruck zu bringen. Dennoch, die Erinnerung, die er in mir hinterließ, mit dem staunenden Entsetzen, das er mir immer noch einflößt, beschwört ständig in mir das Schweigen der Tiere herauf. (Die Begegnung mit ihm verblüffte mich so sehr, daß ich etwas später einen Roman zu schreiben begann, in dem ein Mann, der ihm auf dem Land begegnet war, den Landstreicher tötet, vielleicht in der Hoffnung, das tierische Wesen seines Opfers zu erlangen.)« (*Cr.*, Nr. 48, 1951, p. 388)

Nietzsches Beispiel folgend liest er Dostojewskis Erzählung *Zapiski iz podpol'ja* (Aufzeichnungen aus einem Kellerloch, 1864).

Der von dem Philosophen gerühmte Russe bringt für Bataille den Gipfel der Schmach zum Ausdruck:

»Bei Dostojewski ist das Extrem die Wirkung der Auflösung; aber es ist eine Auflösung gleich einem winterlichen Hochwasser: es tritt über die Ufer. Nichts ist mehr schmerzhaft, krankhaft, eine farblose religiöse Verwicklung. Das *Kellerloch* schreibt das Extrem dem Elend zu. (. . .) Im Christentum kann das nicht zählen: das Flehen zu degradieren, den Menschen gänzlich in der Schmach versinken zu lassen. Es heißt: ›darauf soll es nicht ankommen . . . ‹, aber nein, denn es geht (die Zweideutigkeit ausgenommen) ums Demütigen, ums Entwerten.« (1942: V, 56 f.)

Aber damals mag Dostojewskis Antiheld, gleichsam ein Vorläufer des Mannes ohne Eigenschaften, Bataille auch anderweitig angezogen haben. Diese Mischung aus Selbstverachtung, Streben nach Demütigung, Ablehnung des Tatmenschen auf Grund von Überbewußtheit (Bewußtsein als Selbstverhängnis), dieser Nihilismus, der alles Tun der Menschen von Willkür, Bosheit, Langeweile oder Dummheit ableitet – entsprach das nicht der Geisteshaltung des Bibliothekars, der sich fröhlichen Zynismus verordnet?

Bataille liest Leo Isaak Schestow (1866–1938), hatte dieser doch über *Tolstoi und Nietzsche* (1900), *Dostojewski und Nietzsche* (1903) je ein Buch geschrieben. Aus einem Brief vom 10. JULI 1923 an Schestow (B. N., n.a.fr. 15853) geht hervor, daß Bataille eine Studie über die Werke des Russen ins Auge faßt.

Die persönliche Begegnung mit dem seit 1920 an der Sorbonne lehrenden existentiellen Philosophen verläuft analog derjenigen mit Bergson.

»Leo Schestow philosophierte von Dostojewski und Nietzsche ausgehend, was mich verführte. Ich hatte rasch den Eindruck, mich unabänderlich von ihm zu unterscheiden durch eine fundamentale Gewalt, die mich hinriß. Unterdessen schätzte ich ihn, er nahm an meiner übertriebenen Aversion gegen philosophische Studien Anstoß und ich hörte ihm folgsam zu, als er mich mit viel Taktgefühl zur Lektüre Platons anleitete. Ihm verdanke ich die Grundlage philosophischer Kenntnisse, die, ohne den Charakter dessen zu haben, was gemeinhin unter diesem Wort zu erwarten ist, mit der Zeit nicht weniger real geworden sind.
(. . .) was er mir über Platon sagen konnte, war das, was zu hören ich nötig hatte, und ich weiß wirklich nicht, wer es mir so hätte sagen können, wenn ich ihm nicht begegnet wäre. Seit diesem ersten Schritt brachten mich die Faulheit und manchmal die Maßlosigkeit oft von diesem rechten Weg ab, den er mich betreten ließ, aber heute bin ich ergriffen, wenn ich mich daran erinnere, was ich beim Zuhören lernte: daß die Gewalt des menschlichen Denkens nichts ist, wenn sie nicht seine Vollendung ist. Was mich

angeht, so hielt mich das Denken Leo Schestows von dieser Endgewalt fern, deren Grenze ich von Anfang an in London geahnt hatte (. . .).« (1958: VIII, 563)

(Dieses autobiographische Fragment ist etwa kontemporär mit Batailles Aussage: »Das Ideale wäre, wie Platon zu schreiben«. Deshalb hat Schestow, der mit *Potestas clavium* 1923 gegen den platonischen Idealismus polemisiert, Bataille nicht zum Platoniker gemacht.)

1924

übersetzt Bataille, in Zusammenarbeit mit T. Beresovski-Chestov, Schestows Werk über Tolstoi und Nietzsche aus dem Russischen ins Französische (*L'idée de bien chez Tolstoï et Nietzsche. – Philosophie et prédication*, Editions du Siècle, 1925).

»Kurz darauf war ich, wie meine ganze Generation, für den Marxismus eingenommen. Schestow war ein sozialistischer Emigrant, und ich hielt mich von ihm fern (. . .). (. . .) ich trennte mich jedenfalls von ihm, aber ich bewundere die Geduld, die er mit mir hatte, der ich mich damals nur in einer Art jämmerlichen Irreredens ausdrücken konnte.« (VIII, 563) »Er verunsicherte mich aus Mangel an Humor. Ich war fröhlich, provozierend, und konnte mir seitdem etwas Tiefernstes nur noch zum Nutzen der Frechheit und des Lachens vorstellen.« (VI, 401) Daß die Humorlosigkeit des Philosophie-Professors Bataille enttäuscht und schließlich in die Flucht schlägt, zeugt von einem gesunden Mißtrauen gegenüber dem akademischen Betrieb, gegenüber Berufsphilosophen; die Nietzsche entlehnte Argumentation, nichts für wahr zu halten, über das man nicht mindestens einmal gelacht habe, zeugt aber auch von einer gewissen nachträglichen Stilisierung seiner selbst als ›Philosoph des Gelächters‹.

Ende 1924 vermittelt ein Kollege Batailles, Jacques Lavaud, ein Zusammentreffen mit Michel Leiris*.

»Ort der Begegnung war das stille und sehr bürgerliche Café Marigny ganz in der Nähe des Palais d'Elysée. Ich weiß nicht mehr, zu welcher Jahreszeit wir uns trafen, aber sicher nicht im Sommer, denn ich glaube mich zu erinnern, daß Bataille einen grauen Filzhut und dazu einen Überzieher mit schwarzweißem Fischgrätenmuster trug. Sehr schnell freundete ich mich mit Georges Bataille an, der etwas älter war als ich. Ich bewunderte nicht allein seine Bildung, die viel weiter gespannt und vielfältiger war als die meine, sondern seinen nonkonformistischen Geist, geprägt vom damals allerdings noch nicht so bezeichneten ›schwarzen Humor‹. Ich war gleichfalls empfänglich für das Äußere seiner Person, die – eher mager und mit einer zugleich ins Jahrhundert passenden romantischen Allüre – eine (damals natürlich noch jugendlichere und weniger diskrete) Eleganz besaß, die er nie verlieren sollte (. . .): eine ganz in der Tiefe gründende Eleganz, die ohne Entfaltung eines besonderen äußeren Aufwandes in der Kleidung zutage trat. Zu seinen recht engstehenden und tiefliegenden Augen, erfüllt vom ganzen *Blau des Himmels*, kam sein seltsames Gebiß wie von einem Waldtier hinzu, das ein von mir (vielleicht zu Unrecht) für sarkastisch gehaltenes Lachen oft entblößte.

Paul Valéry, den Bataille als den perfektesten Vertreter des Akademismus betrachtete, war für ihn – aufgrund gerade dieser Perfektheit – ein Feind ersten Ranges. Auch Dada behagte ihm nicht eigentlich, und er

---

* Leiris (* Paris 1901) erwirbt nach einem abgebrochenen Chemie-Studium die ›Licence ès lettres‹. – 1926 ehelicht er die Schwägerin des Galeristen Daniel Henri Kahnweiler, Louise. – Als Dichter steht er von 1924–1929 der surrealistischen Bewegung nahe, um danach für deren Dissidenten und Bataille zu optieren. Um 1930 wendet er sich – nach Beginn einer Psychoanalyse – der Ethnologie zu, beteiligt sich an einer Afrika-Expedition (1931–1933) und wird Mitarbeiter des völkerkundlichen Musée d'Éthnographie (heute: Musée de l'Homme) in Paris. Marcel Mauss, Marcel Griaule, Alfred Métraux, Paul Rivet und Georges-Henri Rivière sind Leiris' ethnologische Lehrer, während Max Jacob und André Masson als Mentoren des Dichters Leiris bezeichnet werden können (cf. Leiris 1975, 189 f.). In seinem ethnographischen Werk gelingt ihm eine Synthese aus Forschungsbericht und Dichtung, die Ethnopoesie, die das beobachtende Subjekt, das individuelle wie das ideologische Moment der Forschung nicht verschweigt.

Analog nähert sich Leiris der Wahrheit des schreibenden Subjekts, das er in seinen autobiographischen Schriften so schonungslos wie möglich entblößt: das gilt sowohl für *L'Afrique fantôme* (1934) als auch für *L'Age d'homme* (1938) und besonders für *La règle du jeu* (1948 ff.).

Weder daß Bataille Leiris ab und zu zur Projektionsfläche seiner moralischen Empörung macht noch über Leiris' Werk jemals etwas schreiben wird, tut ihrer Freundschaft Abbruch. Die Leidenschaft der Selbstentblößung, die Geringschätzung der Literatur, das Schwanken zwischen poetischer und wissenschaftlicher Berufung, Geschmack an Riten, Vehemenz, Dandyismus, Masochismus, schließlich eine Frau . . . verbinden Leiris mit Bataille.

sprach davon, wie angebracht es sei, eine *Ja*-Bewegung ins Leben zu rufen, die eine beständige Bejahung aller Dinge zum Inhalt haben würde und der von Dada repräsentierten *Nein*-Bewegung insofern überlegen wäre, als sie dem Kindlichen einer systematisch provozierenden Negation entgehen müßte. Ein Projekt, dem wir eine Zeitlang nachhingen, das aber keine weiteren Folgen hatte, war die Gründung einer Zeitschrift. Uns ging es dabei genauso wie vielen jungen Intellektuellen, die sich gerade kennenge-lernt und eine bestimmte Anzahl gemeinsamer Ansichten über die Literatur und das übrige entdeckt haben. Das Bemerkenswerteste an diesem Projekt war der Entschluß, wenn möglich ein Bordell des alten Viertels Saint-Denis zum Sitz unserer Zeitschrift zu machen (. . .). Wir hätten selbstverständ-lich versucht, sein weibliches Personal an der Redaktion der Zeitschrift zu beteiligen.« (Leiris 1978, 67 f.)

In Batailles Bericht schrumpft das Projekt einer Zeitschrift zur fixen Idee, die sich am Ende einer durchzechten Nacht in den Köpfen von Leiris, Lavaud und ihm selbst auskristallisiert, als sie in einem Bor-dell ihre letzten Gläser leeren:

»Wir hatten die kurzlebige Absicht, zu dritt eine literarische Bewegung zu gründen, von der wir immer nur sehr leere Vorstellungen hatten. Ich erin-nere mich, daß wir uns eines Abends, als wir Cocktails getrunken hatten, in das Lokal eines kleinen Bordells in einer Straße nahe der Porte Saint-Denis begaben, von dem einer von uns hatte reden hören. Es war ein gutmütiges, familiäres Bordell, und wir hatten getrunken: ich hatte zügellos, maßlos getrunken und war der Blauste der drei. Unsere Reden, an denen sich eines der Mädchen beteiligte (nicht ohne ihnen ein bißchen fröhliches, aber pein-liches Interesse entgegenzubringen) – ich erinnere mich, daß sie ohne jeden Zweifel nichtssagend waren, daß ihre entschiedene Überspanntheit nichts-sagend war. Doch zu jener Zeit befiel die Überspanntheit diejenigen, die sie sehr leicht begeisterte, und es schien ihnen so, daß die Überspanntheit der vernünftigen Welt ein Ende machte. So gut, daß in unseren Augen die ›Bewegung‹ Gestalt anzunehmen schien: es galt nur noch, einige unserer Reden zu veröffentlichen (die ich in meiner Trunkenheit notierte) . . .
    Außer einer müden Affektiertheit schien uns all das, wohlgemerkt, belanglos.« (VIII, 170 f.)

[Bataille, der diese Zeilen eigentlich nicht im Hinblick auf eine etwaige Veröffentlichung schrieb, raubt mit seinem nüchternen Blick nicht nur der Anekdote den Nimbus, sondern meines Erach-tens auch den wild genannten zwanziger Jahren den Glanz. Er geht nicht so weit, die Faszination alles Anrüchigen – wie der Bordelle – als neurotobürgerliches Symptom zu beschreiben, bzw. als eine Gestalt der Bigotterie unter anderen zu deuten. Doch ein gewisser Ekel vor einem von Banalität und Sinnlosigkeit geprägten Lebens-abschnitt schimmert durch seine Retrospektive aus 1951. Dandies,

Exzentriker, Solipsisten, Nonkonformisten oder Sektierer verkörpern nicht mehr länger wie selbstverständlich den Bruch mit Konvention und Konsensus. Die individuelle, ästhetische Revolte wider die bürgerlichen Normen (von ›Werten‹ zu sprechen wäre euphemistisch) endet meist vor den Massenkommunikationsmitteln, den Stätten der Unterhaltungsindustrie: in den Kinos, den Bars, den Dancings, im Kabarett und im Bordell, Einrichtungen der praktizierten Gleichheit im Konsum, findet eine Dedifferenzierung statt, die dem *outsider* – günstigstenfalls – zu Bewußtsein bringt, daß auch er die Bedürfnisse der großen Zahl teilt. Im zeitlichen Abstand tritt hervor, in welchem Maße auch er an Moden partizipiert hat – nur gedacht an den begierig assimilierten Amerikanismus, der von der Kleidung bis hin zu den Drinks den Ton angibt.]

1925

Zwischen 1925 und 1928 wohnt Bataille im Viertel Saint-Germain-des-Prés, 76*bis* und 85 Rue de Rennes, Paris VI. In Nr. 76*bis* der Rue de Rennes bewohnt er ein modernes Einzimmer-Appartement in der Maison d'Electricité. Mit Mahlzeiten und Getränken versorgt er sich in der Brasserie Lumina, die sich im Erdgeschoß des Gebäudes befindet.

Das Projekt einer literarischen Bewegung zu dritt wird nie mehr berührt. Bataille sieht Leiris ein oder zwei Monate lang nicht, und als er ihm wiederbegegnet, reden sie hauptsächlich über Bars und Getränke, kaum über Literatur oder den im Vorjahr autonom gewordenen Surrealismus, in dessen Bann Leiris nun steht. Bataille ist enttäuscht, sich dem Freund nicht völlig offenbaren zu können, und eingeschüchtert zugleich, war doch der Jüngere von beiden nun der ›Eingeweihte‹. Bataille mag Leiris sehr, aber dieser gibt ihm zu verstehen, daß ihre Beziehung für ihn etwas Zweitrangiges sei im Vergleich zum Surrealismus. Bataille spricht nicht aus, daß seines Erachtens André Breton zwischen ihnen steht:

»... es war ein geistiger Terror, der von der Rücksichtslosigkeit und Fähigkeit eines Spielleiters ausging. (...)

Noch ehe ich weiter ging, spürte ich die Kälte, die Leiris ergriffen hatte. Etwas hatte ihn verändert: er war von nun an schweigsam, ausweichend und fühlte sich mehr denn je befangen. Er war das Nichtstun, die Nervosität in Person, angesichts derer sich alle Dinge entzogen. Er war damals elegant, aber auf subtile Weise und ohne die Sorgfalt, die ihm später einen Teil dieser Eleganz entzog. Er puderte sich das Gesicht vollständig und bediente sich eines Puders, der so weiß wie Talkum war. Die Nervosität, mit der er an den Fingerspitzen nahe der Fingernägel kaute, verlieh seinen Zügen vollends eine mondhafte Wirkung. Seine Reden waren vielleicht schulmeisterlich, um sich, so schien es, selbst besser zu entzünden und um echter dieser verängstigte Kauz zu sein, dieses bei einem Fehler ertappte Kind, das plötzlich darauf bedacht ist, irgendeine pedantische Disziplin zu beachten: er beachtete sie leeren Auges und mit abwesendem Blick ... heimlich auf das begierig, was er nicht wagte, nämlich ungehorsam zu sein oder zu fliehen.« (VIII, 171 f.)

In Bataille selbst aktiviert die Präsenz des Surrealismus Minderwertigkeitsgefühle, vermischt mit Skepsis. Auf der einen Seite das Erschrecken vor der eigenen Ambitionslosigkeit, auf der anderen die Profil gewinnende literarisch-künstlerische Bewegung, die sich revolutionär nennt, über eine Doktrin und eine eigene Zeitschrift verfügt, die die Jugend anzieht und durch Krawalle auf sich aufmerksam macht.

»Ich interessierte mich nur für Zusammenhangloses und Inkonsequentes, ausgenommen das Verlangen nach einem glänzenden Leben ... Ich hatte recht, wessen Leben mittelmäßig ist, kann nichts beurteilen: er meint das Leben zu beurteilen, und beurteilt nur seine Unzulänglichkeit. Im übrigen litt ich. Ich glaubte manchmal, daß Leiris sich etwas vormachte, ich befürchtete einen geräuschvollen Betrug. Ich konnte mich nur auf eine geheime, wahnsinnige Heftigkeit berufen, von der ich erfüllt war und die mich, glaubte ich, zu einem auffälligen und Interesse verdienenden Schicksal bestimmte. Ich glaubte rasch, daß die drückende Atmosphäre des Surrealismus mich lähmen und ersticken würde. In dieser Parade-Atmosphäre atmete ich nicht. Ich fühlte mich verstoßen und als würde ich durch Anstekkung den Schock empfinden, den Leiris unmittelbar erlitten hatte; ich hatte das Gefühl, von einer fremden, verlogenen und feindseligen Macht überwältigt zu werden, die von einer Welt ohne Geheimnis herrührte, von einem Podium, auf dem ich niemals einen Platz erhalte noch annehme, vor dem ich stumm, mittelmäßig und machtlos bleibe.« (VIII, 171)

Im JULI bittet Michel Leiris Bataille darum, für das Oktober-Heft der *Révolution Surréaliste* einige »Fatrasien« in modernes Französisch zu übersetzen (Leiris am 16. 7. 25 an G. B., B. N., n.a.fr.

Ich erinnere mich, daß ich eine Glückseligkeit der gleichen Art sehr klar und deutlich im Auto erlebt hatte; es regnete und die Hecken und Bäume, kaum mit einem dünnen Blattwerk bedeckt, traten aus dem Frühlingsnebel hervor und kamen langsam auf mich zu. Ich ergriff von jedem feuchten Baum Besitz und verließ ihn nur traurig für einen anderen. In diesem Moment glaubte ich, daß dieser träumerische Genuß mir ständig gehören und ich von jetzt ab mit dem Vermögen versehen leben würde, die Dinge melancholisch zu genießen und ihre Freuden einzuatmen. Heute muß ich zugeben, daß mir diese Zustände der Kommunikation nur sehr selten zugänglich waren.

Ich war weit davon entfernt zu wissen, was ich heute klar sehe: daß die Angst mit ihnen im Zusammenhang steht. Im Augenblick vermochte ich nicht zu verstehen, daß eine Reise, von der ich mir viel erwartet hatte, mir nur Unbehagen verursacht hatte, daß mir alles feindselig gewesen war, Menschen und Dinge, vor allem aber die Menschen, deren leeres Leben in abgelegenen Dörfern ich sehen sollte – ein so leeres Leben, daß es den, der es wahrnimmt, herabzieht – und zugleich eine ihrer selbst sichere und boshafte Wirklichkeit. Weil ich für einen Augenblick im Schutze einer unsicheren Einsamkeit so viel Armseligkeit entkommen war, hatte ich die Zärtlichkeit der feuchten Bäume, die ergreifende Wunderlichkeit ihres Vorüberziehens wahrgenommen: ich erinnere mich, daß ich im Fond des Autos hingesunken war, ich war geistes-abwesend, liebenswürdig fröhlich, war sanft und nahm behutsam die Dinge in mich auf.

Ich erinnere mich, daß ich meinen Genuß im Zusammenhang mit jenen Genüssen sah, die die ersten Bände der Recherche du temps perdu *beschreiben. Aber damals hatte ich von Proust nur eine unvollständige, oberflächliche Vorstellung (die* Temps retrouvé *war noch nicht erschienen), und da ich jung war, dachte ich nur an naive Möglichkeiten des Triumphs. (1940: V, 131 f.)*

15853, f. 45). »Fatrasien« sind inkohärente Nonsensgedichte aus dem 13. Jahrhundert. Bis auf Philippe de Beaumanoir (1247 bis 1296) blieben die meisten ihrer Verfasser anonym.

Leiris' Bitte Folge leistend, überträgt Bataille zwei Gedichte aus den *Œuvres poétiques de Philippe de Remi, sire de Beaumanoir,* Paris 1885 (diese Ausgabe wurde ihm als Examenspreis seitens der École des Chartes geschenkt) sowie drei anonyme Dichtungen, die er der von Jubinal herausgegebenen Anthologie *Nouveau Recueil,* Paris 1842, entnimmt. (Cf. VIII, 176) Die Übersetzung versieht er mit einer Vornotiz, in der es heißt: »Zahlreiche Dichter schrieben um diese Zeit Fatrasien, ohne daß man sie aufbewahrt hat: diejenigen, von denen hier einige Auszüge folgen, sind der Verachtung der Generationen entgangen, als wären sie dem Hirn jener entwischt, die ein lautes Auflachen eines Tages mit Blindheit schlug.« (I, 103) Die *Fatrasies* (I, 103–106) erscheinen erst im folgenden Jahr in der *Révolution Surréaliste* (Nr. 6, März 1926), ohne den geringsten Hinweis auf Bataille.

Nach den Sommerferien, etwa Anfang September, macht ihn Leiris mit der von Antonin Artaud redigierten *Déclaration du 27 janvier 1925* bekannt, die ihn elektrisiert und seine Zustimmung findet – speziell in jenen Passagen, in welchen der Geist attackiert wird:

»2. Der *Surrealismus* ist kein neuartiges oder leichter zu handhabendes Ausdrucksmittel, noch eine Metaphysik der Poesie;
   er ist ein Mittel der totalen Befreiung des Geistes
   und all dessen, was ihm ähnelt. (. . .)
   9. (. . .) Er ist ein Aufschrei des Geistes, der sich gegen sich selbst wendet und fest entschlossen ist, verzweifelt seine Fesseln zu sprengen (. . .).« (Artaud zit. nach: Kapralik, p. 54)

»Ich las diese Erklärung an einem Café-Tisch in der großen geistigen Verwirrung und Lethargie, in der ich damals – *mühsam* – weiterlebte.« (VIII, 183)

Eine weitere Brücke zum Surrealismus baut Leiris dem Freund, als er ihn im Herbst in den Freundeskreis um André Masson* ein-

---

* Masson (*1896 Baligny sur Thérain/Oise) macht den Weltkrieg als Frontsoldat mit und wird schwer verwundet.
   Ein Vertrag mit Daniel Henri Kahnweiler, dem Pariser Kunsthändler deutscher Herkunft, ermöglicht es ihm ab 1922, ausschließlich zu malen. In Kahnweilers Avantgarde-Galerie Simon stellt er 1924 erstmals aus. Seitdem nimmt er an der surrealistischen Bewegung teil, um sich 1929 mit Bataille u. a. von ihr zu lösen. 1938 nähert er sich jedoch erneut André Breton und seiner Gruppe, obwohl sich Masson als »rebelle du surréalisme« begreift. Als universellem Künstler ist Masson, den Bataille mit

führt: Rue Blomet Nr. 45. Dort hat der Maler – Wand an Wand mit Miró – sein Atelier. Dank der stets offenen Tür wird es zur Begegnungsstätte so unterschiedlicher Geister wie Artaud, Georges Limbour, Roland Tual, Marcel Jouhandeau, Armand Salacrou, Jean Dubuffet, Max Jacob, Michel Leiris und Élie Lascaux. Zwar sind Sade, Rimbaud, Baudelaire, Lautréamont, Raymond Roussel, Pierre Reverdy, Dostojewski und Nietzsche die literarischen Favoriten dieses Kreises, in dem die deutschen Romantiker, die Elisabethaner, die englischen ›schwarzen‹ Romantiker oder ein Marcel Schwob nicht minder geschätzt werden, aber dennoch handelt es sich nicht um einen Intellektuellen-Zirkel, nicht um eine Diskussionsgruppe: im Unterschied zur Rue Fontaine, wo André Breton residiert, kommt in der Rue Blomet das Nicht-Geistige, alles zum Fest und zum Spiel Gehörende – diverse Stimulanzien eingeschlossen – nicht zu kurz. (Cf. Masson 1976, 76 ff.) Als Breton im Herbst 1924 bei Masson auftauchte, gelang es ihm, die Mehrzahl der Gäste der Rue Blomet für den Surrealismus zu gewinnen. – Bei dem ersten Gespräch mit dem Maler, der Bataille nach seiner Meinung über den Dadaismus fragt, repliziert dieser lakonisch »nicht idiotisch genug« (cf. Masson 1976, 75, 83). Beweis, daß Bataille weiß wovon er spricht, hatte doch Tzara 1921 bekundet: »Dada ist idiotisch.«

Bataille und André Masson schließen rasch Freundschaft, und der eine wird zum Sammler der Werke des anderen, indem er das Gemälde *L'Armure* (Die Rüstung)* kauft (cf. Clébert, p. 57).

Blake, Artaud mit Paolo Uccello vergleicht, so gut wie kein künstlerisches Ausdrucksmittel fremd.

Er arbeitet an der *Révolution Surréaliste, Le Grand Jeu, Minotaure,* den *Cahiers du Sud* und der *Temps modernes* mit, schafft Grafiken zu den Büchern von Limbour, Artaud, Aragon, Sade, Desnos, Jouhandeau, Leiris, Malraux, Paulhan. Seit den vierziger Jahren tritt er auch als Bühnenbildner hervor und publiziert eigene Texte.

Mit Gertrude Stein, Ernest Hemingway, Armand Salacrou und André Breton gehört Bataille zu den ersten Sammlern von Massons Bildern. Ausschlaggebend für seine Faszination ist, daß Masson bestimmte Sujets visualisiert, die mit seinen, Batailles Obsessionen koinzidieren: das Spektrum Eros-Thanatos vor allem, der Mythos, das Heilige, das Tragische (Labyrinth, Minotaurus, Vulkaneruptionen, Stierkämpfe, Dionysos . . .). Die gemeinsame Verehrung Heraklits und Nietzsches festigt zu Zeiten *Acéphales* ihre Freundschaft. Masson, wie Bataille in einer kargen Landschaft geboren, ist gewiß der azephalischere von beiden, man spürt in seinen Werken den Widerhall einer dionysischen Sinnlichkeit. – André Masson hat sich nie – es sei denn als Zeichner – an den von Bataille gebildeten Gruppen beteiligt; seine Erotikvorstellung, da orthodoxer, deckt sich nicht mit derjenigen Batailles, inspiriert ihn jedoch, einige von dessen Werken, wie *Histoire de l'œil, L'anus solaire, L'Abbé C.* (unveröffentlicht) und *Le mort* (1964) zu illustrieren.

André Masson, *L'Armure*, 1925

Bataille in Nizza, 1926

Jean Piel

André Masson, 1923

Raymond Queneau

Michel Leiris und Marcel Griaule, um 1934

Sylvia Bataille, um
1930

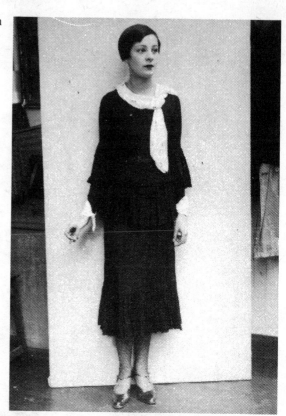

Picasso: D.-H.
Kahnweiler

Théodore
Fraenkel, 1919

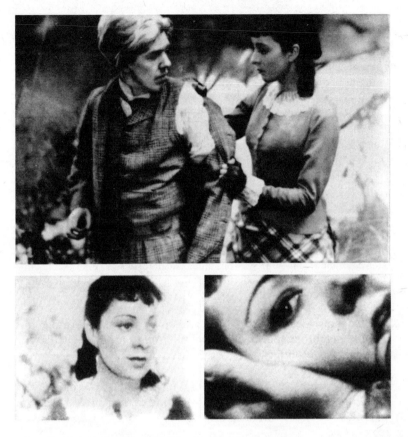

Sylvia Bataille in Jean Renoirs Film *Une partie de campagne*, 1936

Bei seinen nächtlichen Streifzügen durch die Lokale lernt Bataille nach und nach Roland Tual, Robert Desnos, Jacques-André Boiffard, Tristan Tzara, Georges Malkine und andere Breton-Adepten kennen. Darunter das Trio Jacques Prévert – Yves Tanguy – Marcel Duhamel, die er in ihrem Atelier in der Rue du Château (in der Nachbarschaft von Massons Domizil) aufsucht (Cf. VIII, 460) Wie in der Rue Blomet bestimmen hier Nonkonformismus und Heiterkeit die Atmosphäre . . . Ohne es zu ahnen, frequentiert er so – gleich Robert Desnos, gleich Raymond Queneau – eines der künftigen Widerstandszentren des Surrealismus.

Er befreundet sich mit Théodore Fraenkel (Paris 1896–1964), dem Ex-Dadaisten, Arzt und Intimus von Jacques Vaché und André Breton:

»Ich sah vor allem und liebte innig den Dr. Fraenkel (. . .). Wenn ich mich mit Fraenkel so gut verstand, so deshalb, weil er, wie ich damals selbst oder noch mehr, ein sehr schweigsamer Nachtvogel war: eine Art nächtlicher, aber im Inneren lächerlicher Traurigkeit, das war die lebendige Gestalt(?), an der wir beide hingen.« (VIII, 178)

In Fraenkels Gesellschaft sieht er erstmals Antonin Artaud, und Bataille glaubt zu spüren, daß zwischen ihm und dem Dichter ein wortloses gegenseitiges Verständnis herrscht.

Alfred Métraux weist Bataille auf Marcel Mauss'** Studie über die Gabe hin (»Essai sur le Don. – Forme et Raison de l'Échange dans les Sociétés archaiques.« *L'Année Sociologique*, Bd. 1, 1923–1924).

---

* Eine Reproduktion erschien in der *Révolution Surréaliste* (Nr. 4, Juli 1925). Was Bataille an diesem Bild fasziniert haben mag, deutet vielleicht der Kommentar André Massons an: »Diese Rüstung ist weiblich, sie wirkt wie Kristall. Der Kopf ist durch eine Flamme ersetzt. Der Hals durchgeschnitten. Das Geschlecht einem offenen Granatapfel benachbart, der einzigen blutenden Frucht.

Ein Vogel nähert sich der Achselhöhle, dem Nest. Den geharnischten Körper umgeben Papierbanderolen, die die Kurven des weiblichen Körpers nachahmen.« (Clébert, p. 57 f.)

Bataille tauscht später das Gemälde, das in den Besitz des Guggenheim Museums, Venedig, überging, gegen erotische Zeichnungen des Künstlers ein (cf. Masson/Thévenin, p. 30).

** Der Soziologe und Ethnologe Mauss (1872–1950) lehrte Religionsgeschichte archaischer Völker an der École des Hautes Études, dann am Collège de France. Von 1901–1950 bildete er die ethnologische Schule Frankreichs. Mit Paul Rivet gründete Mauss 1928 das Institut d'éthnologie.

»Oft, die Rue de Rennes, in der er wohnte, auf und ab gehend, resümierte ich für ihn das Verhalten der Kwakiutl-Häuptlinge, die, um ihr Prestige zu vermehren und einen Rivalen auszustechen, in einem Tag unermeßliche Anhäufungen von Reichtümern zerstörten. Die Exzesse, zu denen diese unsinnigen Geschenke führten, der aggressive Charakter der Generosität erfüllten ihn mit Freude, und er fand an den Einzelheiten, die ich anführte, dasselbe Vergnügen wie an den rituellen Massakern der Azteken.« (Métraux 1963, 680)

Die Publikation von Mauss wird für Batailles Theorie der Verausgabung (*La part maudite*, 1939 ff.) von entscheidender Bedeutung sein.

1926

macht Bataille seinen zweiten Ansatz nach 1923, einen Roman zu schreiben: *W.-C.* » . . . jeder Würde stark entgegengesetzt, wird dieses Buch niemals veröffentlicht und sein Autor wird es schließlich vernichten . . . « (VII, 460) »Ein kleines Buch, eine ziemlich verrückte Geschichte. (. . .) Das Manuskript von ›W.-C.‹ ist verbrannt, es ist nicht schade darum, wenn ich meine augenblickliche Traurigkeit in Betracht ziehe: es war ein Schreckensschrei (Schrecken über mich, nicht über meine Ausschweifung, sondern über den Kopf des Philosophen, in dem seither . . . wie traurig das alles ist!)« (OW, 295). Eine seiner Zeichnungen zu dem Buch stellt eine Guillotine dar, die anstelle der Lünette ein Auge hat, das zugleich die untergehende Sonne ist:

»Ein Weg in einer öden Landschaft führte zu dieser Todesverheißung. Darunter hatte ich den Titel *Die ewige Wiederkehr* und die Legende *Gott, wie traurig ist das Blut des Leichnams im Sägemehl!* geschrieben. Das war von Anfang bis Ende ein Entsetzensschrei, ein Entsetzensschrei von mir. Dieser Schrei hatte eine gewisse Fröhlichkeit, vielleicht eine irrwitzige, eher düstere als irrwitzige Fröhlichkeit.« (VIII, 179)

Das unter dem Pseudonym Georges Troppmann* geschriebene Manuskript kursiert indes unter seinen Freunden:

»Von diesem Roman ist eine Episode erhalten geblieben, die Geschichte *Dirtys* (. . .). Soweit ich mich erinnere, war diese Geschichte, deren Schauplatz das Savoy-Hotel in London ist, in dem Zustand, in dem ich sie ursprünglich kennengelernt habe, ein erstes Kapitel (unter uns nannten wir es das ›Savoy-Kapitel‹), gefolgt von einer flämischen Episode, in der man die junge, schöne und reiche Engländerin Dirty sich in Begleitung des Erzählers auf eine Orgie mit den Verkäuferinnen einer Fischmarkthalle einlassen sah, die direkt an der Arbeitsstätte dieser Frauen stattfand. Ein gewisser Aspekt ›Mylord l'Arsouille‹ (. . .) kommt in der Abfolge dieser beiden Kapitel zum Ausdruck, wo alles zwischen den beiden Polen eines aristokratischen Luxus und einer wahrhaft unflätigen Vulgarität hin und her pendelt.« (Leiris 1978, 68 f.)

W.-C. dürfte gewissermaßen eine Potenzierung des Dostojewskischen Kellerlochs gewesen sein. Sei es der Typus des eher schwachen, hysterischen, kränklichen und daher lächerlichen Mannes Henri Troppmann, sei es die morbide Atmosphäre, die bei Bataille allerdings nur ein Stimulus zum erotischen Exzeß ist. Troppmann (»der Dreck«, »der Überflüssige«, Don Juan) ist notwendigerweise ohnmächtig, andernfalls wäre er nicht *souverän.* »›Ich bin nichts‹, oder ›Ich bin lächerlich‹: diese Parodie der Selbstbehauptung ist das letzte Wort der souveränen Subjektivität, die frei geworden ist von der Herrschaft, die sie über die Dinge ausüben wollte oder sollte.« (PSF, 83) Entsprechend bindet Bataille die Wollust an die Verausgabung, den Untergang, den Sturz, das Scheitern, den Verlust; und das Obszöne, die Gewalt und den Tod an das *Heilige*: damit es sei, muß es, seiner Polarität gemäß, profaniert werden. Ohne das Niedrige, Abstoßende, ›Perverse‹ (Trunkenheit, Frivolität, Aufbrechen der sexuellen Intimität, Exkrementophilie, Angst, Selbsterniedrigung) keine Ekstase: »Die Angst, die dem Körper nicht einen Augenblick Entspannung gönnt, erklärt übrigens allein die wunder-

---

* Jean-Baptiste Troppmann ermordete 1867 mit Schaufelhieben eine Frau und deren fünf Kinder. Der Reuelose schrieb *Mémoires secrets,* die nach seiner Guillotinierung im Jahre 1870 erschienen. Troppmann wird von Rimbaud und Verlaine erwähnt und ging in die Dichtungen Lautréamonts, Bretons und Éluards ein.
Eine linguistische Analyse des Pseudonyms scheint jedoch aufschlußreicher zu sein: das Radikal *trop-* (zu sehr, zuviel) leitet sich ab vom lateinischen *troppus,* dem im Französischen *tas* und *troupeau* (Haufe, Menge) entspricht. Trop + mann = Jedermann, Mann in der Menge, Haufenmann, Kloakenmann, Schmutz, Dreck etc. (WC! Dirty!) Vgl. hierzu auch weiter unten: *Le bleu du ciel,* 1935.

bare Unbeschwertheit: es gelang uns, uns jedwede Lust zu verschaffen unter Verachtung aller trennenden Wände . . . « (BH, 17) Die Angst vermittelt die Ekstase: das gewaltsame Heraustreten aus dem Käfig der Identität und Selbstheit. Nicht monadische Subjekte kommunizieren miteinander, sondern einzig zerrissene, verwundete.

» . . . Bataille – der damals Stammgast in den Spielhöllen war und mit Prostituierten vertrauten Umgang pflegte, wie viele Helden der russischen Literatur – schätzte Dostojewski jedenfalls so hoch, daß sich in der Geschichte Dirtys eine Anspielung auf den großen Romancier findet: ›Die vorausgehende Szene war letztlich Dostojewskis würdig‹, erklärt er in dem Augenblick, als er im *flash back* die Szene der Trunkenheit und der ruchlosen Erotik erzählt, die sich in dem Londoner Luxushotel abspielt.« (Leiris 1978, 69)

Dirty, angeblich 1928 geschrieben und erst 1945 separat publiziert, sei ein Fragment von *W.-C.*, das später die »Einleitung« des Romans *Das Blau des Himmels* (1935) bilden sollte. (Cf. III, 538) Offen bleibt die Frage, ob dieses von Bataille so häufig erwähnte Buch nun zufällig »verbrannt« ist oder aber von seinem Autor vernichtet wurde, da es keinen Verleger fand. Die Wahl eines Pseudonyms spricht für die ursprüngliche Absicht einer Veröffentlichung *W.-C.*'s, wußten doch die Vertrauten Batailles ohnehin um seine Autorschaft. Die Wahl des Namens Troppmann spielt sowohl in der Triebökonomie des Schreibenden als auch in der Erzählung eine bedeutende Rolle; als Pseudonym gewählt, kann er nur die Funktion gehabt haben, bei einer eventuellen Veröffentlichung des Buches den Bibliothekar Bataille vor Kompromittierung, Drucker und Verleger jedoch vor strafrechtlicher Verfolgung zu schützen (der Autor »pornographischer« Schriften wird in Frankreich erst ab 1939 wieder direkt behelligt).

Der surrealistische Neophyt Leiris zögert lange, Bataille André Breton vorzustellen. Bataille vermutet, sein bürgerlicher Habitus (z. B. sein Regenschirm mit Bambusgriff) sei der Grund für des Freundes Verhalten, aber eines Tages nimmt dieser ihn ins ›Zelli's‹, ein beliebtes Nachtlokal mit, wo er erstmals Louis Aragon sieht.

Nun, Bataille beurteilt das erste surrealistische Manifest als »unlesbar«, die »écriture automatique«, auf die André Breton die Literatur seiner Meinung nach reduzieren wolle, langweilt ihn einfach, und nur mit Skrupeln teilt er Leiris' Bewunderung für Bretons *Confession dédaigneuse* (in: *Les Pas perdus*, 1924).

Eine Zeichnung von ›W.-C.‹ würde ein Auge darstellen: das Auge des Schafotts. Einsam, sonnenhaft, von Wimpern starrend, würde es sich in der Lünette der Guillotine öffnen. Die Zeichnung trüge den Titel »Ewige Wiederkehr«, deren furchtbare Maschinerie das Blutgerüst wäre. Vom Horizont kommend würde der Weg der Ewigkeit dort hindurchführen. Ein parodistischer Vers, in einem Sketch im Conzert Mayol *gehört, hatte mir die Bildunterschrift geliefert (. . .).*

Das »Auge des Gewissens« und die »Wälder der Gerechtigkeit«, die ewige Wiederkehr verkörpernd, gibt es ein hoffnungsloseres Bild für das Schuldgefühl? (OW, 295, 296)

» . . . die Methode [der automatischen Niederschrift] besaß in meinen Augen das Bewundernswerte, daß sie die Literatur dem Streben nach eitlen Vorteilen entzog, auf die ich vielleicht verzichtete, aber wie ein Schriftsteller, mit einem zwiespältigen Gefühl: allein die ›automatische Niederschrift‹ hob sich ab, hob sich ab von einem Menschen mit zwiespältigem Gefühl. Aber ich hatte den Eindruck, daß, wenn Breton jene um Schweigen bat, die ihm zuhörten, er selbst nicht schwieg. So sollte ich nicht nur schweigen, sondern nur noch die gemäßigte, prätentiöse und geschickt anschwellende Stimme Bretons hören. Er kam mir steif vor, bar des Scharfsinns, der zweifelt und stöhnt, und bar der furchtbaren Paniken, bei denen nichts unzerstört bleibt. Was mir das größte Unbehagen bereitete, war nicht nur der Mangel an Strenge, sondern das Fehlen jener Härte sich selbst gegenüber, einer ganz hinterhältigen, fröhlichen, unwahrscheinlichen Härte, die nicht zu herrschen, sondern weiter zu gehen versucht. Unter solchen Bedingungen gab ich das Schweigen auf und machte das schreckliche Spiel mit, bei dem ich Ekel empfand vor meinem Ehrgeiz, weil ich denjenigen eines anderen abgelehnt hatte. Ich sollte meinerseits die Stimme anschwellen lassen, sie noch mehr und dümmer anschwellen lassen, um gegen eine Geschwollenheit zu wettern, die ich übertraf. Welche Summe mürrischer Energie mußte ich nicht verschwenden, um eine Mischung aus Schweigen und herausgebrüllter Dummheit zu ertragen, der ich damals frönte?«
(VIII, 173)

Diese Haltung – eine Amalgamierung aus Hybris und Scham, deren er sich nur allzusehr bewußt ist – manifestiert sich in dem erst 1943 veröffentlichten Text *Je veux porter ma personne au pinacle* (Ich will meine Person herausstreichen, V, 80–82). So etwas wie eine um sechs Jahre verspätete Antwort auf die Umfrage der präsurrealistischen Zeitschrift *Littérature*: »Warum schreiben Sie?« Batailles ›Replik‹ ist so kategorisch wie selbstkritisch: aus purer Eitelkeit; wer schreibe, wolle seine Person in den Himmel heben. Als Schreibender hat auch Bataille den Wunsch, gelesen und geschätzt zu werden, sich zu differenzieren: »ich denke und ich schreibe, weil ich keinen anderen Weg weiß, mehr als ein Wrack zu sein« (V, 81). »Schreiben – die Abrechnung fälschen?« Im Gegensatz zu einem Kassierer, der zu seinen Gunsten die Abrechnung fälscht, gibt es im Falle des Schriftstellers keinen ›Vorgesetzten‹, der den Betrüger zu überführen und insbesondere zu beschämen vermag: »vor *mir* fürchte ich mich«, gesteht Bataille, und nicht vor einem scharfsichtigen Leser. Schrecken, Entsetzen vor der eigenen Stimme, da sie unweigerlich immer nur das Streben nach persönlicher Aufwertung reflektiert. Wenn aus solchen Gründen ein Gedanke, der als lächerlich gilt, unterdrückt, geschweige denn artikuliert wird, muß alles Denken lächerlich sein, schließt Bataille. Das Schweigen, als die

»›literarischste‹ Haltung von allen«, wäre nur eine scheinbare Alternative.

»Diese Urteile müßten zum Schweigen führen und dennoch schreibe ich. Das ist keineswegs paradox. Das Schweigen ist selbst ein Gipfel *(pinacle)*, besser gesagt: das Allerheiligste.« (V, 82) Nichts führt aus dem Dilemma heraus. Nichts aus der Schmach und der Lächerlichkeit. Ein Denken, das auf diese Aporie zusteuert und *sie zum Ausdruck bringt* in einem Text, der die literarische, die philosophische Rede verspottet, gehört selbst zur Komödie, zur Sophistik. Als Emanation von »Eitelkeit«, »krankhaften Protestes« und »Verwirrung« (V, 82), entspricht diese andere *Confession dédaigneuse* jedoch Batailles derzeitiger Geisteshaltung. Von Dada besitzt sie – wider Willen? – die Virulenz, die Negativität, die Absolutheit des Alles-in-Frage-Stellens. In bezug auf Batailles Schreibpraxis bedeutet der *Pinacle*-Text ein Anfang und ein Ende: das Bewußtsein, das sich in ihm artikuliert, dürfte an Batailles Blockierung, weiterhin zu schreiben, mitbeteiligt sein.

Im Café Cyrano an der Place Blanche begegnet schließlich Bataille, den Leiris begleitet, dem Kopf des Surrealismus, umgeben von seinen Getreuen Louis Aragon, Gala und Paul Éluard. (Diese Begegnung muß kurz vor oder nach der Publikation der *Fatrasies* stattgefunden haben.)

»Zu dieser Zeit war der Anblick der Surrealisten verblüffend: sie mußten einfach Eindruck machen; auf Anhieb stellte sich die Gewißheit ein, daß in ihnen das Schweigen der Welt ruhte. In ihrer ungekünstelten Sorglosigkeit lag etwas Bedrückendes, Besorgtes und Souveränes, das einfach Unbehagen erzeugte. Aber das bedrückendste Unbehagen ging von Breton aus, und es scheint mir so, daß seine damaligen Freunde seine hinterhältige Art für peinlich hielten: sie wahrte Abstand und verpflichtete einen zum Erstarren, ohne noch etwas zu sprechen und sich an einer versteinerten Haltung zu berauschen. Ich habe diese Haltung ohne Entgegenkommen sehr gemocht, die in meinen Augen die Bedeutung eines Zeichens hatte. (. . .)

Mein Gang zum Cyrano hatte einen doppelten Sinn. Ich war schüchtern und brauchte zu viel Zurückhaltung, um diesen fernen Wesen zu trotzen, die mir das Gefühl eines majestätischen Lebens vermittelten, das jedoch die Kaprice schlechthin war: ich wußte, daß mir die Kraft fehlen würde, um – *vor ihnen* – das zu sein, *was ich war*. Sie drohten, mich – gerade in dem Maße, in dem ich sie mochte (oder sie bewunderte) – machtlos zu machen, mich buchstäblich zu ersticken. Breton sprach wenig mit mir, und ich hätte mir, offen gesagt, kein Gespräch mit ihm vorstellen können. Er machte mir ein Kompliment über die ›Kopfnote‹, mit der ich meine Übersetzung der

Fatrasies versehen hatte. ›Sehr hübsch!‹ sagte er freundlich zu mir. Er schockierte mich: ich hatte Strenge erwartet und konnte mir nichts Enttäuschenderes vorstellen, als auf einer anderen Ebene bewertet zu werden als derjenigen, auf der er, Breton, sich aufhielt, eine Ebene, die gerade die Vulgarität von Komplimenten ausschloß.« (VIII, 176 f.)

Beim Abschied äußert Breton den Wunsch, Bataille wiederzusehen, er möge ihn anrufen. Als dieser von dem Angebot Gebrauch macht – geleitet von dem Verlangen, seinem Leben, das ihm platt scheint im Vergleich zu demjenigen der anerkannten Avantgarde-Schriftsteller, eine Wende zu geben –, muß er erfahren, daß er eine Höflichkeitsfloskel ernst genommen hat. – Von Leiris hört er später, daß Breton ihn mißgünstig beurteilt und als »Besessenen« bezeichnet habe. Bataille führt das Urteil des surrealistischen Leaders darauf zurück, daß Leiris mit diesem bereits über *W.-C.* gesprochen habe, was in Breton das Vorurteil erzeugt hätte, einen düsteren Menschen zu treffen. Bataille vermutet weiter, daß es Breton unbehaglich war zu erleben, wie er den anderen in Verlegenheit brachte, kurz, daß ihn die Gegenwart eines verkrampften Menschen, dem es an Einfalt wie an Entschlossenheit gebricht (als der sich Bataille in der Retrospektive charakterisiert), abstieß. (Wie hätte Bataille wissen können, daß Breton jeden eventuellen Adepten einem mündlichen Literatur-Examen nach dem Schema ›ich liebe den Dichter X. / ich hasse Y . . . ‹ unterzog?) Ich würde hinzufügen: *W.-C.* versprach keine Innovation hinsichtlich der Schreibweise, dürfte folglich für den damaligen Breton unter das Antiquierte gefallen sein. Außerdem war Bataille – wie die Mehrzahl der französischen Schriftsteller und Philosophen – Beamter, was gegen den surrealistischen Imperativ der Berufslosigkeit verstieß (aus der Nähe betrachtet lebte freilich kaum ein Surrealist dieser Regel konform).

Bataille sieht, wie viele andere auch, die Gebrechen der Person André Breton (das Autoritäre, Unselbstkritische etc.), aber nach fünfundzwanzig Jahren vermag er sich auch Neid einzugestehen. Man könnte sagen, zwischen Bataille und Breton standen das Ressentiment, das Vorgefühl einer Rivalität, was bei dem Zusammentreffen ausgeprägter Individualitäten jedoch kein Sonderfall ist.

»Eine meiner anfänglichen Schwierigkeiten mit dem Surrealismus bestand darin, daß ich dadaistischer war als die Surrealisten, oder wenigstens war ich es noch, während sie es nicht mehr waren.« (Bataille zit. nach Chapsal 1973, 28)

Ich übergehe diese späte Koketterie, die ganz im Gegensatz zur mehrfach bezeugten Dada-Gegnerschaft Batailles der zwanziger

Früher ließ ich mich von allen anrüchigen Seiten anlocken – Guillotine, Kloaken und Prostituierte . . . – gebannt von der Verkommenheit und dem Bösen. Ich hatte jenes beklemmende, dunkle, angstvolle Gefühl, das die Menge niederdrückt und das einem ein Lied wie die Witwe vor Augen führt. Ich war zerrissen vom Gefühl der Morgenröte, die wesentlich von der Verkommenheit abhängt – die nur in religiöses Dämmerlicht mündet –, und den Orgasmus mit schmutzigen Bildern verbindet.

Zur gleichen Zeit war ich auf Herrschaft, Härte gegen mich selbst und Stolz bedacht. Manchmal sogar gefesselt vom militärischen Glanz, der – in einem stumpfen Unverständnis – einer auf das Nichts stolzen Betrachtung entspringt – und sich im Grunde mit jenem Bösen arrangiert, dessen transzendente Negation er ist (indem er seine Macht bald von einer geheuchelten Mißbilligung, bald von einem Kompromiß herleitet). (VI, 166)

Jahre steht. Denn Batailles Reserve – abgesehen von der Reaktion eines Refüsierten – vor dem Surrealismus erklärt sich nicht ohne weiteres aus dem die Liebe, die Revolution, die Poesie und den Traum affirmierenden Programm der Bewegung. Antirationalistisch, pazifistisch, anti-nationalistisch, antiklerikal und subversiv gestimmt, hatte die Bewegung die totale Emanzipation, die Freiheit, ja die ›Menschwerdung‹ auf ihre Fahnen geschrieben – ein Programm, das Bataille hätte akklamieren können. Das Doktrinäre, Exklusive, Elitäre am Surrealismus mag Bataille verschreckt und die politischen Phrasen, das heißt die Tendenz zum Reformismus, ihn abgestoßen haben. Ich bin jedoch überzeugt, daß universellere Reflexionen – wie Sinn aller literarischen Agitation, Glaubwürdigkeit der Adepten einer ›revolutionären‹ literarischen Schule etc. – ihn vor einem diesbezüglichen Engagement zurückhielten.

»Ich habe eine Zeit der Erregung und des Prophetismus gekannt; viele Funken tauchten auf, die zu blenden versuchten. Von den in Aufruhr versetzten Gemütern waren die einen trunken, andere bissen, von Katastrophen träumend, die Zähne zusammen, und andere redeten, berauschten sich am Reden. Wie in allen menschlichen Angelegenheiten (aber sicher ein wenig mehr), verliehen die Komödie, die Affektiertheit, die Reden jenseits der Gefühle und die Gefühle, die halb unechten (literarischen) Gefühle dem Ganzen eine trügerische Gloriole. Ich dachte: ich glaube nicht an all die Worte, die ich höre, ich begreife nicht ganz, wie . . . aber ich teilte einen tiefen Glauben. Unabhängig von dem, was ich hörte, glaubte ich, daß eine innere Kraft in uns vorhanden war, die ich weiß nicht was verlangte (niemand weiß, was), aber wahnsinnig verlangte, begehrte wie eine in Tränen aufgelöste Verliebte in der Ungewißheit. (. . .) So viele Schluchzer, Agonien und Schmerzen verlangen eine Antwort, die blendet, verlangen etwas Sanftes, Unsinniges, Verklärendes.

Es schien mir klar, daß man einer solchen Erwartung nicht mit Gedichten, Gemälden, Ausstellungen entsprechen konnte. Und ich meine, dies war allen klar. Aber eine Erwartung ist niemals genau abgegrenzt: daneben gibt es andere Erwartungen, die mit der Literatur, den bildenden Künsten, dem Handel, dem persönlichen Ansehen verbunden sind. Verwirrt und ohne erschöpfende Entsprechung der großen Erwartung bleibend, die sie gehabt hatten – oder zu haben glaubten –, vergaßen die meisten sie. Und allmählich gab es keine Funken mehr, weder Erregung noch Prophetismus. Zumindest nahm ich nicht mehr den Anschein dieser Erwartung in der Haltung und in den Worten der anderen wahr. In mir jedoch war die Erwartung nicht weniger ätzend, weniger himmelschreiend geworden. Ich spürte nur, wie ich nach und nach einsam wurde.« (V, 423)

Bataille trifft per Zufall häufig auf Aragon, dessen *Paysan de Paris* er schätzt. Bringt man Breton Respekt und Achtung entgegen, so

Das ist fünfzehn Jahre her (vielleicht etwas mehr); ich ging, ich weiß nicht von wo, spät in der Nacht nach Hause. Die Rue de Rennes war menschenleer. Von Saint-Germain kommend, überquere ich die Rue du Four (auf der Seite der Post). Ich hielt einen aufgespannten Regenschirm in der Hand und ich glaube, es regnete nicht. (Aber ich hatte nicht getrunken: ich sage es, ich bin mir dessen gewiß.) Ich hatte diesen Regenschirm ohne Erfordernis aufgespannt (es sei denn dasjenige, von dem ich weiter unten spreche). Ich war damals sehr jung, chaotisch und voll von sinnlosen Begeisterungen: ein Reigen anstößiger, schwindelerregender Ideen, die aber bereits voller Sorgen, voller Strenge und kreuzigend waren, nahm seinen Lauf . . . Bei diesem Scheitern der Vernunft kamen die Angst, die einsame Zerrüttung, die Feigheit, die Falschheit auf ihre Kosten: alsbald begann das Fest wieder. Sicher ist, daß diese Leichtigkeit, zugleich das kontrastierende »Unmögliche«, in meinem Kopf explodierte. Ein mit Gelächter übersäter Raum tat seinen dunklen Abgrund vor mir auf. Beim Überqueren der Rue du Four wurde ich in diesem unbekannten »Nichts« plötzlich . . . ich verleugnete die grauen Mauern, die mich umgaben, ich geriet in eine Art Verzückung. Ich lachte göttlich: der auf meinen Kopf gerutschte Regenschirm bedeckte mich (ich bedeckte mich absichtlich mit diesem schwarzen Leichentuch). Ich lachte, wie man vielleicht nie gelacht hatte, der tiefste Grund von allem gab sich entblößt preis, als ob ich tot wäre. (1941: V, 46)

zieht Aragon alle Sympathie der Surrealisten auf sich. »Weder verrückt noch intelligent«, dafür kindlich naiv und verführerisch, ist er Bataille bloß ein weiterer Grund, nicht auf den Surrealismus zu setzen (cf. VIII, 174). Eines Abends, Bataille schreibt im ›Deux-Magots‹, setzt sich Aragon an den Nachbartisch und führt ein langes, ernsthaftes Gespräch mit ihm:

»Er sprach mit mir über Marx und Hegel und demonstrierte mir auf seine Weise die momentane surrealistische Doktrin*. Ich ließ ihn lange reden, beschränkte mich darauf, meine Unwissenheit zu bekunden oder ihn manchmal zu bitten, mich über einen Punkt aufzuklären. Doch zum Schluß wollte ich mich äußern: ›Noch einmal, von all diesen Dingen‹, sagte ich behutsam zu ihm, ›über die Sie so gut gesprochen haben, verstehe ich nichts, aber haben Sie nicht das Gefühl, daß Sie ein Taschenspieler sind?‹
Ich lächelte und er lächelte zurück.« (VIII, 175)

Es gibt kaum eine trefflichere Darstellung von Batailles Verschlagenheit!

»Die Virulenz und allgemein die Obsessionen dieser Schriften [W.-C., L'Anus solaire] beunruhigen einen seiner Freunde, den Dr. Dausse, der ihn dazu bewegt, sich von Dr. Borel psychoanalytisch behandeln zu lassen.« (VII, 460) »Jahrelang hinderte ihn eine Art starke, innere Blockierung am Schreiben. Er brachte viele Mußestunden damit zu, zu lesen, zu träumen und mit seinen Freunden zu trinken. Eingenommen vom Vorbild einiger von ihnen, versuchte er, sich von der erdrückenden Hemmung, die ihn einschnürte, mit Hilfe einer Psychoanalyse zu befreien, die vielleicht wenig orthodox, aber tolerant, intelligent, gewiß erfolgreich war, und nach welcher es ihm gelang, sein erstes Buch zu schreiben.« (Fraenkel) Der Psychiater Adrien Borel, der mit Henri Ey, René Allendy, Laforgue und Nacht zu den Pionieren der Psychoanalyse in Frankreich zählt, therapiert Bataille ab Sommer 1926 ein Jahr lang. Borel hatte Bataille im Vorjahr ein von 1905 datierendes Foto geschenkt, das die Zerstückelung eines Chinesen bei lebendigem Leibe darstellt (cf. TE, 244 ff.): »Dieses Bild hat in meinem Leben eine ausschlaggebende Rolle gespielt: Dokument eines zugleich ekstatischen (?) und unerträglichen Schmerzes, ist es mir nicht mehr aus dem Sinn gegangen.« (TE, 246)

---

* Das kollektive Manifest »La Révolution d'abord et toujours« (in L'Humanité, Clarté und La Révolution Surréaliste, Nr. 5, OKTOBER 1925) markiert die Politisierung der Surrealisten, die sich fortan um eine verstärkte Zusammenarbeit mit kommunistischen Gruppen wie ›Clarté‹ oder ›Philosophies‹ bemühen. (B. M.)

Gemarterter Chinese

Ich stelle mir vor, daß Bataille sich mit der Qual *und* der Ekstase des geschundenen Opfers identifizierte, um sich sexuell abzureagieren. (Ich greife vor, aber an seiner sadomasochistischen Disposition besteht für mich kein Zweifel, wohl aber an der konsequenten Realisierung dieser Wünsche. Gegen meine Hypothese spricht nicht, daß er sich explizit nur zu einer Devianz, nämlich der Orgie, bekennen wird.) Die Vermutung ist berechtigt, daß er vor diesem Foto in Trance geriet, wenn nicht zu schreiben begann. Später wird es ihm als Meditations-›Stütze‹ dienen (cf. V, 139, 275).

Bataille beschäftigt sich von jetzt ab mit Freud und Sade (cf. VIII, 562; VII, 615). Lagen von Freuds Werken seit 1921, beginnend mit *Über Psychoanalyse*, französische Übersetzungen vor, so stand es um das Werk des skandalösen Marquis im sittenstrengen Frankreich schlechter: als Mitarbeiter konnte Bataille von dem Privileg Gebrauch machen, die in die »Enfer« der Bibliothèque nationale verbannten Erstausgaben einzusehen, aber dem Durchschnittsfranzosen war nur ein kastrierter Sade in einem (!) von Apollinaire 1909 herausgegebenen Auswahlband zugänglich, wenn man von der – fehlerhaften – Erstveröffentlichung der *120 Journées de Sodome* (Paris 1904) durch Eugen Dühren absieht (cf. Masson 1976, 78). Mitte des Jahres wird Bataille Mitarbeiter der numismatischen Vierteljahresschrift *Aréthuse* (Revue trimestrielle d'Art et d'Archéologie), die Jean Babelon und Pierre d'Espezel seit 1923 herausgeben. Sein erster Beitrag erscheint in *Aréthuse* Nr. 3 vom JULI: eine kurze Rezension des Buches von Charles Florange über das Verkehrs- und Postwesen bis zum Beginn des 19. Jahrhunderts: *Études sur les messageries et les postes d'après des documents métalliques et imprimés . . .*, 1925 (I, 107).

Im OKTOBER erscheint in *Aréthuse* Nr. 4 sein Essay über die Münzen der Großmoguln in der Sammlung der Bibliothèque nationale: *Les monnaies des Grands Mogols au Cabinet des Médailles* (I, 108–119). Die numismatisch-ästhetische Studie, die der nüchterne Titel des Aufsatzes ankündigt, erweist sich als kulturhistorischer Abriß des von Babur 1525 in Nordindien begründeten Reiches. Mit Begeisterung werden die exzessiv-ausschweifenden Aspekte einiger der islamischen Herrscher mongolischer Herkunft (Babur, Akbar, Jahangir) geschildert. Imperialismus, Hedonismus, Libertinage und Reichtum der Großmoguln sind vereinbar mit einer fortschrittlichen, sozialen und toleranten Regierungsform – diese Aussage suggeriert mir der Text, dies ist sein ideologisches Moment. Findet sich beim Gott-Souverän Akbar (1542–1605) das Kriegerisch-Grausame gleichsam religiös-philosophisch sublimiert, so ist in seinem Sohn Jahangir (1605–1627) – durch seine Maßlosigkeit im Trinken, im Stolz, in der Grausamkeit, die im Gegensatz steht zu einem von ihm gebildeten Männerbund, der sich der Verehrung der Gestirne sowie des Schutzes menschlichen wie tierischen Lebens verschrieben hatte – Batailles Interesse für einen Gilles de Rais präfiguriert.

An Rittern oder Feudalherren fasziniert ihn die ›Kontrastharmonie‹ dieser Charakteristika: Gewalttätigkeit *und* Generosität; Parasitismus, Kriminalität *und* Opfergeist, Verausgabungen, ostentative Zerstörungen; Grausamkeit, Geschmack am Risiko, Todesobsession neben Religiosität und kindlicher Naivität.

Der zweite Teil des Aufsatzes, der in *Aréthuse* Nr. 5 vom Januar 1927 erscheint, ist ein Katalog der 164 mongolischen Münzen im Cabinet des Médailles. Im selben Jahr erscheint bei J. Florange, dem Verlag der Zeitschrift, ein 32seitiger Sonderdruck von Batailles Arbeit.

1927

> Was taten wir, als wir diese Erde von ihrer Sonne losketteten? Wohin bewegt sie sich nun? Wohin bewegen wir uns? Fort von allen Sonnen? Stürzen wir nicht fortwährend? Und rückwärts, seitwärts, vorwärts, nach allen Seiten? Gibt es noch ein Oben und ein Unten?
> Nietzsche, *Die fröhliche Wissenschaft*

Während der Phase der »Depression und extremer innerer Erregung« schreibt Bataille zu Jahresbeginn *L'anus solaire* (cf. II, 14). Auf Lektüreformularen der Bibliothèque nationale geschrieben, ist der *Sonnen-Anus* die erste literarische Arbeit, die er mit seinem Namen zeichnet und in seiner Vita nicht übergeht – wie z. B. *Notre-Dame de Rheims* oder die *Histoire de l'œil*.

[*L'anus solaire* (I, 79–86) läßt er, begleitet von 3 Kaltnadelradie-rungen André Massons, erst im November 1931 im Verlag der Gale-rie Simon erscheinen (112 vom Autor signierte Exemplare, 24 unpa-ginierte Seiten im Format 19×24,5 cm). Kahnweiler, Inhaber der Galerie Simon und Massons Galerist, edierte bibliophile Opuskula von den meisten Surrealisten.]

Eine Lesart des Textes, jene, die der Autor selbst vorschlägt (cf. II, 15 f.), würde den ›anthropologischen Essay‹ darin herauslösen, dessen Gegenstand die Stellung von Pflanzen, Tieren, Menschen innerhalb des planetarischen Systems ist. Der parawissenschaftliche Versuch *Anus solaire* arbeitet mit geometrischen Reduktionen, um das universelle Leben zu strukturieren:

Pflanzen und Gezeiten beschreiben eine vertikale Bewegung zur Sonne (»Die Pflanzen erheben sich in der Richtung der Sonne und sinken zurück in Richtung auf den Erdboden.

Die Bäume überziehen den Erdboden mit einer unabsehlichen Fülle blühender Ruten, die sich zur Sonne emporrichten. (. . .) Das einfachste Bild der Verbindung des organischen Lebens mit der Rotation ist der Wechsel von Ebbe und Flut.« *Der Sonnen-Anus,* p. 318, 320);

die Tiere und die kreisende Erde folgen einer horizontalen Bewe-gung;

der aufgerichtete (erigierte) Mensch ist als einziges Wesen aus-schließlich zum Himmel, zur Sonne hin ausgerichtet, wenn auch seine Haltung zwischen Vertikalität und Horizontalität alterniert: (meist) gekrümmte Haltung beim Geschlechtsverkehr, horizontale Position bei überwältigenden Erfahrungen – vom schlichten Schlaf bis hin zum Tod (»Der Mensch erhebt sich ruckartig wie ein Gespenst auf einem Sarg und sackt ebenso ruckartig zusammen.

Einige Stunden später erhebt er sich wieder und sackt erneut zusammen, und so an einem Tag wie dem anderen; denn dieser große Koitus wird geregelt durch die Erdumdrehung im Angesicht der Sonne.« Ibd., p. 318);

das Alternieren zwischen den möglichen Positionen im Raum trifft strenggenommen sowohl für anorganisches, vegetalisches, tie-risches als auch für menschliches Leben zu, für das Intervall Wer-den-Vergehen (absterbende Pflanzen verlassen die Vertikale, kopu-lierende Männchen verlassen die Horizontale etc.); die *Kontinuität* des Seins identifiziert Bataille jedoch mit einer zirkulären, mehr noch mit einer Stoßbewegung (»Die beiden wichtigsten Bewegungs-arten sind die rotierende Bewegung und die sexuelle, deren Kombi-nation durch eine Lokomotive zum Ausdruck gebracht wird, die aus Rädern und Kolben zusammengesetzt ist. (. . .)

So gewahrt man, daß die Erde mit ihrer Umdrehung die Tiere und die Menschen zum Koitieren bringt, und, da das Hervorgehende ebensogut Ursache ist wie das Hervorrufende, daß die Tiere und die Menschen mit ihrem Koitieren die Erde zur Umdrehung bringen. (. . .)

Die planetarischen Systeme, die wie sausende Scheiben im Raum kreisen und deren Zentrum sich gleichfalls verschiebt, indem es einen unendlich größeren Kreis beschreibt, entfernen sich nur fortwährend von ihrer Position, um am Ende ihrer Rotation zu ihr zurückzukehren. (. . .)

Aber obwohl die Bewegung des Lebens auf der Erde ihren Rhythmus in dieser Rotation findet, ist das Vorbild dieser Bewegung nicht die sich drehende Erde, sondern die Rute, die in das Weibchen dringt und die fast in der ganzen Länge herausfährt, um wieder einzudringen.« Ibd., p. 316 f., 318).

Das Hin und Her des Meeres, Parodie des Koitus, mag eine Reminiszenz an Rimbauds Gedicht *Éternité* sein, in dem das »Meer, das mit der Sonne rollt«, mit Unendlichkeit/Endlosigkeit, also Kontinuität verknüpft wird.

Der als Parodie des Verbrechens aufgefaßte Geschlechtsakt (ibd., p. 316) paraphrasiert Baudelaire: » . . . die einzige und höchste Lust der Liebe liegt in der Gewißheit, das Böse zu tun« (*Fusées*). Weitere parodistische Relationen: der Koitus/Penis parodiert den Kolben einer Dampfmaschine, das Wachstum der Pflanzen parodiert die Erektion, die weiblichen Geschlechtsteile parodieren das Meer, die aufrechte Haltung des Menschen ist eine Parodie des Phallus, das erotische Begehren (»die Liebe«) parodiert das unaufhörliche Zirkulieren des planetarischen Systems, die Schamteile sind eine Parodie kommunistischer Arbeiter und der Anus ist eine Parodie des Vulkans oder der Sonne.

Die Dichtung *L'anus solaire* kann oberflächlich als eine Makrophysik der Sexualität gelesen werden. Bataille anthropomorphisiert und sexualisiert biologische, astronomische, geologische, ja mechanische Prozesse, um zu einer Kopulation im Maßstab des Universums zu gelangen, die im Bild der Fusion von Sonne und Erde kulminiert (Liebestod).

Die zentrale Metapher, die Sonne, kommt erst in den letzten Aphorismen als Äquivalent des Anus ins Spiel. »Der *Sonnenring* ist der unversehrte Anus eines Körpers von achtzehn Jahren, der so blendend ist, daß ihm nichts gleichkommt außer der Sonne, aber der *Anus* ist die *Nacht*.« (Ibd., p. 322)

Andererseits behält die Sonne (die im Französischen ja auch Maskulinum ist) ihre phallische Eigenschaft und bleibt damit ambivalent: »Die Sonne liebt allein die Nacht und richtet die schändliche Rute ihrer Strahlengewalt auf die Erde . . . « (Ibd.) In einem Traumprotokoll, das Bataille vermutlich im selben Jahr abfaßt, heißt es: »Als Dreijähriger sitze ich mit entblößten Beinen auf den Knien meines Vaters und das Geschlechtsteil ist blutüberströmt wie die Sonne. (. . .)

Mein Vater ohrfeigt mich und ich sehe die Sonne.« (II, 10) Die mit geschlossenen Augen wahrgenommene Sonne erscheint *blutrot*: darauf beruht die Affinitätsbeziehung zwischen blutunterlaufenem Gesicht, blutroter Erektion, eruptierendem Vulkan (Lava = Blut der Erde), rotem Anus bestimmter Tiere und Sonne im Text.

»Das menschliche Auge erträgt weder die Sonne noch den Koitus, weder den Leichnam noch die Finsternis, auch wenn die Reaktionen jeweils verschieden sind.« (Bataille 1980, 320) Mythologisch ist die Sonne das ›Auge Gottes‹, und ›wer Gott sieht, stirbt‹: Was blendet, fasziniert und stößt zugleich ab, es läßt, da tabuisiert, den Blick abwenden. »Unter anderen Texten legt der *Sonnen-Anus* Nachdruck auf die subjektive Ähnlichkeit des *Heiligen* und des *Abfalls:* die Erektion und die Sonne erregen Ärgernis wie die Leichname und die Finsternis der Kellergewölbe. Die Sonne ist das Verdrängte (›Religion = Wiederkehr des Verdrängten‹ – Freud) . . . « (Chatain, p. 169)

Sonne, Vulkan, Anus, Erotik sind Figuren der Verausgabung wie die Nacht, Leichen und kommunistische Arbeiter solche des Heterogenen oder des Verfemten sind. Entsprechend dem ›linken‹ Sakralen, das sich als unrein, abstoßend etc. definiert, siedelt Bataille das Subversive ›unten‹ an: im Erdinnern, in der Hefe der Massen, im Bauch, im Geschlecht, im Anus.

»Der Globus der Erde ist bedeckt von Vulkanen, die ihm als Anus dienen.

Obwohl dieser Globus nichts zu sich nimmt, schleudert er zuweilen den Inhalt seiner Eingeweide nach außen.

Dieser Inhalt schießt mit Getöse heraus und ergießt sich in Strömen auf die Abhänge des Jesuvs, überall Tod und Schrecken verbreitend. (. . .)

Der Jesuv ist so das Bild der erotischen Bewegung, die die im Geist verdrängten Gedanken aufbricht und ihnen die Kraft einer skandalösen Eruption verleiht.

Die, in denen sich die Eruptionskraft anhäuft, sind notwendig unten angesiedelt.

Die kommunistischen Arbeiter erscheinen dem Bourgeois ebenso häßlich und ebenso schmutzig wie die sexuellen und behaarten Teile oder die niederen Teile: früher oder später wird sich daraus eine skandalöse Erup-

L'anus solaire, *Subskriptionsprospekt*

Wenn man die Blendung so sehr fürchtet, daß man niemals gesehen hat (– im Hochsommer und man selbst mit rotem, schweißgebadetem Gesicht –), daß die Sonne ekelhaft und rosa wie eine Eichel war, offen und urinierend wie eine Harnröhrenmündung, ist es vielleicht nutzlos, mitten in der Natur noch Augen voller Fragen zu öffnen; die Natur antwortet mit Peitschenhieben, so galant wie die hübschen Dompteusen, die man in den Schaufenstern der pornographischen Buchhandlungen bewundert. (I, 644)

tion ergeben, in deren Verlauf die geschlechtslosen und noblen Köpfe der Bourgeois abgeschlagen werden.«(Bataille 1980, 321)

»... die Niedrigkeit dieser Parodie hat nur dann eine deutliche Funktion, wenn man sie eindeutig mit einem *Materialismus* verbindet. Wenn Bataille ›schmutzig‹ ist, so deshalb, weil der Idealismus die *Reinheit* zum Korollarium hat.«(Chatain, ibd.) Der spöttische Abusus des identifizierend-prädikativen Verbums *être*, die Vervielfältigung der Perspektiven, der disjunktive Gebrauch der Kopula, die hier das am weitesten voneinander Entfernte verknüpft, qualifiziert den *Sonnen-Anus* als poetischen Text.« ... eine Bedeutung verweist auf die *Beziehung*, auf die Differenz, auf die sie zurückgeht, und die illusorische Identität des Begriffs weicht einem ständigen Gleiten: metaphorisch, metonymisch. Diesem Gleiten ist kein Ende gesetzt: unter jeder Maske befindet sich eine zweite, die die Maske der ersten ist: das hierarchisierte Gebiet des Buches oder des Gedichtes als ›schöner Totalität‹ (System, ›expressive Totalität‹ – bis hin zum ›großen Buch der Natur‹) wird von innen und außen zersetzt.«(Chatain, p. 18)

»Es ist gewiß, daß die Welt rein parodistisch ist, d. h. daß jede Sache, die man betrachtet, die Parodie einer anderen ist, oder auch dieselbe Sache unter einer trügerischen Form.

Seitdem die Sätze in den Hirnen *zirkulieren*, die sich mit dem Nachdenken abgeben, ist man zu einer vollständigen Identifizierung gelangt, denn mit Hilfe der *Kopula* verbindet jeder Satz eine Sache mit der anderen; und alles wäre sichtbarlich verbunden, wenn man mit einem Blick das gesamte Netz umfassen könnte, das der Ariadnefaden hinterläßt, der das Denken in seinem eigenen Labyrinth geleitet. (. . .)

Jedermann hat ein Bewußtsein davon, daß das Leben parodistisch ist und daß eine Interpretation fehlt.«(Bataille 1980, 316)

Diese, die ersten Zeilen des *Sonnen-Anus* verkünden ein Programm, dessen Paten Isidore Ducasse* und Nietzsche** heißen.

Was die deutsche Übersetzung unterschlägt: Bataille maskulisiert – intentional? – *die* Kopula und bringt dadurch das Sein in eine phallische Position*** (phallische Valenz der Sonne). Im ersten

---

* »Das Plagiat ist unvermeidlich.« – »Das Theorem ist seiner Natur nach spöttisch.« (I. Ducasse, *Poésies*)
** »Mitternacht ist auch Mittag, –
Schmerz ist auch eine Lust, Fluch ist auch ein Segen, Nacht ist auch eine Sonne – geht davon oder lernt: ein Weiser ist auch ein Narr.« (Nietzsche, *Also sprach Zarathustra*)
*** Cf. Jacques Lacan: »Man kann sagen, daß der Signifikant [sc. der Phallus] als

Fragment assoziiert er die Erektion direkt mit dem Sein:

»Aber der *Kopula* der Satzglieder ist nicht weniger irritierend als der der Körper. Und wenn ich rufe: ICH BIN DIE SONNE, dann hat das eine vollständige Erektion zur Folge, denn das Verb sein ist der Träger der Liebesleidenschaft.« (Ibd.)

(*Sein* erfüllt in diesem Beispiel die Funktion einer Kopula, und Kopula leitet sich von *copulation* her.) Mit dieser eindeutig phallozentrischen Tendenz konkurriert die anale, vermittelt durch die exkrementelle Sonne (»Ich bin der *Jesu*«, die abscheuliche Parodie der brennenden und blendenden Sonne«). Jene Reaktivierung der verdrängten bzw. sublimierten Analität, die im psychoanalytischen Jargon auch Regression, Verneinung, Todestrieb, Negativität geschimpft wird, ermöglicht die Subversion der symbolischen Funktion (Zeichen, Sprache, Familie, Staat). Es ist das antithetische, anti-ödipale, paradoxale Moment eines sinngebenden Prozesses, der weder das Symbolische/Thetische verleugnet noch der Kastration ausweicht: er durchquert dagegen diese Stadien, wodurch er den heterogenen Widerspruch eklatant macht.

»Dem Wissen, Merkmal der Lesbarkeit, bietet die Schrift ein ›Nichtwissen‹ an, den Untergang und das Verschwinden des Wissens in der Beschleunigung des Signifikanten. (. . .) Die Schrift sanktioniert den Tod eines Denkens, das mit dem Sinn und der Teleologie verbunden ist (. . .). Die Unlesbarkeit wäre also die besondere Eigenschaft eines Textes gegenüber der Ideologie, die für ihn blind ist« (Baudry 1968, 140). ». . . das Wissen verläßt die Literatur, die nicht mehr *Mimesis* noch *Mathesis* sein kann, sondern nur *Semiosis,* Abenteuer des sprachlich Unmöglichen, in einem Wort: *Text.*« (Barthes 1978, 130)

Mit dreißig Jahren macht Bataille ein Unding zum Gegenstand philosophischer Fragmente: das *œil pinéal.* Zeitlich koinzidiert die Niederschrift des *Anus solaire* mit einer obsessionellen Phantasie namens ›œil pinéal‹ (Schädel-, Pinien-, Himmels- oder Pinakel-

---

das Hervorstechendste dessen gewählt wird, was man in der Wirklichkeit der sexuellen Kopulation zu fassen bekommt, auch als das Symbolischste im wörtlichen (typographischen) Sinn dieses Begriffs, da er hierbei der Kopula (Logik) entspricht.« (*Écrits*, Paris 1966, p. 692) Die für den symbolischen Phallozentrismus konstitutive Kastration verwandelt den Penis in einen Signifikanten: als Phallus wird er unbrauchbar, wird er zum Tauschwert. Gemäß jener Kastrationslogik bedeutet »ich bin die Sonne«: »ich *bin* der Phallus, weil ich ihn nicht *habe*, sondern kastriert bin.«

Auge, auch Schädelpenis), die die exkrementelle, d. h. nächtliche Auffassung der Sonne wieder aufnimmt. Was Bataille abwechselnd als Phantasma und als Mythos bezeichnet, hat auch eine anatomische Realität als Epiphyse oder Zirbeldrüse, deren Funktion noch weitgehend ungeklärt ist (man vermutet einen Zusammenhang zwischen der Hormonausschüttung der Zirbeldrüse und dem Rhythmus des *Sonnenlichts*). *Corpus pineale* (Pinienkörper, so benannt nach seiner formalen Ähnlichkeit mit einem Pinienzapfen) und *penis cerebri* (Glied des Hirns) sind weitere Bezeichnungen für dieses Organ. Eine etymologische Assoziation führt über das lateinische *pinna* zu Pinakel, der Kuppel des Tempels von Jerusalem, die durchlöchert ist, um an Christi Himmelfahrt zu erinnern. In verschiedenen architektonischen Traditionen wird vom ›Auge‹ (im Scheitel) einer Kuppel gesprochen – vermittelt durch die mythische Homologisierung von menschlichem Körper, Tempel, Haus und Kosmos. Mircea Eliade (1979, Kap. 4, p. 147) weist auf die bedeutende Rolle hin, die das *brahmarandhra* (womit in Indien z. B. die dem Himmel zugewandte Öffnung eines Turmes bezeichnet wird) in seiner Bedeutung als »Öffnung an der Schädelspitze« im tantristischen Yoga spielt: durch diese Öffnung entweiche die Seele beim Sterben, was den Brauch erklärt, verstorbenen Yogins den Schädel zu zerschmettern, um ihrer Seele den Übergang in eine andere Welt zu erleichtern. Dem Symbolismus des *brahmarandhra* als einem »transzendenten Zentrum« kommt die sowohl in Asien als auch in Europa verbreitete Vorstellung nahe, die Epiphyse sei das ›dritte Auge‹, der Sitz des ›sechsten Sinns‹. (Diesen Mythos greift das Buch *Terreur sur Terre ou La Vision par l'Épiphyse* auf, das Roger Gilbert-Lecomte in der Zeitschrift *Le Grand Jeu*, Nr. 3, 1930, ankündigt, aber nie vollendet.) Noch Descartes steht in dieser Tradition, wenn er (*Les passions de l'âme*, Buch 1, Art. 31) das virtuelle, embryonale ›œil pinéal‹ als Sitz der Seele und Ort, an dem die Ideen gebildet würden, bezeichnet, oder dem Organ auch die Funktion zuschreibt, zwischen Körper und Geist Befehle sowie Informationen zu vermitteln und außerdem die Sinneseindrücke der jeweils doppelten Wahrnehmungsorgane zu vereinen.

Batailles phantasmatischer Begriff des ›œil pinéal‹ steht im radikalen Gegensatz zum cartesischen Rationalismus. Bataille möchte ein heterogenes Element in den teleologischen und wissenschaftlichen Diskurs einführen; ein Phantasma, das die Monologik exzediere, die idealistische Weltanschauung zersetzte, möchte etwas Unmögliches, etwas ganz Anderes inaugurieren: ein Organ des Unsinns, dessen Funktion nicht das Denken (*pensée*), sondern die Verschwendung (*dépense*) wäre. Bataille zufolge entspringt das exzessive Verlangen nach der Darstellung des ›œil pinéal‹ dem Verlangen, selbst die Sonne zu werden. (Cf. II, 14) Schon das Begehren, in die Sonne zu sehen, gilt als Symptom des Wahnsinns: »Der Tollkühne«, schreibt Éliphas Lévi, »der ohne Schatten in die Sonne zu blicken wagt, wird blind, und für ihn ist dann die Sonne schwarz«. Bataille beteuert daher:

»Ich war nicht verrückt, aber ohne jeden Zweifel räumte ich der Notwendigkeit, auf die eine oder andere Weise die Grenzen unserer menschlichen Erfahrung zu verlassen, extrem breiten Raum ein, und auf ziemlich verworrene Weise richtete ich es so ein, daß die unwahrscheinlichste Sache der Welt (auch die erschütterndste, so etwas wie Schaum auf den Lippen) mir zugleich als notwendig erschiene.« (II, 15)

Im Juli, bei einem Besuch des Londoner Zoos, überwältigte ihn der Anblick eines Affenhinterns, das Phantasma des ›œil pinéal‹, das er verfolgt, verfolgt von jetzt an ihn, die Verfolgung bekommt einen zwanghaften Charakter.

»Übrigens wäre es mir unmöglich gewesen, anders klar darüber zu sprechen und erschöpfend zum Ausdruck zu bringen, was ich Anfang 1927 so heftig empfunden hatte (und das auf heftige Weise zu empfinden noch vorkommt), als indem ich über die Nacktheit des Aftervorsprungs eines Affen sprach, der mich an einem Julitag desselben Jahres im *Zoological Garden* von London so aufgewühlt hat, daß ich in eine Art ekstatischen Stumpfsinn verfiel.« (II, 19)

[Bataille gebraucht das Imperfekt, bringt er doch die meisten Fragmente zum ›œil pinéal‹ (II, 11–47) erst zwischen 1928/1930 – nach der Psychoanalyse – zu Papier.] Mit dem frappierenden Anblick des roten Tierafters assoziiert Bataille eine Reminiszenz (II, 427): das Bild eines Metzgers, der ein enthäutetes Kaninchen köpft (im *Sonnen-Anus* war die Rede von dem Impuls, die »geschlechtslosen und noblen Köpfe der Bourgeois« abzuschlagen). Eine Metonymie verknüpft den roten Affen-Anus mit dem kahlen menschlichen Schädel nebst seinem glutroten ›œil pinéal‹, das symmetrisch zum Anus angeordnet wäre; verbindet die rotglühende Sonne mit dem Anus (in dem, wie im Falle einer Hexe, eine brennende Fackel steckt: Baisson, *Les grands jours de la sorcellerie*), dem Penis und dem Vulkan.

Glatze/Anus: Bataille benutzt das ›œil pinéal‹ unter anderem zur Darstellung von Energie-Entladungen auf der Schädelspitze, deren Heftigkeit und Obszönität mit derjenigen – fäkalen – der Afterprotuberanzen gewisser Affen vergleichbar wäre (cf. II, 19).

»Symbolisch charakterisiert sich das œil pinéal als eine ekelerregende Obszönität, die versucht, mit Gewalt aus dem Gefängnis des Schädels zu entspringen, aber so, daß in dem Augenblick des Hervorbrechens des Auges
an der Spitze des Schädeldachs oder, wenn man so will: in dem Augenblick,
wo dieses sich unendlich weit angesichts der Unermeßlichkeit des blauen
Himmels öffnet, ein entsetzlicher Taumel die Illusion erweckt, daß der
Körper seinerseits stürzend, brüllend und kreisend entspringen wird – bis
auf den Grund jenes unermeßlichen und entsetzlichen Himmels.

Das Bild des Sturzes in den Himmel verleiht so einem kahlen Schädel den
abscheulichen Aspekt eines Hinterns, bevor er sich mit einer plötzlichen
Defäkation erleichtert.« (II, 416)

Vulkan/Anus: Vulkan = Öffnung (vulkanisches und zugleich laku-
strisches »Auge« bzw. Anus) im kahlen Erdball. »Das fäkale Auge
der Sonne hat sich so aus diesen vulkanischen Gedärmen herausgerissen, und der Schmerz eines Menschen, der sich mit seinen Fin-
gern selbst die Augen herausreißt, ist nicht absurder als jene anale
Geburt der Sonne.« (II, 28) Anspielung auf 1. die satanisch-provo-
kative Gebärde einer Hexe, die ihren entblößten Hintern dem
nächtlichen Himmel entgegenstreckt, um darauf einer brennenden
Fackel als Halterung zu dienen; 2. die Auto-Enukleation (symbolische Kastration) einer psychotischen Frau (Intertext: Larthiois, *De
l'automutilation* . . . , Paris 1909).

»Der Jesuv ist so das Bild der erotischen Bewegung, die die im Geist verdrängten Gedanken aufbricht und ihnen die Kraft einer skandalösen Eruption verleiht. (. . .)

Und so fürchte ich mich nicht, zu versichern, daß mein Gesicht ein
Ärgernis ist und daß meine Leidenschaften sich nur verkörpern im JESUV.
(. . .)

So schreit die Liebe in meinem eigenen Hals: Ich bin der *Jesuv*, die
abscheuliche Parodie der brennenden und blendenden Sonne.« (Bataille
1980, 321, 322)

Jesuv: Portmanteau-Wort, das *je* (ich) bzw. *Jesuv* mit *Vesuv* ver-
schmilzt. » . . . es geht um den JESUV, das heißt um einen Vulkan,
der Jesusse, Würste ausstößt. Jesus läßt sich außerdem als
Anagramm von SUJET lesen. Der Jesuv wäre also im Text Batailles
der ›Punkt‹, die Stelle, an der die unterschiedlichen über den Text
verstreuten Ichs hervorkommen: eine nicht-synthetische Einheit,
ein Loch, vor allem ein anales, das bewirkt, daß alle Geburten
dieses schmutzigen Vulkans Totgeburten sind, also in gewisser
Weise apollonische Gestaltungen.« (Gasché 1973, 206 f.)

Sonne/Exkremente: In der Psychoanalyse haben die Himmelskörper eine exkrementelle Bedeutung (cf. *Histoire de l'œil:* » . . . die

Augen auf die Milchstraße gerichtet, diesen seltsamen Strom von Astralsperma und himmlischem Urin . . . «; *L'anus solaire:* ». . . daß die Sonne ekelhaft und rosa wie eine Eichel war, offen und urinierend . . . «).

Sonne/Penis: An einer Stelle spricht Bataille vom ›œil pinéal‹ als einem außergewöhnlich sensiblen Geschlechtsorgan, das – erbebend – ihm furchtbare Schreie entlocke,»Schreie einer überwältigenden, aber stinkenden Ejakulation« (II, 19). So wird das ›œil pinéal‹ weniger rezeptiv als phallisch-aggressiv konzipiert und die fixierte Sonne dementsprechend mit einer »geistigen Ejakulation« (I, 231) verglichen.

»Die Erektion und die Sonne erregen das gleiche Ärgernis wie der Leichnam und die Finsternis von Kellergewölben. (. . .)
Die Sonne liebt allein die Nacht und richtet die schändliche Rute ihrer Strahlengewalt auf die Erde (. . .).« (Bataille 1980, 320, 322)
»So erscheint das œil pinéal, das sich vom horizontalen System des normalen Blicks löst, in einer Art Tränenkranz, wie das Auge eines Baumes oder vielmehr wie ein Menschenbaum. Zugleich ist dieser Augenbaum nur ein großer (abscheulicher) rosafarbener, vor Sonne trunkener Penis, und es ist ein Unbehagen, das er hervorruft oder erregt: den Ekel, die widerliche Verzweiflung des Taumels. Mit dieser Transfiguration der Natur, während derer der ekelerregende Blick selbst von der Helligkeit der Sonne, die er fixiert, zerrissen und herausgerissen wird, hört die Aufrichtung (*l'érection*) auf, eine schmerzliche Erhebung auf der Oberfläche der Erde zu sein, und mit einem Erbrechen faden Blutes verwandelt sie sich in einen schwindelerregenden Sturz in den Himmelsraum, begleitet von einem furchtbaren Schrei.« (II, 27)

Deutlich die Dominanz der binaren Dialektik: sei es die Doppelbewegung Aufrichtung (Erektion)/Sturz in den Himmel (Kastration), sei es die Duplizität der Begriffe selbst: *pinéal* (Kondensation von *pine* = Argotwort für Penis und *anal*, also genitale und anale Wertigkeit sowohl des ›œil pinéal‹ als auch der Sonne), oder das konsequente In-die-Schwebe-Bringen der Oppositionen oben/unten – hoch/niedrig (der Grund eines Brunnens ist dem Grund des Himmels äquivalent), hell/dunkel (nächtliche Definition der Sonne) etc. Schließlich koexistieren im Dossier zum ›œil pinéal‹ fiktionaler und theoretischer, autobiographischer mit anthropologischem Text.

Sämtliche Fragmente zum ›œil pinéal‹ sind als Bestandteil der *Heterologie* oder *Skatologie* Batailles zu betrachten.»Das œil pinéal ist kein Organ, sondern ein ›Phantasma‹ (oder ein ›Mythos‹). Das Phantasma ist in gewisser Weise das diskrete Element jeder Skatologie insofern, als es der Ökonomie der Idee entkommt. Denn wenn die Idee das Modell von Kopien ist, die ihm ähneln, so ist das *Phantasma* dagegen weder Modell noch Kopie: es ist ein Bild ohne Ähnlichkeit. (. . .) Das Phantasma hat also mit nichts Ähnlichkeit. Deshalb hat man keine Idee von ihm.« (Hollier 1974a, 224) Skatologie auch insofern, als Bataille die Sonne – nach Platon das Symbol des Guten, der Ideenwelt, der nüchternen Zerebralität – zum Exkrement degradiert. Die Theorie/Fiktion des ›œil pinéal‹ führt auf diese Weise den Schmutz, den Abfall in das Denken ein, den Idealismus eines Descartes überschreitend.

Inbegriff des Logos, ist die Sonne etwas, dem man – wie dem Vater, dem Guten, dem Tod – nicht ungestraft ›ins Gesicht sehen‹ kann. Aber der Schmutz, zu welchem die Sonne abgewertet wurde, besitzt eine »gespenstische Anziehungskraft«, und das Verbot fordert zu seiner Transgression heraus. Das ›œil pinéal‹ gestatte die Verwirklichung beider Triebtendenzen: den unmittelbaren Blick in die Sonne und dadurch die Transgression des Verbots. Die Ausdrücke Defäkation, Explosion, Eruption, Brand, Verschwendung, Ejakulation, ›Enthirnung‹ deklinieren diese Provokation, diese Revolte gegen die heliozentrische Ordnung der Dinge (die Welt des Sinns, des Logos, des Seins, des Guten, des Vaters etc.).

Notwendigkeit des ›œil pinéal‹. – In Batailles Optik ist die Evolution ein Fehlschlag, der Mensch nicht mehr als ein nackter, unbehaarter Affe, der Mangel schlechthin: ». . . umgeben von einem Todes-Halo erhebt sich ein erstes Mal eine zu blasse, zu große Kreatur, die unter einer kranken Sonne nichts anderes ist als das Himmelsauge, das ihr fehlt.« (II, 35) Von der horizontalen Haltung emanzipiert, bleibt das visuelle System des *homo erectus* jedoch auf einer – horizontalen – Ebene mit demjenigen des Tieres. Indem Bataille das geometrische Kriterium (die Vertikalität sei das Maß der Menschlichkeit, der Gipfel der Evolution), dem eine ›tropistische‹ Anschauung der Wesen zugrundeliegt, um seine sexuelle Dimension erweitert, gelangt er zum ›Himmelsauge‹ und zur folgenden Differenzierung: der Affe mit seinem exponierten, roten, obszönen Gesäß – das ihm zur sexuellen ›Kommunikation‹ dient – sei anal polarisiert, der Mensch dagegen oral (visuell, zerebral); kopflastig, sind dem *homo sapiens* Sprache, Mienenspiel und Blick das, was dem Affen der After ist – Sprechen, Lachen, Weinen, Schluchzen, Schreien interpretiert Bataille als Substitute der Exkretion. Die formale Ähnlichkeit zwischen Mund/Nase/Augen und Anus/Genitalien erlaubt es ihm, beides als Gesicht zu betrachten – das eine wäre das orale, das andere das anale oder ›sakrale‹ (cf. VIII, 527). (Freud erklärt in *Das Unbehagen in der Kultur* die Privilegierung des Gesichtssinns und die Abwertung des Geruchssinns mit der Vertikalisierung des Menschen nebst deren Folgen wie Bedeckung der Genitalien, Absonderung menstruierender Frauen etc. Auf der Verdrängung des Geruchs sowie des Sexuellen begründet er die Tabuisierung der Analerotik. Eine nicht minder einschneidende Folge des aufrechten Gangs ist die Freistellung der Hände zur Arbeit: letztere generiert Verbote, die Sexualität und Tod betreffen, generiert die Modi der Tauschprozesse, die Normen der politisch-sexuellen Ökonomie.) Bleibt der kastrierte, horizontale, meist erdwärts gerichtete Blick des *homo oeconomicus*, der die utilitaristische Ideologie, die ihn beugt, regelrecht zu verkörpern scheint. Wie dieses Relikt des Tierstatus, diese visuelle, den Horizont begrenzende Inferiorität überwinden, wenn nicht durch ein zusätzliches ›Auge‹? Das ›œil pinéal‹ würde den Mangel korrigieren, dem Menschen die vollkommene Aufrichtung (Vertikalität) ermöglichen. Bataille beruft sich auf Ikaros und Prometheus als mythologische Zeugen des Heliotropismus, Ausdruck des brennenden Begehrens des Menschen, in die Sonne zu sehen, d. h. das Verbot zu überschreiten. Solche Hybris wird bekanntlich mit Kastration (Blendung und Absturz) geahndet – aber die geschlechtliche Entmannung tilgt diejenige des Blicks. Die Kastration, der der Sturz entspricht, wird von Taumel und einem »unmenschlichen Schrei« begleitet – Indizien eines außergewöhnlichen Erfolgs (cf. II, 44). In Batailles Text erhält sie das Vorzeichen einer Befreiung:

»... das Kind, das in seinem Entsetzen, geschnitten (*tranché*) zu werden, das blutige Ende herauszufordern sucht, zeigt keineswegs ein Fehlen von Virilität: ein Übermaß an Kraft und eine Schreckenskrise stoßen es im Gegenteil blind auf alles das zu, was es an Schneidendstem auf der Welt gibt, nämlich den Sonnenglanz.« (II, 46)

Virilisierende Kastration, die zudem die vollkommene Vertikalität zur Folge hat, denn Bataille behauptet – gestützt auf die sexuelle Funktion der Epiphyse – die gemeinsame Natur von Virilität und Vertikalität (cf. II, 39). Lacanisch: indem man den Phallus (Signifikant des Wunsches) verliert, wird man der Phallus, da man ihn nicht zugleich haben und er sein kann.

Der Ausgang eines solchen Heliozentrismus, der in seiner Tragikomik für Bataille die *condition humaine* kennzeichnet und definiert, findet seine mythologische Darstellung im abstürzenden Ikaros, in den blutbesudelten Adepten des Mithra-Kultes, in einem sich selbst opfernden Mann ebenso wie in einem anthropomorphen Wesen ohne Kopf (cf. I, 231–232); ein van Gogh, der sich selbst verstümmelt, ein Bürokrat, der sich mit Klopapier den Schweiß von der Glatze wischt (cf. II, 416–417), gelten Bataille als symbolische Pendants – nicht zu vergessen den Hahnenschrei bei Sonnenaufgang, den er mit dem Todesschrei eines Menschen assoziiert, dem die Kehle durchgeschnitten wird (cf. I, 232). Im *Blau des Himmels* (1934) heißt es:

»Die vollkommene Negation der Natur durch den Menschen – der sich über ein Nichts erhebt, das sein Werk ist – verweist ohne Umschweife auf den Taumel, auf den Sturz in die Leere des Himmels. (. . .)

Indem es sich der Natur entgegensetzte, war das menschliche Leben transzendent geworden und schickte alles in die Leere zurück, was es nicht ist: wenn dafür dieses Leben die Macht ablehnt, die es in der Unterdrückung hält und selbst souverän wird, löst es sich von Banden, die eine schwindelerregende Bewegung auf die Leere zu lähmen.« (V, 93, 94)

Heterologie/Mythologische Anthropologie. – Die vertikale Bestimmung des Menschen demonstriert Bataille ein van Gogh, der in die Sonne sieht oder mit Kerzen auf dem Hut malt ebenso, wie ein Pastor, der nur im Kopfstand zum Orgasmus kommt, wie die kopfstehenden Hexen, die ihre Fußsohlen mit darauf aufgepflanzten Kerzen dem nächtlichen Himmel entgegenstrecken (cf. II, 416–417). Jene Formen der Revolte stimulieren ihn zu einem leidenschaftlichen Plädoyer für eine nicht-diskursive Existenz, die im areligiösen Opfer (Lachen, Ekstase, Erotik . . .) die Servilität (Arbeit, Sorge um die Zukunft, Prinzip der Notwendigkeit, Wissenschaft . . .) überschreitet.

»Die erotischen Feuerbrände revolutionärer und vulkanischer Art stehen in Feindschaft mit dem Himmel.« Bataille 1980, 321

»(. . .) ein Phantasma antwortet als Herr und nicht als Knecht: es existiert wie ein freier Sohn nach langem Leiden unter der Zuchtrute, der sich teuflisch und ohne Gewissensbisse über den Totschlag seines Vaters freut; es existiert *frei* und spiegelt nichts anderes als die entfesselte menschliche Natur wider.« (II, 415 f.)

Der Zweck des Menschen, behauptet er apodiktisch, bestünde darin, die Sonne zu betrachten; dies sei der einzige Lebensgrund des – freien – Menschen. (Cf. II, 425) Damit stellt er die Exkretion, Metapher der Verschwendung (Intertext: Mauss, *Essai sur le don* . . .) über die Inkorporation, der intellektuell die Herstellung von Identitätsbeziehungen zwischen irreduziblen Elementen, kurz: die Homologisierung und Aneignung entspricht.

»Das Auge, das sich in der Mitte und an der Spitze des Schädels befindet und das sich, um sie in einer unheimlichen Einsamkeit zu betrachten, der weißglühenden Sonne öffnet, ist kein Produkt des Verständnisses, sondern wirklich eine unmittelbare Existenz: es öffnet sich und erblindet wie eine Selbstverzehrung oder wie ein Fieber, das das Sein, oder genauer: den Kopf verzehrt, und es spielt so die Rolle der Feuersbrunst in einem Haus; der Kopf, anstatt das Leben einzuschließen wie das Geld in einem Tresor, verausgabt es verschwenderisch, denn er hat am Schluß dieser erotisierenden Metamorphose die *elektrische Kraft der Pointen* empfangen. Dieser große brennende Kopf ist das Gesicht und das unangenehme Licht des *Begriffes der Verausgabung* (. . .).« (II, 25)

Einzig eine Anthropologie des Subjekts, welche die Triebe und den Körper nicht ausklammert, eine mythologische Anthropologie vermag die Erotisierung des Kopfes (des Wissens) und die tragische Selbstverschwendung zu denken.

»(. . .) die Philosophie ist bisher, ebenso wie die Wissenschaft, ein Ausdruck der Subordination des Menschen gewesen; und wenn er sich selbst darzustellen sucht, nicht mehr als ein Moment eines homogenen Prozesses – eines bedürftigen und erbarmungswürdigen Prozesses –, sondern als eine neue Zerreißung im Innern einer zerrissenen Natur, so ist es nicht mehr die nivellierende Phraseologie, die seinem Verständnis dient, die ihm zu helfen vermag: er kann sich in den degradierenden Fesseln der Logik nicht mehr wiedererkennen, er erkennt sich im Gegenteil – nicht nur mit Wut, sondern mit ekstatischer Qual – in der Heftigkeit seiner Phantasmen wieder.« (II, 22)

Batailles mythologische Anthropologie sieht daher die Subordination der Wissenschaft, ihre Indienstnahme zu ihr fremden Zielen vor. Nur eine verworfene, ihres skandalösen Charakters wegen ausgeschlossene mythologische Aussage könne sich der Wiederaneignung seitens der Wissenschaft entziehen und der Möglichkeit entkommen, zum Machtmittel pervertiert zu werden.

»Die Wissenschaft, die von einer mystischen Anschauung des Universums ausgeht, hat deren Grundbestandteile in zwei völlig verschiedene Klassen eingeteilt: durch Assimilation hat sie deren bedürftige und nützliche Bestandteile herausgearbeitet und eine geistige Tätigkeit, die bis dahin nur das Instrument seiner Ausbeutung war, in ein Instrument verwandelt, das für das materielle Leben des Menschen von Nutzen ist. Zugleich sollte sie die deliranten Teile der alten religiösen Konstruktionen zur Seite schieben, um sie zu zerstören. Doch dieser Zerstörungsakt wird am äußersten Ende der Entwicklung ein Befreiungsakt: das Delirium entkommt der Notwendigkeit, wirft seinen schweren Mantel mystischer Knechtschaft ab und erst dann, nackt und lasziv, verfügt es über das Universum und dessen Gesetze wie über Spielzeug.« (II, 24)

»Die wissenschaftliche Anthropologie verkündete die Erektion des Menschen. Die mythologische Anthropologie, die Bataille mit dem œil pinéal entwickeln wollte, läßt ihn den Kopf verlieren, die Wissenschaft verlieren. (. . .) Homo erectus: aber die Erektion scheitert. Die Wissenschaft tritt aus dem Kopf des Menschen heraus: aber der Kopf tritt aus der Wissenschaft vom Menschen heraus, er reißt sein Gewebe auseinander, um darin ein Auge zu öffnen, ein fehlendes. Seine Erektion läßt ihn den Kopf verlieren. (. . .)

Die Wissenschaft stellt den Menschen an die Spitze (*tête*) der Natur und konstituiert sich selbst im System der Wesen, das sie aufstellt, als ihr artbildender Unterschied. Die Wissenschaft definiert den Menschen mittels der Wissenschaft: *homo sapiens*. Doch der Kopf ist durchlöchert. Das œil pinéal, Organ des Nichtwissens, zerstört die Wissenschaft. Wenn die Wissenschaft den Menschen dachte (*pensait*), so zerdenkt (*dépense*/verausgabt) das œil pinéal ihn, läßt ihn die Reserve einbüßen, in der er sich am Gipfel seiner Spitzenposition (*position de tête*) schützte.« (Hollier 1974a, 223, 235)

Miniatur-Fiktionen. – Thematisch läßt *Le sacrifice du gibbon* (II, 28–30) die Vermutung zu, daß es sich um eine Reminiszenz an oder ein Derivat von *Dirty* handelt. Der fiktionale Text entfaltet einige konkrete Aspekte – Orgie, Exkremente, Ekstase, komischer Tod – der Heterologie: Ein Gibbon-Weibchen wird mit dem Kopf nach unten lebendig begraben, nur sein vulkanförmiger Anus* ragt noch aus der Erde. Während die sterbende Äffin brüllt und scheißt, streckt sich eine blonde Engländerin nackt auf der Pseudoglatze (Jesuv) des Tieres aus und küßt schließlich den Anus. Auf die Entladungen der agonisierenden Äffin antworten die Teilnehmer dieses orgiastischen Opfer-Ritus mit Orgasmen.

»Die Sonne kotzte über Mündern voller komischer Schreie, in der Leere eines absurden Himmels, wie ein kranker Säufer . . . Und so besiegelten eine unglaubliche Hitze und Bestürzung ein Bündnis – unerträglich wie eine Marter: wie eine Nase, die abgeschnitten wird, wie eine Zunge, die herausgerissen wird –, vollzogen die Hochzeit (gefeiert mit der Klinge des Rasier-

---

* Cf. Otto Weininger, der am 3. 8. 1903 an Artur Gerber schrieb: »(. . .) Auf dem Aetna hat mir am meisten die imposante *Schamlosigkeit* der Krater zu denken gegeben. Ein Krater erinnert an den Hintern des Mandrill. (. . .)« (*Geschlecht und Charakter*, München 1980, p. 645)

messers auf hübschen, auf unverschämten Hintern), die kleine Kopulation des stinkenden Loches und der Sonne . . . « (II, 30)

In *L'œil de bronze* (Argot:»Das Arschloch«, wörtl.:»Das Bronze-Auge«) deklariert Bataille die Ekstase zum Erkenntnisprozeß. Ein Mädchen wird, vor einem Affenkäfig stehend, mit einem defäkierenden Primaten konfrontiert. Der Arsch des Tieres, grell wie eine Sonne, macht sie erröten:»Wenn mein Gesicht blutunterlaufen ist, sieht es rot und obszön aus.

Durch seine krankhaften Reflexe verrät es zugleich die blutrote Erektion und einen unwiderstehlichen Durst nach Schamlosigkeit und krimineller Ausschweifung« (Bataille 1980, 321). Auf den Abort zurückgezogen, erkennt das Mädchen gleichsam ekstatisch das Antlitz und den Odem des Todes wieder – eines Todes mit dem Epitheton»komisch«. (Cf. II, 31) Im fortlaufenden Text (II, 33 f.) transformiert Bataille einen wissenschaftlichen Mythos, nach dem jene Affen, die ein Waldbrand zur Flucht antreibt, den Prototyp des *homo erectus* darstellten: in seiner Vision provozieren die Entladungen der Affenärsche entsprechende von Himmel und Erde (Blitze, Vulkanausbrüche, Waldbrand). Das daraus hervorgehende Desaster gleicht einem heterologischen Panorama: Gelächter, Schluchzer, Schreie, verbrannte Affen (»furchterregend wie gebärende Frauenbäuche«) . . .

Resümee: Wer das mythologische/phantasmatische ›œil pinéal‹ als Unsinn qualifiziert, verdrängt entweder das Fäkale aus der ›reinen Vernunft‹, das Niedrige aus der noblen Welt der Ideen, oder aber er stimmt damit dem Paradox zu, das Bataille eines Tages folgendermaßen ausdrücken wird: Sinn = Unsinn; Sinn + Unsinn = potenzierter Sinn. Indem Bataille die Rückseite des Denkens entblößt, fördert er das Nichtwissen zutage. Heterologie wie mythologische Anthropologie, die unter anderem die Erotisierung des Wissens und die ruinöse, nutzlose Verausgabung lehren, entziehen sich weitgehend der metasprachlichen Assimilation.»Was in das Gebiet des Phantasmas fällt, wie auch das, was von der Mythologie angeboten wird (. . .), ist nicht zu einer Reduktion auf das begriffliche Gebiet geeignet: die ›Mytheme‹ gehorchen der monovalenten Identitätslogik nicht. Das œil pinéal wird als das eingeführt, was seinen Sinn der Wissenschaft verleiht, und es verleiht ihr den Sinn, weil sie ihn ablehnt, weil er sie bedroht: ›Die Tatsache, daß es der Vernunft zufolge in einer mythologischen Reihe keinen brauchbaren Inhalt gibt, ist die Bedingung ihres bedeutungsvollen Wertes‹ [II, 23].« (Hollier 1974a, 185 f.)

Alle fünf Ansätze (II, 11–47), das phantasmatische Bild in einem

Buch zu entfalten, bleiben Fragment, scheitern. Als sei das Scheitern der Interpretation des Mythos diesem inhärent, als verweigere sich das ›œil pinéal‹ einer kohärenten, diskursiven Repräsentation. Georges Bataille kapituliert – Faulheit, Aversion? – vor dem logisch-explikativen Diskurs. Die Heterologie selbst schlägt sich jedoch in zahlreichen fiktionalen und theoretischen Texten Batailles nieder. Noch 1943 plant er, unter diversen Titeln (*Débris, Aléa, Aquilon*) den *Sonnen-Anus, Dirty* sowie die *Documents*-Artikel zu einem Buch zusammenzufassen (cf. III, 537 f., 500) – eine Art heterologische Summe.

Zurück zur Chronologie. Im APRIL-Heft von *Aréthuse* (Nr. 2) rezensiert Bataille *La Médaille et les médailleurs* von Jean Babelon (I, 120–121) – seine einzige Publikation im Jahre 1927.

Im JULI hält er sich in London auf (cf. II, 19), wo er vermutlich beruflich das British Museum, privat den Zoo frequentiert.

Vier Wochen später beendet er seine Psychotherapie. »Die Psychoanalyse hatte ein entscheidendes Ergebnis, sie beendete im August 1927 eine Folge schlimmer Mißgeschicke und Niederlagen, mit denen er sich abquälte, nicht aber einen Zustand intellektueller Gewalt (. . .).« (VII, 460) »(. . .) schließlich hat das den völlig krankhaften Menschen, der ich war, in jemand relativ Lebensfähigen verwandelt. (. . .) Das hat mich begeistert und dennoch befreit.« (Bataille zit. nach Chapsal 1973, 26). Es scheint, als habe Dr. Borel in erster Linie eine Art Graphotherapie praktiziert: »Er schlug mir vor, regelmäßig wiederzukommen. Ich willigte ein. Ich schrieb meinen Teil der Erzählung und brachte in jede Sprechstunde die geschriebenen Seiten mit. Das war die wesentliche Grundlage für eine psychotherapeutische Behandlung, ohne die ich mich von diesem Eindruck kaum hätte befreien können. Der Arzt schien mir vernünftig, er war von unheimlicher Sanftmut. Ich willigte ein: ich war das Kind, um dessen Hals man ein Lätzchen bindet, und das sich anschickt, friedlich zu sabbern. Ich sagte es ihm, und er lachte, stieß mich an:

›Sehen Sie‹, sagte er zu mir, ›das alles ist kindisch, von Anfang bis Ende, und sogar im engsten Sinne. Aber unsere Wissenschaft kann nur insoweit wirken, als sie die Kranken erniedrigt.‹

Ich weiß nicht, ob ich endlich geheilt bin. Ich war es nicht, als ich diese literarische Behandlung unterbrach.« (AC, 30 f.) [*Talking-cure* und Graphotherapie bzw. Erzählung sind von einem unorthodoxen psychoanalytischen Standpunkt aus nur zwei verschiedene Modi ein und derselben *recherche du temps perdu*, währen derer das Subjekt seine vorhergehenden Erfahrungen sprachlich zusammen-

Die Neurose wird verantwortlich gemacht, man klammert das unlösbare Rätsel aus, eine Gegenwart auf der Erde, wartend worauf? Unfähig zu antworten, tut man so, als habe man bereits geantwortet, die Neurose allein widersetzt sich dem Erfolg, der ohne sie sicher wäre! Das Gegenteil ist offenbar geworden: nur ein Marktschreiererfolg steht dem Gefühl eines beängstigenden Rätsels entgegen – die Neurose ist das bängliche Begreifen des zugrunde liegenden Unmöglichen, dem man irgendeine zufällige Ursache zuschreibt, statt es als unausweichlich zu akzeptieren. Das Unmögliche ist der Grund des Seins . . . Der Neurotiker heftet es an eine bestimmte Gegebenheit, in der das Unmögliche nicht ist, womit der normale Mensch recht hat, ihn krank zu nennen, aber er nähert sich dem Grund des Seins, dem der Normale fremd bleibt (außer im Gelächter, im Laster, in der Poesie, in der Frömmigkeit, dem Krieg . . .). (. . .)

Die Neurose verdirbt einem eine Möglichkeit des Glücks, was mehr oder weniger mit jedem möglichen Glück geschieht. Man beschuldigt die Krankheit, die Bösartigkeit, man stößt eine verhauchende Wahrheit zurück, die unter großer Mühe formuliert wurde, die sich Gehör verschaffen will und nicht mehr die Kraft dazu hat: das Unmögliche auf dem Grunde der Dinge strömt eine nicht zu beschwichtigende Erregung aus, man unterliegt seinem Gesetz, doch man diskutiert, hält an der Fiktion einer schuldhaften Kraft fest, glaubt, man könnte sie unterdrücken, könnte ohne sie das Glück genießen.

Der Mensch dürstet nach dem Bösen, ihn dürstet danach, schuldig zu werden, aber er wagt (oder vermag) es nicht, dem Bösen seine Seele zu verschreiben, er schlägt krumme Wege ein, die Neurose, das Gelächter, etc. (1943: OW, 280–281)

faßt und dabei idealerweise seine Neurose exhibiert. Die Urerzählung, der Familienroman . . . entsprechend der Hypothese, nach welcher die ödipale/phallische Phase mit der Konstituierung der Erzählung koinzidiert. Kristeva (1978, Kap. I 13A) zufolge artikuliert sich in der Erzählung die Triebdyade Affirmation/Negation, Lebenstrieb/Destruktionstrieb. Die Erzählform sei Bindung, Sublimierung, Verdrängung, kurz: Sozialisierung jener Triebladung, die sich gegen die gesellschaftlichen Zwänge richte.] Bataille wird spätestens nach sieben Jahren Borel erneut konsultieren, wird ihm Michel Leiris als neuen Klienten zuführen und es fortan nie versäumen, dem Therapeuten die Erstausgaben seiner Werke zukommen zu lassen.

Was die ungeschmälerte intellektuelle Heftigkeit angeht, die Bataille erwähnt, so läßt sie sich nicht allein literarisch, sondern auch anekdotisch belegen: Bataille muß Fraenkel einmal so provoziert haben, daß dieser ihn mit geladenem Revolver vor der Bibliothèque nationale erwartete; durch einen Zufall entging Bataille dem Mordanschlag. (Cf. 21. 10. 39: V, 514)

Eine Notiz Arthur Adamovs (1908–1970) belegt, daß Georges Bataille spätestens zu diesem Zeitpunkt mit Sylvia Maklès liiert war: am 23. August, während einer Demonstration zugunsten von Sacco und Vanzetti*, bewahrt Bataille durch rhetorisches Geschick Adamov vor einer handfesten Auseinandersetzung mit einem Kommunisten. Adamov identifiziert seinen Verteidiger erst, als dieser Sylvia vom Studio des Ursulines mit dem Auto abholt: sie spielt dort in Adamovs 5-Minuten-Stück *Mains blanches* die einzige weibliche Rolle. (Cf. Adamov 1968, 30 f.)

Nach Schauspielunterricht bei Charles Dullin, aus dessen Théâtre de l'Atelier Artaud, Génica Athanasiou, Jean-Louis Barrault, Raymond Rouleau, Marcel Marceau, Jean Marais, Jean Vilar u. a. hervorgehen, tritt die am 1. November 1908 in Paris geborene Aktrice rumänischer Abstammung in die 1931 formierte ›Compagnie des Quinze‹ ein, die unter der Leitung von Michel Saint-Denis im Théâtre du Vieux-Colombier spielt – hauptsächlich Stücke André Obeys. Sylvia Maklès' Beteiligung an der ›Groupe Octobre‹ kommt

---

* Die Italiener wurden, des Raubmords angeklagt, zum Tod durch den elektrischen Stuhl verurteilt. Die jahrelange Inhaftierung und schließliche Verurteilung der beiden, die aus ihrer kommunistischen Weltanschauung kein Hehl machten, rief weltweite Proteste hervor. Cf. *La Révolution Surréaliste* (Nr. 10–11, Oktober 1927, p. 63 f.).

beinahe einer politischen Option gleich. Hervorgegangen aus einer Truppe von Amateurschauspielern und unterstützt von der PCF, macht die ›Groupe Octobre‹ von März 1932 bis Mai 1935 Agitprop-Theater mit Stücken und Sprechchören von Jacques Prévert und Lou Tchimoukow. Zu den Darstellern der Truppe, die 1933 auf der Moskauer Theaterolympiade den ersten Preis der Laienschauspieltruppen erringt, zählen Roger Blin, Fabien Loris, J.-A. Boiffard, Marcel Jean, Max Morise, Marcel Duhamel, Yves Allégret, Jacques Brunius, Gazelle Duhamel, Germaine Pontabrie, Gisèle Prévert et al. (auf einige dieser Namen, die übrigens in den Vorankündigungen der Truppe bewußt nicht genannt werden, wird man in den Gruppierungen um Bataille erneut stoßen). Bis zum Krieg spielt Sylvia, nach Nebenrollen im Stummfilm, in insgesamt vierundzwanzig Streifen, darunter: *Le Crime de M. Lange* (1936), *Une Partie de campagne* (1936–1946*)* von Jean Renoir; *Jenny* (1936), *Les portes de la nuit* (1946) von Marcel Carné; *A nous la jeunesse* (1938) von Eugène Deslaw; *L'enfer des anges* (1939) von Christian Jacque. – Als Kuriosum sei erwähnt, daß die Maklès-Schwestern in Batailles Freundeskreis zirkulieren: Rose ehelicht André Masson, Bianca (die unter dem Pseudonym Lucienne Morand am Théâtre de l'Atelier auftritt) Théodore Fraenkel und Simone Maklès Jean Piel. Prestige der Slavinnen im Paris der zwanziger Jahre . . .

Bataille selbst schweigt sich über Sylvia aus, nicht einmal fällt ihr Name in seinen veröffentlichten Schriften . . . (Als sei nur die Geliebte – zumindest in privaten Aufzeichnungen – oder das anonyme Objekt der Begierde diskursivierbar, nicht aber die Ehefrau.) Als kokett, kapriziös und sanft zugleich würde ich die schwarzhaarige Schönheit einschätzen, wie man sie in Jean Renoirs Filmen sieht – aber auf welche Frau träfen diese Charakteristika nicht zu. Bataille bezeichnet dagegen, daß er der Faszination einer bedeutend jüngeren, ausgesprochenen Kindfrau erliegt.

Bei Raymond Queneau macht Leiris Georges Bataille mit Jean Piel* bekannt. Der Jüngere ist von Batailles schweigsamer und schüchterner Art, von seinem förmlichen, ja konventionellen Verhalten überrascht.

---

* Der Licencié ès lettres, befreundet mit Jacques Prévert, Georges Limbour, Queneau und Masson, bestreitet sein Leben als Journalist (Ressorts: Wirtschaft, Finanzen, Außenpolitik). Nach dem zweiten Weltkrieg macht Piel als Beamter des Wirtschaftsministeriums Karriere und heiratet Simone Maklès. 1950 wird er mit Eric Weil stellvertretender Chefredakteur von *Critique*. Nach Batailles Tod leitet er die Zeitschrift weiter.

1927

»Der erste Eindruck war der eines herzlichen, aber reservierten Mannes, der sogar zu einer List greift, um sich nicht mühelos preiszugeben. Er scheute manchmal sogar nicht davor zurück, aus Spaß an der Irreführung diesen Test so weit zu treiben, bis er zur Verwirrung, wenn nicht gar zur Verspottung des Gesprächspartners wurde.« (Piel 1982, 128)

Fremden fällt an Bataille die gesuchte Eleganz auf sowie Preziositäten wie die, seine Armbanduhr mit dem Zifferblatt nach unten zu tragen, so daß er seine Handlinien zu lesen scheint, wenn er auf die Uhr schaut. Dieser Schwere, dieser Gemächlichkeit seiner Gestik wegen nennt ihn Limbour ironischerweise »Quecksilber«. (Cf. Piel, op. cit., p. 127, 132)

1928

Die Psychoanalyse macht die Imagination für das frei, was Bataille ein »erotisches« Buch nennt. »Das erste Buch, das ich geschrieben habe, (. . .) konnte ich nur nach psychoanalytischer Behandlung schreiben, ja, indem ich mit ihr fertig wurde. Und ich glaube behaupten zu können, daß ich es nur auf diese Weise befreit schreiben konnte.« (Bataille zit. nach Chapsal 1973, 26) Bataille schreibt sich gleichsam mit der *Histoire de l'œil* seine traumatischen Kindheitserlebnisse aus Körper und Kopf. Im Entwurf eines Briefes an seinen Bruder Martial heißt es hierzu: »(. . .) ich kann mich nicht wundern, daß ich eines Tages kein anderes Mittel fand, damit fertig zu werden, als mich anonym zu äußern. Ich wurde von einem Arzt behandelt (mein Zustand war ernst), der mir sagte, daß das Mittel, das ich angewendet habe, trotz allem das beste war, das ich finden konnte« (11. 8. 61, B. N., n.a.fr. 15853, f. 21). In den »Koinzidenzen«, die er der *Histoire* nachstellt, erklärt er jedenfalls einige Ereignisse der Romanhandlung zur – transponierten – Wiederholung von Kindheitserlebnissen.

»Gewöhnlich halte ich mich bei diesen Erinnerungen nicht mehr auf. Sie haben, nach den langen Jahren, ihre Macht eingebüßt, sie treffen mich nicht mehr: die Zeit hat sie neutralisiert. Nur entstellt, unkenntlich gemacht, können sie wieder lebendig werden: sie haben im Verlauf ihrer Entstellung eine andere Bedeutung angenommen, einen obszönen Sinn.« (OW, 87)

(In den »Koinzidenzen« teilt Bataille diese Erinnerungen eigentlich mit. Ob sie authentisch sind, läßt ihr Autor in der Schwebe, aber ihre Funktion besteht zweifellos darin, wenn nicht der Fiktion *Histoire de l'œil* als erlebter Authentizität zu verleihen, so wenigstens ihren Entstehungsprozeß transparent zu machen.

Dreierlei verbürgt mir jedoch die Glaubwürdigkeit des erzählten familiären Dramas: einmal, daß Bataille sich erst im Alter zur Autorschaft seines Erstlings bekennt, und dies noch gleichsam unwillig; zweitens, daß er auf die Vorwürfe seines skandalisierten Bruders, der die Authentizität der Fakten bestreiten wird, mit Bestürzung reagiert; und drittens das wiederholte Auftauchen der erschütterndsten Reminiszenzen in späteren, privaten Aufzeichnungen sowie deren Bekräftigung, fünfzehn Jahre später, in *Le petit*. Die *Histoire de l'œil* erwähnt Bataille weder in seiner Vita noch fällt der Titel in einem der wenigen ›Interviews‹; gleich den Namen seiner Angehörigen, bleibt sie eine Art weißer Fleck. Dies als Hinweis auf die Sonderstellung des Buches, mit dem sich sein Autor zu sehr identifiziert oder später nicht mehr identifiziert, bzw. mit ihm nicht identifiziert werden will – Beschämtheit oder Verdrängung einmal ausgeklammert.) Sicher ist die *Geschichte des Auges* nicht schlichte fiktionalisierte Autobiographie. Bataille selbst exemplifiziert, welcher Transformation, Deformation er Erlebtes unterzieht. So verbindet er beispielsweise die Laken-Episode im 4. Kapitel mit einem Mummenschanz seines Bruders, oder die Enukleation des Priesters im letzten Kapitel mit der tödlich ausgehenden Blendung des Stierkämpfers Granero. In der Hauptsache transformiert Bataille dabei etwas ursprünglich Schreckliches in etwas Obszönes:

»Ich war sehr erstaunt, daß ich unbewußt ein vollkommen obszönes Bild an die Stelle einer Erscheinung gesetzt hatte, die jeder sexuellen Bedeutung zu entbehren scheint.« (OW, 350 f.)
»Das Herausreißen des Auges war nicht etwa eine freie Erfindung; vielmehr übertrug ich auf eine erfundene Gestalt eine ganz bestimmte Verletzung, die ein lebender Mensch vor meinen Augen davongetragen hatte (. . .). So traten die beiden grellsten und eindrucksvollsten Bilder, die in meinem Gedächtnis ihre Spur hinterlassen hatten, in unkenntlicher Gestalt in dem Augenblick wieder hervor, als ich nach der größtmöglichen Obszönität gesucht hatte.« (OW, 83)

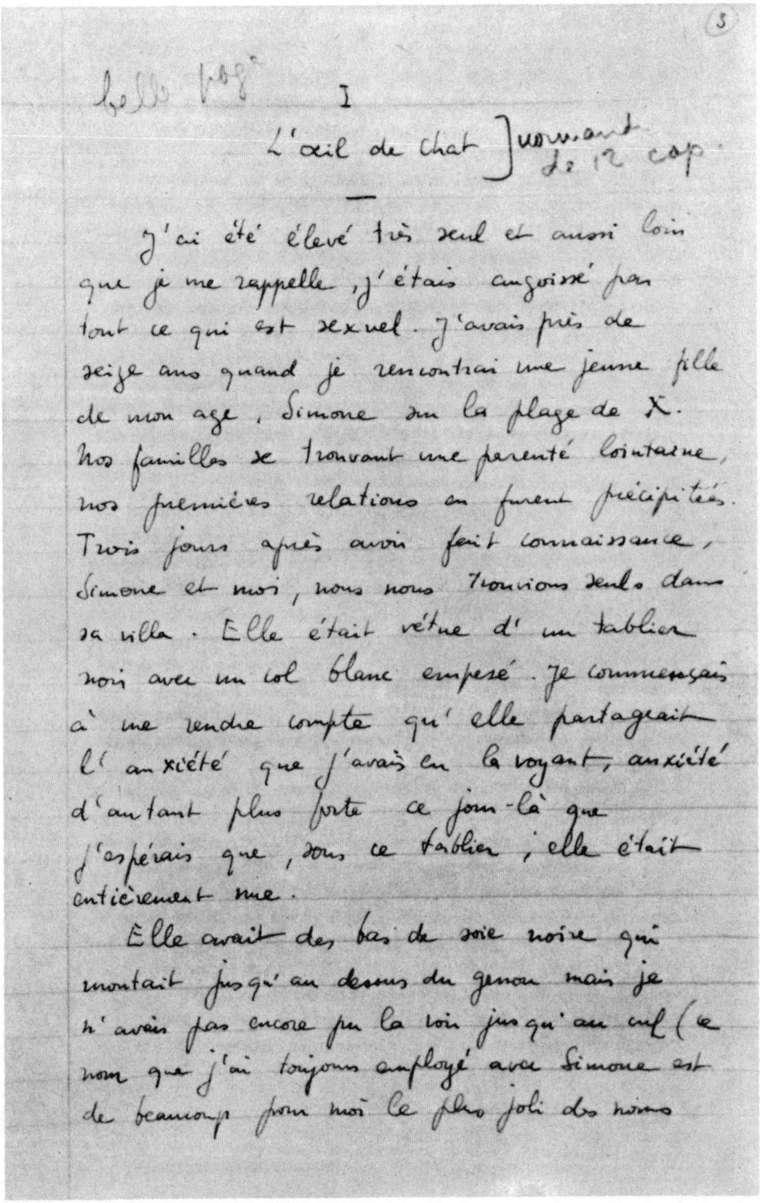

5

belle page

I

L'œil de chat] ouvrant le 1er cap

J'ai été élevé très seul et aussi loin que je me rappelle, j'étais angoissé par tout ce qui est sexuel. J'avais près de seize ans quand je rencontrai une jeune fille de mon age, Simone sur la plage de X. Nos familles se trouvant une parenté lointaine, nos premières relations en furent précipitées. Trois jours après avoir fait connaissance, Simone et moi, nous nous trouvions seuls dans sa villa. Elle était vêtue d'un tablier noir avec un col blanc empesé. Je commençais à me rendre compte qu'elle partageait l'anxiété que j'avais en la voyant, anxiété d'autant plus forte ce jour-là que j'espérais que, sous ce tablier, elle était entièrement nue.

Elle avait des bas de soie noire qui montait jusqu'au dessus du genou mais je n'avais pas encore pu la voir jusqu'au cul (ce nom que j'ai toujours employé avec Simone est de beaucoup pour moi le plus joli des noms

Manuskript der *Histoire de l'œil*, 1928

André Masson, Lithographien zur Erstausgabe der *Histoire de l'œil*, 1928

Documents: Grandville, Erster Traum – Verbrechen und Sühne, 1847

Die Suche nach obszönen Bildern führt Bataille wiederum auf ein erschütterndes Erlebnis (das »am schwersten wiegende Ereignis meiner Kindheit«) zurück, das in dem sarkastischen Ausruf seines wahnsinnig gewordenen Vaters gipfelt:

»›Sag bescheid, Doktor, wenn du meine Frau zu Ende gevögelt hast!‹ Für mich zog dieser Satz, der in einem Augenblick die deprimierenden Wirkungen einer strengen Erziehung zunichte machte, eine Art beständiger, bisher unbewußt und unbeabsichtigt auf mich genommener Verpflichtung nach sich: die Notwendigkeit, fortwährend in allen Situationen, in denen ich mich befinde, seine Entsprechung zu suchen, und das erklärt zum großen Teil *Die Geschichte des Auges*.« (I, 77)

Augen und Eier, »zwei bereits alte, eng miteinander verbundene Obsessionen« bilden das Leitmotiv der ganzen *Histoire*; dank ihrer formalen Ähnlichkeit, wird der Metaphernkreis um Stierhoden erweitert. (Heterologischer Rekurs: der Abdominalbereich, von Bataille »anales Gesicht« genannt, sei eine exakte Replik des »oralen Gesichts«, worin die Hoden bzw. Ovarien des einen den Augen des anderen entsprechen. Nicht zuletzt deshalb kann jeder weiße kugelförmige Gegenstand – Augapfel, Ei, Hoden – zugleich als Signifikant und Signifikat für einen anderen fungieren.) Der Assoziationsbeziehung Auge–Eier–Urin sei abermals eine Reminiszenz ursprünglich, nämlich der Anblick seines notgedrungen öffentlich urinierenden Vaters, der dabei seine blinden Augen regelrecht ekstatisch verdrehte, so daß sie ganz weiß zu werden schienen. Zu diesem Interferieren obsessioneller und biographischer Bilder heißt es:

»Diesmal hätte ich vielleicht so außergewöhnliche Beziehungen erklären können, indem ich einen tiefen Bereich meines Geistes annahm, wo die elementaren, *sämtlich obszönen* Bilder zusammentrafen, das heißt die anstößigsten Bilder, genau jene, über die das Bewußtsein ewig hinweggeht, unfähig, sie ohne Eklat, ohne Verwirrung zu ertragen.

Wenn man jedoch diesen Bruchpunkt im Bewußtsein oder, wenn man so will, den bevorzugten Ort der sexuellen Abweichung präzisieren will, assoziieren sich den wenigen zerreißenden, im Laufe einer obszönen Schilderung auftauchenden Bildern sofort gewisse persönliche, einer anderen Ebene zugehörige Erinnerungen.« (I, 75)

Die »Koinzidenzen« sind folglich als eine Art Text-Genesis gedacht, »da sie mir indirekt den Sinn dessen, was ich geschrieben habe, hervorzuheben scheinen«. Bataille besteht mehr auf der Authentizität der berichteten biographischen Fakten als auf dem biographischen Charakter der *Histoire*. Der Beginn der »Coincidences« stellt dies klar:

»Ich begann ohne bestimmte Zielsetzung zu schreiben, getrieben vor allem von dem Wunsch, zu vergessen, jedenfalls vorläufig zu vergessen, was ich persönlich sein könnte oder tun möchte. So glaubte ich anfangs, daß der Erzähler, der in der ersten Person spricht, in keinerlei Beziehung zu mir steht.« (OW, 350)

Daß Bataille sich eines Pseudonyms (»Lord Auch«) bedient, unterstreicht die Negation der persönlichen Grenzen und verleiht der *Geschichte des Auges* nicht den Charakter einer Autobiographie, sondern einer Thanatographie. Ein blasphemisches Pseudonym, das Gott dem Exkrement gleichstellt:

»Der Name Lord Auch bezieht sich auf die Angewohnheit eines meiner Freunde: wenn er zur Toilette ging, sagte er nicht ›*aux chiottes*‹, sondern, verdrossen abkürzend: ›*aux ch*‹. Und Lord heißt im Englischen (in den heiligen Schriften) Gott: Lord Auch ist der seine Notdurft verrichtende Gott.« (OW, 296)

Es ist der gleiche Gestus, wenn der Erzähler des *Abbé C.* auf einem WC das *Tedeum* singt:

»Ich zog die Wasserspülung, und stehend, mit heruntergelassener Hose, begann ich wie ein Engel zu lachen.« (AC, 174)
»Gott sein, nackt, sonnenhaft, in einer regnerischen Nacht auf einem Feld: rot, göttlich scheißen mit der Majestät des Gewitters, das Gesicht zur Grimasse verzerrt, heruntergerissen, in Tränen UNMÖGLICH sein . . . « (OW, 296)

Die mit der Titelseite beginnende Blasphemie konvergiert mit der Ermordung des Priesters in den beiden letzten, ausgesprochen Sadeschen Kapiteln der *Geschichte des Auges*. (Gewiß, die »Koinzidenzen« nehmen die Negativität bzw. Tötung des Subjekts, für welche das Pseudonym steht, teilweise zurück: die biographischen Hinweise hypostasieren den Sinngebungsprozeß.) Nun, »Lord Auch« ist eine kodierte Reminiszenz an *W.-C.*, die »alles dann Folgende unter das Zeichen des Schlimmsten stellt«, und das Auge sollte ja in einer Zeichnung des vernichteten Buches als »Auge des Schafotts« eine Rolle spielen (*Histoire de l'œil*: »So verschmolz in Marcelles Entsetzen der ›Kardinal, Priester der Guillotine‹, mit dem blutbesudelten Henker, der eine Jakobinermütze trug . . . «).

Expliziter sind die heterologischen Perspektiven, die die *Geschichte des Auges* mit dem Phantasma des ›œil pinéal‹ und dem *Sonnen-Anus* verknüpfen:

»Anderen mag das Universum anständig erscheinen. Den anständigen Leuten erscheint es anständig, weil sie kastrierte Augen haben. Darum fürchten sie die Obszönität. Doch sie empfinden keinerlei Angst, wenn sie den Hahnenschrei hören oder den gestirnten Himmel entdecken. (. . .) Ich liebte das, was man für ›schmutzig‹ hält. Die übliche Ausschweifung hingegen konnte mich nicht befriedigen, beschmutzt sie doch nur die Ausschweifung selbst und läßt auf alle Fälle eine erhabene und untadelig reine Wesenheit unberührt. Die Ausschweifung, die ich kenne, beschmutzt nicht nur meinen Körper und meine Gedanken, sondern alles, was ich mir dabei vorstellen kann, und vor allem das gestirnte Universum . . . « (OW, 55)

»Ich streckte mich im Grase aus, bettete den Kopf auf einen flachen Stein und hielt die Augen auf die Milchstraße gerichtet, diesen seltsamen Strom von Astralsperma und himmlischem Urin, der quer durch die Schädelwölbung der Gestirne fließt: offener Spalt am Scheitel des Himmels, entstanden offenbar aus Ammoniakdämpfen*, die in der ungeheuren Weite zu glänzen begonnen hatten – im leeren Raum, wo sie inmitten der vollkommenen Stille wie ein Hahnenschrei hervorbrechen –, ein zerbrochenes Ei, ein geborstenes Auge oder mein benebelter, auf dem Stein ruhender Schädel warfen die symmetrischen Abbilder ins Unendliche zurück.« (OW, 54 f.)

»Die sumpfigen Regionen des Arsches – denen allenfalls die Tage des Hochwassers und der Gewittergüsse oder die erstickenden Emanationen der Vulkane gleichkommen und die, wie Gewitter und Vulkane, nicht anders als mit verheerender Gewalt zu brodeln beginnen (. . .).« (OW, 32 f.)

Wie im *Anus solaire* rangiert auch hier die Analität vor der Genitalität. So gebraucht Bataille durchgängig *cul* (Arsch) auch dort, wo vom Kontext her *con* (Fotze) zu erwarten wäre (in der neuen Fassung der *Histoire* ersetzt Bataille an den betreffenden Stellen allerdings »Arsch« durch »Vulva«). Übrigens eine gefräßige Fotze, der im Laufe der Erzählung Eier, Stierhoden, ein menschlicher Augapfel als Godemichets dienen, und die Kastrationsangst heraufbeschwört:

»Ich stand auf, ich spreizte Simones Schenkel: sie lag ausgestreckt auf der Seite; und ich sah vor mir, was ich – so bilde ich mir ein – seit jeher erwartet hatte: wie eine Guillotine den abzuschneidenden Kopf erwartet. Meine

---

* Sie konstituieren im wesentlichen den *Urin*geruch. (B. M.)

Augen, schien mir, waren vor Schrecken angeschwollen; in der behaarten Vulva *Simones* erblickte ich das blaßblaue Auge *Marcelles* (. . .).« (OW, 80)

Sind die Enukleation des Toreros und des Priesters, das Zerdrücken der Eier (= Hoden), das Verschlingen der Stierhoden durch Simone, das Köpfen einer Radfahrerin . . . nicht auch symbolische Kastrationen? Das ödipale Interpretations-Schema drängt sich vor allem deshalb auf, weil es um ein einziges Auge geht, um die Geschichte des Auges, nicht der Augen. Nur das einzelne Auge repräsentiert Gesetz, Autorität, Gewissen, Vernunft . . . (Trans-ödipale Bewegung, die die Kastration nicht umgeht oder verleug-net: sie durchquerend und repräsentierend, werden in der Darstel-lung genitale mit präödipalen, freien Energien konfrontiert.)

Außer dem Analverkehr und der Masturbation (gegenseitig oder mit »natürlichen Objekten«) wird die Dramaturgie der *Geschichte des Auges* von einer Art Exkrementophilie beherrscht, der Lust, sich mit Milch, Urin, Sperma zu besudeln und zu erregen. Das kotzt, das blutet, das pißt, das ejakuliert, das dampft . . . Entfesse-lung der (sadomasochistischen, voyeuristisch-exhibitionistischen, oral-analen) Partialtriebe, Lust um der Lust willen, Ausbruch aus dem Schema der in der Zweierbeziehung repräsentierten persönli-chen Liebe: stets partizipiert ein Dritter (bzw. mehrere potentielle Zuschauer, was die klassische perverse Konstellation sprengt) aktiv oder passiv an den erotischen Exzessen von Simone und dem Erzäh-ler, den Liebesgefühle sogar impotent machen.

»Ich legte mich über sie, um meinerseits meinen Samen in sie zu ergießen. Ich war wie gelähmt. Ein Übermaß an Liebe und der Tod des Elenden hatten mich erschöpft.« (OW, 78)
»Ich liebte weder Simone noch Marcelle, und wenn man mir gesagt hätte, ich sei soeben gestorben, dann hätte mich das nicht verwundert.« (OW, 56)

Da das einzige von Bataille anerkannte Gesetz der Erotik das der Selbstverschwendung und der rückhaltlosen Verausgabung ist, dispensiert ihn das von Personen-Portraits, Charakterstudien oder psychologischen Sondierungen: die austauschbaren Protagonisten der *Histoire* – in der jeder potentiell mal Opfer, mal Henker, mal Verführer, mal Verführter ist – sind nichts als Träger der sexuellen Obsessionen des Text-Subjekts. Eine solche Verteilung der Begier-den auf Romanpersonen erfüllt andererseits eine Prämisse des por-nographischen Romans, der primär den Rezipienten zu erregen sucht: die ununterbrochene Aufeinanderfolge von Handlungen, die durch Psychologisieren oder ausschweifende Reflexionen gestört würde.

Nicht die – ökonomisch eingesetzte – Fäkalsprache, nicht die Art und Frequenz der Sexualakte verleihen der *Histoire* eine Ausnahmestellung innerhalb des Genres; vielmehr ist es die sich manifestierende Obszönität: Begehren, das sich auf einen Gegenstand richtet, der auf Grund kulturspezifischer Verbote gemeinhin Ekel und Abscheu hervorruft. Dieser Gegenstand läßt sich als das Heterogene bezeichnen.

» . . . ich machte mir nichts aus dem, was man ›Fleischeslust‹ nennt, weil sie in der Tat fade ist. Ich liebte das, was man für ›schmutzig‹ hält.« (OW, 55)

(Dabei bleibt das Obszöne etwas so Subjektives, daß die jeweiligen Reaktionen, die es auslöst, sich prinzipiell dem Kalkül des Schreibenden entziehen.) So verkündet die *Histoire de l'œil* weder die Libertinage noch die »liberté ou l'amour« (das exhumierte Liebesideal), sondern die Überschreitung: das sonnenhafte Auge, die Inkarnation von väterlichem Gesetz und Verbot, werden im Verlauf der Erzählung lustvoll mißbraucht, geschändet; die fundamentalsten, frühesten Tabus menschlicher Gesellschaften überschritten: Mord, Nekrophilie (exekutiert an Marcelle und einem Kleriker), Inzest (die »Koinzidenzen« suggerieren die Identität Marcelles mit Batailles Mutter).

Die *Geschichte des Auges* – eine Apologie des Augenblicks, der Sorglosigkeit, des Exzesses, der Transgression und eben deshalb auch eine des Opfers, der frenetischen Selbstverschwendung, die vor dem eigenen Tod nicht haltmacht. Marcelle, der Sades Justine Modell gestanden hat, erhängt sich in einem Ambiente, in dem sie einst den Gipfel der Wollust erreicht (die ständig errötende Unschuld trägt weiße Straps und Strümpfe, doch die Todeszeichen – *rote* Strumpfbänder, Zimmer Nr. *8* – mehren sich), und im Entwurf für eine Fortsetzung der *Histoire* wird die Hauptfigur, Simone, eine Schwester von Sades Juliette, zu Tode gemartert; Simone, bisher der Todesengel, erleidet, nein: genießt nun selbst den sexuellen Tod:

»Sie stirbt, so wie man sich bei der Liebe hingibt, aber in der Reinheit (Keuschheit) und der Dummheit des Todes (. . .). Keine erotische Freude, es ist sehr viel mehr (. . .), und im Grunde ist diese Exaltation größer als die Imagination, die sie sich vorstellen kann, sie überschreitet alles.« (OW, 88)

Daß die Erotik die Antizipation des Todes sei, wiederholt Bataille unaufhörlich. Das ›Triebziel‹ Verschmelzung zweier Individuen maskiert das eigentliche, nämlich den Hunger nach ekstatischer Annihilation der individuellen Grenzen, wie sie sich im ›kleinen Tod‹ des Orgasmus vollzieht – Vorbote der definitiven Nacht, die durch die alogischen Entblößungen wie durch das Stürzen der Protagonisten dargestellt wird:

»... mir kam die Idee, daß der Tod der einzige Ausweg sei aus meiner Erektion, und wenn Simone und ich erst getötet wären, würden an die Stelle des Universums unserer Vision die klaren, reinen Sterne treten und in kaltem Zustand verwirklichen, was mir das Ziel meiner Ausschweifungen schien, eine geometrische Weißglut (unter anderem die Koinzidenz von Leben und Tod, von Sein und Nichtsein*), makellos funkelnd. (. . .) Sie rieb sich mit immer größerer Heftigkeit an ihrem Sattel. (. . .) Ich hörte ihr rauhes Stöhnen; sie wurde buchstäblich von der Lust heruntergerissen, und ihr nackter Körper wurde unter dem Geräusch von Stahl, der über die Kiesel schleifte, auf die Böschung geschleudert.« (OW, 42)

Wie kaum ein anderer vor ihm bindet Bataille die Wollust an den Tod. Einmal als Todesangst: Marcelle und der Priester sterben durch Erdrosseln [eine Todesart, die die Wollust des ›Opfers‹ steigert – der bataillesche Film *Ai no corrida* (»Im Reich der Sinne«), von Oshima Nagisa, greift dieses Thema auf]; zweitens als erlebter Tod eines anderen: ein Unfallopfer, die Leiche einer Selbstmörderin, ein tödlich verletzter Torero, ein erwürgter Priester erfüllen in der *Histoire* die Funktion sexueller Stimulanzien. Bataille formuliert hier eine gründlich verdrängte Wahrheit: daß es Lusterleben infolge einer Destruktion gibt; daß besonders die Konfrontation mit einem Sterbenden den Bruch des Panzers der Individualität initiiert; daß der Anblick des Todes oder, allgemeiner, des Abstoßenden nicht nur Angst auslöst, sondern Faszination, ja Wollust; daß die Partizipation an einem Sakrifizium (der realen oder symbolischen Tötung eines Lebewesens) dem Einzelnen das Gefühl des Außersichseins vermittelt und ihn dadurch der Kommunikation öffnet – wie bei einer Corrida:

---

* Nicht zu verwechseln mit André Bretons homogenisierenden, die Widersprüche aufheben wollenden »point suprême« im zweiten surrealistischen Manifest (1929): »Alles läßt uns glauben, daß es einen bestimmten geistigen Standort gibt, von dem aus Leben und Tod, Reales und Imaginäres, Vergangenes und Zukünftiges, Mitteilbares und Nicht-Mitteilbares, Oben und Unten nicht mehr als widersprüchlich empfunden werden.« (1977, 55) [B. M.]

1928

» . . . wenn das furchtbare Tier ohne langen Aufenthalt und ohne Ende wieder und wieder unter der Capa hindurchschießt, nur einen Fingerbreit von der Körperlinie des Toreros entfernt, hat man das Gefühl einer totalen und wiederholen Projektion, wie sie dem physischen Liebesspiel eigen ist. Und in der gleichen Weise empfindet man hier die Nähe des Todes. Solche Folgen von glücklichen *pases* sind selten und entfesseln in der Menge ein wahres Delirium; die Frauen erleben in diesen pathetischen Momenten einen Orgasmus (. . .).« (OW, 60)

In Batailles Verständnis ist die Literatur ein Äquivalent der Corrida, das heißt des Opfers, sofern sie das Verlangen befriedigt, uns zu ruinieren und dem Tod ins Antlitz zu sehen. Der Roman als Substitut der im Alltagsleben rar gewordenen sakralen Ereignisse. Offensichtlich erwartet er – getreu dem aristotelischen Kunstideal – vom Leser nicht mehr als mimetisches Verhalten, nämlich die Identifikation mit der zentralen Gestalt einer Fiktion, was es ihm ermögliche, durch den Anderen zu erleben, was zu leben er selbst nicht wagt. (Cf. VIII, 91–92)

»Noch als literarische wendet die Kommunikation erotischer Subjektivität sich vertraulich an den Leser als intime Möglichkeit, fern der Menge. Sie erheischt nicht die Bewunderung, nicht den Respekt aller, sondern sucht jene geheime Ansteckung, die niemals überheblich, niemals öffentlich ist und nur ans Schweigen appelliert.« (PSF, 76 f.)

[Mit Überzeugung folge ich dieser Devise und schweige über meine allererste, ›unmittelbare‹ Lustlektüre – falls es noch möglich wäre, sie jetzt, quasi retrospektiv zu artikulieren. Eine naive Lektüre ist mir nun einfach versagt, jetzt, sensibilisiert für alles Rhetorische oder Klischeehafte des Buches, und wo ich das Vokabular der *Histoire*, das heißt die Mischung aus Obszönität, Ernst, Pathetik nur noch als komisch empfinde. Und würde sich ein solches mimetisches Verhalten – z. B. eine Hand am Buch, die andere am Geschlecht – nicht letztlich auf die Aussage reduzieren: »ich habe (oder habe keine) Wollust empfunden«?]

Die Normativität der Batailleschen Schreibweise (»Ich mache von der Sprache einen klassischen Gebrauch. Die Sprache ist ein Organ des Willens . . . «) markiert die Grenzen der Erfahrung ihres Autors. (Der konventionelle Umgang mit der Sprache, zugunsten ihrer Kommunikabilität, entspringt indes auch einer Entscheidung: Bataille versagt sich weitgehend das poetische Delir, weil er in ihm Artifizielles, Willkürliches, Folgenloses argwöhnt und weil er Schreiben als Ersatzhandlung auffaßt. Seine Skepsis scheint angebracht, verhüllen doch nicht selten ›wilde‹ Formen – ich denke an gewisse Surrealisten, an Céline, Beckett oder Arno Schmidt – eine naturalistische Schreibweise, ja das reaktionärste Denken.) Attakkieren Lautréamont, Dadaisten oder der späte Artaud die Sprachsubstanz selbst, so läßt Bataille sie intakt. Sein Vorgehen richtet sich gegen die Doxa, seine diskursive Schreibweise traktiert Signifikate, Inhalte, Themen und bringt ihre Widersprüche an den Tag. Man könnte diese signifikante Praxis als fiktionale (erzählerische) Subversion der Ideologie und des Wissens bezeichnen. Batailles ›Romane‹ »zeigen (*affirment*) die Themen der Erotik, um sie durch die Zerreißung der ›Personen‹ und des logischen Sinns aufzulösen«. Sie sind »eine Inszenierung der Begierde nur, um damit Gelächter auszulösen: Unsinn, Verlust, Wollust. Wenn die Erzählung der Logik der Begierde folgt, so stellt die Erzählung, aufgerieben durch eine meditierte (*médité*) Erotik, die Wollust dar.« (Kristeva 1977, 118, 123)

In dieser Hinsicht steht Bataille mit der *Histoire de l'œil* Sade näher als etwa seinen surrealistischen Kollegen, deren Haltung in sexualibus zwischen romantischer Liebesreligion und positivistischer Sexualaufklärung schwankt*. Gewiß projiziert Bataille – wenn es stimmt, daß, Barthes zufolge, in dem, was einer schreibt, er seine Sexualität verteidigt – seine libidinösen Wünsche auf den weiblichen Hauptakteur der *Histoire*; aber Simone wird nicht allein die aktive Rolle zugewiesen: Bataille, der mit Präzision spezifisch weibliche erotische Fantasien oder Wünsche artikuliert, macht die weibliche Lust zum eigentlichen Gegenstand seines Buches. Nichts Depravierendes, Spöttisches, keine Oppression interveniert bei der so repräsentierten Wollust. – Dagegen kommen die wenigen surrealistischen Erotika nicht ohne jene Ambivalenz aus, die die Idololatrie (der Frau, der Liebe, der Erotik) impliziert. Parodieren die vulgären und antiklerikalen *Rouilles encagées* (lies: *Les couilles enragées*) Benjamin Pérets die Wollust, so errichtet ihr Louis Aragon mit *Le con d'Irène* einen Tempel – der ihm, da er die Frau mit ihrem Geschlechtsteil identifiziert, schützende Höhle und verschlingende Hölle zugleich ist. – Damit behaupte ich nicht, daß sich Bataille auch *in praxi* so sehr von seinen Zeit- und Geschlechtsgenossen

---

* Cf. A. Breton, *Nadja* (1928); Aragon, *Le libertinage* (1924), *Le paysan de Paris* (1926); R. Desnos, *La liberté ou l'amour* (1927); »Recherches sur la sexualité.« *La Révolution Surréaliste,* Nr. 11 (März 1928); Éluard, Artaud, Leiris . . . Daß die surrealistische Gruppe in ein libertines und ein puritanisches Lager gespalten war, täuscht nur über die sie einende, im Symbolischen sich dekuvrierende phallozentrische Ideologie hinweg. Die künstlerische Modellierung der Frau entweder als Heilige oder als Hure, verrät Ängste und zuleich den Wunsch, ihre Bedrohlichkeit qua Sakralisierung zu eliminieren.

unterschieden haben mag; hier ist die Rede von seinem Bewußtsein, dessen Spuren im Geschriebenen.

Die *Histoire de l'œil* eine Auftragsarbeit? Wenigstens der Anstoß, sie druckreif zu machen, kommt von außen: André Masson bezeugt, er habe Bataille den Wunsch eines Verlegers vorgetragen, einen zeitgenössischen erotischen Text zu publizieren. Der Schriftsteller habe daraufhin in kurzer Zeit eine Reinfassung der *Histoire*, die in seinem Kopf und in Form von Entwürfen bereits existiert hätte, angefertigt. (Cf. Will-Levaillant, p. 149) Das stützt die These, daß Bataille die *Geschichte des Auges* vor 1928 zu schreiben begonnen hat, sei es nun während oder unmittelbar nach der Psychotherapie.

Masson, der im selben Jahr Aragons *Con d'Irène* und Sades *Justine* illustriert, schafft zur *Histoire de l'œil* acht Lithographien, die er nach Batailles Angaben ausführt. Dessen Diktat erstreckt sich von der Haarfarbe über die Farbe der Strümpfe der Romanfiguren bis hin zum jeweiligen Wetter und reduziert so den Automatismus und die Phantasmen des Malers auf ein Minimum. (Cf. Clébert, p. 59) Es handelt sich um Illustrationen im eigentlichen Sinne des Wortes, da sie, im wesentlichen deskriptiv, den literarischen Text benötigen.

Die *Histoire de l'œil,* ein Quart-Band mit grünem Umschlag, erscheint ohne Verlagsangabe* im Frühjahr 1928 in Paris (105 S., 134 Ex.); Autor und Illustrator bleiben anonym. (Vermutlich im gleichen Verlag – denn Illustrator, Buchformat und Erscheinungsjahr sind identisch mit der *Histoire* – läßt Aragon unter dem Pseudonym Albert de Routisie *Le con d'Irène* erscheinen.) Die *Histoire* wird zu Lebzeiten ihres Autors übrigens nicht rezensiert, dafür aber, besonders in surrealistischen Kreisen, gelesen.

Sylvia Maklès schließt am 20. MÄRZ in Courbevoie (Seine) mit Bataille die Ehe. Aus ihrer Verbindung wird eine Tochter, Laurence, hervorgehen.

Kurz nach der Hochzeit zieht sich Georges für einige Tage ins Cantal (Riom-ès-Montagnes) zurück.

Das Paar installiert sich für zwei Jahre am Montmartre, Rue de Vauvenargues 74 (Paris 18ᵉ).

---

* Daß Kahnweiler der erste Verleger der *Histoire* war, geht für mich nicht allein daraus hervor, daß ein Künstler seiner Galerie – André Masson – den Kontakt vermittelte und das Buch auch illustrierte; denn darüber hinaus befindet sich das Manuskript der *Histoire*, drei Schulhefte mit typographischen Anweisungen, in Besitz von Louise Leiris, die nach dem Krieg die Galerie Simon weiterführte.

Mitte JULI besuchen Georges, Sylvia und deren Schwester Rose Jean Piel in Penchard bei Meaux, wo dieser sich in einem Bauernhof einquartiert hat, um die Ferien zu verbringen. Bataille scheint sich, glaubt Piel, »nicht ohne Herablassung« für diesen isolierten Mann und mehr noch für dessen Kenntnisse in Sachen Ökonomie zu interessieren. (Cf. Piel 1982, 131 f.)

In allen drei Heften des Jahrgangs 1928 von *Aréthuse* ist Bataille mit numismatischen Fachartikeln vertreten. Heft 1 enthält eine akribische Studie über die Münzen des sassanidischen Herrschergeschlechts (3. Jh. v. Chr.): *Notes sur la numismatique des Koushans et des Koushan-shas sassanides. A propos d'un don de M. Hackin au Cabinet des Médailles* (I, 122−144); unveröffentlichte Notizen (cf. II, 118−119) bekunden Batailles Interesse für jene indisch-hellenistische Kunst, die sich in Baktrien und im Nordwesten Indiens entfaltete.

In *Aréthuse* Nr. 2 zeigt er zwei numismatische Artikel Marcel Jungfleischs an, in einer weiteren Notiz weist er lobend auf den Bildband der *Cambridge ancient history* hin (I, 144−145).

Le collection Le Hardelay du Cabinet des Médailles. Les monnaies vénitiennes (I, 146−149), abgedruckt in *Aréthuse* Nr. 3, beschreibt venezianische Münzen aus der Zeit der Dogen-Herrschaft; Anlaß des Artikels ist eine umfangreiche Privatsammlung, die als Schenkung in den Besitz der Bibliothèque nationale überging.

Die erste große Ausstellung präkolumbianischer Kunst in Paris bringt Bataille und Métraux die Einladung ein, für eine Sondernummer der *Cahiers de la République des Lettres, des Sciences et des Arts,* herausgegeben von Pierre d'Espezel, einen Artikel zu schreiben. Bataille, der seinen *L'Amérique disparue* (I, 152−158) betitelten Beitrag als eine Art »Strafarbeit« auffaßt, bekommt von dem Freund themenbezogene Literaturhinweise (cf. Métraux 1963, 678). Das indianische Amerika vor Kolumbus erschließen ihm zwei ungleiche Autoren: Frater Bernardino de Sahagún, der Feldforschung vor Ort trieb (niedergelegt um 1577 in 12 Bänden), und William H. Prescott (1843), der dazu tendiert, den Konquistadoren Ritterwürde zu verleihen.

Die Inka streifend, setzt Bataille die »Mittelmäßigkeit« und »Uniformität« ihrer Kultur ins Verhältnis zur administrativ dirigierten Autokratie. Die Kunst der Maya apostrophiert er als »scheußlich«, »totgeboren«, wohingegen für ihn die Azteken die Krönung der indianischen Völker Amerikas darstellten (»das lebendigste, verführerischte« Volk, »selbst durch seine irrsinnige Gewaltsamkeit, seinen traumwandlerischen Weg«). In dieser mexikanischen Kultur findet er, was ihn fesselt: Gewalt, Poesie, Religiosität, Schrecken, schwarzen Humor. Die grotesken, furchterregenden aztekischen Götterdarstellungen vergleicht er mit den christlichen Teufel- und Dämonendarstellungen. Mit einer Passion, die den Eindruck erweckt, als sei die summarische Darstellung peruanischer und mexikanischer Kulturen vor Cortés nur ein Prätext und leidige Pflichtübung gewesen, schildert Bataille die aztekischen Opferriten. Bei der Metzelei (Herausreißen des Herzens, Schinden, Kochen und Verzehren des menschlichen Opfers) vergißt er nicht die vom Blut angelockten Fliegenschwärme, weist aber auf die gleichzeitige Prachtentfaltung hin, wobei er einen Sprung nach China macht, indem er aus Mirbeaus *Jardin des supplices* zitiert (»zwischen diesen Blumen und Wohlgerüchen war das weder abstoßend noch furchtbar«). Für die Ausrottung der Azteken, deren Leben er als ein einziges Schauspiel zur Belustigung der Götter auslegt, hat Bataille eine Lemminge-Theorie bereit: in Todesfaszination habe sich das Volk den Spaniern ausgeliefert, seinen Untergang forciert. – Bataille mag dabei an die Berichte über gefangene Indios gedacht haben, die zum Erstaunen der Konquistadoren darauf bestanden haben sollen, geopfert zu werden; davon auf einen kollektiven Todestrieb zu schließen, ist einfach ein Kurz-Schluß. (Bataille, den das Thema des aztekischen Menschenopfers nicht loslassen sollte, ist hier nur ein populärwissenschaftlicher Aufsatz gelungen. So berührt er den sakralen Charakter des Opfers, das heißt die Gottwerdung des Todeskandidaten überhaupt nicht, obwohl die aztekische Kunst von Göttern wimmelt, die – teils azephalisch – sich selbst opfern oder geopfert werden. Weder erfaßt er, daß Halluzinogene wie auch Narkotika Ritus und Kunst entscheidend beeinflußt haben, noch bemüht er sich um eine Differenzierung der Opferformen oder der Menschenklassen, die geopfert werden – Dinge, die bei Sahagún zu finden sind –, so daß der Eindruck eines zwar blendenden, aber sinnlosen Spektakels entsteht. Eine Gelegenheitsarbeit . . . bei der Bataille, so scheint mir, sein Spanienbild auf Mexiko projiziert.)

L'Amérique disparue erscheint in Heft 11 der *Cahiers de la République des lettres* . . . , das der »Art précolombien. L'Amérique avant Christophe Colomb« gewidmet ist. Neben Alfred Métraux tragen Jean Babelon, Paul Morand, François Poncetton, Paul Rivet, J.-H. Rosny – Ethnologen und Schriftsteller – zu der Nummer bei. Die genannten *Cahiers* erscheinen im Verlag Les Beaux-Arts, »édition d'études et de documents«, demselben Haus, in dem *Documents* ediert werden sollte.

Georges-Henri Rivière (geb. 1897), stellvertretender Direktor des ethnographischen Museums am Trocadéro, inspiriert Bataille zur Gründung von *Documents*, einer Kunstzeitschrift »verdoppelt um einen disparaten Teil, deren Chefredakteur Georges Bataille, oft unter der theoretischen Leitung von Carl Einstein*, war« (VII, 460). Als Verleger wird der Galerist und Herausgeber der *Gazette des Beaux-Arts*, Georges Wildenstein gewonnen. Außer Bataille und Carl Einstein* gehören dem Redaktions-Stab an: Jean Babelon, Dr. G. Contenau, Pierre d'Espezel, Raymond Lantier, Paul Pelliot, Dr. Reber, Dr. Paul Rivet, Georges-Henri Rivière, Josef Strzygowsky, Georges Wildenstein. – Wissenschaftliche Mitarbeiter: Marcel Griaule, André Schaeffner, Jean Babelon, G.-H. Rivière, Hedwig Fechheimer, Dr. Henri Martin, Emil Waldmann, Dr. Contenau, Arnaud Dandieu, Henry-Charles Puech, Marcel Mauss, Paul Pelliot, (Michel Leiris), Carl Einstein, Dr. Pierre Ménard et al.; künstlerische: Bataille, Jacques Baron, Georges Limbour, Jacques Prévert, Alejo Carpentier, Roger Gilbert-Lecomte, Raymond Queneau, (Leiris), Robert Desnos, Roger Vitrac, die Fotografen Eli Lotar, Jacques-André Boiffard, Karl Blossfeldt, u. a.

»Die Mitarbeiter kamen aus den verschiedensten Umkreisen, denn neben Schriftstellern der vordersten Linie – die meisten waren um Bataille versammelte Überläufer des Surrealismus – fanden sich Vertreter sehr unterschiedlicher Disziplinen (Kunstgeschichte,

---

* Carl Einstein (Neuwied 1885–Lestelle–Bétharram 1940) war gerade aus Berlin nach Paris übersiedelt. Der jüdische Kunsthistoriker und Dichter, der seine Reputation der *Negerplastik* (1915) und der *Kunst des XX. Jahrhunderts* (1926) verdankte, war seit Vorkriegszeiten mit den Kubisten Gris, Braque, Picasso befreundet und daher auch mit deren Galerist Kahnweiler. Durch den letzteren wird Einstein Leiris, durch diesen wiederum Bataille kennengelernt haben. Wie Bataille beobachtet Einstein den Surrealismus mit kritischer Distanz; dafür frequentiert er den in Sylvia Beachs Pariser Buchhandlung zusammenkommenden Literatenkreis um James Joyce, Samuel Beckett und Gertrude Stein und schreibt ab 1929 für die internationale Monatsschrift *Transition*, die sich als englischsprachiges Forum des »modern spirit« bzw. »creative experiment«, einschließlich des Surrealismus, versteht. Nach *Documents* publiziert er nur noch sporadisch: Reflex seiner sprachlichen Exilsituation, vor allem aber seiner Skrupel in bezug auf das, was er »intellektuellen Feudalismus« nennt. Bevor er, wie Simone Weil, auf seiten der Anarcho-Syndikalisten unter Durruti in Spanien kämpft (1936–1939), seziert er das Fadenscheinige des politischen Engagements der Pariser Kopfarbeiter während der dreißiger Jahre (cf. *Die Fabrikation der Fiktionen,* posthum 1973). Nach der Niederlage der spanischen Republikaner bezieht er mit seiner Frau bei den Leiris Quartier, wird im Frühjahr 1940 in ein Internierungslager bei Bordeaux deportiert und macht – nach seiner Entlassung im Juni – eine ephemere mystische Krise durch. Da ihm der Fluchtweg der Gläubigkeit ebenso versperrt ist wie der faktische vor den Deutschen, tötet er sich kurz darauf.

Die Surrealistische Zentrale 1924. Von links nach rechts, oben: Jacques Baron, Raymond Queneau, André Breton, Jacques Boiffard, Giorgio De Chirico, Roger Vitrac, Paul Éluard, Philippe Soupault, Robert Desnos, Louis Aragon. Unten: Pierre Naville, Simone Collinet-Breton, Max Morise, Marie-Louise Soupault.

Maurice Heine

Roger Caillois

Carl Einstein

Musikwissenschaft, Archäologie, Ethnologie usw.), wovon einige Mitglieder des Instituts waren oder dem leitenden Personal der Museen oder Bibliotheken angehörten. Eine im eigentlichen Sinne ›unmögliche‹ Mischung, weniger noch wegen der Vielfalt der Disziplinen – und der Disziplinlosigkeiten – als aufgrund der Verschiedenartigkeit der Mitarbeiter selbst: die einen waren offen konservativen Geistes oder neigten (wie Einstein) zu kaum mehr als rein kunstgeschichtlichen oder kunstkritischen Arbeiten, die anderen (wie Bataille, den Georges-Henri Rivière unterstützte und dem ich ein paar Monate lang als Redaktionssekretär sekundierte, als Nachfolger eines Dichters: Georges Limbour, und gefolgt selbst von einem Ethnologen: Marcel Griaule) bemühten sich darum, die Revue als Kriegsmaschine gegen vorgeprägte Meinungen und Ideen zu verwenden.« (Leiris 1978, 70 f.)

Der Untertitel von *Documents:* »Doctrines/Archéologie/Beaux-Arts/Ethnographie (ab Nr. 4 mit der Hinzufügung »Variétés«)/ Magazine illustré/paraissant dix fois par an«, verspricht eine seriöse Zeitschrift à la *Cahiers de la République des lettres* . . . Das Programm dagegen läßt keinen Zweifel an dem Fassadencharakter solcher Selbstrepräsentation. »In der Vorankündigung, die anläßlich der Kreierung verbreitet wurde, scheinen einige Abschnitte ausdrücklich die Handschrift Batailles zu tragen: ›Die irritierendsten, noch nicht klassifizierten Kunstwerke sowie bestimmte, bis jetzt vernachlässigte bizarre Schöpfungen sollen Gegenstand ebenso strenger und wissenschaftlicher Untersuchungen werden wie in der Archäologie . . . Es sollen hier im allgemeinen die beunruhigendsten Phänomene beleuchtet werden, deren Konsequenzen noch nicht definiert sind. Der bisweilen absurde Charakter der Resultate und Methoden dieser verschiedenen Forschungen wird keineswegs verheimlicht, wie es die Rücksicht auf die Regeln der Wohlausgewogenheit immer gebietet, sondern soll bewußt, sowohl aus Haß auf die Seichtheit als auch aus Humor, unterstrichen werden.‹« (Leiris 1978, 71)

wechselt Bataille in das Département des Imprimés der Bibliothèque nationale über, und zwar in die Zeitschriftenabteilung, die er – innerhalb von insgesamt vierzehn Jahren – schließlich leiten wird. (Cf. Arban; Masson 1962, 476) In der Praxis bedeutet das, daß er von nun an auf einem kleinen Podest in einem der Lesesäle thront und die Funktion der Aufsicht/Auskunft erfüllt. Sein Arbeitsleben spielt sich so zwischen der Rue de Richelieu (bis nachmittags 16 Uhr) und der Rue de la Boétie (in der sich Picassos Atelier befindet), dem Redaktions-Büro von *Documents*, ab.

Mit einer Rezension des *Catalogue of the coins in the Indian Museum* (I, 150–151) beendet er seine Mitarbeit an *Aréthuse* (Heft 1/1929).

Jean Wahls existentialistische Hegelinterpretation mit dem Titel *Le malheur de la conscience dans la philosophie de Hegel* (1929) macht Bataille auf einen deutschen Philosophen neugierig, der bis dahin im Bewußtsein der Franzosen ein Schattendasein geführt hat (cf. Queneau 1963, 694 f.). Die Präsurrealisten mögen allenfalls Hegels Naturphilosophie in der Übersetzung von A. Véra aus dem vorigen Jahrhundert gelesen haben, selbst wenn André Breton bekundet, schon während seiner Schulzeit von Hegels Ansichten beeinflußt worden zu sein, ja daß in seinen Augen Hegels Methode alle anderen für armselig erklärt hatte. »Wo die Hegelsche Dialektik nicht funktioniert, gibt es für mich kein Denken und keine Hoffnung auf Wahrheit.« (Breton 1969, 153 f.) Jedenfalls figuriert sein Name in einer Art Meinungsumfrage, die in *Littérature* (März 1921) publiziert wurde, als einer der achtzehn am meisten geschätzten Dichter und Denker neben Sade, Lautréamont, Jarry und Lenin (cf. Breton 1969, 72). Aus Batailles erster Berührung mit Hegel resultiert Aversion . . .

Vom 12. FEBRUAR datiert ein von Raymond Queneau unterzeichnetes Rundschreiben, adressiert an Surrealisten und deren Sympathisanten, Ex-Surrealisten und Dadaisten. Zu den rund sechzig Empfängern des Briefes gehört merkwürdigerweise Bataille. Das Rundschreiben fordert zu einer Stellungnahme auf, nämlich entweder für einen individuellen oder für einen kollektiven Aktionsmodus zu optieren (cf. Nadeau, p. 137). Im Grunde eine Fangfrage, mit deren Beantwortung der politisierte Kern der surrealistischen Gruppe (Breton, Aragon, Fourrier, Péret, Queneau, Unik) Prosurrealisten von Individualisten zu scheiden trachtet. Anlaß zu der Sondierung geben eine Krise des Selbstverständnisses (Priorität der künstlerischen Revolte oder der sozialen Revolution? Politische Effizienz der Kunstübung?) und ein angeschlagenes Selbstbewußtsein der surrealistischen Bewegung infolge: des mißglückten Flirts mit der KPF und ›Clarté‹; der Desolidarisierung einiger Getreuer; des Auftauchens der als Konkurrenz empfundenen Gruppen um die Zeitschriften *Le Grand Jeu* und, last, but not least *Documents*. – Wo ein Bekenntnis zu Revolution, Materialismus, Anti-Individualismus erwartet wird, geht Bataille auf Distanz, bricht er mit dem Kommunikationsstil von Politbüros: »Zu viele idealistische Nervensägen«[*] (Leiris 1978, 70) lautet seine ›Antwort‹, die eher ein zynischer Kommentar denn eine Replik ist. Analog reagieren Artaud, Bernier, Boiffard, Fraenkel, Leiris, Limbour, Masson, Picabia, Souris, Tual, Vitrac u. a., manche antworten gar nicht. Die übrigen, genau zweiunddreißig Personen, kommen am 11. MÄRZ in der ›Bar du Château‹ unter dem Vorwand zusammen, über die Expatriierung Trotzkis zu diskutieren. Stattdessen verliest man die eingegangenen Antworten, sitzt über Abweichler zu Gericht und unterzieht die Anwesenden einer Gesinnungsprüfung. Aus der berüchtigten Versammlung gehen weitere Abtrünnige hervor. Der Rest der Gruppe – erweitert um Buñuel, Dalí, Char und Giacometti – stellt sich zunehmend in den Dienst der Revolution. Exkommunizierten Surrealisten oder Dissidenten stehen nun – die *Révolution Surréaliste* war seit MÄRZ 1928 nicht mehr erschienen – zwei neu gegründete Periodika offen: Ribemont-Dessaignes' *Bifur* und *Documents*.

»Die Feindschaft, die Bataille damals André Breton entgegenstellte, brachte ihn in engere Verbindung mit jenen Teilnehmern der surrealistischen Gruppe, die sich von dieser getrennt haben: außer Leiris und Masson, die bereits seine Freunde sind, Jacques Baron, Jacques-André Boiffard, Robert Desnos, Georges Limbour, Max Morise, Jacques Prévert, Raymond Queneau, Georges Ribemont-Dessaignes, Roger Vitrac.« (VII, 460)

Le cheval académique (I, 159–163) eröffnet Batailles Mitarbeit an *Documents*, deren erstes Heft im APRIL erscheint. Auf den ersten Blick eine numismatisch-kunsthistorische Studie, deren Gegenstand ein gallischer Stater aus der Sammlung der Bibliothèque nationale

---

[*] Auf dem II. Internationalen Kongreß revolutionärer Schriftsteller in Charkow (1930) sollten Aragon, Sadoul u. a. als Repräsentanten einer »idealistischen Ideologie« denunziert werden. –

ist, welcher ein entfesseltes Pferd mit verdrehtem Hals zeigt. Nun gilt das Pferd als das vollkommenste, das heißt als das akademischste Tier. Der Perfektion der Pferdedarstellungen entspricht eine Perfektion der Gesellschafts- und Denkformen, wie sie die platonische Ideenwelt Griechenlands verkörpert. Umgekehrt ist das gallische Pferdemonster ein Abbild barbarischer Geistigkeit seiner Schöpfer. Weil sie der Schriftsprache abgeneigt waren, griechisches Geld nur importierten und kopierten, bezeichnet Georges Bataille die Gallier als Antithese der klassischen Zivilisation, gebricht es ihnen doch darüber hinaus an Berechnung, Disziplin, Rationalität, ›Kultur‹, Fortschrittsgläubigkeit – Faktoren, die einer Zivilisation Macht, Stabilität, Harmonie und schließlich Ansehen verleihen.

»In Wirklichkeit ging es um all das, was die idealistische Anschauung der Griechen zwangsläufig gelähmt hatte: aggressive Häßlichkeit, mit dem Anblick von Blut oder Abscheulichkeiten verbundene Gefühlsausbrüche, riesiges Gebrüll, das heißt alles, was keinen Sinn hat, nicht von Nutzen ist, weder Hoffnung noch Stabilität aufkommen läßt und keinerlei Ansehen verleiht: nach und nach überschritt das Auseinanderfallen des klassischen Pferdes, das schließlich die Frenesie der Formen erreicht hatte, die Regel und brachte es fertig, den exakten Ausdruck der monströsen Mentalität dieser Völker zu erlangen, die den Suggestionen ausgeliefert lebten. Die abscheulichsten Pferde-Affen und -Gorillas der Gallier, Tiere mit unbeschreiblichen Sitten und Ausgeburten der Häßlichkeit – dennoch grandiose Erscheinungen, unglaubliche Wunder –, stellen so eine endgültige, burleske und grauenvolle Entgegnung der menschlichen Nacht auf die Plattheiten und Überheblichkeiten der Idealisten dar.« (I, 161 f.)

Bataille frönt nicht einfach abermals seiner Begeisterung für barbarische Völker wie Mongolen oder Azteken, sondern wendet die Heterologie bzw. Skatologie pointiert auf Pferdedarstellungen an. Seines Erachtens verhält sich das akademische Pferd der Griechen (hoch, edel, vollkommen) zum Idealismus wie die Pferdemonster (niedrig, gemein, abstoßend, irrsinnig, primitiv) der Gallier zum Materialismus. Spinnen, Nilpferde, Gorillas* beleidigen das ideale Pferd wie der Dschungel, der Humus, die Kloake, das Ungestalte,

---

* Im Gegensatz zu den edlen, den Wappentieren Adler und Löwe z. B., sind diese Tiere stark polarisiert, also heterogen oder heilig. Sowohl die Spinne, einst Objekt kindlicher Ängste, als auch der Affe, für Bataille das abscheulichste, obszönste Säugetier, faszinieren, da sie Furcht und Zuneigung in einem evozieren. – Die Kategorie ›sakrale Tiere‹ ist freilich eine subjektive, so wie nicht jedermann durch den Anblick eines Affenhinterns zur Konzeption des phantasmatischen ›œil pinéal‹ inspiriert wird.

der Tumult, die Umstürze die *reine* Ideenwelt, das geregelte harmonische Leben. Unter jedem Haus (Manifestation der Kultur) gibt es einen Keller, in dem das anarchische Leben der Natur gärt; den Gipfel der Spezies, den domestizierten und kultivierten *Homo sapiens* begleitet wie ein Schatten sein Urahne, der anthropomorphe Affe, der auf seine Stunde wartet. Gerät das artifizielle Äquilibrium in Bewegung, packt die ›Krone der Schöpfung‹ die Angst vor der Regression zum Monster.

»(. . .) die Veränderungen der plastischen Formen stellen oft das Hauptsymptom der großen Umstürze dar: so könnte es heute so scheinen, daß nichts sich völlig ändert, wenn nicht die Negation aller Prinzipien der regelmäßigen Harmonie die Notwendigkeit einer Mauser bekunden würde. Einerseits besteht kein Grund, zu vergessen, daß diese jüngste Negation die allerheftigsten Wutausbrüche hervorgerufen hat, als hätte man die Grundlagen der Existenz selbst in Frage gestellt; und andererseits, daß sich die Dinge mit einem noch ungeahnten Ernst zugetragen haben – Ausdruck einer Geisteshaltung, die mit den gegenwärtigen menschlichen Lebensbedingungen völlig unvereinbar ist.« (I, 163)

Von der Aussage her und verglichen mit den übrigen Beiträgen in *Documents* 1 – die dem Untertitel der Zeitschrift getreu archäologische, künstlerische oder ethnographische Sujets behandeln –, erinnert *Das akademische Pferd* an einen frühen surrealistischen Text. In einem akademischen Rahmen das Heterogene und wahres Skandalon, bringt die Studie Bataille einen Verweis d'Espezels ein. Dieser, der sich ausgerechnet mit einer modernen Edition der Werke Rabelais' 1927 einen Namen gemacht hatte, nicht ohne seine Aversion gegen die krude Sprache des Dichters zu verschweigen, richtet – offenbar im Namen der wissenschaftlichen Mitarbeiter und des Verlegers – am 15. April die folgende Warnung an Bataille:

»(. . .) Nach dem zu urteilen, was ich bisher gelesen habe, ist der Titel, den Sie für diese Zeitschrift gewählt haben, höchstens insofern gerechtfertigt, als er uns ›Dokumente‹ über Ihre Geistesverfassung liefert. Das ist viel, aber nicht ganz ausreichend. Es gilt wirklich zu dem Geist zurückzukehren, der uns zu dem ersten Entwurf dieser Zeitschrift inspiriert hat, als wir beide mit Herrn WILDENSTEIN darüber sprachen.
Wollen Sie darüber bitte sehr ernsthaft nachdenken? Natürlich habe ich mit keinerlei Sanktion gegen ›Documents‹ zu drohen. Nur mit einer: der Einstellung der Zeitschrift. (. . .)« (I, 648 f.)

D'Espezels Schreiben verrät, daß sich die Redaktion von *Documents* rasch in zwei Lager – hier Akademiker, dort Dilettanten, Anarchen – spaltet, was nicht hindert, daß es trotzdem zu quasi interdisziplinären Kollaborationen zwischen Gelehrten und Schriftstellern kommt. Auch verkauft sich die Zeitschrift gut, so daß man den subversiven Bataille, der außerdem im Lager der Empörten Freunde hat, gewähren läßt.

Zu den ersten Querelen gehört, daß Jacques Baron vehement von Bataille verlangt, aus der Mitarbeiterliste gestrichen zu werden, da *Documents* von dem Vicomte Charles de Noailles finanziert werde (B. N., n.a.fr. 15853, f. 192). Das Mäzenatentum der Noailles dürfte sich in Paris herumgesprochen haben (der Vicomte wird z. B. den Film *L'Age d'or* von Buñuel und Dalí finanzieren), für den von J. Baron ausgesprochenen Verdacht gibt es indes nur ein recht harmloses Indiz: eine Fotografie in Louise Leiris' Besitz, die Bataille in Gesellschaft der Schriftsteller Desnos und Leiris sowie der Künstler Gaston-Louis Roux, Alberto Giacometti und Georges Auric im Haus von Charles und Marie-Laure de Noailles zeigt.

Jeden Monat, mit Ausnahme des Juli und August, fährt Georges Bataille in *Documents* seine Kriegsmaschine wider den Idealismus, die ›Schöngutheit‹, auf. In seinen Texten geht er Ab-orten nach, verdrängten oder mit Tabus belegten Bereichen, spürt Abweichungen oder Bizarrerien der Natur auf, untersucht Un-dinge – was niemand anfaßt, was die Kultur ausscheidet –, um auf diese Weise die Rückseite des Denkens und die Nachtseite des Menschen zu beleuchten. Doppelte Ambition, weil nach Bataille der Mensch nicht nur halb freiwillig in einem aseptischen Zuchthaus, in das er die Welt verwandelt hat, dahinvegetiert, sondern sich der Käfig obendrein in seinem eigenen Kopf befindet. Zu den Miturhebern dieses Käfigs erklärt er Schulphilosophen und Naturwissenschaftler, die qua Reduktion und Abstraktion heterogene Wirklichkeitsaspekte homogenisieren, ihren Rastern assimilieren, wodurch sie die Existenz so platt wie ein Gesetzbuch machen (»die großen Gebäude der Intelligenz sind letztlich Gefängnisse . . .«). Das Konkrete diskursivierend, verwandeln sie die Welt in eine ideale Vokabelmischung. Batailles dualistischer Materialismus, seine Heterologie rüttelt an jenem idealistisch-monistischen Wahrheitsmonopol, denunziert den rhetorischen Charakter solcher Wahrheit (die Wahrheit eine Konvention). Das Paradigma des Menschseins, die Wahrheit des Menschen, assertiert er mit Sade und Freud, sei der Verbrecher, der Wahnsinnige, der Rebell und das Monstrum; also diejenigen, die von den Statthaltern der Norm und des Gesetzes aus- und eingeschlossen werden, jenen Menschenkarikaturen, Garanten der Ordnung, die es vorziehen, wie Haustiere in einem Käfig zu existieren, wobei sie mit der Zeit selbst ganz Käfig werden und kein anderes Ziel mehr verfolgen, als die Welt zu einem solchen auszubauen (oder den Käfig, der sie sind, zur Welt – was sich gleich bleibt). Man betrachte die Gegenstände, die Menschen und Tiere, die der Käfigmensch verwirft oder verbannt, weil er sie fürchtet, und der wilde Untergrund, der ihn wesentlich nährt, kommt zum Vorschein. Was er fürchtet – das Heterogene –, definiert ihn, ist er selbst. Dessen Faszination kann er sich nicht entziehen, denn es ist seine Nachtseite: bestialisch, grausam, blutdürstig . . .

In *Documents* 2 vom MAI untersucht Bataille eine weitere Kulturleistung unter dem Aspekt des Idealismus, das Feld der Architektur (Dictionnaire critique: *Architecture*, I, 171−172). In Bauwerken, vor allem in Machtmonumenten wie Palästen und Kathedralen, drücke sich das *ideale* Wesen der Gesellschaft aus. Bewunderung abfordernd, Ordnung und Zwang auferlegend, sei die Architektur Abbild der menschlichen Ordnung und Repräsentant des Herrn zugleich. Finde sich der architektonische Aufbau dagegen in der Physiognomie, der Kleidung oder in den Künsten wieder, so lasse das auf einen Hang nach göttlicher oder weltlicher Autorität schließen. Das Verschwinden des akademischen Aufbaus in der modernen Malerei bahne solchen psychologischen Prozessen einen Weg, die mit der gesellschaftlichen Stabilität zutiefst unvereinbar seien. Indem sie bestialische (tierische) Monstrosität darstelle, denunziere die Malerei die Dominanz des Menschen und eröffne ihm damit die Chance, dem »Architektur-Zuchthaus« zu entrinnen.

An einem illuminierten Manuskript aus dem 11. Jahrhundert, *L'Apocalypse de Saint-Sever* (I, 164−170), demonstriert er, wie die Emanzipation vom architektonischen ›Skelett‹ einem unmittelbareren Menschentypus korrespondiert, den die Koinzidenz von »lächerlicher oder charmanter Kinderei« und »finsterer Grausamkeit der Erwachsenen« charakterisiert – Batailles Definition menschlicher Größe. Hier ein Schema seiner Interpretation:

Südfranzösische, orientalisch beeinflußte Illustrationen	Rheinländische Illustrationen heiliger Bücher (9.−10. Jh.)
Referenzen: Miniaturen der *Apokalypse* aus der Benediktiner-Abtei zu Saint-Sever/Südwestfrankreich; Ornamentik der Kathedrale *Notre-Dame du Puy* / Haute-Loire	

Südfranzösische, orientalisch beeinflußte Illustrationen	Rheinländische Illustrationen heiliger Bücher (9.–10. Jh.)
freie, derbe, realistische Darstellungen	systematisch angeordnete Personen, Abhängigkeit von architektonischen Formen
pathetische Größe	architektonisch-majestätische Mystik
Literarisches Pendant: volkstümliche Kunst: Heldenlied (lebensnah, vulgär, burlesk, niedrig)	Literarisches Pendant: theologische Spekulationen kontemplativer Mönche (lebensfern, steril, erhaben)
Hauptmerkmal des entsprechenden Menschentypus: Einfalt, schlichte Herzlichkeit	Hauptmerkmal des entsprechenden Menschentypus: sublime Spiritualität

An Jugendstil-Ornamentik erinnernde Pflanzenfotos von Karl Blossfeld (*Urformen der Kunst*, Berlin 1928) illustrieren *Le langage des fleurs* (I, 173–178) in *Documents* 3 vom JUNI. *Die Sprache der Blumen* übt Kritik an der Symbolisierung und der – beschränkten – Metaphorisierung qua Wortübertragungen (Verschiebung, Analogiebildung), da sie dem Diktat einer »äußeren Handlung«, einer begrenzten Situation unterstünden (cf. I, 174). Wieso repräsentieren das Mädchen und die Rose die Liebe, die ideale Schönheit? fragt Bataille. Da die klassische Metapher den möglichen funktionalen Zusammenhang – der im Falle der Liebe und der Blüte in der Sexualität gegeben ist – gerade verdeckt, dekuvriert sie ihren idealisierenden Charakter. Die Metapher sei folglich Ausdruck eines menschlichen Mangels und Begehrens und gleichzeitig das Mittel, des Ideals, das heißt der Natur habhaft zu werden. Dies zu beweisen, beraubt Bataille eine Rose ihrer Korolla, worauf ein »schmutziges Büschel« zurückbleibt, das er – anthropomorphisierend – »lächerlich« nennt. Während er das »Drama des Todes« verfolgt, das sich ständig zwischen Himmel und Erde abspielt, nämlich der Weg von der Blütenpracht über das Welken bis zum Misthaufen, gelangt er zu der »entmutigenden Banalität«, daß der Liebe der Geruch des Todes anhafte und daß die Begierde mit der idealen Schönheit nur insofern etwas zu tun habe, als sie der Wunsch sei, diese engelhafte Schönheit zu beschmutzen und zu schänden* (cf. I, 176 f.). Nach der Defloration beginnt Bataille zu graben, um an »das vollkommene Gegenstück« zu den Pflanzen und ihren Blüten – gemeint ist der Eindruck der Harmonie, den sie vermitteln – zu gelangen: das Wurzelwerk. Die geometrische Opposition oben/ unten wird um eine moralische (erhaben/niedrig) erweitert, die Bataille allerdings schwach begründet. Der Terminus *bas* (tief) denotiere im Kontext mit den Wurzeln *niedrig,* also einen moralischen Wert, und werde zum Synonym von *böse*, das sich durch die Bewegungsrichtung von oben nach unten, der die Wurzeln folgen, definiere. Einerseits leitet er die Moralbegriffe von Naturphänomenen ab, andererseits postuliert er, den Naturphänomenen werde – kraft der frappierenden Eigenschaft ihres Anblicks (*aspect*) – moralische Bedeutung *zugeschrieben* (Tautologie, die nicht mehr besagt, als daß der Mensch das Ideal in alles das projiziert, was nicht er selbst ist, was ihn an Schönheit, Harmonie etc. überragt). Bataille fordert schließlich den Ersatz philosophischer Abstraktionen durch natürliche Formen, verbürgt ihm doch nur der Anblick die entscheidenden Werte/Bedeutungen (*valeurs*) der Dinge (cf. I, 174). Des Halseisens aus Wünschbarkeit, Seinsollen und kategorischem Imperativ entledigt,

»... resultierte daraus ein Gefühl der Freiheit, der freien Verfügbarkeit über sich selbst in jeder Hinsicht, was für die meisten völlig unerträglich ist; und eine verwirrende Verspottung all dessen, was dank elenden Ausweichens noch *erhaben*, edel, heilig ... ist. Würden all diese schönen Dinge nicht Gefahr laufen, auf eine seltsame Komödie reduziert zu werden, die dazu bestimmt ist, die Sakrilegien noch schmutziger zu machen? Bekommt die verblüffende Geste des Marquis de Sade, der, eingesperrt bei den Irren, sich die schönsten Rosen bringen ließ, um ihnen über einer Jauchegrube die Blütenblätter auszuzupfen, unter diesen Bedingungen nicht eine überwältigende Bedeutung?« (I, 178)

Der Artikel *Matérialisme* (I, 179–180) im ›Dictionnaire critique‹ von *Documents* weist die Anhänger des Materialismus als Idealisten aus. Die tote Materie an der Spitze der konventionellen Hierarchie

---

* In diesem Punkt ist Bataille Otto Weininger nahe: »Alle Schönheit ist vielmehr selbst erst eine Projektion, eine Emanation des Liebesbedürfnisses (...). Und auch darin, daß Schönheit so wenig wie Liebe mit dem sinnlichen Trieb zu tun hat, daß jene wie diese ihm fremd ist, drückt sich nur diese selbe Tatsache aus. (...) Der Geschlechtstrieb, der die Vereinigung mit dem Weibe sucht, vernichtet dessen Schönheit (...).« (*Geschlecht und Charakter,* München 1980, p. 321)

sei immer noch die ideale Form der Materie, das, was sie sein sollte. Das Verhältnis von toter Materie und Wissenschaftsbegriff vergleicht Bataille mit der religiösen Beziehung zwischen Gottheit und deren Geschöpfen – wo die eine die Idee der anderen sei. Desiderat ist für ihn ein Materialismus, der sich, statt auf Abstraktionen, auf psychologische oder soziale Tatsachen stützt.

»Es ist Zeit, daß, wenn das Wort *Materialismus* gebraucht wird, die direkte, *jeden Idealismus ausschließende* Interpretation der reinen Phänomene zu bezeichnen und nicht ein System, das auf den fragmentarischen Elementen einer ideologischen Analyse errichtet ist, die unter dem Vorzeichen religiöser Beziehungen ausgeführt wurde.« (I, 180)

Eine äußerst angreifbare Formulierung, erweckt sie doch den Eindruck, Bataille rekurriere auf Unmittelbarkeit unter Ausschluß kategorialer Momente (das System), fordere ›die Sache selbst‹ statt des Begriffs. Einen solchen Verdacht macht ein nicht publiziertes Fragment gegenstandslos, das die Materie als etwas Inkommensurables, *Heterogenes* bestimmt:

»Der Materialismus bedeutet keinesfalls, daß die Materie die Essenz ist, was einfach eine der Formen der idealistischen Philosophie wäre vermittels der Gleichsetzung der Materie mit der Idee, daß der Mensch sich nur einer Sache unterwirft, die tiefer steht als er, tiefer steht als seine Vernunft – der Materie; sie ist die *Grundlage* seiner Vernunft, aber sie verrät sie gerade durch ihre Natur, die von dem Augenblick an, wo sie über sich keine Autorität mehr findet, die sie wie Gott oder die Idee bestätigt, nicht auf diese Vernunft reduzierbar ist.« (I, 650)

Des »kindischen Idealismus« zeiht er, genau genommen, die Physiker, die neue Religion heißt für ihn Szientismus, jene »Insuffizienz der borniert verdinglichenden Wissenschaft, ihre Unangemessenheit ans Wirkliche« (Adorno). Seine Überwindung sieht er nicht so sehr in der strikten Abkehr von methodischer Erkenntnis, sondern im Ernstnehmen der jungen Wissenschaften Soziologie und Psychoanalyse, denen mit Berührungsangst bis Ablehnung begegnet wird. Einige Jahre später setzt Bataille, expliziter, auf Phänomenologie (Hegel/Husserl), Psychoanalyse und französische Soziologie. (Cf. PSF, 9; II, 320)

In *Figure humaine* (I, 181–185), erschienen in *Documents* 4, SEPTEMBER, setzt Bataille seine Attacke gegen die alle Widersprüche aufhebende Abstraktion fort. Ausgehend vom Foto einer ländlichen Hochzeitsgesellschaft, bezweifelt er die angebliche, von der Wissenschaft postulierte Kontinuität der »menschlichen Natur«. Angesichts der Physiognomien der Hochzeiter aus dem Jahre 1903 heißt es thetisch: die Diskrepanz bestimme das Verhältnis verschiedener menschlicher Wesen zueinander, so wie zwischen Mensch und Natur eine allgemeine Disproportion herrsche. Mit einem »Gespenst« aus der Jahrhundertwende im Rahmen der Wissenschaft; dem Auftauchen des Ich in der Metaphysik; der Fliege auf der Nase eines Redners (cf. Pascal, *Pensées*, Ed. Chevalier, Fragm. 43) . . . dekliniert er jene Beziehungslosigkeit. Streitpunkt von *Das menschliche Gesicht* ist die Gefräßigkeit der Philosophie, die mittels Kategorien der Totalität heterologische Gegenstände in das Wissens-System integriere, im allgemeinen; im besonderen die Hegelsche Dialektik (ihre vulgarisierte Form), welche jede Differenz zwischen Natur und Vernunft verneine, indem sie die Diskrepanz zu einem Stadium ihres Prozesses erkläre. Batailles Allergie gilt dem Hegelschen Panlogismus*, dem Willen zur Homogenisierung, Vereinnahmung, zur Auflösung der Widersprüche qua Reduktion oder Abstraktion, er bezieht sich auf das Hegelsche System insgesamt, das er mit Gott identifiziert:

»Seit 1921, als Tristan Tzara zugab, daß ›die Systemlosigkeit immer noch ein System ist, aber das sympathischere‹, konnte, obwohl dieses Zugeständnis an bedeutungslose Gegenargumente damals offensichtlich ohne Bedeutung geblieben ist, die baldige Einführung des Hegeltums vorhergesehen werden. In der Tat, von diesem Geständnis zum Panlogismus Hegels ist es nur ein Schritt, da er dem Prinzip der *Identität der Widersprüche* entspricht: man könnte sogar vermuten, daß, nachdem diese erste Feigheit einmal erworben wurde, es keinen Weg mehr gab, den Panlogismus und seine krassen Folgen zu vermeiden, das heißt den schmutzigen Durst nach jeglicher Integrität, die blinde Scheinheiligkeit und schließlich das Bedürfnis, irgend etwas Bestimmtem nützlich zu sein. Obwohl diese vulgären Neigungen, die mit einem diametral entgegengesetzten Willen einen Kompromiß eingehen, auf eine besonders geglückte Weise als eine heftige Aufstachelung jeder konsentierten Streitigkeit gewirkt haben, besteht fortan kein Grund mehr, nicht auf die unnütze, von Tristan Tzara geäußerte Feigheit zurückzukommen. Denn niemand wird je begreifen, was an dem Entschluß, sich wie eine Bestie jedem System zu widersetzen, Systematisches sein

---

* Die zentripetale Richtung der Aneignung der Objektwelt kommt z. B. in einem Passus wie dem folgenden zum Ausdruck: »Unsere Absicht ist aber (. . .), die Natur zu fassen, zu begreifen, zum Unsrigen zu machen, daß sie uns nicht ein Fremdes, Jenseitiges sei.« (Hegel, *Enzyklopädie*, Zusatz ad § 246) »Indem der betrachtende Geist sich vermißt, alles was ist, als dem Geist selber, dem Logos, den Denkbestimmungen kommensurabel zu erweisen, wirft der Geist sich zum ontologischen Letzten auf (. . .).« (Th. W. Adorno, *Drei Studien zu Hegel,* Frankfurt a. M. 1974, p. 19)

kann, es sei denn, es handelt sich um einen Kalauer und das Wort systematisch wird im vulgären Sinn von Starrsinn aufgefaßt. Aber das ist kein Grund zum Lachen, und schon das eine Mal zeugt der Kalauer im Grunde von jämmerlicher Senilität. Denn man begreift wirklich nicht den Unterschied zwischen der Demut – der geringsten Demut – gegenüber dem SYSTEM – das heißt, alles in allem, gegenüber der Idee – und der Gottesfurcht. Übrigens scheint es so, daß, wie nicht anders zu erwarten, dieser klägliche Satz Tzara buchstäblich die Kehle zugeschnürt hat, der sich seitdem in allen Situationen als passiv erwiesen hat.

Dieser Satz* ist als Motto eines Buches von Louis Aragon, *Anicet* (Paris 1921), erschienen.« (I, 183 Fußn.)

Die hier angeführte Fußnote degradiert zwar optisch Sujet und Akteure der Batailleschen Polemik, enthüllt aber gerade dadurch vielleicht, welche Erwartungen er einst in die literarische Avantgarde gesetzt hat.

Was den Antipoden Hegel angeht, dessen System er offenbar ad absurdum führen will, so greift der Schüler Nietzsches und (trotz allem) Bergsons auf ein wissenschaftliches ›Unwahrscheinlichkeits‹ *(improbabilité)*-Postulat** zurück, das ihm die Paradoxie gestattet, die Erscheinung des Ich auf die der Fliege zu reduzieren (cf. I, 184).

Black Birds (I, 186), eine Notiz im ›Dictionnaire critique‹, weist emphatisch auf eine Neger-Revue im Moulin Rouge hin, der André Schaeffner und Michel Leiris (»Civilisation«, in: *Brisées*, p. 26) eigens je einen Artikel im selben Heft widmen.

Œil (I, 187–189), in der gleichen Rubrik abgedruckt, bildet den zweiten Teil des von Robert Desnos begonnenen – philologischen – Artikels, den Marcel Griaule mit einer enthnographischen Unter-

---

* Die Sentenz des Rumänen konnte ich in der wiedergegebenen Form nicht identifizieren, dafür aber zwei Äquivalente, die zugleich Tzaras Gesinnungswandel markieren (zit. nach: Tzara, *7 DADA-Manifeste*, dt. von Pierre Gallissaires, Hamburg 1976, p. 22 u. 33): »Ich bin gegen Systeme, das annehmbarste System ist es, aus Prinzip keines zu haben.« Manifest Dada 1918. *Dada* 3/1918
»Wenn es innerhalb des Mangels an System ein System gibt – das meiner Proportionen – so wende ich es nie an.« Herr AA der Antiphilosoph schickt uns dieses Manifest. *Littérature* 13/1920
Da Tzara hemmungslos plagiierte, hier die Quelle des letzteren Statements: Walter Serner, *Letzte Lockerung. Manifest Dada* (geschrieben 1918), Hannover 1920, Nr. 52:
». . . kein System haben wollen, ist ein neues.« (Anm. d. Verf.)
** Sein Autor ist der Wissenschaftsphilosoph Émile Meyerson (1859–1933); das Irrationale verleibt sein Rationalismus sich als »unwahrscheinlichen Zustand« ein (cf. II, 137).

suchung zum »bösen Blick« abschließt (cf. *Documents*, 1968, 233–237). – Der Autor der *Histoire de l'œil* bestimmt das Auge als Objekt der Faszination, das je nach Kulturkreis verlockt oder Schrecken einflößt. Bei den Wilden »kannibalische Leckerei« (Stevenson), liegt bei den Zivilisierten ein so starkes Tabu auf dem Auge, daß es nicht nur auf keinem Teller erscheint, sondern, als menschliches Auge, im Symbolischen vorzugsweise die Rolle eines Organs der Überwachung und Verfolgung innehat: es ist »Auge des Gewissens« bei Victor Hugo wie bei Grandville, »Auge der Polizei« (so der Titel einer zwischen 1907 und 1924 in Paris erscheinenden Wochenschrift). Grandvilles Augen der menschlichen Gerechtigkeit, die in seiner Zeichnung *Premier Rêve. – Crime et expiation* einen Verbrecher verfolgen, sind Bataille ebenso Indizien des blinden Blutdurstes der hypokriten Masse wie die minuziöse Kriminalberichterstattung eines »sadistischen« Blattes wie *L'Œil de la Police*, dessen Emblem ein Auge auf rotem Hintergrund war.

Die Annäherung Auge – Messerschneide (die Kastrationsthematik) haben Buñuel und Dalí in ihrem Film *Un chien andalou* (1928) ins Bild gesetzt. Für Bataille wird in diesem, in Avantgardekreisen enthusiastisch gefeierten Film der Schrecken faszinierend, und nur er sei brutal genug, um zu sprengen, was erstickt (cf. I, 187 Fußn.). Eine der ersten Szenen des Films, wo in Großaufnahme mit einem Rasiermesser ein Auge (in der Fiktion das einer Frau) zerschnitten wird, assoziiert Bataille mit einem Mann, den, einen Teelöffel in der Hand, plötzlich die Lust überkommt, das Auge seiner Katze zu verspeisen (das 1. Kapitel der *Histoire de 'œil* ist »Das Katzenauge« überschrieben). Die thematische Koinzidenz mit der *Histoire* wird Bataille motiviert haben, Buñuel persönlich zu fragen, was ihn zu der Augenszene – die bezeichnenderweise in den meisten Dokumentationen nicht abgebildet wird – angeregt habe* (cf. I, 211 Fußn.). – Neben der erwähnten Zeichnung von Grandville bringt *Documents* 4 drei Reproduktionen von Gemälden Dalís, der noch ein Unbekannter ist: »Le sang est plus doux que le miel«, »Baigneuses«, »Nu féminin«.

---

*»Jacques Prévert brachte mich mit Georges Bataille zusammen, (. . .) der mich wegen des durchschnittenen Auges im *Andalusischen Hund* kennenlernen wollte. Wir trafen uns zum Essen. Batailles Frau Sylvia, der ich später als Frau von Jacques Lacan wiederbegegnen sollte, gehörte für mich, zusammen mit Bronja, der Frau von René Clair, zu den schönsten Frauen, die ich in meinem Leben habe sehen dürfen. Was Bataille betraf, den Breton nicht besonders schätzte, den er zu grob, zu sachlich fand, so wirkte sein Gesicht hart und ernst. Undenkbar, daß er einmal lächelte.« (Luis Buñuel, *Mein letzter Seufzer. – Erinnerungen,* dt. von F. Grafe u. E. Patalas, Königstein 1983, p. 112 f.)

in *Documents* 5 kondensiert Bataille seinen Kulturpessimismus, seine Wut wie selten in fünf Texten: *Le Tour du monde en quatre-vingt jours* (I, 190–193), ›Dictionnaire critique‹: *Malheur, Poussière, Lieux de pèlerinage: Hollywood* (I, 190–199).

Die *Reise um die Erde in 80 Tagen,* ein Boulevardstück nach Jules Vernes gleichnamigem Roman, das im Théâtre du Châtelet gegeben wird, regt Bataille zu boshaften Reflexionen über auratische Naturschauspiele an. Der sich selbst unerträglich gewordene Mensch wahre die Form und, anstatt zu kotzen vor Ekel, flöhe in die Natur wie aus einem Bagno, da er Erhabenes nur noch jenseits von seinesgleichen finde. Luft, Himmelszelt, Berge und Meer, einst Ferment metaphysischer Meditationen, taugten nicht mehr als Sprungbrett, den Abgrund zu überwinden, seien zur Kulisse verkommen. Jetzt müßten die unaussprechlichsten Abweichungen des Menschen dazu herhalten, der Philosophen-Karikatur ein »trauriges Vergnügen« zu verschaffen, heißt es sarkastisch. Auf den Kassenschlager *Le Tour du monde* zurückkommend, bezeichnet er jedes Wort, das die Darsteller wechseln, als »arroganten Fahnenträger einer besonderen menschlichen Dummheit«. Jedes sei mit der Mission beauftragt, einen Punkt des Erdballs militärisch zu besetzen, was in der Gesamtsicht ein »mystisches Band aus Konservendosen« ergebe (cf. I, 191 f.).

»Aber diese Unterscheidungen sind ohne jede Bedeutung, denn sie liegen noch innerhalb des Bereichs der Welt, die von den Kalauern des Kammerdieners Passepartout beschrieben wird, einer im Hirn einer Wurst entstandenen Welt, die die Empfindungen desjenigen hätte, der sie ißt: wie lange schon wartete diese Erde mit unechten Wundern darauf, daß sie von der maßlosen Stupidität eines fröhlichen französischen Kammerdieners durchstreift wird? seit Millionen von Jahren, scheint es.

Erwägt man diese die Vorstellungskraft übersteigende Dauer, die jedoch zur Fabrizierung jener allerletzten Krone aus Konservendosen nötig war, so wird man mühelos die Wichtigkeit der Tatsache begreifen, daß die Erde zuletzt vor Idiotie platzen und die allergroteskesten Kalauer des Schwurgerichts durch diesen unendlichen Raum schnarren mußte, über den armselige Metaphysiker unbedingt so dissertieren wollen, als ob er jungfräulich wäre – und nicht vom zweideutigsten Lächeln, vom unzweideutigsten Speichel beschmutzt.« (I, 192)

Batailles Zorn entzündet sich an der süffisanten und doch schalen Freude des europäischen Herrenmenschen, alles auf das Maß von ein paar charmanten Worten reduziert zu haben; er entbrennt angesichts der Gleichung, nach der »verwortet verwertet« (Theodor Lessing) heißt.

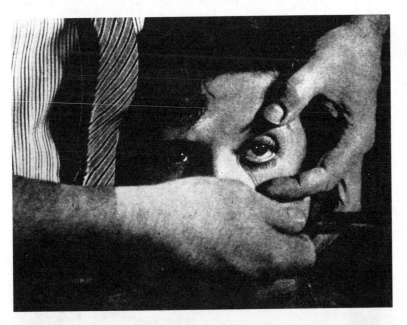

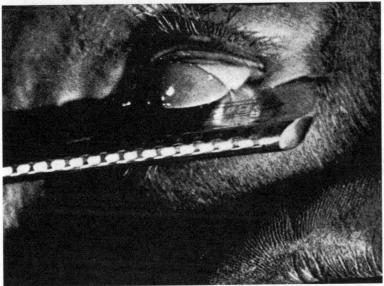

Buñuel/Dalí, *Un chien andalou*, 1928

Dalí, *Le jeu lugubre*, 1929

Ein Foto aus dem Musée de l'Homme, das einen Speicher mit Negerpuppen, Scherben und Staub zeigt, begleitet den Artikel *Poussière*. Sein Verfasser erinnert daran, daß täglich dicke »Mädchen für alles« – gleich den realitätsbesessenen Gelehrten – dazu beitragen, die für schädlich gehaltenen Gespenster zu vertreiben, die »Sauberkeit und Logik« nicht ausstehen könnten. Bataille träumt, daß der Schmutz einmal die Oberhand gewinnt und die nächtlichen Schrecken dann freien Lauf haben, mangels derer wir so große Buchhalter (Variante: »die bekannten Eierköpfe, Staubwedel, Mädchen für alles, Antiseptika«) geworden sind (I, 197). »Der Mensch lebt nicht von Brot allein, sondern von Staub . . .«[*] (I, 651)

Mit *Lieux de pélerinage: Hollywood* soll eine fortlaufende Chronik in *Documents* eingeführt werden, die, beginnend mit den Wallfahrtsorten Hollywood und Notre-Dame de Liesse, den Orten Lisieux, Lourdes, Chicago, Salt Lake City etc. gewidmet wäre. – Bataille konstatiert: der »arme Irre« mit der Bezeichnung Mensch, dessen Tun sich als »völliger Fehlschlag« erweise, sei mit einem pathologischen Ablenkungs- oder Zerstreuungsbedürfnis geschlagen. Die Filmindustrie Hollywoods (die seit Kriegsende die Welt jährlich mit 500–800 neuen Titeln überschwemmt) produziere nicht nur Abenteuer für die breite Masse zwecks Kompensierung deren faden Lebens, sie bediene auch, heißt es zynisch, die Berufsdenker:

»Hollywood ist auch das letzte Boudoir, wo die (masochistisch gewordene) Philosophie jene Zerrissenheit finden könnte, nach der sie sich letztlich sehnt: vermöge einer unfehlbaren Illusion scheint es in der Tat nicht so, daß man anderswo noch Frauen begegnen könnte, die entartet genug wären, um auf so eindeutige Weise unmöglich zu erscheinen.« (I, 199)

In *Figure humaine* bekannte Bataille dagegen noch (im Chor mit seinen Freunden, die wie er von den ersten Tonfilmen magnetisiert waren):

---

[*] Diese Ansicht hätte mit Sicherheit der deutsche Biosoph Ernst Fuhrmann (1886–1956), Autor von *Der Mensch und die Fäkalie* (1935), geteilt. Fuhrmann radikalisiert die Umwertung von oben und unten, so in seinem Text *Kloake* (Neue Wege, Bd. 5, Hamburg 1954), wo er die Kloake über die Häuser, über habituelle Schönheit stellt. Sie sei das Lebenspendende, Menschen Verbindende (die zwangsläufige Aufhebung der Klassenunterschiede in der Kanalisation . . .), ja der Sinn einer Stadt. Aber: »Man spricht nicht von der Kloake.«

»Warum verbergen, daß die wenigen berauschenden Hoffnungen, die noch bestehen, von den agilen Körpern einiger amerikanischer Mädchen beschrieben werden?« (I, 185)

Le gros orteil (I, 200—204) in *Documents* 6 vom NOVEMBER ist abermals der In-Frage-Stellung dessen gewidmet, was verlockt und verführt. Der große Zeh, behauptet Bataille, sei der menschlichste Körperteil. Mit der Aufrichtung des Menschen büßen die Zehen ihre Funktion als zweites Händepaar ein, die Differenz zum Affen vergrößernd. Die Verachtung, die der Mensch seinen Füßen entgegenbringe – sie allein stehen noch im Dreck! –, sei eine Konsequenz entwickelter Zerebralität (eine Folge der Arbeit und a fortiori der Verdrängung des Analen, der Sublimierung usw.). Die sexuelle Besetzung der Füße zeige sich, zitiert Bataille Salomon Reinach (»Pieds pudiques«, in: *Cultes, mythes et religions,* t.1, 1905) in Kulturen, wo sie, wie in China, der Türkei und Spanien, nicht angeblickt werden dürfen und schamhaft verborgen werden müssen*. Etymologisch leitet sich *orteil* (Zeh) vom lateinischen Wort *articulus* her, was »kleines Glied« bedeutet – aber ohne irgendeine sexuelle Denotation, wie sie Roland Barthes (1973, 57) unterstellt. Näher kommt dem Batailleschen Interpretationsansatz Ernst Jünger, wenn er apropos *pied* (Fuß) schreibt: »Das *P* wird auch als reiner Verachtungslaut gebraucht. Der Fuß als Symbol des Minderen, als degradierte Hand.«** Den Oppositionsbeziehungen oben/unten, gut/böse, erhaben/niedrig fügt Bataille eine weitere hinzu, die das niedrig Placierte als platt (*bas*) charakterisiert:

»Das Wechselspiel von menschlicher Schrulligkeit und Entsetzen, von Notwendigkeiten und Verirrungen ist in der Tat so beschaffen, daß die Finger geschicktes Tun und Unbeirrbarkeit bedeuten, die Zehen Stumpfsinn und niedrigste Dummheit.« (I, 202)

---

* Offenbar ein transkulturelles als auch transsexuelles Tabu. Mitja Karamasows Monolog während seiner Leibesvisitation: »Insbesondere aber konnte er seine Füße nicht leiden: aus irgendeinem Grunde hatte er sein ganzes Leben lang seine beiden großen Zehen häßlich gefunden, besonders den plumpen, platten, eigentümlich nach unten gebogenen Nagel . . . « (Dostojewski, *Die Brüder Karamasow,* 9. Buch, Kap. 6) Daß der große Zeh *sacer,* d. h. stark polarisiert ist, belegt eine Beobachtung R. P. Knights: »1786 schrieb der britische Gesandte in Neapel an den Präsidenten der Royal Society, daß er in einem wenig erforschten Gebiet von Isernia Bauern angetroffen hätte, die ›den großen Zeh‹ (d. h. den Phallus) des heiligen Cosimo‹ in feststehenden Riten verehrten.« (Gordon Rattray Taylor, *Kulturgeschichte der Sexualität,* Frankfurt a. M. 1977, Kap. 14, p. 214)

** *Strahlungen I:* Das erste Pariser Tagebuch, in: Ernst Jünger, *Sämtliche Werke,* Bd. 2, Tagebücher II, Stuttgart 1979, p. 390 (2. 10. 42)

Für Bataille hat der große Zeh sowohl ein grauenhaft-leichenähnliches als auch extravagant-hochmütiges Aussehen, so daß er ihn zum Analogon des plötzlichen Stürzens (= Todes) eines Menschen deklariert. Sein Fazit lautet, daß der große Zeh fasziniere, eben weil er als häßlich, niedrig qualifiziert werde.

J.-A. Boiffard hat für diesen Artikel die Zehen seiner Freunde fotografiert, Eli Lotar nimmt für den Aufsatz *Abattoir* (I, 205) abgehackte Pferdefüße auf, die in Reih und Glied vor einem Schlachthof stehen.

»(. . .) in unseren Tagen wird der Schlachthof verwünscht (. . .). Die Opfer dieser Verwünschung sind nicht die Schlachter oder die Tiere, sondern die biederen Leute selbst, die es fertigbekommen haben, nur noch ihre eigene Häßlichkeit ertragen zu können, eine Häßlichkeit, die in der Tat einem krankhaften Bedürfnis nach Reinheit, nach galliger Kleinkariertheit und Langeweile entspricht (. . .).« (I, 205)

Bataille weist in diesem ›Dictionnaire‹-Text auf die ehemalige Funktion der Schlachthöfe als Tempel hin, um dann einen amerikanischen Geistesverwandten zu erwähnen, der wie er die Hämophobie unserer Epoche bedauert: W. B. Seabrook, dessen Haiti-Buch *The Magic Island* Leiris im gleichen Heft von *Documents* rezensiert*.

In *Cheminée d'usine* (I, 206−207) kommt Bataille auf seine Kindheit in der Vorstadt von Reims zu sprechen, auf seine Ängste angesichts von Fabrikschornsteinen. Jene kindliche oder wilde Betrachtungsweise sei dem Schornstein adäquater als die – abstrahierende – eines Technikers oder Gelehrten. Der emotional erschütterte Knabe begreife einen Fabrikschornstein als Metapher der »düsteren Konvulsionen«, in welchen sich sein Leben einmal abspielen werde.

Métamorphose (I, 208−209), der dritte Teil des von Marcel Griaule (*Jeux abyssins*) und Michel Leiris (*Hors de soi*, in: *Documents,* 1968, 232−233) begonnenen Artikels, setzt mit dem Stichwort *Wilde Tiere* Leiris' vorangegangene Apologie des Paroxysmus fort. Das Verhältnis zwischen Mensch und Tier will Bataille als von Neid bestimmt wissen: trotz des stupiden Gefühls praktischer Überlegenheit packe ihn angesichts der wirklichen *outlaws* der Neid (siehe die Totems der Wilden, die gefiederten Hüte der Damen der Belle Époque), und er »lüge wie ein Hund«, wenn er unter Tieren

---

* Batailles und Leiris' Text ist in deutscher Übersetzung in Seabrook, *Geheimnisvolles Haiti. – Rätsel und Symbolik des Wodu-Kultes,* München 1982, abgedruckt.

die Menschenwürde beschwöre. Den zivilisierten Europäer verspottet Bataille als bürokratisches Gefängnis, seine Existenz vergleicht er mit derjenigen eines frustriert-cholerischen Domestiken – in dem dennoch ein gefangenes Tier stecke. Tierische Wünsche, die im Verwandlungstrieb (nur gedacht an Karneval, Travestie usw.) sich ausdrückten und freigesetzt würden.

Salvador Dalís erste Pariser Ausstellung in der Galerie Camille Goemans (20. 11.–5. 12. 1929) bildet den Hintergrund für den polemischen Artikel Le »Jeu lugubre«* (I, 210–216), den Bataille im DEZEMBER-Heft von Documents (Nr. 7) erscheinen läßt. Eine Anmerkung deklariert den Text als Auszug aus einem »unveröffentlichten Essay über den Minderwertigkeitskomplex« (I, 211). [Dieser Essay – »L'œil pinéal (4)« (II, 41–47) – geht jedoch nicht auf Dalí ein, sondern handelt ausschließlich vom Ödipuskomplex. Dagegen scheint Dali hurle avec Sade (II, 113–115) der Fragment gebliebene Vorläufer des Documents-Artikels zu sein, selbst wenn der Name des Malers im Text unerwähnt bleibt. Bataille huldigt hier Sade und Freud, um die Poesie als Weg des Eskapismus zu diffamieren, insbesondere die poetische Ausschlachtung des Traums als renforcement der unbewußten Zensur zu geißeln. Bataille beruft sich auf Sade, den ›Vampir von Düsseldorf‹, die Rubrik ›La semaine sanglante‹ des Œil de la police, wenn er auf der Komplizität von Schrecken und Verlockung beharrt, wo der Furcht vor Fäulnis oder blutigen Verstümmelungen eine starke Verlockung korrespondiert. – Allein auf den Rückseiten dieses Entwurfs finden sich, neben Ausfällen gegen die Dichtung, Stichworte zu Dalí (II, 427–428): »Die Poesie ist die Schale einer Frucht« – »Ein Bild von Dali ist Werbung für die Schönheit der Eingeweide . . . «]

Gegenstand von Das »Finstere Spiel« ist ein identisch betiteltes Gemälde Dalís, das der Vicomte de Noailles für 30 000 Francs erworben hatte. Dali hurle avec Sade legt die Vermutung nahe, daß Bataille ursprünglich eine Würdigung von Dalís Kunst beabsichtigte, die sich zur Denunziation verkehrt, als der Katalane sich dem Surrealismus anschließt und André Breton den Ausstellungskatalog mit einer Eloge einleitet (»Première exposition Dali«, in: Point du Jour, 1934). Und schließlich war Bataille das Second manifeste du Surréalisme, erschienen in der Révolution Surréaliste Nr. 12 (15. Dezember 1929) zur Kenntnis gekommen, in dem Breton seiner Ranküne gegenüber seiner Person Ausdruck gibt. Unter diesen

---

* Deutsch in: Dalí, Gesammelte Schriften, München 1974

negativen Vorzeichen seziert Bataille *Le jeu lugubre* psychodiagnostisch als Visualisierung des Minderwertigkeitskomplexes, der Kastrations- und Zerstückelungsängste.

»Träume und kimmerische Hirngespinste bleiben dem Horizont von Unentschlossenen reinsten Wassers überlassen, deren unbewußter Kalkül gar nicht so ungeschickt ist, da sie naiverweise die Revolte den Gesetzen unterstellen. Wie soll man übrigens dem Verlust des Willens, dem blinden Herumtappen, der dahintreibenden Unbeständigkeit (. . .) seine Bewunderung versagen? Freilich handle ich hier von etwas, das bereits der Vergessenheit anheimfällt, wenn Dalís Rasiermesser mitten in unsere Gesichter Grimassen des Entsetzens schneiden, die möglicherweise die Gefahr heraufbeschwören, daß wir jenen servilen Adel, jenen idiotischen Idealismus, die uns der Zauberformel von ein paar komischen Gefängniswärtern auslieferten, wie Säufer auskotzen.« (I, 214)

Der perverse Dalí, mit seiner Exkrementophilie und Skatologie solidarisch mit Bataille, hätte sehr gut ein Argument gegen den Purismus, den Idealismus des »Gefängniswärters« Breton sein können, bildet nun aber einen Vorwand, die vom Surrealismus propagierte poetische Haltung pauschal als folgenlose Impotenz und Feigheit zu brandmarken. Ohne daß sein Name genannt würde, gibt es keinen Zweifel, daß André Breton das Target ist, und zwar von Anfang an (parodiert nicht *Das »Finstere Spiel«* formal – die Fußnoten! – wie auch stilistisch das *Zweite Manifest?*), indem Bataille nicht nur dessen ästhetische Kriterien, sondern auch dessen Geisteszustand in Frage stellt (mit aus der Psychopathologie entlehnten Termini hatte Breton seinen Gegenspieler im *Zweiten Manifest* belegt). Nachdem er in einer Fußnote das »psychoanalytische Schema« – Dalí hatte es selbstredend abgelehnt, eine Reproduktion seines Gemäldes in *Documents* erscheinen zu lassen – von *Le jeu lugubre* erläutert hat (»Die Statue . . . links wiederum personifiziert die ungewöhnliche Befriedigung, die aus der plötzlichen Kastration gezogen wird, und verrät ein wenig männliches Bedürfnis nach poetischer Ausweitung des Spiels . . . «), fragt er sich, mit Blick auf André Breton, »allen Ernstes (. . .), wie es um jene bestellt ist, die hier zum ersten Mal *geistige Fenster ganz weit* aufgehen sehen und ein kastriertes poetisches Wohlgefallen dort ansiedeln, wo lediglich die schreiende Notwendigkeit einer Zufluchtnahme zur Schande in Erscheinung tritt« (I, 212 Fußn.). Außer dem Votum für die Revolte, die Revolution und den dialektischen Materialismus, tritt das zweite surrealistische Manifest für den Geist, die Inspiration, die Magie, die Alchimie, das heißt für Esoterik, Integrität und Sublimierung ein; seinen

Aus dem *Zweiten Manifest des Surrealismus*

Es gibt keinen Hinweis dafür, daß die Magier nicht auf blendende Sauberkeit von Kleidung und Seele gehalten hätten, und ich sehe nicht ein, warum wir, wenn wir uns von bestimmten alchimistischen Methoden etwas versprechen, uns in diesem Punkt weniger anspruchsvoll zeigen sollen. Und doch wird uns gerade das mit besonderer Erbitterung vorgeworfen und veranlaßt das Monsieur Bataille, gegen uns vom Leder zu ziehen, Monsieur Bataille, der zur Zeit in der Zeitschrift Documents *einen vergnüglichen Feldzug führt gegen das, was er »den schmutzigen Durst nach jeglicher Integrität« nennt. Monsieur Bataille interessiert mich nur insofern, als er wähnt, der von uns ganz und gar akzeptierten harten Disziplin des Geistes – daß Hegel hierfür hauptsächlich verantwortlich gemacht wird, stört uns keineswegs – eine Disziplin entgegenzusetzen, die keineswegs gelockerter erscheint, sondern einfach die des Un-Geistes sein will (da ist übrigens der Punkt, wo sie auf Hegel trifft). Monsieur Bataille macht es sich zur Aufgabe, auf der Welt nur das Niedrigste, Entmutigendste, Verdorbenste zu berücksichtigen, und er fordert den* Menschen auf, um in keinem Falle irgend etwas Bestimmtem nützlich zu sein, »sinnlos mit ihm zu laufen – mit plötzlich trübe gewordenen, von unsagbaren Tränen gefüllten Augen – zu einigen Spukhäusern in der Provinz, häßlicher als Fliegen und ranziger als Friseursalons«. (. . .)*

Bei Monsieur Bataille haben wir es nur mit Wohlbekanntem zu tun, einer angriffslustigen Rückkehr des alten, antidialektischen Materialismus, der dieses Mal versucht, sich mit Hilfe von Freud kostenlos einen Weg zu bahnen. »Materialismus«, *sagt er, indem er jeden Idealismus ausschließt,* »direkte Interpretation von bloßen Phänomenen, Materialismus, welcher, soll er nicht als debiler Idealismus betrachtet werden, unmittelbar auf die wirtschaftlichen* und sozialen Phänomene gegründet sein muß.« *Da hier nicht exakt von »historischem Materialismus« gesprochen wird (und wie wäre das auch möglich?), können wir nicht umhin, festzustellen, daß diese Aussage philosophisch gesehen unklar und hinsichtlich einer dichterischen Neuerung gleich Null ist.*

Weniger unklar ist, was Monsieur Bataille mit einer kleinen Zahl besonderer Ideen, die ihm gekommen sind, anfangen will; ihrem Charakter nach zu schließen, müßte man wissen, ob sie nicht etwa aus der Medizin stammen oder aus dem Exorzismus (. . .).

Für Monsieur Bataille liegt das Glück darin, daß er nachdenkt: gewiß, er denkt nach wie jemand, dem »eine Fliege auf der Nase sitzt«, was ihn eher zum Toten macht als zum Lebendigen, aber er denkt nach. *Er versucht mit Hilfe des kleinen Mechanismus, der in ihm noch nicht ganz kaputtgegangen ist, seine Besessenheiten mitzuteilen: aber gerade deshalb kann er – auch wenn er sich noch so anstrengt – nicht behaupten, daß er sich* wie eine Bestie *jedem System widersetzt. Der Fall von Monsieur Bataille hat etwas Paradoxes und für ihn Lästiges, weil seine krankhafte Angst vor der »Idee« in dem Augenblick, da er sie mitzuteilen beginnt, nur noch eine ideologische Wendung nehmen kann. Ein Bewußtseinsausfall generalisierender Form, würden die Ärzte sagen. (. . .)*

Er, der tagsüber seine vorsichtigen Bibliothekars-Finger über alte, oft reizvolle Manuskripte gleiten läßt (. . .), er weidet sich des Nachts an dem Unrat, mit dem er sie gern beladen sehen möchte: den Beweis dafür findet man in dem mit Apocalypse de Saint-Sever *überschriebenen Artikel in Nummer 2 von* Documents, *der ein typisches Beispiel von falscher Beweisführung ist. (. . .) Auch das Hinein-Interpretieren von menschlicher Ähnlichkeit in Architekturelemente, wie er es die ganze Studie hindurch und auch sonst tut, ist ein klassisches Anzeichen von Psychasthenie und weiter nichts. Im Grunde ist Monsieur Bataille nur sehr müde, und wenn er in die für ihn überwältigende Feststellung ausbricht, daß* »das Innere einer Rose keineswegs ihrer äußeren Schönheit entspricht, denn wenn man ihre Korolla bis zum letzten Blütenblatt abreißt, bleibt nur noch ein häßlich aussehendes Büschel übrig« –: *dann kann mir das nur ein Lächeln abringen (. . .).*

Und wenn man mir jetzt noch entgegenhält, daß »der Marquis de Sade, mit Wahnsinnigen zusammen eingesperrt, den verblüffenden Einfall hatte, sich die schönsten Rosen bringen zu lassen, um sie überm Jauchegraben zu entblättern«, *dann antworte ich darauf, daß diese Protesthandlung im Nu ihre außergewöhnliche Wirkung verliert, sobald sie nicht von einem Mann vollzogen wird, der siebenundzwanzig Jahre seines Lebens* für seine Ideen im Gefängnis verbracht hat, *sondern von einem, der in Bibliotheken »sitzt«.*
(Breton 1977, 95–98)

---

* Fehlleistung Bretons! Bei Bataille heißt es *psychologischen* (I, 180). [B. M.]

Adepten verlangt Breton Strenge, gar »moralische Asepsie« ab, was Georges Bataille zu der Replik herausfordert:

»Den Halbheiten, den Ausflüchten, den Delirien, welche große poetische Impotenz verraten, kann man nur schwarze Wut, ja sogar indiskutable Bestialität entgegensetzen: es ist unmöglich, sich anders zu benehmen als ein Schwein, das sich in Mist und Dreck vollfrißt, mit der Schnauze alles aufwühlt, und dessen abstoßender Gefräßigkeit nichts Einhalt gebieten kann.« (I, 212)

Der »Zehen- und Kotphilosoph«, als den André Breton Bataille apostrophiert hat, argumentiert mit Sade gegen den sur-realistischen Idealismus, indem er die Affäre Rose Keller anführt (R. K. sei A. B., de Sade G. B.):

»Das junge Mädchen berichtet, daß sie, nachdem sie mit Peitschenschlägen gequält worden war, durch Tränen und inständige Bitten diesen zugleich so freundlichen und so bösartigen Mann zu rühren versuchte: und als sie alles anrief, was es auf der Welt an Heiligem und Bewegendem noch geben kann, begann Sade, der plötzlich von Sinnen war und auf nichts mehr hörte, fürchterliche und zutiefst widerwärtige Schreie auszustoßen . . .
    Zweifellos deutet eine seit vielen Jahren anhaltende Unruhe auf das Gefühl, daß der Existenz etwas fehlt, und es ist kaum zweckdienlich, die Tatsache zu unterstreichen, daß überall unruhige Leute, weil sie solche Schreie weder ausstoßen noch anhören können, offensichtlich den Kopf verloren haben und das menschliche Leben der Langeweile und dem Abscheu überantworten, im gleichen Atemzug aber behaupten, es vor Beschmutzung, die ihnen widerlich vorkommt, zu bewahren, ja sogar bei passender Gelegenheit heroisch zu verteidigen.
    (. . .) Ich lege hier einzig und allein Wert darauf – sollte ich, indem ich auf diese Weise die bestialische Heiterkeit auf die Spitze treibe, Dalís Herz in Wallung bringen –, vor seinen Leinwänden selber wie ein Schwein zu schreien.« (I, 215)

Auf der einen Seite verehrt Bretons Sekte die historischen Aufrührer und predigt u. a. die generalisierte »Bewußtseinskrise« als oberstes Ziel ihrer Aktivität; auf der anderen insistiert eine Parteikadermentalität auf Disziplin und »moralischer Asepsie« der approbierten Surrealisten. Läuft es nicht auf pure Idololatrie hinaus, fragt sich Bataille in einer verworfenen Notiz (I, 651), wenn der Surrealismus unterschiedslos Sade und Lautréamont annektiert?
    In der Kunstübung, Paradebeispiel für die Freudsche Sublimierung, erkennt er nur eine der Gestalten der Servilität – die sich rebellisch, nobel, okkult wissen will. Ihre Funktion vergleicht er mit derjenigen – kompensierenden – von Bars oder amerikanischen Fil-

men (I, 212), ihre Akteure nennt er »Hunde, die insgeheim krank sind, weil sie die Finger ihrer Herren so lange geleckt haben« (I, 214).

»Zweifellos geschieht nirgends in bürgerlich bewohnten Landen allzu viel, was sich erheblich von allem andern unterscheidet, von der Vergangenheit, von den politischen und literarischen Traditionen: indessen darf ich sagen, daß es von nun an nicht mehr möglich ist, sich in die ›Länder der Schätze‹ der Poesie zurückzuziehen und sich darin zu verstecken, ohne in aller Öffentlichkeit als Feigling zu gelten.« (I, 216)

Batailles Philippika ist noch am 23. Dezember Gegenstand einer Kontroverse zwischen den Redaktionsmitgliedern von *Documents*. Doch Bataille, flankiert von G.-H. Rivière, vermag sich durchzusetzen, zumal der Vicomte de Noailles auch noch das Manuskript gekauft hat. (Cf. I, 649)

In seinem ›Dictionnaire‹-Beitrag *Informe* (I, 217) schließt sich Bataille Leiris' These an, die den Auswurf zum exemplarischen Symbol des Gestaltlosen erklärt (Leiris, »L'eau à la bouche«, in: *Brisées*, p. 42–43). Wie *bas* stellt *informe* (form-, gestaltlos, unförmig) nicht ein schlichtes Adjektiv mit einer bestimmten Bedeutung dar, sondern impliziert im Kontext regelmäßig eine moralische Wertung (Abwertung) des Bezeichneten sowie den Imperativ, daß alles Form anzunehmen habe. Hinter der Prädizierung *informe* verbirgt sich nach Bataille einmal mehr idealistische Weltanschauung, nämlich die Ambition von Akademikern, jedem Phänomen einen »mathematischen Gehrock« zu verpassen. Wer dagegen den inkommensurablen und formlosen Charakter des Universums behauptet, verunglimpft es damit, setzt es einer Spinne oder einem Auswurf gleich. – Der Artikel *Informe* macht die Zielsetzung des »kritischen Wörterbuchs« innerhalb von *Documents* transparent: dort soll weniger die Pluralität der Bedeutung eines Begriffs denn dessen ideologische Denotate, der Aspekt des Seinsollens entfaltet werden. Die legislatorisch-imperativische Seite der Wörter, das Moment des Wertens, Diktierens, Forderns. Im Sprachgebrauch spiegelten sich Ideologie, Moral, Ideale, Mythen etc. einer Gesellschaft. Die Doxa, den Konsens, die etablierten Rhetoriken (Naturwissenschaften, Philosophie, Journalismus, Rechtsprechung) konfrontiert Bataille mit dem heterogenen Widerspruch, dem Nichtidentischen. Manifestationen des Homogenen (der Konvention, der Pseudonatur, der Plattheit und Banalität) hält er solche – irreduktible – des Heterogenen entgegen, dem Sinn- und Nutzlosen eine Bresche schlagend. Was einen Schlachthof mit dem großen Zeh verbindet, ist das rein affektive, zwischen Liebe und Furcht polarisierte Verhältnis des Menschen zum Heterogenen.

Das zweite surrealistische Manifest läßt Bataille mit dem Sade-Spezialisten Maurice Heine* Kontakt aufnehmen, hatte doch Breton die Authentizität der Legende von den Rosen in der Jauchegrube bezweifelt, die den Artikel *Die Sprache der Blumen* beschloß. In seinem Brief vom 29. Dezember bestätigt Heine Bataille die Sade-Legende und nennt ihre Quelle: ein Brief Victorien Sardous in der *Chronique Médicale* (15. 12. 1902) – auf den übrigens schon Guillaume Apollinaire in seiner »Introduction« zum *Œuvre du Mar-*

---

* Nach einem abgebrochenen Medizinstudium geht Maurice Henri Meyer Heine (Paris 1884–1940) aus gesundheitlichen Gründen 1910 nach Algerien. Er arbeitet dort als Journalist, wobei er sich für die Einheimischen und Muselmanen engagiert. 1916 macht er sein Testament zu Gunsten seiner Frau (bzw. eines Muselmanen), in dem er verfügt, entweder zivil oder nach mohammedanischem Ritus bestattet zu werden. Vom Militärdienst befreit, eignet er sich, nach Paris zurückgekehrt, das Drucken und Verlegen an. 1919 tritt er der Parti socialiste bei, bleibt jedoch auch nach der Spaltung von Tours (wo er, so Bataille, auf der Rednertribüne wahllos einen Pistolenschuß abfeuert, der seine Frau leicht verletzt) Mitglied der PCF. *Leader* bei *L'Humanité*, wird er auf Weisung Moskaus 1922 seiner Funktion enthoben und, seines kritischen Geistes wegen, 1923 aus der KPF ausgeschlossen. Im gleichen Jahr hält er den Vortrag »La conception romanesque chez le marquis de Sade«. Zwischen 1927 und 1935 ist Heine Verwalter der Société du Roman Philosophique, die sich primär dem Andenken und Werk Sades widmet. Ab 1928 arbeitet er als Hersteller bei dem Kunstverleger Ambroise Vollard. Im Jahre 1929 entdeckt Heine die Prozeßakten zu der Affäre Sade-Rose Keller (1768), aus denen hervorgeht, daß der Fall zu Ungunsten des Marquis hochgespielt wurde (die Ergebnisse seiner Recherchen publiziert er 1933 in den *Annales de médecine légale, de criminologie et de police scientifique* sowie in *Hippocrate*); im selben Jahr bringt er das als verschollen gegoltene Manuskript der *Cent Vingt Journées de Sodome* von Berlin nach Paris. Maurice Heine sympathisiert von da an sowohl mit den Surrealisten als auch mit Bataille. – Er übersetzt 1933 den *Psychosexuellen Fragebogen* von Magnus Hirschfeld. Redaktionsmitglied des *Minotaure* (neben Breton, Duchamp, Éluard und Mabille).

1935–1936 Partizipation an ›Contre-Attaque‹. 1936: *Confessions et observations psycho-sexuelles* – eine Art moderner *Psychopathia sexualis*. 1938: *Tableau de l'amour macabre* (unveröffentlicht); Komiteemitglied des Internationalen Verbands für unabhängige revolutionäre Kunst (Breton, Michel Collinet, Jean Giono, André Masson et al.). (Vgl. das autobiographische Fragment in den *Papiers Maurice Heine*, B. N.) Der herzkranke Heine lebt fortan zurückgezogen in seinem großen Haus in Vernouillet. Da seine Sade-Forschungen sein Vermögen verschlungen haben, hungert er für seine Katzen (cf. IX, 240 Fußn.).

Zwischen 1926 und 1933 gab Heine fünf Texte Sades heraus. Gilbert Lely edierte 1950 seine nachgelassene Sade-Biographie *Le marquis de Sade* (Gallimard).

Nicht nur Bataille beeindruckte das Charisma eines Mannes, der einer Besessenheit lebte. Als Geistesaristokrat, Pazifist, Atheist eine Reinkarnation des Marquis de Sade, hat er wohl 1940 der drohenden faschistischen Knechtschaft die dem Menschen gegebene Freiheit vorgezogen.

Max Morise, Sylvia und Georges Bataille, Raymond Queneau um 1931 in
der Auvergne

J.-A. Boiffard und Max Mo

Max Morise und Georges Bataille

Titelseite des Flugblattes
Un cadavre, 1930

quis de Sade (1909) hingewiesen hatte. Heine präzisiert in seinem Schreiben Schauplatz und Datum der Begebenheit, verschweigt jedoch nicht, daß er das ›Zeugnis‹ für unzuverlässig hält (cf. II, 422 f.). An *Documents* 7 ist Maurice Heine gleich zweifach beteiligt: er hat Bataille mündlich jene zwei Details aus Sades Leben mitgeteilt, die sich in *Le »Jeu lugubre«* finden, und er stellt einen Brief des dreißigjährigen Marquis zur Reproduktion zur Verfügung, den Dr. Pierre Ménard analysiert (»Le Marquis de Sade: Étude graphologique«).

Mit der Existenzphilosophie macht Bataille Bekanntschaft, als ihm der zukünftige Iranist Henri Corbin seine Übersetzung von Martin Heideggers *Was ist Metaphysik?* – des Philosophen Freiburger Antrittsvorlesung vom 24. 7. 29 – unterbreitet.

»Von den ersten Seiten an bestach diese neue Philosophie (der Name Heidegger wurde der französischen Öffentlichkeit erst in einem Buch von Gurvitch* mitgeteilt): sie war auf gleicher Höhe mit dem Leben; kurz, dieser Mensch hier, der ich bin (nicht jener andere), dieser Mensch, dessen Leben immer nur potentiell gegeben und niemals sicher ist, und das in einem ständigen Kampf auf dem Spiel steht, dieser angsterfüllte, dieser sterbende Mensch wurde an die Stelle des gleichgültigen Wesens der Schulphilosophie gesetzt, jener in gewisser Weise durch einen Schnitt der stillstehenden, beruhigten Lebenszeit entnommenen Entität, die das Wesen der Erkenntnis ist. Kurz, die Weisheit, der die Angst und die Begierde fremd war, war nicht mehr der Fall dieser Zeit: das wurde sogar im Ton spürbar, dem einer Stimme, die aus einer zugeschnürten Kehle kam.

Von diesem Augenblick an löste diese Philosophie trotz Vorbehalten eine Art Enthusiasmus aus, der etwas peinlich, etwas wirr war.

(. . .) Was trotz allem bei Heidegger überraschte, war eine Mischung aus professioneller Philosophie und Ausdruck des Lebens. Damals häuften sich die Kierkegaard-Übersetzungen. Von da an ging es nicht mehr darum, eine Philosophie nach ihrem Inhalt zu beurteilen. Viele Leser Kierkegaards waren keineswegs vom Glauben oder von religiösen Sorgen ergriffen, denen sie fremd blieben. Doch die Probleme der Philosophie wurden offensichtlich von einem Mann behandelt, der in seinem Leben eingezwängt war wie in einem Schraubstock, oder vielmehr folgten der philosophischen Abhandlung die detaillierte Beschreibung des Schraubstocks und maßvoll der Schrei des Menschen, den der Schraubstock würgte.« (*Cr.*, Nr. 41, 1950, p. 83)

---

* *Les tendances actuelles de la philosophie allemande.* – *E. Husserl; M. Scheler; E. Lask; M. Heidegger*, 1930. (B. M.)

An anderer Stelle wird Bataille bestreiten, Corbins Heidegger-Übersetzung gelesen zu haben (VIII, 666 Fußn.). Wie dem auch sei: er empfiehlt die Arbeit Jean Paulhan zur Publikation in der *Nouvelle Revue Française**.

1930

> Wir müssen den Mut haben, auszusprechen und unaufhörlich zu wiederholen, daß an dem Phänomen des Denkens nichts Erstaunliches ist; jedenfalls gibt es nichts, was beweisen könnte, daß dieses Denken von der Materie zu trennen wäre, und nichts weist darauf hin, daß die Materie, in einer bestimmten Weise umgeformt oder geläutert, nicht das Denken erzeugen kann.
>
> Sade, *Histoire de Juliette*, 1797

Anfang des Jahres holen zwölf der im *Second manifeste* Geschmähten** mit dem Pamphlet *Un cadavre* (etwa: »Ein Leichnam/altes Wrack«) zu einem Gegenschlag aus. Dabei dient ihnen die ehema-

---

* Julien Benda soll gegen eine Veröffentlichung gestimmt haben, so daß *Was ist Metaphysik?* in der Übersetzung von M. Corbin-Petithenry zuerst in *Bifur* (Nr. 8, 1931) erscheint. Erst 1938 liegt Henri Corbins Übersetzung als Buch vor.

** G. Ribemont-Dessaignes: »Papologie d'André Breton«; Jacques Prévert: »Mort d'un Monsieur«; R. Queneau: »Dédé«; R. Vitrac: »Moralement, puer . . . «; M. Leiris: »Le bouquet sans fleurs«; G. Limbour: »Lettre«; J.-A. Boiffard: »Questions de personnes«; R. Desnos: »Thomas l'imposteur«; M. Morise: »La Marseillaise«; Bataille: »Le lion chatré«; J. Baron: »Un bon débarras«; Alejo Carpentier: »Témoignage«. (Die vierseitige Flugschrift wurde übrigens in Batailles Nachbarschaft, 288 Rue du Vaugirard gedruckt.) Man vermißt die Namen Artaud, Naville, Masson, Gérard, während ein Außenseiter, der kubanische Schriftsteller und Musikwissenschaftler Carpentier – in seiner Eigenschaft als *Documents*-Mitarbeiter und Freund Batailles – Partei ergreift.

lige, identisch betitelte Schmähschrift der Surrealisten gegen Anatole France, die 1924 anläßlich seines Todes verfaßt wurde, als
Muster. So die Inschrift über dem Foto von André Bretons dornen-
gekröntem Haupt, das die Titelseite des *Cadavre* ziert: »Es fehlte
gerade, daß dieser Mensch auch als Toter noch Staub aufwirbelt«
(Zitat: Breton, »Refus d'inhumer«, in: *Point du Jour,* op. cit.). Mit
Le lion chatré (I, 218−219) fällt Bataille zunächst in den Chor der
häufigsten Invektiven (»Polizist«, »Pfaffe«) ein: »alte Kirchen-
blase«, »Rindvieh«, »Priester«, »Pseudorevolutionär mit Christus-
kopf«, »kastrierter Löwe« (Tier mit dichter Mähne und vollgespuck-
tem Kopf); »Hanswurst«, »Jesuit«, »surrealistischer Schwarzrock«
(bénisseur), um Breton der »Idiotie«, der »Unaufrichtigkeit«, der
»Schlappheit« zu bezichtigen und ihm das Prädikat »geistig
kastriert« zu verleihen (II, 51−53).

Aber Bataille erschöpft sich nicht in auf die Person Bretons bezo-
genen Verbalinjurien. Gleich dem Artaud der vierziger Jahre, verfolgt er die Demaskierung der hinter revolutionären Ambitionen
getarnten religiösen Bewegung namens Surrealismus:

»Überrascht zu erleben, daß diese Liquidierung [sc. der modernen Gesell-
schaft] einzig auf politischer Ebene stattfand, einzig in revolutionären
Bewegungen zum Ausdruck kam, versuchte der Surrealismus, mit der
unbewußten Verzögerungstaktik und der politischen Schurkerei des lei-
chenähnlichen Breton, sich, so gut es ging, in die Gepäckwagen des Kommunismus einzuschleichen. Da das Manöver scheiterte, ist derselbe Breton
genötigt, seinen Kirchenbetrieb unter einer armseligen revolutionären
Phraseologie zu verstecken. Aber könnte man die revolutionäre Pose eines
Breton für etwas anderes als einen Schwindel halten?

Ein falscher Biedermann, der vor Langeweile in seinen absurden ›Ländern der Schätze‹ krepiert ist: so was taugt für die Religion, so was ist für
kleine Kastraten, Dichterlinge, kleine Mystiker-Kläffer wirklich gut genug.
Aber mit einem dicken Hängebauch und einem Bibliothekspacken voller
Träume stürzt man nichts um.« (I, 219)

Gleichzeitig oder kurz darauf redigiert er zwei an Breton gerichtete
Briefe (II, 51−53). Der eine repliziert die ihm kolportierte Forderung Bretons, Bataille nicht mehr die Hand zu geben, was diesen
amüsiert und auf die Handlungsfreiheit seiner Freunde pochen läßt
– auch wenn sie auf die »Blumenbarrikaden« Bretons kotzen sollten. – Der andere bezieht sich auf die im *Zweiten Manifest* monierte
Geste de Sades; offenbar getroffen, als perverser Bibliothekar verhöhnt worden zu sein (Breton hatte angedeutet, daß Sades Geste,
wiederholt von einem Bibliothekar, bedeutungslos würde), schreibt
Bataille:

»Was mich angeht, so freue ich mich, daß ein Artikel von mir Anlaß gab zu einem armseligen Eingeständnis André Bretons, der versuchte, den skandalösen Jakobiner [Sade] auf das Niveau der Ubu-Zaubereien herabzuwürdigen, auf die er sich beruft (der katholische Mystiker Raimundus Lullus, der redliche protestantische Bischof Berkeley und, der Gipfel der Feigheit, Hegel, ein in seiner Doktrin und in seinem Leben nach Servilität begieriger Philosoph, ein Lakai des deutschen Nationalismus).« (II, 51)

Mit dem *Zweiten Manifest des Surrealismus*, das mit einigen Zitaten aus *Un cadavre* (der Bespuckte legt die Angriffe als indirekte Bestätigung seiner Linie aus) 1930 als Buch erscheint, will Breton auf diverse Abweichungen seiner einstigen Getreuen reagieren, derjenigen, deren politisch-moralische Integrität ihm suspekt geworden ist. Die lange Tirade jedoch, mit der der Nicht-Surrealist Bataille im Manifest bedacht wird, muß anders motiviert sein. Zum einen begreift Breton Bataille als eine Art Verschwörer, der aus den surrealistischen Reihen eine Anti-Gruppe konstituiert – die freilich nur in Bretons Imagination existiert; zum anderen erkennt er im *Documents*-Herausgeber den Häretiker, der ihn selbst auf zugleich subtile und heftige Weise in Frage stellt, das heißt: den ideologischen Gegner. Es ist die Kluft zwischen ›gemeinem‹ Materialismus und materialistisch geschminktem Idealismus, die Bataille und Breton trennt. Gewiß, in dem Bewußtsein, daß das Denken des Einen und des Identischen mit der mathematisch-ökonomischen Organisation der Gesellschaft solidarisch ist, das heißt mit der universellen Merkantilisierung, welche Sprache, Verhalten, Werke auf ihren Tauschwert reduziert, negiert der Surrealismus die Statuten des logisch-diskursiven Denkens. Dem dialektischen Denken, das er diesen entgegensetzt, gebricht es daran, daß es den Widerspruch, das Negative, den Tod in einer höheren Rationalität (Bretons *»point suprême«*) ›aufhebt‹. Der Idealismus wird in dem Moment evident, wo der Surrealismus, mit dem positiven Wahren der Menschengemeinschaft, der Dialektik, der revolutionären Moral bewaffnet, den falschen, von der Bourgeoisie verkörperten Werten (Klassengesellschaft, formale Logik, traditionelle Moral) begegnet; wo er, reformistisch, das Erhabene gegenüber dem Niedrigen, das Abstrakte gegenüber dem Konkreten privilegiert. Potentiell negative Kräfte wie das Unbewußte, die Sexualität oder die künstlerische Tätigkeit finden sich so in positive Werte transformiert. (Cf. Perniola 1982, Kap. 2) Breton und seine Gruppe bejahen die Sexualität, aber unter Ausschluß von Perversionen; man bejaht das Unbewußte, aber nur unter der Bedingung, daß es sich gleichsam neutralisiert und sublimiert in ein Gedicht oder ein Gemälde kanalisieren läßt; man affirmiert Wahnsinn und Verbrechen, bleibt aber auf Distanz und läßt sich nur auf deren Simulakren ein; man schwört auf die Revolte, aber unter der Voraussetzung, daß sie diszipliniert vonstatten geht, das Reich der Ideen nicht befleckt und dem Künstler weiterhin Narrenfreiheit gewährt. Es ist dieses Traumland, in dem alles symbolisch und nichts real geschieht, dieses Reich der »Schätze der Poesie«, das eine Hierarchie des Wahren, Schönen und moralisch Guten gebiert – eine Hierarchie, die unweigerlich in die Fesseln der praktisch-teleologischen Vernunft diejenigen zurücktreibt, die sich von ihnen zu befreien trachteten.

Die skizzierte ideologische Kluft impliziert eine libidinöse, genauer: die eine bedingt die andere. Nicht allein, daß sich zwei miteinander inkompatible Freud-Lektüren gegenüberstehen: sucht die surrealistische in der Psychoanalyse Theoretisierungshilfe für die Bereiche des Traums, des Automatismus und der Inspiration, so findet die Bataillesche in der Freudschen Lehre Argumente für die eingewurzelte Perversität des Einzelnen und den verbrecherischen Charakter der Gesellschaft – quasi eine kontemporäre Bestätigung des Sadeschen Menschenbildes.

Im beständigen Kampf gegen Familie, Vaterland, Religion (Repräsentanten des Vaters), trägt der Surrealismus einen ödipal-familialen Konflikt aus. In dem Maße, in dem die Bewegung die verhaßten Säulen der Gesellschaft ersetzt, indem sie Gegengesellschaft wird, verlagert sich der unbewußte Konflikt in das Innere der Gruppe und die Negativität richtet sich gegen die Substitute des Vaters (in diesem Falle Breton), die Repräsentanzen der Familie (surrealistische Gruppe) oder der Disziplinarmacht (der große Bruder KPF): Dissens, Ausschlüsse, Wiederversöhnungen etc. bestimmen daher die Dynamik der surrealistischen Gruppe. – Was man unter dem Begriff »anales Syndrom« zusammengefaßt hat – Pedanterie, Schmutzphobie, Zwanghaftigkeit, autoritäres Gehabe –, trifft ziemlich lückenlos auf die Person André Bretons zu. Solcher verdrängten, sublimierten Analität korrespondiert eine bestimmte kollektive Form der Verneinung, nämlich die »Wiederentdeckung der brüderlichen Körper, die Wiederentdeckung einer *homosexuellen Phratrie*, in der auf immer, ununterbrochen und endlos die Tötung des *Eins*, des Vaters betrieben wird, um daraus *eine* Logik, *eine* Politik, *eine* Moral, *ein* Signifikat, doch *anders*, kritisch, revolutionär, zu begründen (. . .)« (Kristeva 1978, Kap. II. 7, p. 157). Ein solches Subjekt wird den heterogenen Widerspruch nicht ertragen, »es unterdrückt für immer die Bewegung der Trennung, Spaltung, um das Verwerfen nur noch als Signal eines ›Engagements‹ im Realen zu erleben, da, wo sich die Verdinglichung aller *Meta*-Logik vollzieht: Metasubjekt, Metasprache, Metaphysik. In diesem Fall stellt es sich unter das Gesetz des Vaters, liefert es sich der Paranoia und der sie konnotierenden Homosexualität aus, deren Sublimierung äußerst brüchig ist (. . .)« (ibd., p. 160 f.). Diese transindividuellen Distinktionen scheinen mir für die Klärung der Kontroverse Bataille – Breton wesentlich zu sein. Sie helfen André Bretons Neigung zu einem autoritär-monarchischen Regime sowie seine Phobie vor Homosexuellen und »Kotphilosophen«, in denen er fürchtet, was er potentiell auch ist, verstehen. – Obskurantistisch dagegen jene von Jules Monnerot begründete und häufig nachgebetete Exegetik, die die Priorität persönlicher Querelen vor politischen Divergenzen behauptet. Diese Tradition setzt Sarane Alexandrian (1974, 428) fort, indem er orakelt, Batailles Reaktion sei von seiner Frau – als einer Jugendfreundin Simone Bretons (geb. Kahn) – beeinflußt, die André Bretons Trennung von Simone im Jahre 1928 demnach verurteilt haben soll. Damit unterstellt man Bataille wenig geistige Freiheit und obendrein einen Moralismus, für den es keinerlei Anhaltspunkt gibt.* Eine so begründete Parteilichkeit mag einzig auf Raymond Queneau voll und ganz zutreffen, der, in seiner Eigenschaft als Liebhaber von Simone Kahns Schwester Janine, sich aus »persönlichen Gründen« von André Breton trennt. Es trifft also zu, daß einige Ex-Surrealisten moralisch reagieren und beispielsweise Bretons Gefährtin durch nächtliche Anrufe oder die Zusendung von Totenkränzen terrorisieren (cf. Breton 1969, 153).

Am 15. JANUAR stirbt Batailles Mutter in Paris. Eine verschwiegene, aber von Zeugen wie Georges Delteil bekräftigte tiefe Zuneigung des Sohnes zu seiner Mutter tritt zutage (cf. *Ma mère*).

---

* Im Gegenteil! wie ein von André Masson wiedergegebenes Gespräch mit Bataille beweist:
»›Warum entrüsten sich scheinheiliger- oder aufrichtigerweise so viele Männer angesichts der Heldentaten der Verführer? Hör mal! durch ihre Hilfe wird eine Jungfrau zur Frau. Folglich machen sie aus einem einsamen und geschlossenen Wesen ein befreites. Dieses Wesen, das sie ins Leben gerufen haben, wird in Umlauf gebracht. Aus dem Gespenst, das jedes junge Mädchen ist, machen sie eine fleischliche Wirklichkeit für die Lust aller – ein gemeinsames Gut für alle Männer.‹ (. . .)
Ich [Masson] erwiderte ihm: wenn die Frau bestenfalls ein höherer Menschentypus ist als der Mann – was Nietzsche glaubte –, da sie ja die Zukunft bringt, dann sollte sie bei der ersten Offenbarung der körperlichen Vereinigung nicht verwüstet werden. Außerdem sollte man wissen, ob man dieses Risikos würdig ist: ein Kind zu machen . . .
Sobald ich mit meiner unschuldigen und mystischen Entgegnung geendet hatte, brach er in Gelächter aus.« (Masson 1974, 74)

»In der Nacht schlief ich in der Wohnung meiner toten Mutter: der Leichnam ruhte in einem Nebenzimmer. Ich schlief schlecht und erinnerte mich, daß ich mich zwei Jahre zuvor während der Abwesenheit meiner Mutter einer ausgedehnten Orgie hingegeben hatte, und zwar genau in jenem Zimmer und auf jenem Bett, das jetzt dem Leichnam als Unterlage diente. Diese Orgie im mütterlichen Bett fand zufällig in der Nacht meines Geburtstages statt: die obszönen Stellungen meiner Komplizen und meine verzückten Bewegungen in ihrer Mitte standen zwischen der Geburt, die mir das Leben geschenkt hatte, und der Toten, für die ich damals eine verzweifelte Liebe empfand, die sich zu wiederholten Malen durch furchtbares kindisches Schluchzen artikuliert hatte. Die extreme Wollust meiner Erinnerungen trieb mich dazu, mich in jenes orgiastische Zimmer zu begeben, um dort, während ich den Leichnam anblickte, verliebt zu masturbieren. Aber ich war kaum eingetreten, als die Blässe und Starre der Toten im Kerzenschein mich vor Bestürzung lähmten, und ich bis in die Küche ging, um dort zu masturbieren.« (1931? II, 130)

Diese – posthume und indirekte – Transgression des Inzestverbots wird Gegenstand wiederholter Erzählungen sein:

»Das einzige Erlebnis, das ich hatte, bestand darin, daß ich eine Nacht in einer Wohnung verbracht habe, in der soeben eine alte Frau gestorben war; sie lag auf ihrem Bett, wie andere auch, zwischen zwei Kerzen, die Arme längs des Körpers, die Hände nicht gefaltet. Es war Nacht, niemand im Zimmer. (. . .)
– Ich wurde gegen drei Uhr in der Frühe wach. Ich kam auf den Gedanken, in das Zimmer zu gehen, in dem die Leiche lag. Ich war starr vor Schrecken, aber sosehr ich auch zitterte, ich blieb vor dem Leichnam stehen. Schließlich zog ich meinen Pyjama aus.
– Wie weit sind Sie gegangen?
– Ich habe mich nicht gerührt. Ich war so verwirrt, daß ich fast den Verstand darüber verloren hätte; es überkam mich einfach beim bloßen Ansehen.« (1935: BH, 34)
» – Als meine Mutter starb . . . (. . .)
– Sie war bei Tage gestorben. Ich blieb die folgende Nacht mit Edith in ihrer Wohnung.
– Deiner Frau?
– Meiner Frau. Ich weinte ohne Unterlaß, ganz laut. Ich habe . . . In der Nacht lag ich neben Edith, sie schlief . . . (. . .)
– . . . Zitternd ging ich barfuß durch den Gang . . . Als ich vor der Leiche stand, bebte ich vor Furcht und Erregung, auf dem Höhepunkt der Erregung . . . Ich befand mich in einem Trancezustand . . . Ich zog meinen Pyjama aus . . . Ich habe . . . du verstehst . . . « (›Die Spuren der Mutter‹: BH, 67 f.)

Wird die Nekrophilie oder deren Äquivalente zu einem im *Blau des Himmels* unendlich variierten Thema, so heißt es in einem verspäteten »Vorwort zur ›Geschichte des Auges‹«, Bestandteil von *Le petit* (ca. 1943), knapp: »Ich habe masturbiert, nackt, in der Nacht, vor dem Leichnam meiner Mutter.« (OW, 296)

Ab *Documents* Nr. 8, das heißt ab dem ersten Heft des zweiten Jahrgangs wird nur noch Bataille als Herausgeber genannt. Die Redaktion der Zeitschrift zieht in den Boulevard Saint-Germain 106 um. Die Familie Bataille ist nach den Sommerferien in dem Pariser Vorort Boulogne-sur-Seine, 24 Avenue de la Reine (der heutigen Route de la Reine in Boulogne-Billancourt), anzutreffen. Auf Grund dieser Veränderungen – Heft 7/1929 wird erst im Januar dieses Jahres erscheinen, die übliche Sommerpause von Juli bis Oktober ausgedehnt worden sein – erscheinen 1930 bloß sieben statt zehn Ausgaben von *Documents*.

FEBRUAR (?): *Le bas matérialisme et la gnose* (etwa: »Der niedere Materialismus und die Gnosis«, I, 220–226) in *Documents* 1/1930 leitet eine Art ›heterologischen Almanach‹ ein, den Batailles Beiträge bilden. Ohne auf die Riten gnostischer Sekten einzugehen – Orgien, Promiskuität, Perversionen (Spermatophagie, Fötophagie), Ausagieren aggressiver Triebe etc. –, wählt Bataille vier gnostische Gemmen (3.–4. Jh.) aus dem Cabinet des Médailles als exemplarische Manifestationen eines niederen Materialismus: dieser behauptet die Suprematie der Materie über den Geist, wie sie in der gnostischen Darstellung eines Eselkopfes, der den Platz der Sonne einnimmt, zum Ausdruck kommt. Durch Dekapitation wird ein gemeiner Kopf auf die azephalische Gestalt einer höheren Entität übertragen.

»So scheint die Verehrung eines Gottes mit Eselkopf (da der Esel das auf abscheuliche Weise komischste Tier ist, aber zugleich das menschenähnlich virilste) noch heute imstande, eine sehr kapitale Bedeutung anzunehmen, und der abgeschnittene Eselkopf der azephalischen Verkörperung der Sonne stellt, so unvollkommen sie auch sei, gewiß eine der virulentesten Manifestationen des Materialismus dar.« (I, 221)

Was Bataille an den Gnostikern interessiert, ist ihre Frontstellung gegen den Akademismus der Antike, ist die niedrige Subversion, mit der sie den Moralismus beantworten, sind jene »monströsen *dualistischen* Kosmogonien«, die sie dem Monismus entgegensetzen. Bataille versucht eine Annäherung Hegel – Gnostiker, aber nur, um unmittelbar darauf den dialektischen Materialismus (der Begriff fällt erstmalig, nachdem Breton ihn als Desiderat bei Bataille bezeichnet . . .) gegen die Philosophie des Deutschen auszuspielen. Statt idealistisch-teleologischer Aufhebung schlägt er einen Umsturz, eine Umwertung aller Werte vor:

»Da die Hegelsche Doktrin vor allem ein außergewöhnliches und sehr perfektes System der Reduktion ist, leuchtet es ein, daß man die *niedrigen Elemente*, die in der Gnosis wesentlich sind, nur im reduzierten und entmannten Zustand wiederfindet.

Dennoch bleibt bei Hegel die Funktion dieser Elemente im Denken eine zerstörerische, während die Zerstörung zur Konstituierung des Denkens als notwendig ausgegeben wird. Darum, wenn man den Hegelschen Idealismus durch den dialektischen Materialismus ersetzt (durch eine völlige Verkehrung der Werte ins Gegenteil, der Materie die Rolle verleihend, die das Denken spielte), wäre die Materie keine Abstraktion mehr, sondern eine Quelle des Widerspruchs; außerdem wäre nicht mehr vom unverhofften Charakter des Widerspruchs die Rede, der ganz einfach eine Eigenschaft der Entwicklung der materiellen Tatsachen würde.« (I, 221 Fußn.)

Was die Gnostiker angeht, so zieht Bataille eine Parallele zur derzeitigen dekadenten Gesellschaft, die zu ihrer Erneuerung sich selbst in Frage stellen und umstürzen müsse, sowie zur zeitgenössischen bildenden Kunst, die Ausdruck eines kompromißlosen Materialismus sei. – Die folgende Passage macht auch deutlich, daß Bataille nicht ein Austausch einer idealistischen Metaphysik gegen eine materialistische vorschwebt.

»So zeigt es sich, daß sich die Gnosis in ihrem psychologischen Verlauf – letzten Endes – nicht so sehr vom gegenwärtigen Materialismus unterscheidet; einem Materialismus, versteht sich, der keine Ontologie impliziert, nicht impliziert, daß die Materie das Ding an sich sei. Denn es geht vor allem darum, sich – und mit sich seine Vernunft – nicht irgend etwas Erhabenerem zu unterwerfen, etwas, das dem Wesen, das ich bin, und der Vernunft, die dieses Wesen wappnet, eine geliehene Macht (*autorité*) verleiht. Dieses Wesen und seine Vernunft können sich nämlich nur dem unterwerfen, was *niedriger* ist, was in keinem Fall dazu dienen kann, irgendeine Macht nachzuäffen. Daher unterwerfe ich mich dem, was man wirklich Materie nennen muß – da *es* außerhalb von mir und der Idee existiert –, völlig; und in diesem Sinne lasse ich es nicht zu, daß meine Vernunft die Grenze dessen wird, was ich gesagt habe, denn ginge ich so vor, würde die durch meine Vernunft eingeschränkte Materie alsbald die Bedeutung eines höheren Prinzips annehmen (. . .). Die niedrige Materie ist den idealen menschlichen Aspirationen äußerlich und fremd und sperrt sich dagegen, sich auf die großen ontologischen Maschinen reduzieren zu lassen, die aus diesen Aspirationen hervorgegangen sind. Nun, der in das Gebiet der Gnosis fallende psychologische Verlauf hatte das gleiche Gewicht: es ging bereits darum, den menschlichen Geist und den Idealismus in dem Maße vor etwas Niedrigem in die Enge zu treiben, wie man

erkannte, daß die höheren Prinzipien nichts dagegen vermochten.«
(I, 224 f.)

Der ›Dictionnaire‹-Artikel *Espace* (I, 227) nimmt Professoren-Idealismus aufs Korn. Der Artikel wird von Arnaud Dandieu abgeschlossen (»Fondements de la dualité de l'espace«).

    Les écarts de la nature (I, 228–230), publiziert in *Documents* Nr. 2 (MÄRZ?), verdankt seinen Titel einem Buch von Regnault (*Les Écarts de la nature ou Recueil des principales monstruosités que la nature produit dans le monde animal*, Paris 1775), das auf vierzig kolorierten Gravüren die morphologischen Devianzen der Natur festhält. – Menschen-Monstren wie auch schon individuelle Formen seien durch die ihnen eigene »Ungehörigkeit« von der geometrischen Regelmäßigkeit getrennt. Wenn der Eugenetiker Francis Galton zu dem Ergebnis gelangt, daß vierhundert übereinanderprojizierte ähnliche Gesichter ein typisches ergeben, also das ›zusammengesetzte Gesicht‹ schöner ist als der Durchschnitt der einzelnen Gesichter, dann gilt als das Kriterium des Schönen – der Platonischen Idee – das gemeinsame Maß, das mathematisch-geometrische Mittel. Was aber im Menschen Bewunderung und Schrecken hervorruft, zitiert Bataille Pierre Boaistua (*Histoires prodigieuses*, 1561), sind die Monstren, die Abweichungen der Natur – nicht die ideale Schönheit. – Im übrigen gibt Bataille der Erwartung Ausdruck, daß die visuellen oder plastischen Künste ein Korrelat zur philosophischen Dialektik schaffen – wie es etwa Sergei M. Eisenstein mit seinem Film *Generalnaja linja* (1926–1929) prätendiert.

    In dem Picasso gewidmeten Heft von *Documents* (Nr. 3, APRIL?) läßt Bataille eine verfaulte, verkommene, ungute, üble Sonne, kurz, einen ›Sonnenkadaver‹ aufgehen. In den Text selbst ist eine Picasso-Zeichnung aus 1929 montiert. Hier ein verkleinertes Modell der dualistischen Sonnenkonzeption in dem Artikel *Soleil pourri* (I, 231–232), nebenstehend.

MAI (?): *Documents* Nr. 4: *Les Pieds Nickelés*; ›Dictionnaire ciritique‹: *Esthète*. (I, 233–236) In dem Text *Les Pieds Nickelés* vergleicht Bataille die Protagonisten einer gleichnamigen Comicstrip-Serie – die L. Forton seit 1908 in *L'Épatant* erscheinen läßt – mit einer mexikanischen Gottheit. Daß das Amüsement das schreiendste und furchtbarste Bedürfnis der menschlichen Natur sei, könne die Traumdeutung nachweisen. Angesichts der »Pieds-Nickelés«-Bande (Vorläufer der Disney'schen »Panzerknackerbande«) werden die Intellektuellen als eine um geistige Hygiene besorgte

Platonische Sonne, die man nicht ansieht	Prometheische, mit den Augen betrachtete Sonne
Moralische Qualifikation: schön, rein, gut	häßlich, Abfall, schlecht
Psychologisches Äquivalent: mathematische Nüchternheit, geistige Erhabenheit	Schrecken, geistige Ejakulation, Schaum auf den Lippen, epileptischer Anfall
Erektion	Ejakulation (Kastration)
Strahlende, erleuchtende, positive Sonne	Verzehrende, verbrennende, negative Sonne
Mythologische Entsprechungen: Sonne, die beim Aufstieg des Ikaros scheint	Sonne, die das Wachs schmelzen und Ikaros abstürzen läßt die Leber verzehrender Geier (Prometheus); Mann, der einen Stier opfert (Mithra); Hahnenschrei; sich selbst opfernder Mensch; anthropomorphe Wesen ohne Kopf (Bes-Pantheos mit Löwenmaske, Dionysos, ›Acéphale‹ etc.)
Künstlerisches Äquivalent: akademische Malerei ohne Exzeß	Moderne, die Formen auflösende Malerei à la Picasso

»Insektenkolonie« verhöhnt. Auch nutzt Bataille die Gelegenheit zu Seitenhieben gegen den Surrealismus:

»Es ist schon viele Jahre her, daß der kurzatmige DADAISMUS (der, alles in allem, ein bißchen zu höfisch war, ein wenig zu rasch den Lachern zur Verfügung stand) von seinen eigenen Fabrikanten begraben wurde. Andererseits kommt es, trotz einiger Zweideutigkeiten, nicht in Frage, vom Surrealismus zu reden, insbesondere nicht just in dem Moment, wo er nur zur trübseligen Verheimlichung* zu führen vorgibt.« (I, 233)

»Der Unglückliche, der behauptet, daß Kunst nicht mehr opportun sei, weil man sich mit ihr von den ›Gefahren der Aktion‹ entferne, sagt bereits etwas, das man wirklich so betrachten muß wie den Schuh der Toten [den man einfach in den Mülleimer wirft].« (I, 236)

Zu *Documents* Heft 5, JUNI(?), steuert Bataille lediglich drei ›Dictionnaire‹-Beiträge bei: *Bouche; Musée; Emmanuel Berl . . .* (I, 237–242) Der Artikel *Bouche* hinterfragt unser Schönheitsideal mittels einer weiteren Frage: Wo beginnt anatomisch das Tier, wo der Mensch? Die horizontale Haltung macht offenbar den Mund zum Anfang eines jeden Tieres. Beim vertikalisierten Menschen wäre demnach die Schädelspitze, der Scheitel sein Ausgangspunkt, der jedoch ungleich weniger ausgeprägt als die Kauwerkzeuge der Tiere und weniger anziehend ist, als etwa Augen und Stirn es sind. Starke Triebimpulse und Emotionen (Haß, Schrecken, Schmerz), so Bataille, vermag der Mensch im Gehirn oder aber im Mund (als Zähneknirschen, Schreien) freizusetzen. Bei heftigen physischen Emotionen mache der Mensch regelmäßig von der letzteren, archaischen Alternative Gebrauch. In diesem Fall nähere der aufgerissene Mund, mehr noch der unter erschütternden Erlebnissen in den Nacken gelegte Kopf (vertikale Stellung des Mundes, horizontale Position zum Körperganzen) den Menschen dem Tier an und zerstöre den meisterhaften Anblick des Gesichts mit geschlossenem Mund und seiner »panzerschrankähnlichen Schönheit«.

Emmanuel Berl . . . kritisiert einen in der Zeitschrift *Formes* (Nr. 5, April 1930) publizierten Artikel des Erzählers und konservativen Gesellschaftskritikers: »Conformisme freudiens«. Berl prangert darin den künstlerischen Abusus der Freudschen Wissenschaft an, was Bataille folgendermaßen korrigiert: was Berl beanstande, sei nicht auf die Psychoanalyse, sondern auf die Inkonsequenz ihrer Sympathisanten zurückzuführen. Er verteidigt Freud als Aufklärer und *démystificateur*, indem er gleichsam den Sade aus Freud, den

---

* André Bretons Dekret im *Zweiten Manifest*. (B. M.)

Kulturkritiker aus dem Wiener Mediziner herausschält. Jene, führt Bataille mit Blick auf die Surrealisten aus, die sich auf den Freudianismus beriefen, flöhen seine Konsequenzen, indem sie ein mysteriöses Unbewußtes konstruierten. Die »Herrschaft« des Unbewußten sei dagegen mit und seit Freud beendet (der Optimismus des »erkannt = gebannt« sei dem ehemaligen Klienten der Psychotherapie nachgesehen); die »Klauen« der Psychoanalyse machten Schluß mit der Ära der Verzweiflungsliteratur und -kunst. Mit Adresse an Berl heißt es:

> »Die Verminderung der Verdrängung und die relative Beseitigung des Symbolismus sind offenbar einer Literatur dekadenter Ästheten nicht von Vorteil, die auch nur einer Berührungsmöglichkeit mit den unteren Gesellschaftsschichten gänzlich beraubt sind.« (I, 242)

Kâlî; Les trouvailles du Louristan und *Pascal Pia* . . . (I, 243–246) sind Batailles ›Dictionnaire‹-Artikel in *Documents* 6 vom OKTOBER oder NOVEMBER überschrieben. – Was ihn an der indischen Gottheit Kâlî – der Göttin des Grauens, der Zerstörung, der Nacht und des Chaos, Schutzpatronin der Cholera, der Friedhöfe, der Diebe und Prostituierten – fasziniert, sind die rituellen Dekapitationen ihr zu Ehren. Nicht allein unzählige Tiere lassen in den Kâlî-Tempeln ihr Leben; in Nepal schnitt man noch Anfang des vorigen Jahrhunderts alle zwölf Jahre zwei *hochgestellten* Männern den Kopf ab (Referenz: Sylvain Lévi, *Le Nepal*, 1905/1908). Der Legende nach, schreibt Bataille, soll die *Durgâ-pûjâ* im Siegesrausch ihren Gatten Śiva getötet haben. In diesem Zusammenhang verweist Bataille – nicht zuletzt der Homonymie mit Salvador Dalí wegen – auf eine Studie von C. D. Daly in Freuds *Imago* (Leipzig–Wien 1927): »Hindu-Mythologie und Kastrations-Komplex.«

Pascal Pia . . . , eine diskrete Notiz zur ersten, André Masson gewidmeten Monographie (Verlag der N.R.F., 1930). Im selben Heft von *Documents* findet sich eine Würdigung Limbours mit dem bezeichnenden Titel: »André Masson, le dépeceur universel.«

NOVEMBER/DEZEMBER(?): *Documents* Nr. 7: *L'art primitif* (I, 247–254); ›Dictionnaire critique‹: *Joan Miró: Peintures récentes* (I, 255); *X marks the spot* . . . (I, 256–257). – Eine Zeichnung der neunjährigen Lili Masson und Graffitti abessinischer Kinder, die Marcel Griaule (1898–1956) während einer 1928/29 unternommenen Expedition in der abessinischen Provinz Godscham zusammengetragen hat (cf. Leiris 1979, 128) illustrieren den Artikel *L'art primitif*. In ihm kritisiert Bataille einige der von G. H. Luquet in dem Werk *L'art primitif* (1930) entfalteten Thesen. Luquet setzt die primitive Kunst Erwachsener (»Wilder«) in engen Bezug zur künstlerischen Produktion von Kindern, die sich gleichsam – aller Vererbung, aller Milieutheorie zum Trotz – auf dem Niveau des Menschen des Aurignacien befänden. Funktion der bildlich-darstellenden Kunst sei die Selbstbehauptung des Individuums. Ferner differenziert Luquet zwischen »visuellem Realismus« Erwachsener und »intellektuellem Realismus« der sogenannten Primitiven. – Bataille bezeichnet diese Distinktion als arbiträr und schlägt vor, statt von »primitiver« Kunst von Veränderung (*altération*) des repräsentierten Objekts zu sprechen: Alteration, verstanden als partielle Zersetzung – in Analogie zu einem Leichnam, als Übergang in einen *heterogenen* Zustand, der dem »ganz anderen«, dem »Heiligen«* entspricht. (Cf. I, 251) Schließlich macht Bataille auf eine krasse, von Luquet nicht bemerkte Dualität aufmerksam: im Aurignacien wie im Magdalénien trifft man realistische *Tierdarstellungen* an, denen unmenschliche, karikaturistische *Selbstdarstellungen* der vorzeitlichen Künstler gegenüberstehen. Da der Titel ›plumpe, deformierende Kunst‹ ausschließlich auf die Darstellung des Menschen zutreffe, werde das Theorem von der Selbstbehauptungsfunktion der Kunst hinfällig. Primär sei der destruktive Wille zur Alteration der Objekte, postuliert Bataille – eine Motivation, die sowohl das Kind als auch den Primitiven und den modernen Künstler leite. Die Analyse der unterschiedlichen künstlerischen Behandlung von Tier und Mensch könne psychologische Aufschlüsse über den vorgeschichtlichen Menschen liefern.

Der Text *L'art primitif* wird verdoppelt durch eine nicht publizierte Besprechung der *Exposition Frobenius à la Salle Pleyel* (II, 116–117). Gleich dem Menschen des Paläolithikums scheint der afrikanische Neger in seinen bildnerischen Werken den Menschen als Abfall zu behandeln, zu negieren – statt sich gegen die Natur zu behaupten. Angesichts der südafrikanischen Wandmalereien, die der deutsche Ethnologe Leo Frobenius (1873–1938) 1930 in einer Ausstellung zugänglich gemacht hat, schreibt Bataille:

»Die erste Regung des Menschen inmitten der Tiere und der Bäume bestand darin, die Existenz dieser Tiere und Bäume wahrzunehmen und seine eigene zu verneinen. Die menschlichen Körper erwecken den Ein-

---

* Bataille bezieht sich auf die Schrift des Theologen und Religionsphilosophen Rudolf Otto: *Das Heilige. – Über das Irrationale in der Idee des Göttlichen und sein Verhältnis zum Rationalen* (1917), die ihm in der französischen Übersetzung von 1929 vorliegt. Otto gebraucht »das Heilige«, »das Numinose« und »das ganz andere« als Synonyma. Sein Heiliges ist gleichsam eine apriorische Kategorie, die die Verbegrifflichung flieht. So beschreibt Otto beispielsweise das Mysterium als Stupor vor einem »gänzlich andern«.

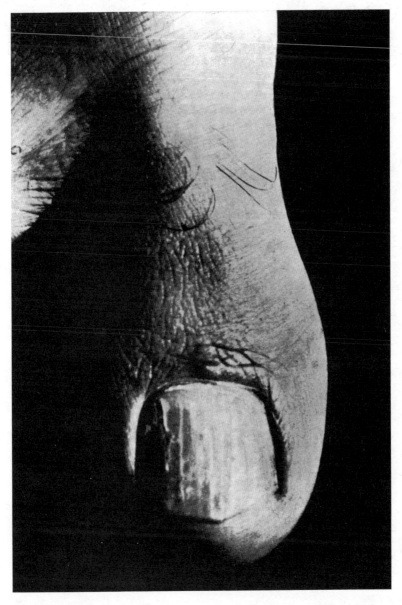

Documents, Nr. 6/1929: Großer Zeh. Dreißigjährige männliche Person.
Foto J.-A. Boiffard

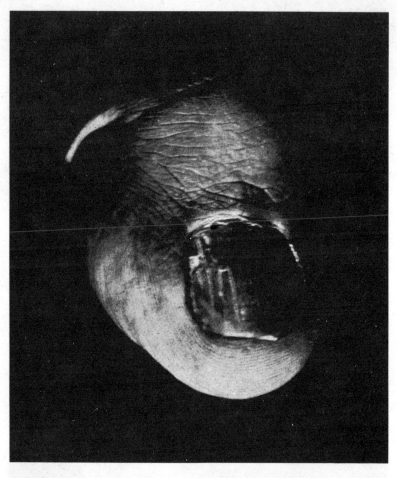

Documents, Nr. 6/1929: Großer Zeh. Dreißigjährige männliche Person. Foto J.-A. Boiffard

Documents, Nr. 6/1929: In den Schlachthöfen von La Villette. Foto Eli Lotar

Documents Nr. 8/1000: Die Immacolata Concezione in Rom. Eine der Totenkapellen.

druck von Figürchen, von Spielzeugen des Windes und der Gräser, von Staubagglomeraten, die mit einer Tätigkeit beladen sind, von der sie ständig zersetzt werden. Was wir so unfähig geworden sind, sinnlich wahrzunehmen, die eindeutige Heterogenität unseres Wesens im Verhältnis zu der Welt, die es hervorgebracht hat, scheint für *diejenigen von uns*, die in der Natur gelebt haben, die Grundlage jeder Darstellung gewesen zu sein.

Die Elephanten und Zebras mitten unter diesen Menschen scheinen dieselbe bedeutende Rolle gespielt zu haben wie bei uns die Häuser, die Verwaltungsgebäude oder die Kirchen. Aber der armselige Abfall brachte sein Leben nicht etwa damit zu, jene Gebäude und Kirchen zu ertragen, sondern sie zu töten und ihr Fleisch zu essen. Der Bruch, die Heterogenität in all ihren Gestalten, die Unfähigkeit, jemals einander anzunähern, was durch eine unerklärliche Macht getrennt worden ist, scheint nicht bloß den Menschen, sondern sein Verhältnis zur Natur erzeugt zu haben.« (II, 117)

Wo die Wirklichkeit zu »sonnenbeschienenem Staub« zermahlen werde, wo die Malerei »umgebracht« und zersetzt werde, bis nur noch »formlose Kleckse auf dem Deckel (oder, wenn man so will, dem Grabstein) des Zauberkastens« zurückblieben: in Mirós Malerei, meint Bataille. Die Notiz zu Miró, wie Picasso kein Anti-Surrealist, beweist Batailles Überparteilichkeit (daß sowohl Masson als auch Miró und Picasso von Kahnweiler vertreten werden, ist ein anderer Punkt).

In seinem letzten ›Dictionnaire‹-Artikel rezensiert Bataille eine Fotodokumentation der Chicagoer Bandenkriege: *X marks the spot* (1930). Für Bataille markiert diese Publikation eine neue Ära der ›voyeuristischen Moral‹ gegenüber dem Anblick des gewaltsamen Todes. Vielleicht übernehme künftig das Spektakel der Bandenkriege die soziale Funktion der Zirkusspiele im alten Rom oder die der spanischen Corridas?

1930 läßt Bataille einen enzyklopädischen Artikel nebst Katalog (I, 617–640) zu dem Genremaler Jean Raoux (1677–1734) in dem Gemeinschaftswerk *Les peintres français du XVIIIe siècle* erscheinen; Untertitel: »Histoire des vies et catalogue des œuvres«; herausgegeben von Louis Dimier, Bd. 2, Éditions G. van Oest, Paris--Brüssel. (An Band 1 und 2 hat übrigens seine Cousine, Marie-Louise Bataille, mitgearbeitet.) Man kann *Raoux* – obwohl Bataille den Künstler, von dem Wildenstein einige Werke besitzt, als verschwenderisch, frivol, wollüstig charakterisiert – zu den wenigen Auftragsarbeiten des Autors zählen.

In diesem Jahr projektiert Bataille einen *Almanach érotique*, der alles, »was in das Gebiet der erotischen Subversion fällt«, versammeln soll. Ferner plant er eine erotische Schriftenreihe, für die ein

Buch zu schreiben er Michel Leiris einlädt. Dieser, der unter dem Ladentisch gehandelten Pornographie abgeneigt, verspricht einen autobiographischen Text, der die Erotik tangiert. Er schreibt die »Judith«, »Lucrèce« und »Holopherne« betitelten Kapitel seines künftigen Buches *Mannesalter* (1939). (Cf. Leiris/Gobeil 1975, 51) Ohne Frage hat er Leiris, seit einem Jahr bei Borel in der Kur, zu jener ›Graphotherapie‹ ermutigt, der er sich selbst einst unterzogen hatte. –

Bataille selbst entwirft womöglich zu diesem Zeitpunkt das obszöne Szenarium *La veuve* (III, 315), das seinen Titel einem makabren Lied (VI, 166) entlehnt. (Andererseits war die unlängst verstorbene Marie-Antoinette Bataille seit langem Witwe . . .) – Jedenfalls kommt die erotische Buchreihe nicht zustande: Mit dem Text *Das Auge des Ethnographen* (Leiris 1978, 29–35), erschienen in *Documents* Nr. 7, verabschiedet sich Leiris von Paris; ebenso wie zwei andere *Documents*-Mitarbeiter – Griaule und Schaeffner – wird er von 1931 bis 1933 an der (von Raymond Roussel, dem Prince de Ligne u. a. finanzierten) Expedition Dakar-Djibouti teilnehmen.

Am 4. DEZEMBER erkundigt sich Bataille in einem Brief an Maurice Heine, ob es in der ersten Fassung von Sades *Justine*, von welcher Heine gerade eine Ausgabe nach dem Manuskript vorbereitet (Éditions Fourcade), von einem allgemeinen psychologischen Standpunkt aus, »exkrementelle Details« gäbe (cf. B.N., n.a.fr. 15853, f. 5). – Die Anfrage belegt, daß er an den Entwürfen seiner *Heterologie* oder *Skatologie* arbeitet, die u. a. zu den Texten *Le Jésuve* (II, 13), *La valeur d'usage de D.A.F. de Sade* (II, 54) und *La »vieille taupe«* . . . (II, 93) führen. Bataille versenkt sich zu diesem Zweck in Spezial-Literatur: J. G. Bourke, *Scatologic Rites of all Nations* (Washington 1891; dt.: *Der Unrat in Sitte, Brauch, Glauben und Gewohnheitsrecht der Völker.* Geleitwort von S. Freud, Leipzig o. J. [1913], 595 S.); B. Malinowski *(The Sexual Life of Savages in North-Western Melanesia)*; W. R. Smith (*The Religion of the Semites*, 1889); J. G. Frazer (*The Golden Bough*, 12 Bde., ³1911–15); Emile Durkheim, Henri Hubert und Marcel Mauss (*Esquisse d'une théorie générale de la Magie*, 1902–03); Durkheim (*Les formes élémentaires de la vie religieuse. – Le système totémique en Australie*, 1912); Freud (*Totem und Tabu. – Einige Übereinstimmungen im Seelenleben der Wilden und der Neurotiker*, 1913). Neben Ethnologen oder Amateuren dieser Disziplin (wie Bourke) liest er Philosophisches: Emmanuel Levinas (*La théorie de l'intuition dans la phénoménologie de Husserl*, 1930), Georges Gurvitch (*Les tendances actuelles de la philosophie allemande*, 1930), schließlich Marx, Engels . . .

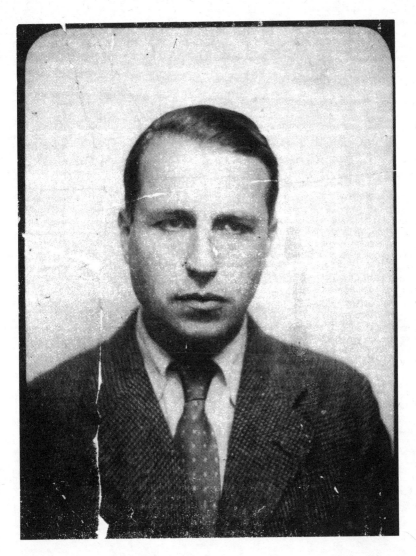

Georges Bataille, um 1930

André Masson, Kaltnadelradierungen zu *L'anus solaire*, 1931

BIBLIOTHÈQUE NATIONALE R.F.

Die Ausscheidung ist kein Mittelweg zwischen zwei Aneignungen, weil die Aneignung nur in einer entmannten und servilen Vorstellung von der menschlichen Existenz ein Zweck an sich ist: für die Menschen ist die Ausscheidung der einzige Lebensgrund: die Aneignung ist Sache der Sklaven.
(II, 425)

Übler Geruch ein Vorurteil. Alle Ausscheidungen ekelhaft – warum? Als übelriechend? Warum übel? Sie sind nicht schädlich. Speichel, Schleim, Schweiß, Same, Urin, Kot, Hautreste, Nasenschleimhäute usw. Es ist unzweckmäßig! – . . . Ekel als Brechreiz zu verstehen: die Ausscheidungen erregen den Reiz, die Nahrung auszuscheiden, unverdaut *(wie ein Gift).* Urteil vom Standpunkte der *Genießbarkeit* aus: Dies ist nicht zu essen! Grundurteil der Moral.
Nietzsche, 1881–82

In seinem Brief vom 27. JANUAR an Maurice Heine kündigt Bataille bereits die Einstellung von *Documents* an (cf. B.N., n.a.fr. 15853, f. 9). Neben der Deflation, die sich in Frankreich erst jetzt bemerkbar macht, bringt der subversive Geist ihres Herausgebers die Zeitschrift zu Fall.

»Es unterliegt (. . .) keinem Zweifel, daß das Publikum von Kunstliebhabern, an das sich die Zeitschrift in erster Linie wandte, nicht allein von dem Inhalt der Texte Batailles und seiner engsten Gefährten aus der Fassung gebracht wurde, sondern auch von dem, was Ende dieser 20er Jahre auf dem Gebiet der Kunstzeitschrift einen schockierenden Bruch mit dem Herkömmlichen darstellte (. . .).

(. . .) unsererseits schlecht organisiert und in Tendenzen gespalten (. . .), nicht in der Lage, unseren Nummern die glänzende Aufmachung zu verleihen, die ihr ein geschlosseneres Aussehen gegeben hätte, wurden wir schließlich von unserem Verleger im Stich gelassen, den der Nonkonformismus der von ihm finanzierten Zeitschrift in gewissem Maße amüsierte (er schmeichelte ihm vielleicht ebenso, wie er ihn erschreckte), der sie sich aber nichtsdestoweniger gern rentabler gewünscht hätte. (. . .)

Diese Zeitschrift, deren wichtigste Mitarbeiter (Bataille und seine Anhänger mit ihren barocken und fast immer auf die eine oder andere Weise selbstherrlichen Schriften, Einstein mit seiner unzugänglichen und fast unübersetzbaren Sprache) fast alle dafür bezahlt zu sein schienen, ihr – jeder auf seine Weise – einen ›unmöglichen‹ Anstrich zu verleihen, bewies ihre Unmöglichkeit im eigentlichen Sinne, als sie ihr Erscheinen nach der 15. Nummer einstellte.« (Leiris 1978, 74–75)

(Eine zwischen 1933 und 1935 in Brüssel erscheinende Zeitschrift, Sprachrohr eines kulturrevolutionären Verbands, teilt mit Batailles *Documents* nur den Namen.)

Jene fünfzehnte und letzte Ausgabe von *Documents*, Nr. 8/1930, erscheint mit erheblicher Verspätung im Frühjahr 1931 mit zwei Beiträgen von Bataille, darunter der kapitale Essay *La mutilation sacrificielle et l'oreille coupée de Vincent Van Gogh* (I, 258–270). *Die sakrifizielle Verstümmelung und das abgeschnittene Ohr Vincent van Goghs* stellt zweifelsfrei eines der ausgeführtesten Kapitel der Batailleschen »mythologischen Anthropologie« dar. In den verschiedensten Buchprojekten aus den vierziger Jahren spielt dieser Text eine Rolle: so in *Aléa* (cf. III, 537); in der Sammlung *Les Présages,* die er einleiten soll (cf. II, 443), sowie als »DAS ABGESCHNITTENE OHR/(VAN GOGH)« betitelte Kapitel I eines nicht näher identifizierten geplanten Buches, von dem ein Fragment (I, 654) erhalten ist.

In diesem Van-Gogh-Essay unterscheidet Bataille zwei menschliche Haltungen: eine, die den Blick von der Sonne abwenden läßt – und die von der Vorherrschaft der Nüchternheit, der Abhängigkeit von Produktionsbeziehungen zeugt; und eine, angetrieben von der Begierde, sich mit der Sonne zu identifizieren, die das Subjekt direkt in die Sonne blicken läßt – was gemeinhin als Anzeichen des Wahnsinns gilt. Mit seiner These vom menschlichen Heliotropismus universalisiert Bataille einen derart definierten ›Wahnsinn‹.

»Gemäß einer Auffassung, deren allgemeine Bedeutung annehmbar ist, existiert der Mensch, damit der Himmel und die Sonne betrachtet werden.

Es ist gleichgültig, daß diese Auffassung absurd ist: es ist sogar ohne Belang, zu wissen, in welchem Sinne sie absurd ist. Die Gegenwart der Sonne an einem Punkt des Weltraums, der nur willkürlich bestimmt werden kann, ist mit derjenigen meiner Augen in meinem Gesicht verbunden, und eine Art Lichtwolke, nach der ich zur gleichen Zeit wie nach dem Tod mit jedem Atemzug strebe, ist die irreale Frucht dieser Verbindung.«

»Alle Pflanzen der Erde ragen in den Himmel und schleudern beständig, in Gestalt von Blüten, leuchtende Auswurf-Myriaden zur Sonne, und unter den Verrückten ist nur ein van Gogh obszön genug, gegen dieselbe Sonne den phallischen Auswurf seiner Augen zu schleudern. Die anderen menschlichen Wesen schleppen sich erbärmlich wie große impotente und korrekte Phalli dahin, die Augen auf eine langweilige Umgebung geheftet.

Man müßte in Stücke zerspringen und in seinem Körper den Wahnsinn eines Kontorsionisten spüren, gleichzeitig müßte man bis zum Schaum auf den Lippen Fetischist des Auges, des Hinterns und des Fußes in einem werden, um in sich selbst wiederzufinden, was zu Beginn der Konstitution des menschlichen Körpers gescheitert ist.« (II, 418)

(Der Fetischist des Auges und des Hinterns: Lord Auch, Autor der *Histoire de l'œil*; einige universelle Fetischisten: der Illustrator der Pornographien Batailles, Hans Bellmer, gefolgt von einem Bataille-Exegeten, Roland Barthes; der Anwalt, der für eine totale Rekonstruktion des menschlichen Körpers fechten wird: Antonin Artaud, Autor eines Van-Gogh-Buches.) Zwei psychiatrische Fallstudien bilden den Ausgangspunkt des – übrigens am ausführlichsten ›dokumentierten‹ (nahezu zwanzig zitierte Werke bzw. Literaturverweise) – *Documents*-Essays: die eine handelt von dem Amateur-Maler Gaston F., der sich – sonnenhypnotisiert – einen Finger ausreißt (H. Claude, A. Borel u. G. Robin:»Une automutilation révélatrice d'un état schizomaniaque.« *Annales médico-psychologiques* I, 1924), die andere schildert die Auto-Enukleation einer von Ideler untersuchten Frau, die unter der Suggestion eines ›Feuermannes‹ handelt, der ihr gebietet, sich die Ohren abzutrennen (M. Larthiois, *De l'automutilation. – Mutilations et suicides étranges*, 1909). Bataille frappiert die Koinzidenz (die er sich von seinem ehemaligen Therapeuten Borel bestätigen läßt) der Gesten jener Geisteskranken mit denjenigen van Goghs, wo die Sonnenobsession zur Selbstverstümmelung führt – zu Äquivalenten der realen Kastration. Van Goghs Sonnenmalerei (Sonnengestirn oder Sonnenblumen) wie auch sein berühmtes Gemälde »Gauguins Stuhl« (Arles 1888) deutet Bataille als Ausdruck des Ich-Ideals des Malers, nämlich als »Zeichen der irreduziblen Heterogenität der zerrissenen (und entfesselten) Elemente der Person Vincent van Goghs« (I, 262). Da er die Selbstverstümmelung als Opfer – mit dem Ziel der Angleichung an den Sonnengott – begreift, zieht er die Parallele zur religiösen Selbstverstümmelung, zu Initiationsriten und zum religiösen Opfer. Der Opfergeist, der das Verhältnis des Menschen des Altertums zu seinen Göttern prägte, werde von Geisteskranken wie auch von Mitgliedern archaischer Gesellschaften geteilt. (Bataille erinnert an die Autokastration der Gallen zu Ehren von Attis, der phrygischen

Kybele, der Astarte in der syrischen Sonnenreligion; an die Abla-
tion des Fingers als das weitverbreitetste Sühneopfer – siehe Ore-
stes; an die Beschneidung, eine kollektive Selbstverstümmelung, als
Initiationsritus.) Die Initiation bewirke einen Bruch der persönlichen *Homogenität* qua Herausschleudern eines Teils seiner selbst;
sie sei, wie das Erbrechen im Vergleich mit der gemeinsamen Mahlzeit, der Kommunion, das Gegenteil des Essens. Ein Analogon der
erbrochenen Nahrung stellen das verstümmelte Opfer, die ausgeris-
senen Glieder oder Organe dar. Das Opfer als eine Ausstoßung
dessen, was eine Person oder eine Gruppe sich angeeignet haben.
Sich werfen, etwas abstoßen, verwerfen, von sich geben, die *Exkretion* ist nach Bataille der Grundimpuls sowohl des Opfers als auch
der Initiation. Beide führten eine radikale *Alteration* der Person
herbei, seien allein imstande, heterogene Elemente freizusetzen,
welche die gewöhnliche Homogenität der Person perforierten. – Im
Licht der Religionsgeschichte nimmt sich das Opfer der Verrückten
als Neubelebung, Durchbruch eines zutiefst menschlichen, primitiven Triebs aus; mythologisch gesehen sind van Gogh oder Gaston F.
Nachfahren des Ikaros, die in ihrem Streben nach dem Feuer des
Himmels verbrennen (Erkenntnis, die unweigerlich den Erleuchteten umbringt:»Wer Gott sieht, stirbt«). Bataille kapriziert sich auf
diesen Aspekt des Opfers, eine Art Personalunion von Gott, Opferpriester und Opfer, den Hubert und Mauss (»Essai sur la nature et
la fonction du sacrifice«, in: dies., *Mélanges d'histoire et des religions*, 1909) nur im Mythisch-Imaginären antreffen wollen. Denn
für Bataille ist van Goghs Selbstverstümmelung ein Akt der Revolte
und des Hasses. Daß er sein abgeschnittenes Ohr an einem verrufe-
nen Ort, seinem Stammbordell deponiert, potenziert nach Bataille
das Provokative seiner Geste und sei überdies ein Zeugnis schran-
kenloser Liebe*. Mit dieser Geste habe der Maler allen ins Gesicht
gespuckt, die vom Leben die *erhabene*, offizielle Vorstellung (*idée*)
bewahrten (cf. I. 270).

Dem Van-Gogh-Text komplementär ist ein Fragment (II,
140–142), in dem Bataille postuliert, daß die Sonne der einzige

---

* Neueren Interpretationen zufolge (Nagera, Forrester . . .) galt das blutige
Opfer van Goghs weniger einer Prostituierten denn Gauguin bzw. seinem Bruder
Theo van Gogh. Das ändert wenig an der Deutung Batailles: bis heute schicken
hoffnungslos Verliebte der Angebeteten ein abgetrenntes Körperteil von sich . . .
Freilich, van Gogh ist nicht der siegreiche Torero, der traditionellerweise einer Dame
seiner Wahl das abgetrennte Ohr des von ihm getöteten Stiers darreicht; der Hollän-
der übernimmt die Rolle des besiegten Stiers (vgl. hierzu *Le labyrinthe*, 1936).

Gegenstand der literarischen Darstellung sei. Die dominierende Aspiration, zu beeindrucken und zu blenden, treibe jedes erregte Individuum dazu, die homogene Gruppe von seinesgleichen zu verlassen, oder vielmehr sich von dieser Gruppe ausstoßen zu lassen als etwas *Heterogenes*. Ein solcher Einzelner sei vergleichbar den gesellschaftlichen Randgruppen (Prostituierte, Kriminelle, Irre, Henker, Asketen etc.), die der homogene und neutrale gesellschaftliche Körper ausstößt wie Exkremente.

In *L'esprit moderne et le jeu des transpositions* (Der moderne Geist und das Spiel der Transpositionen), ebenfalls in *Documents* Nr. 8 publiziert, äußert sich Bataille »gelegentlich eines Fehlschlags«, wobei er sich auf einen Artikel Roger Vitracs in *L'Intransigeant* (vom 17. 3. 31) bezieht. Der Artikel (I, 271–274) konstatiert nicht nur das Scheitern des »modernen Geistes«; er denunziert darüber hinaus das »Spiel« der symbolischen »Umsetzungen« des Realen in Kunst oder Literatur als totale Pleite. Toilette-Artikel und pharmazeutische Produkte zeugten von der täglichen Flucht vor Dreck und Tod – Gestalten der Zersetzung. Wer nach Heilmitteln gegen eingestehbare Krankheiten sucht, spottet Bataille, konsultiert mit dem gleichen Erfolg eine Apotheke wie eine Kunstgalerie. *L'esprit moderne . . .* schließt mit dem Plädoyer, solcher Knechtschaft, solchem Zwang und Elend wenigstens temporär ein Ende zu bereiten, indem man gefährlich lebt: und beispielsweise plötzlich jene Wandbehänge anhebt, die verbergen, was man um keinen Preis sehen dürfte; indem man dem die Stirn bietet, was alle anderen fliehen, indem man »den Kopf verliert«, außer sich gerät, und sei es nur, daß man in den Slums der Städte mit Hutnadeln den Ratten nachstellt . . . (Cf. II, 115) Den Artikel illustriert Bataille mit Fotos, die das Ausmaß der gegenwärtigen Impotenz belegen sollen: das eine, aufgenommen von J.-A. Boiffard, zeigt einen Fliegenfänger mit toten Fliegen (das profane Insekt war einer der Auslöser der Entrüstung Bretons über das Denken Batailles gewesen), das andere zeigt den Kapuzinerfriedhof in der Unterkirche der Immacolata Concezione (1930 ließen Breton und Éluard ihr Gemeinschaftswerk *L'Immaculée conception,* in dem sie den Wahn *simulieren,* erscheinen) in Rom: er birgt viertausend Gebeine der zwischen 1525 und 1870 verstorbenen Mönche.

Nicht zur Veröffentlichung kamen wenigstens fünf für *Documents* bestimmte Kommentare bzw. Chroniken, deren Entwürfe wie folgt betitelt sind: *Œuvres indo-hellénistiques*/GALERIE DE LA N.R.F.; *L'Usine à Folies aux Folies-Bergère; Art des nomades de l'Asie centrale*/GALERIE DE LA N.R.F.; *Deuxième groupe de photographies*/GALERIE D'ART CONTEMPORAIN (Apropos J.-A. Boiffard); *Exposition*

Oskar Kokoschka/GALERIE GEORGES PETIT (II, 118–123). Die erste Besprechung handelt bezeichnenderweise von geköpften Stuck-Statuen, ausgegraben von dem Kunsthistoriker Joseph Strzygowsky und André Malraux in Afghanistan.

Batailles erster explizit politischer Artikel, in dem Freiheit vorrangig als sexuelle Freiheit definiert wird, erscheint auf spanisch in der Vierteljahresschrift *Imán* Nr. 1 vom APRIL. Das Heft dieser in Paris verlegten Zeitschrift steht unter dem Motto »Kenntnis Lateinamerikas«. Der unbetitelte Text sei hier, verdeutscht, *in extenso* wiedergegeben:

»Da die Welt in eine bestimmte Anzahl von Teilen zerfällt, die bislang voneinander isoliert sind, erwächst ohne Zweifel alles, was wir von den einzelnen Zivilisationen erhoffen können, aus den Möglichkeiten, die sie trennenden Schranken niederzureißen (das Bestreben, lokales Gepräge und den damit verbundenen Reiz zu bewahren, geht offensichtlich einher mit dem hoffnungslosen Dünkel und der Pedanterie von Zeitungsschreibern, die ihr Publikum in den alten Jungfern aller Länder finden). Betrachtet man also einen Teil der Welt von der Größe Lateinamerikas, so ist es nicht so wichtig zu wissen, ob die Sitten, die man dort antrifft, einen außergewöhnlichen menschlichen Wert an sich besitzen; weitaus interessanter wäre es herauszufinden, welche fremden Elemente imstande wären, diese Sitten zu zersetzen und zu zerstören. Auf diese Weise würden gleichzeitig als irreduzible Elemente die zähen Fermente zutage treten, die umgekehrt die Sitten der anderen Teile der Welt zu zersetzen drohen.

Es ist zweifellos unmöglich, hier auch nur annähernd zu untersuchen, wie dieser Austausch vonstatten gehen könnte; doch zielen die folgenden Überlegungen durchaus auf den Nutzen solcher Möglichkeiten.

Unter den möglichen zersetzenden Einflüssen des Okzidents steht an erster Stelle der Antiklerikalismus. Lateinamerika ist mit Sicherheit eine der Weltregionen, in denen der Einfluß von Klerus und Religion mit am stärksten erhalten geblieben ist. Gleichwohl wäre es absurd, wollte man daraus voreilige Schlüsse ziehen. Es ist einfacher, sich von der Herrschaft einer Tradition zu befreien, wenn sie noch mächtig ist, als wenn sie sich in den Banken festgesetzt hat und Portiersuniformen trägt (wie etwa in den Vereinigten Staaten). Es ist sehr viel einfacher, ein Übel zu beseitigen, wenn man noch mit Gewalt reagieren kann. In diesem Sinne könnten die Republiken Lateinamerikas eine vorrangige Rolle bei der allgemeinen Zerstörung einer Moral der Unterdrückung und Unterwerfung spielen.

In Lateinamerika ist eine solche Befreiung um so notwendiger, als sie für die Überwindung verabscheuungswürdiger sexueller Traditionen unabdingbar ist. Wahrscheinlich ist der Tag noch recht fern, da die Lateinamerikaner sich voller Scham des Lebens entsinnen werden, das sie den Frauen so lange

aufgezwungen haben. Und doch ist das gegenwärtige System strenger Überwachung und Beherrschung, in dem die Frau lebt, unzweifelhaft zum Verschwinden verurteilt, zum Leidwesen der sittenstrengen alten Damen (jenes
brandigen Teils der Gesellschaft, der so viel Unheil stiftet, und das auch in
den Ländern, in denen freiere Sitten herrschen). Eine solche Entwicklung
wäre in Lateinamerika insofern höchst interessant, als sie keineswegs
gleichbedeutend sein könnte mit einer Art Abkehr von sexuellen Freuden
und mit steriler Sittsamkeit. Sie wäre nur möglich, wenn sie die Triebkraft
des Begehrens mitsamt seiner ganzen ursprünglichen Gewalt zu bewahren
wüßte und einherginge mit der offenen Glorifizierung nicht allein der Vivili-
tät, sondern des humanen Charakters einer freien sexuellen Betätigung,
einer Glorifizierung, die letzendlich keinen anderen Zweck verfolgt als die
Hingabe an zügellose Praktiken.

Höchst interessant wäre es natürlich, würden jüngere und stärkere Völker dergestalt einen Verfall der Sitten vom Ausmaß des unsrigen herbeiführen. Und umgekehrt bestünde die berechtigte Hoffnung auf eine Erneuerung der Kraft unserer eigenen sexuellen Triebe, vergleichbar der Kraft der
lateinamerikanischen Völker. Wenn hier auch nicht die Rede davon sein
kann, systematisch das Chaos zu organisieren in Ländern, wo die Menschen
den Geist der Methode zum höchsten Grad der Vollendung treiben – insbesondere wenn es darum geht, Leichenberge zu produzieren – so scheint
heute eine Rückkehr zu eindeutig grausamen und gewalttätigen Sitten bei
den europäischen Völkern unvermeidlich. Es ist daher möglich (und sogar
recht wahrscheinlich), daß die Sitten unseres politischen Lebens sich verändern werden und sich am Ende von denen Lateinamerikas nicht mehr sehr
unterscheiden.

Gewiß kommt in Europa niemandem in den Sinn, die erstaunliche Phraseologie der bürgerlichen Politiker könne uns plötzlich zu gewissen tragiko-
mischen Großspurigkeiten à la Melgarejo verleiten. So könnte sich zum
Beispiel niemand einen alten europäischen Herrscher vorstellen, der seinem Heer befiehlt, schwimmend das Meer zu überqueren unter dem Vorwand, sagen wir einmal, irgendeinen Negerstamm in Afrika zu bestrafen.
Dennoch sind ähnliche Umstände denkbar, unter denen Schwachköpfe wie
Mussolini oder Hitler rasch alles verlieren könnten, was sie noch an scheinbarer Normalität haben, um, pathetische Hanswürste, ihre Begierden
uneingeschränkt zu befriedigen.

Die Bourgeoisie ahnt, daß es nicht mehr viele Auswege gibt, von gewalttätigen Abenteuern abgesehen. Daraus folgt nichts anderes, als daß der Tag
des Proletariats näherrückt, das allein imstande ist, die monströsen mussoli-
nischen und hitlerischen Schießbudenfiguren hinwegzufegen und gleichzeitig – mit der Zerstörung der bankrotten bürgerlichen Gesellschaft – die
wunderbaren Triebkräfte eines umfassenden Menschseins freizusetzen.

Daraus folgt aber auch, wie subsidiär diese Ausführungen sind. Es
besteht kein Zweifel, daß die Partie, die da gespielt wird – sei es in dem
Land, in dem wir uns befinden – nur durch den irreduziblen Antagonismus
der gegenwärtig bestehenden Klassen definiert werden kann. Was immer,
ausgehend von den verschiedenen Zivilisationen, geschehen mag, erlangt

seine eigentliche Bedeutung erst im Zusammenhang mit der gewaltsamen Umwälzung, die aus diesem Widerspruch folgen wird.«*

Zur ›konkreten, gelebten Heterologie‹ gehört, daß Bataille die niederen Künste wie Kabarett oder Film dem Konzert und dem Theater vorzieht. So sieht er im Frühjahr im Cinéma des Ursulines G. W. Pabsts Filmfassung der *Dreigroschenoper* von Bertolt Brecht – einen Erfolgsfilm. Der melancholisch-makabre Weill-Song »Lied der Seeräuber-Jenny« wird ihn lange Zeit verfolgen. Bataille ist so ergriffen, daß Piel ihn am Kinoausgang mit verschwollenem und tränenbenetztem Gesicht antrifft (cf. Piel 1982, 135 f.). Die Filme von Buñuel, Dalí oder Eisenstein, da von theoretischem Interesse, sind Sujet des Batailleschen Diskurses; was dagegen sein beinahe ›deutsches Gemüt‹ (cf. VII, 616) erschüttert, bleibt offenbar nicht eingestehbar, zeitigt unmittelbarere, emotionale Reaktionen.

Eine Konsequenz aus der in dem Artikel zu Emmanuel Berl *(Documents* 5/1930*)* sich abzeichnenden Politisierung Batailles ist seine Beteiligung am ›Cercle communiste démocratique‹. (Diskussionsgruppen und ihre Periodika: wie unter einem Zwang stehend wird Bataille, den eine wichtige Avantgarde-Bewegung, der Surrealismus, refüsiert hat, fortan das Kollektiv suchen, vorzugsweise in der Rolle des Kopfes der jeweiligen Gruppierung. Persönliche Unsicherheit, historische, regionale Zwänge oder nicht: Bataille bedarf der unmittelbarsten Reibung mit dem anderen. Ein Jahrzehnt lang wird er, unter an Mimikry heranreichenden Anstrengungen, den Konsens, den Pakt anstreben, jedoch notorischer Dissident, ›innerer Feind‹ auch noch des kleinsten Zirkels bleiben. In der nächsten und letzten Dekade wird sich Bataille mit einem kleinen Forum begnügen, wie resignierend vor der Unmöglichkeit seiner Ideale: die aus Minoritäten zusammengesetzten Pluralitäten oder die paradoxale – religiöse – Gemeinschaft Einzelner, die Elite.) Vor dem Hintergrund der sich auskristallisierenden Heterologie hat Batailles Fokussierung auf die Ausgeschlossenen, das Lumpenproletariat, etwas Zwangsläufiges. Sein Schritt versteht sich auch als Konsequenz aus *Un cadavre,* der Polemik mit dem Surrealismus, der sich mehr denn je als Katalysator der Revolution begreift: Daß gerade hierin die Selbsttäuschung wie der Bluff der Surrealisten besteht, wird Bataille, ähnlich Carl Einstein, nicht müde hervorzuheben. Der folgende Passus ist auf Breton (seit 1927 Mitglied der PCF) und seine Anhänger gemünzt:

---

*© Editions Gallimard, Paris. Aus dem Spanischen von Elke Wehr.

1931

»(. . .) die entscheidende Bedeutung der sozialen Revolution unter einem
bisher unbewußt gebliebenen Gesichtspunkt. Es ist nur bedauerlich, daß
ihre Protagonisten nicht den Mut hatten, von dieser Feststellung an aufzugeben, anstatt von der Wut besessen zu scheinen, ihre Ohnmacht übermä-
ßig offenkundig zu machen.

Wenn jedoch diese paar Erleuchteten, die, man muß es schließlich sagen,
vielleicht Besseres verdienten, fortfahren, auf lächerliche und sogar widerwärtige Weise in einer Sackgasse hin und her zu laufen, besteht kein Grund,
sich sonderlich zu wundern. Sie sind praktisch dazu *verdammt*, einen Standpunkt zu verteidigen, der außerhalb des Materialismus der historischen
revolutionären Bewegung liegt, und es wäre absurd zu behaupten, daß sie
unrecht haben, [nicht] völlig auf eine Position zu verzichten, die der Sinn
ihrer Existenz schlechthin ist. Die abscheuliche Komödie beginnt nur von
dem Moment an, wo sie unfähig sind, diese Position zu verstärken – die
allenfalls stark war, als es um dekadente Bewegungen der modernen Literatur ging, aber lächerlich schwach in dem Augenblick, wo die Entwicklung
ihrer Aktion sie vor die größten historischen Bewegungen gestellt hat.«
(II, 80)

Im ›Cercle communiste démocratique‹ schart Boris Souvarine*
oppositionelle Kommunisten um sich. *La critique sociale*, seit März
des Jahres erscheinend, heißt das Sprachrohr der revolutionären
Splittergruppe. Schon der Titel weist die Zeitschrift als ein Organ
der Theorie und den ›Cercle‹ als nicht-militante Initiative aus. Der
Diskussionskreis besteht aus ehemaligen Surrealisten – Leiris,
Baron, Queneau – sowie aus exkommunizierten oder ausgetretenen
KP-Mitgliedern, Künstlern, Publizisten, Intellektuellen: Gérard

---

* Souvarine (eigentlich: Lifchitz), geboren 1895 in Kiew, lebt seit 1906 unter dem
Namen einer Romangestalt aus Zolas *Germinal* in Frankreich. – ›Clartéist‹, tritt er
als Mitglied der Parti socialiste für einen internationalen Kommunismus ein. Mitbe-
gründer der PCF im Jahre 1920, gehört er als Sekretär zum Exekutivkomitee der
Kommunistischen Internationale. Er bekleidet das Amt eines Leiters des Karl-Marx-
Instituts in Moskau. Mit L. O. Frossard, Pierre Monatte, Alfred Rosmer u. a. wird
er 1924 aus der Partei ausgeschlossen, da er der »Arbeiteropposition« angehört – die
unter A. M. Kollontai den Bürokratismus der Bolschewiki, den leninistischen Zen-
tralismus kritisierte – sowie auf dem 13. Kongreß der KP in Moskau den diskreditier-
ten Trotzki verteidigt hatte. – Unter Mißbilligung der PCF, die Souvarine in der
Zeitschrift attackiert, gibt er 1925–1933 den *Bulletin communiste* wieder heraus. –
Während des ›Cercle communiste démocratique‹ (1930–1934) ist Souvarine der
väterliche Geliebte Colette Peignots, alias Laure. (Daß Bataille ihn auf diesem Feld
geschlagen hat, indem er seine Stelle bei Laure einnahm, bestimmt bis heute Souvarines Haltung zu Bataille: diese schwankt zwischen wütendem Mutismus und ebensol-
chen Auffälligkeiten.) Souvarine leitet in den siebziger Jahren das Pariser Institut
d'Études Sociales.
Publikationen: *The Third International* (London 1920); *Staline* (Paris 1935, 1977;
Stalin, New York 1939; London 1940; München 1980); *Gorky, censorship and the
Jews* (New York 1965).

Walter, Jean Bernier, Pierre Kaan (1903–1945), Jean Dautry, Colette Peignot (Laure, die unter dem Pseudonym C. Araxe ab 1933 in *La critique sociale* schreibt), Lucien Laurat (1898–1973, Pseudonym des österreichischen Marxisten Othon Maschl), Simone Weil (publiziert ab 1933 in der *Critique sociale*), J. Prader (PCF-Dissident), Maurice Dommanget, Paul Bénichou, Julius Dickmann, Dora Maar, Pierre Aimery (Deckname des ungarischen Kommunisten Kelemen), Georges Ambrosino (Kernphysiker), Henri Dubief (Lehrer), Pierre Dugan (Marxist englisch-polnischer Abstammung), F. Charbit (Gewerkschafter), Jean Piel, Jacques Perdu (i.e. Jean Soudeille), Charles Peignot (Salonlöwe, älterer Bruder Colette Peignots), Jean Dautry, Jacques Mesnil, Jacques Chavy, René Chenon, Pierre Klossowski, Frédérick Legendre, Adolphe Acker (Arzt), Lise Deharme (parasurrealistische mondäne Dichterin), Pierre Pascal (geb. 1890, Russisch-Lehrer), Patrick Waldberg (der 1913 in Kalifornien geborene künftige Kunstessayist partizipiert erst ab 1932 am ›Cercle‹), H. Harrick u. a. (Cf. Short, p. 148; Rabourdin, p. 42) *Die Fabrikation der Fiktionen* suggeriert, daß Carl Einstein solche Zirkel linker Intellektueller, wenn nicht sporadisch besucht, so doch wenigstens – distanziert und zynisch – beobachtet haben muß.

Der ›Cercle‹ versammelt sich im Café des ›Bel Air‹, Ecke Avenue du Maine/Boulevard de Vaugirard, wo sich ebenfalls die anarchistische Gruppe ›Endehors‹ trifft, identisch mit der libertären Zeitschrift gleichen Namens, dem »Organ der Praxis, der Selbstverwirklichung und der individualistischen Kameradschaft«. (Cf. Waldberg, Brief vom 30. 11. 81 an B. M.)

Die »revue des idées et des livres« (»Sociologie. Économie. Politique. Histoire/Philosophie. Droit public. Démographie/Mouvement ouvrier. Lettres et Arts . . . « – Untertitel, die partiell das evozieren, was *Critique* sein wird), *La critique sociale,* versammelt in insgesamt zwölf Heften Reflexionen über den Faschismus (Erstarken faschistischer Bewegungen in Deutschland, Italien, Portugal und Spanien) und die als Scheitern aufgefaßte Oktober-Revolution. Ihr Herausgeber Souvarine artikuliert in seinen Artikeln (*Chaos mondial; Sombres jours . . .*) seinen finsteren Pessimismus. Was den ›Cercle‹ im übrigen von orthodoxen, linientreuen Marxisten wie Politzer unterscheidet, ist die relativ positive Einschätzung der Psychoanalyse, die von jenen als idealistisch abgetan wird. Ähnliches gilt für die Gebiete der Philosophie, der Literatur und der Kunst: der ›Cercle‹ huldigt keinem Proletkult.

Nach Jean Dautry zerfällt Souvarines Gruppe in einen Teil, der in der Revolution etwas Absolutes, ein moralisches Ideal sieht (Kaan,

Jean Bernier

Simone Weil in Mar-
seille 1941/42

Dora Maar, 1936

Peter Kürten

Jacques Lacan

Weil), und einen solchen, für die sie eine Explosion des Irrationalen ist (Bataille, Bernier, Queneau). (Cf. Short, p. 149)

Gleichzeitig* erscheint Bataille ein Jahr lang bei den Versammlungen der Gruppe ›Masses‹, die in einem kleinen Saal in der Rue Mouffetard abgehalten werden (cf. Waldberg am 28. 2. 82 an mich). René Lefeuvre, der spätere Gründer des Verlages und des Periodikums *Spartacus,* ist der Kopf der trotzkistischen oppositionellen Gruppe, die die »permanente Revolution« mit den Erkenntnissen Freuds zu vereinbaren sucht. In der ultralinken, an Rosa Luxemburg orientierten Organisation findet man Bretons Ex-Frau Simone Kahn, Michel Collinet (geb. 1904, Lehrer und Publizist, der wenige Jahre darauf Simone Kahn heiratet), Aimé Patri (Philosophieprofessor, in den 50er Jahren Herausgeber von *Paru*), Patrick Waldberg und Colette Audry (geb. 1906, Lehrerin und Schriftstellerin). Wie nicht anders zu erwarten, wird ›Masses‹ und deren gleichnamiges, ab 1933 erscheinendes Organ vom Gegenstand ihrer Aktivität – den Arbeitern – ignoriert. (Cf. Dubief 1976, 55, 63) Dafür fördern die Gruppierungen menschliche Kontakte. Bataille knüpft hier neue Freundschaften (zu Waldberg, Kahn, Collinet, Patri), und Waldberg zufolge macht sich Bataille die Jugoslawin Dora Maar zur Geliebten. (Fotografin, dann Malerin mit wenigen, unbeachtet gebliebene Ausstellungen, führt sie der Filmproduzent Louis Chavance 1934 in den Kreis der Surrealisten ein. Von 1936 bis 1943 lebt sie mit Picasso, dessen berühmtestes Modell sie wird. Während Picasso ihren gequälten, obsessionellen Charakter festzuhalten sucht [cf. »La pleureuse«, 1937], sollte sie sich zunehmend mit seiner Projektion von ihr identifizieren, was sich in einer schweigsamen, würdevollen Haltung mit sparsamer Gestik manifestierte, die ihr einen nahezu mystischen Nimbus verlieh.)

Colette Peignot nimmt Bataille nur halb, als die Geliebte Souvarines, wahr. Sie trägt nicht nur mittels einer Erbschaft die *Critique sociale* finanziell, sondern verkörpert mit Souvarine die Redaktion und rezensiert dort ab 1933 russische Literatur (Nr. 7: Korolenko, *Der blinde Musiker*; Nr. 8: *Tagebuch der Gräfin Tolstoi*; Nr. 9: Alexandra Tolstoi, *Mein Leben mit meinem Vater;* Victor Serge, *Ville conquise*).

---

* Richir (1970, 32) lokalisiert Batailles Präsenz exakt zwischen Oktober 1933 und Januar 1934, da die Zeitschrift *Masses* erscheint. Dagegen sprechen die Zeugnisse von Patrick Waldberg und Simone de Beauvoir (1980, 106, 144), nach welchen die Gruppe ›Masses‹ 1931 aktiv wird.

»Ihr Name hatte für mich die Bedeutung der Pariser Orgien ihres Bruders, von denen man mir mehrmals erzählt hatte. Aber sie war sichtlich die Reinheit, der Stolz in Person, unscheinbar.

Ich sah sie zum ersten Mal in der Brasserie Lipp, während sie mit Souvarine aß: ich aß am Tisch gegenüber mit Sylvia. Ich war überrascht, Souvarine (so wenig verführerisch wie möglich) mit einer so hübschen Frau zu sehen. Sie ließ sich hierauf in der Rue du Dragon nieder, wo ich Souvarine eines Abends wiedersah. Ich sprach wenig mit ihr. Das dürfte im Jahre 1931 gewesen sein. Vom ersten Tag an spürte ich zwischen ihr und mir eine völlige Transparenz. Von Anfang an flößte sie mir rückhaltloses Vertrauen ein. Doch ich dachte nie darüber nach.

Zu jener Zeit hatte meine Existenz für sie mehr Bedeutung als die ihre für mich. Ich war Autor der *Geschichte des Auges,* die Souvarine las, aber als eine für sie unselige Lektüre betrachtete und es ablehnte, sie ihr auszuhändigen. Wir trafen uns gern und sprachen ernsthaft über ernste Probleme. Nie habe ich vor einer Frau mehr Achtung empfunden. Ich empfand sie übrigens anders als das, was sie in Wirklichkeit war: robust, tüchtig, obwohl sie bloß Zerbrechlichkeit und Verwirrung war. Sie spiegelte in jenem Augenblick etwas von dem geschickten Charakter Souvarines wider.« (VI, 277 ff.)

Batailles Freundschaft mit Queneau* wird enger, als dieser – um die Trennung von den Surrealisten zu überwinden – täglich die Nationalbibliothek aufsucht, wo er Material für eine Anthologie über die »fous littéraires« sucht, die er in den *Enfants du limon* (1938) aufnimmt (cf. VII, 461). – Die französischen Übersetzungen englischsprachiger Autoren (D. H. Lawrence, Emily Brontë) häufen sich, auch wird man auf Kafka aufmerksam. Raymond Queneau weist den Freund auf Hemingway hin, und die Lektüre von *The Sun Also Rises* (1926; dt.: *Fiesta*) bewegt ihn. Meines Erachtens hat seine passionierte Lektüre von Hemingways Roman auf *Das Blau des Himmels* sich ausgewirkt (vgl. Batailles Interpretation in *Cr.,* Nr. 70, 1953). Bataille liest später auch Faulkner, Caldwell, Steinbeck und Dashiell Hammett, wird jedoch von diesen Autoren nur kurzfristig gefesselt (cf. *Cr.,* Nr. 70, p. 195 f.).

Wie ein *Documents*-Artikel der Rubrik ›Dictionnaire critique‹ liest sich sein erster Beitrag (I, 275–276) in *La critique sociale* Nr. 3 vom

---

* Als Student der Philosophie, »Arithmomane«, Philologe und Dichter übt Queneau (1903–1976) die Berufe eines Bankbeamten, dann Handelsvertreters aus, bevor er 1933 Lektor bei Gallimard und 1941 Generalsekretär des nämlichen Verlages wird. 1924–1929 Surrealist (cf. sein Opus *Odile,* 1937) der ›Fraktion Rue du Château‹, zwischenzeitlich (1925–1927) Militärdienst in Algerien und Marokko. 1933–1939 Psychoanalyse (vgl. seinen Versroman *Chêne et Chien,* 1937).

OKTOBER, der eine Rezension der französischen Übersetzung von Krafft-Ebings *Psychopathia sexualis* (1886) ist, genauer: der 16.–17. deutschen, von Albert Moll überarbeiteten Auflage des enzyklopädischen Standardwerkes. – Angesichts der in dem Handbuch dokumentierten Perversionen stelle sich, so Bataille, die Frage nach der menschlichen Bedeutung sexueller Deviationen oder Anomalien und nicht, woran Moll vorrangig interessiert ist, wie Mediziner und Polizisten mit solchen Perversen umgehen sollen. Ungeachtet der Unhaltbarkeit des Begriffs Psychopathie, sind die Fallstudien des Wiener Psychiaters und Kriminologen Krafft-Ebing für Bataille ein Ausdruck der gravierenden »Zwietracht zwischen Individuum und Gesellschaft«.

In einem Brief, abgedruckt in *La critique sociale* Nr. 4 (Dezember 1931) kritisiert Jean Bernier* Batailles Rezension. Er nennt, mit Recht, dessen Ausführungen »vage, widersprüchlich«, wenn nicht

---

* Nach Jura- und Politologiestudien Frontsoldat (1914/15), gibt Bernier (1894–1975) in dem Roman *La Percée* (1920) seinem Pazifismus Ausdruck. Ab 1919 schreibt er für den *Crapouillot*. – Der Leninist schließt sich im gleichen Jahr der von Henri Barbusse initiierten ›Clarté‹-Bewegung an, die sich einem aktiven Pazifismus verschrieben hat. Nach dem 3. Kongreß der Komintern im Jahre 1921 distanziert er sich (mit Marcel Fourrier, Madeleine Marx und Vaillant-Couturier) von Barbusse. Von da an ist Bernier, zusammen mit Fourrier und Edouard Berth, bis 1925 Herausgeber der Zeitschrift *Clarté*, welche die gleichnamige Zeitung ablöst. *Clarté*, in der viele KPF-Mitglieder schreiben, versteht sich als Organ einer internationalen, »gemeinsamen Front« linker, pazifistischer Intellektueller. – Ab 1923 publiziert Bernier unter Pseudonym in der *Humanité* Sportreportagen. 1924 kommt es zu einer Annäherung an die Surrealisten, die im Jahr darauf zu einer Kollaboration zwischen *La Révolution Surréaliste, Clarté* und *l'Humanité* führt. Bernier bekennt sich nun zum Trotzkismus. – 1926 entsteht das Projekt einer gemeinsamen, von Victor Crastre geleiteten Zeitschrift, *Guerre civile,* die *La Révolution Surréaliste* und *Clarté* ersetzen soll. Hinsichtlich der surrealistischen Revolution bleibt Bernier, gleich Bataille, sehr skeptisch, sie als rein literarische, eskapistische Bewegung begreifend (cf. Bernier 1978, 104 f.). – Mit den Peignots teilt Bernier den Freundeskreis – Drieu La Rochelle, Crastre, Aragon, Léon Blum, Fourrier, Vaillant-Couturier –, und während 1926/27 ist der Frauenheld mit Colette Peignot liiert (*L'amour de Laure* exaltiert allerdings diese eher flüchtige Verbindung). 1929 bricht Bernier sowohl mit der KPF als auch mit dem Surrealismus. – Während er für *La critique sociale* sowie *Les humbles* schreibt, träumt er von einem unabhängigen Publikumsblatt, dessen Redaktionsstab so aussehen soll: Drieu La Rochelle (Feuilletonchef), Charles Peignot (Geschäftsführer), Colette Peignot (Generalsekretärin), Bataille, Gide, Malraux et al. (Literaturseite). (Cf. Rabourdin, p. 47 f.) 1933 schließt sich Bernier Gaston Bergerys antifaschistischer ›Front commun‹ an. Er schreibt dann für *La Flèche* und den *Travailleur communiste syndical et indépendant de Belfort*. Ein Jahr später wechselt er zur ›Front social‹ über, um 1935 der C.G.T. beizutreten und dem provisorischen Organisationskomitee der ›Conférence nationale contre la guerre‹ anzugehören. Ende des Jahres wirkt er bei ›Contre-Attaque‹ mit: das Trio Bernier-Colette Peignot-Bataille ist erneut vereint.

idealistisch. Bataille gebe sich weder als Marxist noch als veritabler Freudianer zu erkennen, sondern eher als anarchistischer Metaphysiker, der mit der Antinomie Individuum/Gesellschaft die Klassenunterschiede ignoriere. (Cf. I, 657–659) Dabei liegt Bernier daran, Freud und Marx miteinander in Einklang zu bringen: in der *Critique sociale* wird er über »Freud und die Religion« (Nr. 5/1932) und Jacques Lacans Paranoia-Dissertation (Nr. 9/1933) schreiben.

Krafft-Ebing dient Bataille ferner als Quelle, die er in einem Textfragment (II, 127–130) anführt, in welchem er Freiheit vorrangig als sexuelle Freiheit definiert und auf die Angst als Prämisse perverser Triebbefriedigung eingeht. Nachdem er den Fall eines »fünfzigjährigen Herrn«, Francesco L., skizziert, das heißt: nur den nekrophilen Aspekt des Polymorph-Perversen nacherzählt hat, schildert er seine eigenen nekrophilen Wünsche am Totenbett seiner Mutter. Das Manuskript bricht abrupt ab.

La »vieille taupe« et le préfixe sur *dans les mots* surhomme *et* surréaliste (II, 93–109), eine Fortsetzung der Polemik mit André Breton und seiner Ideologie, war ursprünglich zur Veröffentlichung in *Bifur* (cf. II, 105) bestimmt, doch die Zeitschrift geht mit Heft 8 vom Juni 1931 in Konkurs. – Wie bei Marx* steht »der alte Maulwurf« für den Geist der Subversion, aber einer solchen, die nicht allein auf die Beseitigung des materiellen Elends des Proletariats zielt, sondern auf die Befreiung aus ihrer moralischen Zwangsjacke. In der auf die Subversion folgende Phase sieht Bataille bereits die Regression, nämlich die Suche nach einer höheren Macht, die über jener stünde, die die Revolte einst entfacht (die Entitäten »Geist«, »das Surreale«, »das Absolute« usw., schließlich alle Begriffe mit dem Präfix Meta-). Der anfänglichen ›surrealistischen Revolution‹ hält er vor, die unteren Gesellschaftsschichten systematisch exkludiert und nur eine Diktatur des *Geistes* gefordert zu haben: eine auch nach der Politisierung der Bewegung anzutreffende Tendenz, die Bataille als »Kinderkrankheit des niederen Materialismus« apostrophiert. Aber ein Angehöriger der Bourgeoisie werde, seien ihm einmal seine heftigsten vitalen Instinkte bewußt geworden, notwendigerweise der Feind seiner eigenen Klasse und sei dazu verurteilt, Werte zu schmieden, die *über* sämtlichen bürgerlichen Werten stünden, über

---

* »In den Anzeichen, die die Bourgeoisie, den Adel und die armseligen Rückschrittspropheten in Verwirrung bringen, erkennen wir unsern wackern Freund Robin Goodfellow, *den alten Maulwurf,* der so hurtig wühlen kann, den trefflichen Minierer – die Revolution.« (Karl Marx, »Rede auf der Jahresfeier des ›People's Paper‹ . . . «, 1856, in: Marx/Engels, *Werke,* Bd. 12)

Werten, die von einer Ordnung realer Dinge determiniert seien (cf. II, 95). Im abstoßenden idealistischen Geschwätz offenbaren sich lediglich die Schuldgefühle, das schlechte Gewissen des Bourgeois gegenüber den Unterprivilegierten. Diese Psychologie führe dazu, die Revolution als »erlösendes Licht« darzustellen, das sich *über* der Welt, über den Gesellschaftsklassen erhebt. Revolutionärer Idealismus mit der Neigung, aus der Revolution eine Art *Über*-Adler zu machen. Das Scheitern der Revolution und die Befriedigung des Strebens nach Idealismus mittels eines militärischen Faschismus – das sind für Bataille die Konsequenzen einer solchen Haltung. Vom ›Über-Realismus‹ Bretons wird die Parallele zum ›Übermenschen‹* Nietzsches gezogen. Nietzsches als einem Vertreter der ikarischen Revolte, die Selbstvernichtung (»pathologische Lust am Untergang«) als deren Ausgang eingeschlossen (s. van Gogh). Nietzsche wird von Bataille teils als ›armer Irrer‹ abqualifiziert, den Geschichtsblindheit, eine reaktionäre und romantische Moralauffassung, das Eintreten für antiquierte ›ritterliche‹ Werte charakterisieren; teils als zerrissenes und gleichzeitig Schmähungen ausstoßendes Opfer einer nie dagewesenen Stupidität dargestellt. (Cf. II, 101 f.) Beim Surrealismus finde sich die ikarische Provokation transformiert in pathetisch-komische Literatur. Ursprünglich niedere Werte wie das Unbewußte, die Sexualität, die Zotensprache etc. würden, durch die hehren surrealistischen Maschen gepreßt, gleichsam sublimiert, geadelt wieder auftauchen: das Unbewußte als armseliger ›poetischer Schatz‹, Sade als moralisierender Idealist . . . (Cf. II, 103) Geistige Höhenflüge und Abscheu vor mate-

---

* Bataille konzentriert sich leider nur auf das Präfix »Über-«, das, was den Vergleich »Surrealismus«/»Übermensch« angeht, in einer Generalisierung endet, die Nietzsches Intentionen verzerrt. Hier wäre ein Reflektieren über das Suffix des Wortes Surreal*ismus* mehr gewesen, hätte aber eine Selbstkritik impliziert und womöglich die Polemik zu etwas Unausführbarem gemacht: im Bewußtsein dessen, was Ismen signalisieren, vermag man nicht mehr den einen Ismus (Materialismus) über den anderen (Surrealismus) zu stellen.

»Das Suffix *-ismus* hat eine einengende Bedeutung; es steigert den Willen auf Kosten der Substanz.

(. . .) In Wörtern, die das Suffix *-ismus* verstärken soll, verrät sich ein besonderer Anspruch, eine willensmäßige Tendenz, oft Feindseligkeit von vornherein.

(. . .) Es sind Wörter für Sektierer, für Menschen, die nur *ein* Buch gelesen haben, für solche, die ›auf ihre Fahne schwören und unbedingt zur Sache stehen‹, kurzum für Vertretertypen und Reisende in Allgemeinplätzen. Ein Gespräch mit jemand, der sich als Realist vorstellt, endet meist ärgerlich. Er hat von der Sache, ähnlich wie der Idealist von der Idee oder der Egoist vom Ich, eine beschränkte Vorstellung. Die Freiheit wird etikettiert.« [Ernst Jünger, *Eumeswil* (1977), in: *Sämtliche Werke*, Bd. 17, Stuttgart 1980, p. 42; 307]

riellen Bedürfnissen, Haß auf alles Vulgäre, puritanische und konventionelle Bedürfnisse, Heuchelei sind das mindeste, was Bataille gegen André Breton ins Feld führt. Den »geistigen Standort« zu Beginn des *Zweiten Manifestes* (Breton 1977, 55) deutet er als Versuch, die »gesunden Kontingenzen« wie auch die »ungesunden Widersprüche« der Natur einfach zu beseitigen (cf. II, 106). In der folgenden Passage des surrealistischen Manifestes findet Bataille ein Äquivalent des ikarischen Himmelszeltes:

»Es leuchtet aber auch ein, daß der Surrealismus kein besonderes Interesse für das hat (. . .), was nicht auf die Zerstörung des Seins zielt in einem Glanz, tief und blind, der so wenig die Seele des Eises wie des Feuers ist.« (Breton 1977, 55)

Den »einfachsten surrealistischen Akt«, nämlich mit dem Revolver blindlings in die Menge zu schießen, versteht Bataille als literarische Pose, wenn nicht als Offenbarung eines Kastrationskomplexes, das heißt des Wunsches nach sofortiger und brutaler Sühne – wie beim Amok (durch den sich der Anarchismus psychologisch definieren läßt). Hybris, die mit der Vorstellung des nahe bevorstehenden Sturzes assoziiert bleibt:

»Alle Verbote verachtend, braucht er nur die rächende Waffe der *Idee* zu ergreifen gegen die Bestialität aller Wesen und aller Dinge, und eines Tages wird er, besiegt – doch besiegt nur dann, *wenn die Welt mundus ist* –, das Feuer seiner tristen Gewehre begrüßen als ein Fanal.« (Breton 1977, 99)

Batailles Fazit heißt: den Protagonisten des Surrealismus jedwede Anerkennung versagen, mit ihrer Ideologie brechen, um vom »moralischen Infantilismus« zur »freien, allerniedrigsten Subversion« überzugehen – entsprechend dem Übergang von der Philosophie Hegels zum Materialismus (wie vom utopisch-ikarischen zum wissenschaftlichen Sozialismus). (Cf. II, 108) Statt eines Resümees der Polemik skizziere ich hier das dualistische Interpretations-Schema, dessen Bataille sich bedient:

Ikarische Revolte	Revolution des »alten Maulwurfs«
Adepten: Surrealisten, Nietzsche	Proletariat, Marx, Bataille . . .
Mythologische Signifikanten: Ikaros, Prometheus, Mithra-Stier, Adler, Sonne (Aufstieg)	Konkrete Bewegungen: Revolutionäres Beben der Massen, geologische Hebung (Subversion)
Örtliche Entsprechungen: das Hohe, Erhabene leuchtende Pracht des Himmels Reinheit der ätherischen Räume	das Niedrige, Gemeine schreckenerregende Dunkelheit der Gräber oder Keller Schmutzigkeit der Erde, in der die Körper verfaulen
Individuelle Entsprechungen: edle Körperteile	niedrige Körperteile (Genitalien, der Exkretion dienende Körperöffnungen)
Politische Entsprechung: Imperialismus	Revolution des »alten Maulwurfs«
Moralische Entsprechungen: erhabener Geist	schändliche, niedrige Materie, Gedärme der Proletarier
Philosophische Entsprechungen: Idee, Utopie, Philosophie Hegels Abstraktionen	wissenschaftlicher Sozialismus Bildersprache

»Ich wußte, daß sämtliche Verhältnisse, in denen zu leben ich begonnen hatte, und die sich einer völligen Unfähigkeit zur Resignation widersetzten, aus mir ein elendes Wesen gemacht hatten; was die einzige Sache anging, die für mich zählte, so war ich noch verlorener als ein Kind es sein kann. Doch zur gleichen Zeit lag mir vor allem an diesem Bewußtsein, verloren zu sein, weil ich sah, daß ich durch es etwas weniger verloren war als jene, die sich dessen nicht bewußt werden können. In dieser absurden, stumpfsinnigen Nacht begann ich, mir einige Prinzipien zu geben, die mir geeignet schienen, mir einen Zugang in eine Welt zu gewährleisten, die für mich kein Gefängnis mehr wäre« (II, 89),

lautet einer der seltenen Selbstkommentare Batailles zu einem Konvolut von Texten, die er, hauptsächlich während seiner Zugehörigkeit zum ›Cercle‹ (1931–1934) geschrieben, weder abschließt noch je zum Druck befördert. Drei Entwürfe eines offenen Briefes an seine derzeitigen Genossen, *La valeur d'usage de D.A.F. de Sade* (II, 54–72); Notizen zu Sade, Kürten, Meyerson und zur Nekrophilie (II, 70–92; 127–143); ein Dossier über »skatologische Riten« (cf. II, 433 f.), das sich wahrscheinlich auf Bourkes Kompendium stützt; eine Fragmentensammlung nebst algebraischen Verhältnisgleichungen und »Tableaux hétérologiques« (II, 165–202) sind alles, was Bataille explizit zur ›Wissenschaft dessen, was ganz anders ist‹ (cf. II, 61 f.), der *Heterologie,* ausgearbeitet hat. Der Unzweideutigkeit wegen tauft er diese ›Wissenschaft‹ *Heterologie* oder *Skatologie,* nicht, wie in Erwägung gezogen, Agiologie (abgeleitet von *agios*: *sacer* = heilig/verflucht). – Was die Heterologie angeht, so koinzidiert sie mit einem erstmalig bekundeten Willen zum System seitens Bataille; aber es kommt über Kapiteleinteilungen, wenige Paragraphen und schematische Darstellungen *notwendigerweise* nicht hinaus, die systematisch-didaktische Darlegung wird mehr als einmal auf später verschoben. So gibt es, gemessen an konventionellen Kriterien, weder eine Wissenschaft noch eine Philosophie, die man Heterologie nennen könnte. Nichts als heteroklite Bruchstücke, einige exemplarische Texte (*L'anus solaire; La valeur d'usage . . .* , *La structure psychologique du fascisme*) und eine Art ›heterologischer Anthologie‹, die Batailles *Documents*-Beiträge darstellen. *Der Gebrauchswert D.A.F. de Sades,* jener »offene(r) Brief an (s)meine derzeitigen Genossen«, den Bataille fortwährend weiterschreibt, präzisiert, um Erklärungen ergänzt, nuanciert, neu schreibt, wendet sich nicht nur an die Surrealisten, deren Spiritualismus, Idealismus und Moralismus er attackiert; er ist, seine Annexe eingeschlossenen, eindeutig auch an die ›demokratischen Kommunisten‹ in Souvarines ›Cercle‹ adressiert. Dem ›Brief‹, Manifest und Selbstbekenntnis, geht ein pessimistisches

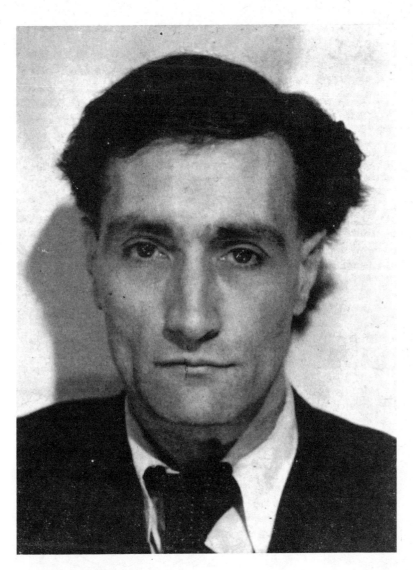

Antonin Artaud, um 1935

André Masson, *Sacrifices*, Radierungen, 1933

MITHRA

LA GALERIE JEANNE BUCHER

3 rue du cherche-midi. Paris (II° et III° étages)

Exposition de six Dessins de ANDRÉ MASSON

Études de mouvements pour le ballet
" PRÉSAGES " composé en colla-
boration avec Massine, et représenté
pour la première fois à Paris au
Théâtre du Châtelet le 9 Juin 1933

Et de cinq Esquisses pour " SACRIFICES "
album d'eaux-fortes avec un texte de
Georges Bataille, à paraître aux
EDITIONS JEANNE BUCHER

du 13 au 25 juin

Einladung der Galerie Bucher zur Ausstellung Massons

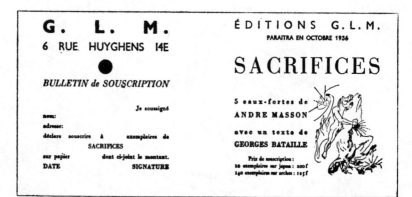

Aufforderung zur Subskription

Präludium voraus, in dem der Schriftsteller seinen Zweifeln Ausdruck gibt, jene Menschen zu erreichen, für welcher der Brief bestimmt ist: idealerweise wären das Einzelne (noch besser: Massen), die gleich ihm amorph geworden, zersetzt und mit Gewalt aus jeder Form ausgestoßen worden sind. – Angesichts der üblen »Phraseologie« in bezug auf Sade konstatiert Bataille, daß der Rekurs auf literarisches oder poetisches Geschwätz ein Indiz einfacher Impotenz und prätentiöser Hypokrisie sei. Die Apologeten Sades verhielten sich wie Katholiken gegenüber Jesus Christus: sie stellten die Schriften des Marquis und seine Person *über* alles, ohne ihnen jedoch den geringsten Raum im Privat- oder Gesellschaftsleben einzuräumen, weder in der Theorie noch in der Praxis, so daß Sade wie ein Fremdkörper, »das ganz andere« (II, 58) ausgeschlossen werde. Der Gebrauchswert Sades sei folglich desjenigen der Exkremente analog – bestimmt von der raschen und heftigen Lust, sie auszuscheiden und nicht mehr zu sehen.

Eine rein poetische – lies surrealistische – Konzeption der Welt strebe nach ästhetischer Homogenität. Die Irrealität einmal als ›höhere Wirklichkeit‹ konstituiert, werde die Dichtung zum Maß aller Dinge. Die Heterologie definiert sich dagegen als das, was sich dem gemeinsamen Maß, jeglichem homogenen Weltbild entgegenstellt:

»(. . .) der geistige Prozeß beschränkt sich automatisch, indem er aus sich heraus seinen eigenen Abfall produziert und dadurch das exkrementelle heterogene Element auf wilde Weise freisetzt. Die Heterologie beschränkt sich darauf, diesen Endprozeß bewußt und entschlossen wiederaufzunehmen, der bisher als Scheitern und Schmach des menschlichen Denkens angesehen wurde.
Dadurch leitet sie einen völligen Umsturz des philosophischen Prozesses ein, der vom Aneignungsinstrument, das er war, sich in den Dienst der Ausscheidung stellt und den Anspruch auf heftige Befriedigungen einführt, die das gesellschaftliche Dasein impliziert.« (II, 63)

Auch in der »heterologischen Erkenntnistheorie« gilt der Primat spasmodischer Prozesse mit exkretorischem Ziel: ein spasmodischer Prozeß der Sphinkter-Muskeln des Mundes bzw. des Afters, Lachen/Scheißen. Das eine gewissermaßen eine intellektuelle, das andere eine materielle Exkretion (Ausscheidung von Sperma, Urin, Blut oder Kot). Bataille weist darauf hin, daß das Lachen ebenso von Dingen, Personen oder Handlungen mit exkrementellen Eigenschaften provoziert werde wie durch Ursachen, die sexuell zu stimulieren vermögen. – Wo die Ratio im Widerspruch endet, fordert die Heterologie – »die Praxis der intellektuellen Skatologie« – die Aus-

(. . .) nichts vermag die Bewegung aufzuhalten, die menschliche Wesen zu einem zunehmend zynischeren Bewußtsein der Verbindung führt, die sie an den Tod, die Leichen und an die entsetzlichsten Schmerzen des Körpers fesselt. Es ist höchste Zeit, daß die menschliche Natur nicht mehr der infamen Unterdrückung der Autokraten und der Moral, die ihre Ausbeutung gestattet, unterworfen ist. Da es stimmt, daß es zum Wesen des Menschen gehört, das Leiden der anderen zu genießen, daß die erotische Wollust nicht nur die Negation einer Agonie ist, die im selben Augenblick stattfindet, sondern auch eine geile Partizipation an dieser Agonie, ist es Zeit, zwischen dem Verhalten von Feiglingen zu wählen, die ihre eigenen Freudenexzesse fürchten, und dem Verhalten jener, die der Ansicht sind, daß der erstbeste Mensch sich nicht wie ein gehetztes Wild zu verkriechen, sondern im Gegenteil alle Histrionen der Moral wie Hunde zu betrachten hat. (II, 68)

Anders als auf haßerfüllte Weise denken, anders als mit der Besessenheit von dem, was entfesselt, allen ideologischen Verkettungen zum Trotz – denken wie ein wohlwollender christlicher Richter, und nicht wie ein Schwanz, wenn es ihm freistünde, seine eigenen Bedürfnisse anzumelden –, nicht die Stirn haben, auf offene und ungerührte Weise zu denken, was man so schonungslos denkt, wenn man seine eigene Scheiße frißt oder auch, wenn man kotzt: meines Erachtens hat die geringste Konzession in dieser Hinsicht den Verlust aller Macht und die Unterwerfung des Menschen unter die Pflicht zur Folge. (II, 85)

Manchmal habe ich Lust und zugleich eine genaue Vorstellung, sie mit weit aufgerissenem Mund vor dem Anus irgendeines wilden Hexers zu sehen, der ihnen in den Rachen furzte bis sie kotzen, manchmal wäre es mir noch lieber, daß man ihnen mit Axthieben den Schädel einschlägt. Denn es gelingt mir nicht, mich an die Konventionen zu gewöhnen, die peinlich genau meine Beziehungen mit ihnen [sc. seinen Freunden] regeln oder von mir einen schwachsinnigen Stumpfsinn verlangen. (II, 83)

stoßung nicht assimilierbarer Elemente, so daß das Lachen zum Ausweg aus (Exzeß) der philosophischen Spekulation wird.

»(. . .) eine so *bedeutungslose* Reaktion wie ein lautes Auflachen [hat] seinen Grund in der äußerst vagen und fernen Eigenschaft des geistigen Gebiets, und es genügt, von einer Spekulation, die sich auf abstrakte Tatsachen bezieht, zu einer Praxis überzugehen, deren Mechanismus nicht unterschiedlich ist, sondern die unmittelbar die konkrete Heterogenität erreicht, um zur ekstatischen Trance und zum Orgasmus zu gelangen.« (II, 64 f.)

Bewußtseinsveränderung (moralische Emanzipation) und ökonomische Revolution, das heißt die Beendung der Ausbeutung des Menschen durch den Menschen, sind für Bataille die Prämissen für eine heterologische Praxis, in welcher der Daseinsgrund seine Faszination aus heterologischen Elementen bezieht und der Mensch offen seine Ausscheidungsorgane affirmiert.

Andererseits hätten Triebe, die den Interessen einer Gesellschaft im Zustand der Stagnation (Aneignungsphase) entgegenstünden, ihrerseits die soziale Revolution (Exkretionsphase) zum Ziel: auf diesem Wege verlören sie ihren antisozialen Charakter, könnten befriedigt werden und einem allgemeinen Interesse dienen. Dies ist die utopische Aussage von *La valeur d'usage . . .* , aber im Unterschied zum Parteimarxismus löst Bataille das Wort Revolution von seinem utilitären Inhalt durch Akzentuierung seines sakrifiziellen Aspektes: dieser liege in dem Negativismus, mit dem sich die Interessengruppen (hier Kapitalisten, dort Proletarier) gegenüberstünden. Jede Gruppe betrachte die gegnerische wie ein Exkrement (das aber, per definitionem, *sacer* ist). Die Revolution ein Synonym von Exkretion. Der Heterologe versteht sie als »orgiastische Partizipation«, als Fest, Tragödie, ›Theater der Grausamkeit‹:

»Ohne tiefes Einverständnis mit Kräften der Natur wie dem Tod in seiner gewaltsamen Form; dem Blutvergießen; den plötzlichen Katastrophen einschließlich der furchtbaren Schmerzensschreie, die ihnen folgen; der grauenhaften Auflösung dessen, was unwandelbar schien; der Erniedrigung dessen, was erhaben war, bis zum ekelhaften Dreck; ohne die sadistische Einsicht in eine ganz offensichtlich dröhnende und wilde Natur kann es keine Revolutionäre geben, sondern nur eine ekelhafte utopische Sentimentalität.« (II, 67)

In der postrevolutionären Phase müsse die politische von der ökonomischen Organisation der Gesellschaft getrennt und eine sowohl antisoziale wie auch antireligiöse Organisation gebildet werden, deren Zweck die orgiastische Partizipation an verschiedenen Formen der Zerstörung sei. Also generelle Desublimierung, kollektive Entleerung von Triebabszessen, gnostische, besser: Sadesche Amoralität als einziger Kodex. Bataille träumt die sozialistische Gesellschaft emanzipierter Subjekte, ergänzt durch die Sadesche »Gesellschaft der Freunde des Verbrechens«: diese als innerer Feind jener. Eine Art vorchristliche religiöse Organisation, die, indem sie die Subjekte qua Opfer, Riten, Orgien etc. zur Verausgabung anreizt, der Sklerose der sozialistischen Gesellschaft vorbeugt. – Bataille denkt an die Einbeziehung der Farbigen in das revolutionäre Projekt, in dem sämtliche Gruppierungen, die die Ekstase und die Frenesie zum Ziel haben (»spektakuläre Tötung von Tieren, partielle Martern, orgiastische Tänze usw.«), eine Rolle spielen sollen. Bedingung einer so konzipierten Weltrevolution wäre die Kollusion einer europäischen wissenschaftlichen Theorie (Heterologie, dialektischer Materialismus) und der Neger-Praxis (cf. II, 69).

In *La valeur d'usage* . . . , Polemik, Sozialutopie und Philosophie in einem, nimmt Bataille eine Grundpolarisierung in oben (erhaben) und unten (niedrig, gemein) vor, die durch eine zusätzliche Opposition, die zwischen heilig/profan bzw. heterogen (stark polarisiert)/homogen (schwach polarisiert), ergänzt wird. Die fundamentalen Prozesse des gesellschaftlichen Lebens werden unter dem Gesichtspunkt untersucht, ob sie einer zentripetalen (Aneignung) oder zentrifugalen (Ausscheidung) Bewegung folgen. Jedes Element der Außenwelt, das die Aufmerksamkeit des Menschen auf sich ziehe, lautet ein exemplarischer Satz, werde entweder assimiliert (physiologisch, juristisch, geistig angeeignet) oder aber mit allergrößter Brutalität verworfen, ausgeschieden (cf. II, 72).

Die geistige Assimilation ist in der Idee inkarniert: allgemeingültiges, permanentes Seinsollen, wird die Idee an die Stelle der besonderen, singulären Dinge gesetzt, was es erst erlaubt, diese einer Hierarchie einzuverleiben, die auf der grundsätzlichen Identität der Elemente (das heißt auf ihrer Konformität mit der Vernunft) beruht.

Die Exkretion manifestiert sich in religiösen Urformen oder in den sogenannten Perversionen: Purganzien, Brechmittel und das Fasten zählen zu den Formen der am weitesten verbreiteten rituellen Reinigung; die Praktiken der Omophagie, Koprophagie etc. sind in diesem Kontext Pseudo-Absorptionen, da eigentlich etwas Brechreizerregendes verschlungen wird.

Zur Darstellung der Wechselbeziehung zwischen Aneignung und Ausscheidung zitiert Bataille u. a. den Marquis de Sade:

»verneuil läßt sie scheißen, er ißt den kot und verlangt, daß man den seinen verzehre.
jene, der er seine scheiße aufzwingt
übergibt sich, er verschlingt was sie von sich gibt.«[*]

Entsprechend bezeichnet er die Produktion und den Verkauf/Handel als exkretorische Phase der Aneignung (cf. II, 60). – Konkrete Gestalten des Heterogenen sind z. B.: die Sexualität (pervers oder nicht), die Defäkation, die Miktion, der Tod und der Totenkult, Tabus, die rituelle Anthropophagie, die Opferung von Tier-Göttern, die Omophagie, die religiöse Ekstase; identische Einstellung gegenüber Scheiße, Göttern und Leichen; der Schrecken (oft begleitet von unwillkürlicher Defäkation); der Brauch, die Frau durch prächtige Kleidung und Schmuck glänzend und zugleich lüstern erscheinen zu lassen; das Spiel, die ruinöse Verausgabung (cf. II, 58; 433 f.). Die Objekte der heterologischen Aktivität (Exkremente, Schamteile, Leichen usf.) besitzen die Eigenschaft des ›ganz anderen‹; als solches können sie ebenso abgestoßen wie resorbiert werden in dem Begehren, Körper und Geist in einen Zustand der Ausstoßung (Projektion) zu versetzen (cf. II, 58). Das Heterogene bezeichnet folglich – in Anlehnung an Frazer, R. Otto et al. – die *subjektive* Identität von Exkrementen und allem, was als heilig, göttlich oder wunderbar angesehen wird (cf. II, 59). Versucht man eine Definition des Heterogenen, so umfaßt es ganz allgemein

---

* D.A.F. de Sade, *111 Notizen zur »Neuen Justine«*, zit. nach: ders., *Ausgewählte Werke*, Bd. 4, hrsg. von Marion Luckow, dt. von Karin Hock, Frankfurt a. M. 1972, p.88. Eine Parallelstelle findet sich im Kapitel »Geburtstag der Mme. Gernande« in *Die Neue Justine* oder *Das Unglück der Tugend*, a.a.O., p. 200. Maurice Heine ließ das fragliche Fragment, mit der Ziffer 38 versehen, in *Le Surréalisme au service de la Révolution* (Nr. 5, Mai 1933) erscheinen.

Das obszöne Lied *Le cordonnier Pamphyle*, der ›nekrophile‹ Totenkult der von Malinowski studierten melanesischen Wilden sowie die Äußerungen des achtfachen Mörders Peter Kürten (1883 bis Hinrichtung 2. 7. 1931) über sein Opfer Maria Hahn sind weitere Beispiele, mit deren Hilfe Bataille dieses Verhältnis darstellt (cf. II, 74–76). Als ein vom Opfergeist, von der Sühne-Idee Besessener, zog der lykanthropische, pyromanische, nekrophile und sadistische Kürten die Aufmerksamkeit Batailles auf sich. Bataille zitiert Kürtens Aussagen während seines Prozesses vom April 1931. – Das gegen den »Vampir von Düsseldorf« ausgesprochene und vollstreckte Todesurteil steht vermutlich am Anfang der *Notiz über das gegenwärtige Unterdrückungs-System* (II, 134–136). Bataille tritt in diesem Text für eine Resakrifizierung des Verbrechers ein, dessen Bestrafung grundsätzlich wieder in der Öffentlichkeit stattfinden soll. (Man möchte meinen, daß dieser Ansatz einen Michel Foucault inspiriert hat, selbst wenn er ihn zu praktischen Konsequenzen führte, die vom Denken Batailles weit entfernt sind.)

Dinge, Ereignisse, Personen, die eine affektive Reaktion im Menschen auslösen, die man, präziser, liebt *und* fürchtet. Heterogen sind Menschengruppen, die der Mittelstand, das heißt die macht- und besitzbegierige faschistoide Bourgeoisie, der Staatswichtel ausschließt, vertreibt, marginalisiert, einsperrt oder ermordet: einerseits Souveräne und Aristokraten (ihre Unberührbarkeit stellt sie den Elenden gleich), andererseits Proletarier und *outsider*, Minderheiten jeder couleur: Rebellen, Intellektuelle, Dichter, Verrückte, Huren, Clochards, Junkies, Geistliche, Verbrecher, Studenten, Juden, Ausländer, Farbige . . . (Cf. II, 140 f.) Bataille differenziert zwischen einem hohen, erhabenen Heterogenen, repräsentiert durch Gott, die Aristokratie, das Gold, und einem niedrigen, gemeinen Heterogenen, das der Teufel, die Exkremente und das Proletariat repräsentieren. Im dichotomischen Begriff des Heterogenen konvergieren Hegelsche Phänomenologie (mit dem Akzent auf der Rolle der Negativität), Psychoanalyse (das Verdrängte als Analogon des Heterogenen) und Mauss'sche Anthropologie, denen die Oppositionspaare homogen/heterogen, bewußt/unbewußt, profan/heilig korrespondieren.

Was sich nicht den Imperativen der Identität beugt, kann nicht Gegenstand einer Wissenschaft werden. Da das heterogene Moment auf das Subjekt geht, wird es diesem, seinerseits alterierten Subjekt unmöglich, ›wissenschaftlich-objektiv‹ über das Heterogene zu sprechen. Eine Art zentrifugale Bewegung führt zur Überschreitung der Subjekt-Objekt-Grenze – der Prämisse wissenschaftlicher Erkenntnis –, zerstört doch die Ausstoßung des heterologischen Objekts die Identität des Subjekts. Ein »Riß« ermöglicht den Übergang von der persönlichen Diskontinuität zu einer temporären Kontinuität.

Die revolutionäre Zerstörung verhält sich zur Exkretion (und folglich zum Tod) wie der Sadismus zur Analerotik. Dementsprechend charakterisieren Analsadismus (zwangsneurotische Reinheitsfrenesie) und Todesverleugnung den Nationalsozialismus. – Batailles Heterologie spekuliert auf eine Subversion der symbolischen Funktion qua Reaktivierung der verdrängten Analität. Das, die Scheiße nämlich, macht Bataille wie Dalí* und Sade so unerträg-

---

* Dalís Aufnahme in Bretons Familie erweist sich unter diesem Gesichtspunkt als *faux pas*: »Unseren ersten Zusammenstoß hatten wir, als ich ›Le Jeu lugubre‹ gemalt hatte. (. . .) Gala hatte mich schon gefragt, ob ich Kotesser sei, und damit nur die Gedanken der ganzen Gruppe ausgedrückt. In Wirklichkeit verhielt es sich, wie man weiß, so, daß ich meinen unbewußten Trieben gehorchen mußte, um mich von meinen Ängsten zu befreien. Aber diese Erklärung genügte Breton nicht. Er sagte, er sei

Der Kelch, der vorübergehen
sollte, ist längst durch
uns hindurchgegangen.

Eros, ein Notenspiel auf allen
Linien. Es gibt aber mehr, als
der Lust verträglich.

Vom Eros rührt alles her.
Sogar im Kalk blüht eine Rose
— aus Kalk.

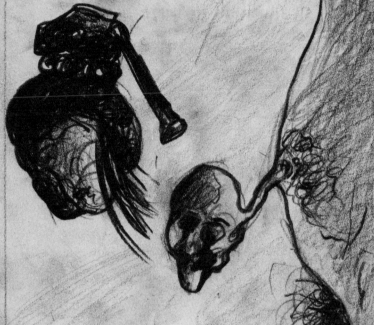

DER MENSCH ist EINE WAFFE, deren

ZÜNDMECHANISMUS noch nicht ganz erforscht

lich für André Breton (der gleiche Punkt provoziert die Bürger der 6oer Jahre zu Haßtiraden gegen die Wiener Aktionisten).

»Beim Erwachsenen bewirkt die Rückkehr der nicht sublimierten Analität eine Unterbrechung der linearen, signifikanten Kette, die sich in Paragramme und Glossolalie auflöst. So betrachtet, sind die Interjektionen als semiotische Vorrichtungen in modernen Phänotexten Gegenbewegungen, die, z. B. im Falle Artauds, zu rhythmisierten Auswürfen werden und den Kampf zwischen Über-Ich und nicht sublimierter Analität übersetzen; ideologisch bedeutet eine solche Transformation der signifikanten Kette Angriff, Provokation und Bloßstellung des verdrängten Sadismus und der geheimen Analität der gesellschaftlichen Apparate.

(. . .) Die Symbolisierung des Verwerfens bezeichnet den Schauplatz eines unhaltbaren Widerspruchs, den eine kleine Anzahl von Subjekten erreicht. Das Verwerfen enthält in sich das Moment der ›Exkorporation‹, der ›Expektoration‹ (bei Artaud) bzw. der ›Exkretion‹ (bei Bataille) (. . .).«

»Das Lusterleben infolge der Destruktion (oder – wenn man will – infolge des ›Todestriebs‹), wie es sich im Text durch die Sprache hindurch manifestiert, verläuft über die Neubelebung der verdrängten, sublimierten Analität. Genauer, der noch nicht symbolisierte Trieb, die ›Reste der ersten Symbolisierungen‹ gehen mit Hilfe der wiederbelebten Analität und unter Berücksichtigung der Homosexualität gegen alle Stasen im Prozeß der Sinngebung vor (Zeichen, Sprache, familiale Identifikationsstruktur), bevor sie sich in einem neuen semiotischen Raster niederschlagen, bevor sie also eine neue Struktur bilden, die Struktur des ›Kunstwerks‹.

(. . .) Was wir mit *Verwerfen* bezeichnen, ist nichts anderes als der semiotische Modus dieser permanenten Aggressivität, die Möglichkeit ihrer *Setzung*, das heißt ihrer *Erneuerung*. In dem Maße, wie das Verwerfen destruktiv, ›Todestrieb‹ ist, ist es auch der Mechanismus von Wiederbelebung, Spannung und Leben; indem es einen Zustand des Gleichgewichts zwischen Spannung, Trägheit und Tod anstrebt, *perpetuiert* es Spannung und Leben.« (Kristeva 1978, Kap. I. 7, p. 157; 160; 154 f.)

Schematische Darstellung der Wechselbeziehungen zwischen heterogenen und homogenen Objekten, Aktivitäten, Systemen (umseitig).

---

von dem Bild ehrlich schockiert, und verlangte von mir die Bestätigung, daß dieses unflätige Detail eine Irreführung sei. (. . .) Mir war aber schon von diesem Tage an klar gewesen, daß ich es mit Klosettpapier-Revolutionären zu tun hatte (. . .). Die Scheiße machte ihnen Angst. Die Scheiße und der After.« (Dali, *So wird man Dali*, dt. von Franz Mayer, Wien-München-Zürich 1974, p. 127) An anderer Stelle schreibt Dalí hierzu: »Ich mußte mich rechtfertigen und erklären, daß dies nur ein Simulakrum von Exkrementen sei.« (*La vie secrète de Salvador Dali*, Paris 1954, p. 202)

heterogen	⇌	homogen
heilig niedrig (passiv)		profan erhaben (aktiv)
Sturz (Wissen und Wollust)		Aufstieg (Reflexion, Reduktion, Objektivität)
Ausscheidung		Aneignung, Assimilation, Homogenisierung
unproduktive Verausgabung, Verlust, Spiel, Revolte, Lachen, Chance		Akkumulation, Arbeit, Produktion, Reproduktion, Wissen
Logik des Nichtwissens (Heterologie) Leere, Schweigen, Tod		Wissenschaft, Philosophie, gesunder Menschenverstand (Doxa) Diktatur des Logos (Vernunft und Sprache)
asoziale, »semiotische«, asignifikante, paragrammatische Kräfte bzw. Prozesse		soziale, »symbolische«, thetische Kräfte bzw. Prozesse
Nicht-Ding, Exzeß, Verlassen der diskursiven Spur (Delir)		gemeinsames Maß, Metaphorisierung
Häßlichkeit, *excreta* (Kot/Gold)		strukturierte, servile Welt des Schönen
das Lächerliche, Unnütze, Niedrige, Abstoßende, Perverse, Obszöne, Verrückte		das Erhabene, Wertvolle, Bedeutende, Schöne, Gute (Platons Ideenwelt, Bretons »point suprême«), die Utopie

heterogen	⇌	homogen
Revolutionär, Verbrecher, Wahnsinniger . . . , Gott, Souverän		bürgerlicher Künstler, Parteipolitiker, Kleinbürger
sozialistisch-orgiastische Gesellschaft		Kapitalismus, kommunistischer Staatskapitalismus, Faschismus

1932

MÄRZ: In *La critique sociale* Nr. 5 publiziert Bataille *La critique des fondements de la dialectique hégélienne* (I, 277–290). Seinem Koautor Queneau verdankt der Aufsatz den Passus über Engels und die Dialektik in der Mathematik (I, 284–286). Queneau bezeichnet die *Kritik der Grundlagen der Hegelschen Dialektik* als Resultat gemeinsam gelesener und diskutierter Bücher, unter ihnen die bereits erwähnten Schriften von Jean Wahl, Gurvitch, Levinas und Heidegger; in die Auseinandersetzung einbezogen werden dann Husserls *Méditations cartésiennes* (1931), vor allem aber die Philosophie Nicolai Hartmanns, die die Freunde durch Gurvitchs Darstellung sowie einen Artikel Hartmanns selbst kennenlernen (»Hegel et le problème de la dialectique du réel.« *Revue de Métaphysique et de morale,* Bd. 40, 1931, Hegels 100. Todestag gewidmet). Es scheint, daß der deutsche Hegel-Exeget Bataille zu einer konstruktiven Kritik der Dialektik angeregt hat, denn der ursprüngliche Titel seines Textes lautete »Vers une nouvelle *critique* positive *de la dialectique hégélienne.*« Queneau kommentiert:

»Das Haupt-Thema dieses Artikels impliziert eine Wandlung der Vorstellung, die seine Autoren sich von Hegel machten. Reduktionistisch ist jetzt nicht der Hegelsche Panlogismus, sondern die materialistische Dialektik, Hegel wird durch die Husserl-Heideggersche Phänomenologie gesehen, die in Frankreich bekannt zu werden beginnt, und er erscheint jetzt als ein ›nicht reduktionistischer‹ Dialektiker, mit dem verglichen man die Vulgärdialektik des Kommunismus abwertet. Obwohl weder Bataille noch ich der Kommunistischen Partei angehört haben (. . .), gedenken wir der verkalkten materialistischen Dialektik zu Hilfe zu kommen und nehmen uns vor, sie zu bereichern und aufzufrischen, indem wir sie mit der besten Saat des bürgerlichen Denkens besäen: der Psychoanalyse (Freud) und der Soziologie (Durkheim und Mauss) (. . .).

Außer jener Bereicherung brachte die Kritik der Grundlagen (. . .) ein bei den nicht-kommunistischen Philosophen gängiges Thema vor: es gibt keine Dialektik der Natur; die Dialektik entspringt der ›condition humaine‹, geht aus erlebten Erfahrungen hervor (wie die Spannung Sohn–Vater oder Herr–Knecht), und ihr ›exquisites Gebiet‹ sind die Humanwissenschaften und nur sie. Die ›Negativität‹ hat dann eine ›spezifische Bedeutung‹, und der Artikel schloß mit einer Verherrlichung der zu ›einer negativen‹, also revolutionären ›Existenz bestimmten‹ Arbeiterklasse.« (Queneau 1963, 697 f.)

Ausgehend von der kritischen Lektüre von Friedrich Engels' *Anti-Dühring* (1878), stellt Bataille die Anwendung der dialektischen Methode auf Naturwissenschaften und Mathematik in Frage. Alles in allem sei Engels' achtjährige Arbeit nichts als der gescheiterte Entwurf einer dialektischen Theorie der Natur, die u. a. das Gesetz der ›Negation der Negation‹ ausspare. Das zweite Vorwort (1885) zum *Anti-Dührung* komme einem Eingeständnis der Unmöglichkeit gleich, die Logik durch die Natur zu ersetzen. Schon für Hegel (*Enzyklopädie*, § 248, 250) sie die Natur der *Abfall* der Idee von sich selbst, das Negative, eine Revolte und ein *non-(s)ens* zugleich gewesen. Engels' »mathematischer Idealismus« sei mit demjenigen eines Nikolaus von Kues (1401–1464) vergleichbar, der wie die »philosophischen Gespenster« Meister Eckhart und Jakob Böhme zu den Aszendenten der Dialektik gezählt wird. Die Dialektik, konstatiert Bataille, sei ausschließlich zur Darstellung des Lebens und der Revolutionen der Gesellschaften geeignet. Die Alternative zur Engelsschen Fragestellung (›welche dialektischen Gesetze weist die Natur auf?‹) scheint ihm daher diejenige Nicolai Hartmanns zu sein, die nach Entsprechungen der dialektischen Sujets in der gelebten Erfahrung sucht. Wie eine solche ›Dialektik des Wirklichen‹ aussehen könnte, exemplifiziert Bataille am Ödipuskomplex, das heißt, an der Negativität des Sohnes gegenüber dem Vater.

In einem Brief über ›Hegel und Das Kapital‹ (erschienen in *La critique sociale*, Nr. 6, September 1932) würdigt der kritische Marxist Karl Korsch die *Critique des fondements* . . . , wirft seinen »Genossen« jedoch vor, den »bürgerlichen Ideologen« Hartmann, der weder in Sachen Marxismus noch Mathematik eine Autorität sei, überbewertet zu haben (cf. I, 657).

Im selben Heft der *Critique sociale* (Nr. 5) geht Bataille in der Spalte ›Correspondance‹ auf die von Jean Bernier entfachte Kontroverse unter der Überschrift *A propos de Krafft-Ebing* (I, 291–294) ein. Der von Bernier vertretene Standpunkt in sexualibus ist demjenigen der Surrealisten (vgl. deren »Umfrage über die Sexualität«) zu nahe, als daß Bataille nicht pointiert antwortete. Wenn Bernier den Perversen mit »mystisch-idealistischen« Vorstellungen von Schuld und Sühne in Zusammenhang gebracht habe, so habe er damit nicht allein den Perversen mit einer Perversion korreliert, sondern sich selbst als Neurotiker zu erkennen gegeben (Freud zufolge ist die Neurose die »negative Perversion«). Das Verschwinden des Perversen oder der Kluft Individuum/Gesellschaft in einer künftigen sozialistischen Gesellschaft weist Bataille, sich auf Hegel (*Enzyklopädie*, § 60) berufend, als Harmonie-Ideal Berniers zurück. Die dialektische Bewegung könne einzig die Formen der antinomischen Begriffe beseitigen, nicht aber den Widerspruch selbst. – Bei dieser Gelegenheit kritisiert er ein Axiom Plechanows (dessen Aufsatz über Hegels Philosophie *La critique sociale* auszugsweise abgedruckt hat), das beinhaltet, daß sich der Marxismus zwar als Totalität der gesamten intellektuellen Vergangenheit begreift, gleichzeitig aber die Schaffung neuer geistiger Formen – vor einer Veränderung auf ökonomischem Gebiet – für ausgeschlossen erklärt. Das ökonomische Argument – Dogma, Übersignifikant des Marxismus – sticht nicht, deutet Bataille an, wollte man es z. B. auf archaische Gesellschaften applizieren. Derartige theoretische Aporien seien nicht zuletzt eine Folge der Ignoranz des offiziellen Partei-Marxismus in bezug auf die relativ jungen Wissenschaften wie Psychoanalyse und Ethnologie, die man als Errungenschaften ›bürgerlichen Denkens‹ beiseite schiebe.

Bernier fügt diesen Ausführungen *Quelques mots de réponse* (cf. I, 659 f.) an, die Bataille weitgehend recht geben.

In der Urlaubszeit hält sich Bataille einige Wochen bei Jean Piel und weiteren Freunden in Nesles-la-Vallée auf. Während sie die Zeit mit Wanderungen und Gesprächen zubringen, lernt Piel das kennen, was er die Großzügigkeit und den Geiz des Schriftstellers nennt.

Dieser verleibt sich eines Nachts sämtliche Fleisch- und Wurstvorräte ein, die die gemeinsame Speisekammer birgt. (Cf. Piel 1982, 133) Ich kann nicht umhin anzumerken, daß diese Art des Exzesses, mag man sie nun Heißhunger oder Gefräßigkeit nennen, dem Denker der *dépense* eines Tages zum Fatum werden wird . . .

Währenddessen verfolgt er mit Interesse Simone Weils Artikel über die »Lage in Deutschland«, die »Bedingungen einer deutschen Revolution« etc., die zwischen AUGUST 1932 und April des folgenden Jahres in den Zeitschriften *Libres Propos, La révolution prolétarienne* sowie *L'École Émancipée* erscheinen (cf. II, 435). Von diesen Artikeln begeistert, wird Boris Souvarine die junge Philosophie-Lehrerin zur Mitarbeit an seiner Zeitschrift einladen.

In *La critique sociale* Nr. 6 vom SEPTEMBER rezensiert Bataille die Veröffentlichungen von fünf Autoren, an denen zunächst die Inkompatibilität auffällt – als hätte man an Bataille die Sparte Religion plus Hegelianismus delegiert: Henri Pinard de la Boullaye (*Marie, chef-d'œuvre de Dieu; Jésus Messie. – Le Thaumaturge et le Prophète*, 1931); André Mater (*Les Jésuites*); Gérard Servèze (*L'Église. – Jugements*); Jean Wahl (»Hegel et Kierkegaard«), Victor Basch (»De la philosophie politique de Hegel«). (I, 295–301) Die letzteren beiden Texte erschienen in der *Revue Philosophique* (Nr. 11–12, Nov.–Dez. 1931), wo sich auch Alexandre Koyrés »Note sur la langue et la terminologie hégéliennes« findet, die Raymond Queneau an gleicher Stelle bespricht (I, 300–301). – Was die Schriften des Jesuitenpaters Boullaye angeht, so führt Bataille ihren Erfolg auf die Adaptation der Gestalt Jesu an das Milieu der ›guten Gesellschaft‹ zurück. Was R. P. Boullaye verkauft, ist ein nach den Bedürfnissen frommer Damen zurechtgeschminkter, domestizierter, gleichsam kastrierter Gottessohn. – Obwohl ein Häretiker der Societas Jesu, habe André Mater die subordinierte Stellung der Jesuiten nicht erkannt. Die Verächter der Mächtigen seien in Wirklichkeit sowohl deren Spielzeuge wie Werkzeuge, gezwungen, alle revolutionären Kräfte zu bekämpfen. – An Servèzes Buch kritisiert Bataille die mangelnde Differenzierung zwischen Urchristentum und mittelalterlichem bzw. modernem Katholizismus. Das Kapitel Inquisition würdigend, moniert er das prüde Schweigen des Autors über die Greueltaten der Katholiken. Dabei macht er auf die vergessene, nichtsdestoweniger »bewundernswerte« *Hexe* (1862) Jules Michelets aufmerksam, »die auf so leidenschaftliche Weise das Schicksal dessen, was *menschlich* ist, mit dem schrecklichen Unglück der Zauberinnen verbindet«.

Die knappe Besprechung der *Revue Philosophique* würdigt die von Jean Wahl vorgenommene Annäherung des jungen Hegel an Kierkegaard unter dem doppelten Aspekt der Religiosität und des Irrationalismus. Für Bataille ist das Dilemma Hegel–Kierkegaard paradigmatisch für das im Denken des Deutschen implizierte Dilemma.

Als Synthese oder Kompromiß zwischen einer Philosophie der Macht und einer solchen der Freiheit charakterisiere Victor Basch Hegels politisches System in seinem Artikel, der im übrigen sein Buch *Les doctrines politiques des philosophies classiques de l'Allemagne. – Kant, Fichte, Hegel* (1927) gegen die Stimmen reaktionärer deutscher Philosophen verteidige, die Hegel zu vereinnahmen versuchten.

De docte ignorantia (1440) des Nikolaus von Kues, den Bataille neben Gnostikern, neoplatonischen Mystikern in seiner Genealogie der Hegelschen Dialektik angeführt hatte (I, 283), ist Gegenstand einer Vorlesungsreihe, die Bataille ab NOVEMBER besucht (cf. Queneau 1963, 699). Die Kurse hält der Russe Alexandre Koyré (1892–1964) an der École Pratique des Hautes Études im Fachbereich Religionswissenschaften.

Cusanus lehrt eine Hierarchie des Wissens: Das eine, »Wissen vom Nichtwissen«, bezeichnet die Summe partikularen menschlichen Wissens, das über die Prozesse von Analyse und Differenzierung zu »gelehrter Unwissenheit« führt, zum durch Wissenschaft gewonnenen Nichtwissen – dem Wissen von der Unbegreiflichkeit Gottes. Das andere, »höhere« Wissen wäre ein synthetisches, integrierendes, intuitives. Auf dem Wege mystischer Kontemplation soll es den Bereich der »coincidentia oppositorium«, wo die Gegensätze zusammenfallen, erschließen. ›Aufhebung‹ der endlichen Gegensätze, das Denken der Einheit, mit Gott als Garanten: das Prinzip des Zusammenfallens der Gegensätze steht in einer Tradition, die von den frühen Taoisten über Eckhart, Giordano Bruno, Böhme und Schelling bis zu André Breton reicht. Was die aufsteigenden Erkenntnisstufen des deutschen Theologen angeht, so ist es möglich, wie Ernst Bloch (*Subjekt – Objekt*, Frankfurt a. M. 1972, p. 83 f.) in ihnen die drei Hauptgruppierungen der Hegelschen Phänomenologie vorgezeichnet zu sehen (Bewußtsein/Selbstbewußtsein, Vernunft/Geist, Religion und absolutes Wissen). Gern kleidet Cusanus die Einheit der Widersprüche in arithmologische Formeln, die allerdings weder mathematischen noch strikt logischen, sondern einzig idealistischen Regeln unterstehen. So besagt eine dieser Formeln, daß man durch bloße Subtraktion des Überschusses zum Gleichen gelange. Durch Subtraktion will der Sophist das Differente auf das Identische zurückgeführt wissen, ergo sei die Gleichheit »ewig«, etc. Im Vergleich zu solch »ewiger Gleichheit« stellt Batailles Konzeption der Verausgabung, die er zu dieser Zeit formuliert, geradezu die ›Antithese‹ dar: Überschuß (Exzeß), dessen Verschwendung nicht gleich seiner Subtraktion ist, sondern vielmehr Ausstoßung einer irreduziblen Ungleichheit bedeutet. – Von Cusanus behält Bataille die Verachtung des Spezialistentums zurück. Es wäre jedoch ein synkretistischer Kurzschluß, die »gelehrte Unwissenheit« des Kardinals mit Batailles Begriff der »non-savoir« zu assoziieren, selbst wenn Koyré die *docta ignorantia* als ein Mittel deutet, »die Grenzen unseres rationalen Denkens zu überschreiten« (*Von der geschlossenen Welt zum unendlichen Universum*, Frankfurt a. M. 1980, p. 18). Agnosie, verstanden als Ende und Ziel skeptischen Philosophierens, das jedoch nicht in Mystizismus, in neue Homogenität einmündet: das Theater der Metaphysik hinter sich lassend, ja liquidierend, kulminiert das Bewußtsein des *non-savoir* zuallererst in einem exkretorischen Akt, dem Lachen (Lachen über das absolute Wissen, die Aufhebung usw.); es gipfelt – nachdem es das Labyrinth des Wissens durchquert hat – in einer Erfahrung, nicht in einer Philosophie, nicht in einem geschlossenen Denksystem . . .

1933

Bataille besucht weiterhin Koyrés Kues-Vorlesungen, außerdem belegt er bis 1934 dessen Kurse über ›Hegels Religionsphilosophie nach seinen Jugendschriften‹. (Cf. Queneau 1963, 699) Von großer Bedeutung für sein Hegelverständnis sind die Vorlesungen Alexandre Kojèves über die *Phänomenologie des Geistes,* die dieser als Vertreter und Nachfolger Koyrés bis 1939 an der École Pratique des Hautes Études hält. (Cf. VII, 615) Im gleichen Stockwerk der Sorbonne folgen etwa zehn Hörer Henri Corbins Ausführungen zu Hei-

Colette Peignot (Laure)

Boris Souvarine und Colette
Peignot 1933

Colette Peignot (Laure)

Alexandre Kojève

Brassaï, Bordell im Paris der 30er Jahre

deggers *Sein und Zeit* (cf. Waldberg 1976, 100). Kojève* schart immerhin ein Dutzend oder mehr beeindruckte Hörer um sich, darunter Merleau-Ponty, Queneau, Waldberg, Taro Okamoto, Robert Marjolin, André Breton (sporadisch), Jacques Lacan, Pater Fessard, Roger Caillois, Brice Parain, Raymond Aron, Jean-Paul Sartre, Riquet, Jean Hyppolite und Bataille. Batailles Vorlesungsmitschriften bezeugen, daß er keinesfalls notorisch während der Veranstaltungen einschlief, wie Queneau (1963, 699) anmerken sollte.

»Von '33 (glaube ich) bis '39 besuchte ich die Vorlesungen, die Alexandre Kojève der Erläuterung der *Phänomenologie des Geistes* widmete (eine geniale, dem Buch angemessene Erläuterung: wie oft verließen Queneau und ich sprachlos den kleinen Saal – sprachlos und gebannt).

Um diese Zeit war ich durch zahllose Lektüren über den Wandel der Wissenschaften informiert.

Doch die Vorlesung Kojèves hat mich zehnmal [mehr] mitgenommen, zermalmt, erschlagen.« (1944: VI, 416)

Kojève bringt ihm zum Bewußtsein, daß Hegels Philosophie eine *Philosophie des Todes* par excellence ist.

»Das weitgehende Einverständnis Kojèves mit der negierenden Heftigkeit des Tuns versieht ihn selbst mit einem Mal der Endlichkeit oder des Todes. Wenn man ihn hört, scheint es so, daß der Tod selbst diese flüssige, eindringliche Sprache gesprochen hat, erfüllt von einer unaufhaltsamen Bewegung: seine Rede besitzt die Ohnmacht und im gleichen Moment die Allmacht des Todes.« (Bataille 1956, 5)

---

* Die akademische Laufbahn des Jaspers-Schülers Alexander Kojevnikov (Moskau 1900 – Paris 1968) währt nur jene sechs Jahre, da er Hegels Phänomenologie kommentiert. Raymond Queneau hat Kojèves Vorlesungsnachschriften und -Notizen in einem Buch vereint: *Introducton à la lecture de Hegel. – Leçons sur la phénoménologie d'esprit* (Paris 1947; dt. Teilübers.: *Hegel. – Eine Vergegenwärtigung seines Denkens*, hrsg. von Iring Fetscher, Stuttgart 1958 u. Frankfurt a. M. 1975). In den dreißiger Jahren rezensiert Kojève in den *Recherches philosophiques* die Werke Heideggers und Husserls. Nach dem Krieg macht Kojève, in dem Bataille ein Freund erwächst, als hoher Verwaltungsbeamter in Wirtschafts- und Finanzministerium Karriere. Bataille geht erst im Alter (1955/56) explizit auf Kojèves marxistisch-existentialistische Hegel-Interpretation ein.

Publikationen: *Histoire raisonnée de la Philosophie dans son ensemble, c'est à dire de Thales à Hegel*, t.I (1967); *Essai d'une Histoire raisonnée de philosophie païenne*, 3 Bde. (1969–1973); *Kant* (1973); *Esquisse d'une phénoménologie du droit* (1982).

»Dieses [Kojèves] Denken möchte, in dem Maße, wie das möglich ist, das Denken Hegels sein, so wie ein zeitgenössischer Geist, der weiß, was Hegel nicht gewußt hat (der zum Beispiel die Ereignisse seit 1917 kennt und genausogut die Philosophie Heideggers), es erfassen und entwickeln könnte. Man muß sagen, daß die Originalität und der Mut Alexandre Kojèves darin bestehen, daß er die Unmöglichkeit, weiter zu gehen, erkannt hat; daher die Notwendigkeit, auf die Hervorbringung einer eigenständigen Philosophie zu verzichten, erkannt hat und damit den endlosen Wiederbeginn, der das Eingeständnis der Nichtigkeit des Denkens ist.« (Bataille 1955, 21 Anm.)

Kojève (1968, 18) erinnert sich, daß er während seiner Kurse als einer der ersten den Hörern das Rauchen gestattete, oder daß er nach getaner Arbeit mit seinen Getreuen – Lacan, Bataille, Queneau – in einem griechischen Restaurant dinierte.

Etwa für die Zeit eines Jahres findet man Bataille in Issy-les-Moulineaux, Rue Claude Matrat 3, installiert, nahe des heutigen, südlich vor Paris gelegenen, Hubschrauberflughafens.

Der *Critique sociale* Nr. 7, die im JANUAR erscheint, übergibt er seine Studie *La notion de dépense* (I, 302–320). In einem redaktionellen Vorspann wird darauf hingewiesen, daß es sich um ein Fragment eines in Vorbereitung befindlichen Werkes handelt. Vor allem möchte man sich aber vorsorglich vom Inhalt, da im Widerspruch mit der Generallinie des ›Cercle‹ stehend, des Textes distanzieren. Die angekündigte kritische Analyse wird nie erscheinen. (Cf. I, 662) Man weiß es: der heterodoxe Text stellt das Präludium für die in *La part maudite* (1949) niedergelegte Theorie einer »allgemeinen Ökonomie« dar. *Der Begriff der Verausgabung* ist seinerseits eine Frucht von Batailles heterologischen Studien, was es erlaubt, den Ansatz der Theorie der *dépense* um Jahre zurückzudatieren. Wesentlich für die kapitale Studie, von der sieben Fassungen bzw. Fragmente existieren, war der von Marcel Mauss in *Die Gabe** untersuchte soziale Tausch der Primitiven. In seinem *Essai sur la Don* sieht Bataille »wenn nicht die Grundlage für eine Auffassung der Wirtschaft, so doch für die Einführung eines neuen Gesichtspunktes« (ER, 201).

Besonders eine archaische Form des Tausches, der ruinöse *Potlatsch,* den Mauss an Indianern des amerikanischen Nordwestens studiert, ermöglicht die Einführung dieses neuen Gesichtspunktes. Die drei Verpflichtungen des Gebens, des Nehmens und des Erwiderns machen das Wesen des Potlatsch aus. Rivalitätsgeschenk, das

---

* In: Mauss, *Soziologie und Anthropologie*, Bd. 2, München 1975; Frankfurt a. M.–Berlin–Wien 1978.

den Empfänger demütigen soll sowie zur Gegengabe verpflichtet, trägt der Potlatsch alle Merkmale des Wettkampfes, des Verlustes, der partiellen Zerstörung. Die Gabe setzt Bataille in Analogie zum Exkrement (ferner zur Analerotik und zum Sadismus), mit dem sie den *heterogenen* Charakter teilt (cf. AÖ, 19). Paradoxerweise bringt der Verlust dem, der seine Reichtümer *verschwendet*, gesellschaftliche Macht, Ruhm und Ehre ein. Nicht derjenige gewinnt an Prestige, der die meisten Güter angehäuft hat, sondern der, der sie festlich vergeudet oder zerstört. Bataille erinnert in diesem Zusammenhang an den ostentativen, generösen Aufwand seitens der Aristokratie für Feste, den er als Gegenleistung der Reichen an die Armen versteht. Eine solche Generosität und Noblesse, so zweideutig sie auch sei, sucht man – nach dem Triumph von Rationalismus und Merkantilismus, die eng mit der protestantischen Moral verknüpft sind – in der bürgerlichen Ära vergebens.

»Der Haß auf die Verschwendung ist der Daseinsgrund und die Rechtfertigung der Bourgeoisie; er ist zugleich der Grund für ihre abscheuliche Heuchelei. Die Bürger haben die Verschwendungssucht der Feudalgesellschaft als Hauptanklagepunkt benutzt, und nachdem sie selbst an die Macht gekommen sind, haben sie geglaubt, weil sie gewohnt waren, ihre Reichtümer zu verbergen, könnten sie ein für die armen Klassen akzeptables Regiment führen. (. . .)
Gegen sie kann das Bewußtsein des Volkes das Prinzip der Verausgabung nur dadurch aufrechterhalten, daß es die bürgerliche Existenz als Schande und finstere Annullierung des Menschen darstellt.« (AÖ, 23 f.)

Gegen dieses verelendete Menschenbild, das von der Eigentümermentalität geprägt ist, empfiehlt Bataille, um es vorwegzunehmen, nichts anderes als die Verausgabung, die »Verwerfung der rational (. . .) verwendbaren materiellen und geistigen Güter. Mit den so praktizierten Verlusten verbindet sich (. . .) die Schaffung unproduktiver Werte, deren absurdester und zugleich begehrtester der *Ruhm* ist« (AÖ, 30).

»So zieht der riesige Abfall, den die Tätigkeit erzeugt, die menschlichen Absichten (. . .) in das qualitative Spiel der universellen Materie hinein: die Materie kann in der Tat nur definiert werden als *nicht-logische Differenz*, die für die Ökonomie des Universums das ist, was das *Verbrechen* für das Gesetz ist. Der Ruhm, der den Gegenstand der freien Verausgabung umgibt oder symbolisiert (. . .), kann, ebenso wie er das Verbrechen nie auszuschließen vermag, von der Qualifikation nicht unterschieden werden (. . .), deren Wert dem der Materie vergleichbar ist: der *insubordinierten Qualifikation*, die jeder Bedingung entzogen ist.« (AÖ, 31)

Zwei materialistische Standpunkte, von denen ein jeder den Menschen als Resultat heterogener Kräfte interpretiert, werden in *Der Begriff der Verausgabung* miteinander konfrontiert: Dem einen – marxistischen – zufolge wird der Mensch von Produktionsbeziehungen determiniert (Mensch der Nationalökonomie); der andere, zu dem Bataille neigt, besagt, daß der Mensch von seinem Verhältnis zu sich selbst und seinen Beziehungen, die er zur Natur und zum Universum unterhält, determiniert wird (Mensch der mythologischen Ökonomie). Zwischen diesen beiden Konzeptionen der menschlichen Existenz liegt ein Abstand, den Bataille an anderer Stelle am Beispiel der antagonistischen Systeme der »Heilsökonomie« und der »Opferökonomie« (cf. II, 241) umrissen hat.

– Die »Heilsökonomie« entspricht dem ersten Modell; ihre Grundbausteine heißen kapitalistische Ökonomie, zweckgebundene Akkumulation, sowohl materieller als auch geistiger Güter, religiöses System und stellvertretendes, rituelles Opfer (der Geopferte als Sündenbock, die Opferhandlung als dekretierte Kompensation, Katharsis, Ventil). Jener begrenzte Bereich der Produktion wird vom Prinzip der Utilität beherrscht. Er umfaßt Produktion, Akkumulation, Konservation, Sparsamkeit, Reproduktion (Konsum, Erholung, Lust) als oberste Werte. Zynischerweise ist die gestattete Lust eine Prämisse des Utilitarismus, nämlich als Mittel zum Zweck. Identität von Lustprinzip und Prinzip der Nützlichkeit – nichts anderes sagt die Spannungstheorie eines Fechner oder Freud aus, die Lust als Verminderung von lästigen Erregungsquantitäten definiert (cf. II, 149). Unter der Last der Sorge um die Zukunft (die eine gesteigerte oder dauerhaftere Lust zu versprechen scheint) wird die unmittelbare, ephemere Lust aufgeschoben oder begrenzt. Statuten einer ›Minderjährigen-Gemeinschaft‹, in welcher das Verhältnis des Staates zu den Individuen dem Vater-Sohn-Verhältnis spiegelgleich ist, denn hier wie da macht die Taubheit der Autorität für die libidinösen Wünsche der Abhängigen die Servilität komplett.

– Eine »Opferökonomie« bestimmt das unbegrenzte Gebiet der Verschwendung. Dem Verlustprinzip gehorchend, begreift sie alles ein, was die »Heilsökonomie« ausschließt, nämlich Formen *unproduktiver Verausgabung* wie Wettkämpfe, Fest, Spiel, Verzehr, Konsumtion ohne Berechnung, den Potlatsch, das Opfer (Erzeugung heiliger Dinge), die Selbstaufgabe oder Selbstentäußerung (Einsatz des Lebens), die Affirmation der inneren Kongruenz von Tod und Leben (cf. AÖ, 12). Literatur und Theater (insofern sie den tragischen Ruin zum Gegenstand haben), nicht zuletzt die Poesie (als »Schöpfung durch Verlust«) zählt Bataille zu den symbolischen Verschwendungen.

Ein – antihegelianisches, antimarxistisches – Diktum möge die Disjunktion, die er zwischen Heilsökonomie und Opferökonomie vornimmt, verdeutlichen:»Das materielle Universum ist nur Spiel und mitnichten Arbeit. Eine theistische oder idealistische Welt aber stellt sich als Produktionsatelier dar.« (II, 153)

Es ist die Vernichtung von Leben und Reichtümern, die die Theorie der Verausgabung privilegiert. Apologie einer Existenz an der Grenze der Angst oder des Ekels, und die vielleicht gerade dadurch bis zur Trance gesteigert, bis zum Orgasmus getrieben wird (cf. II, 158). Gegen das Haushalten der vom Besitz Besessenen, gegen Kompromiß, Mittelmaß und das als Leben ausgegebene Überleben, das einer Massen-Agonie ähnelt, stellt Bataille das in Weißglut versetzte, das »Leben auf dem Siedepunkt«. Wider alle Vernunft – als würde sich das Fetischwort nicht immer deutlicher als ein Synonym von Herrschaft erweisen – postuliert er ein vitales Interesse des Menschen an Bewegungen, die auf den Untergang, die Zerreißung, den Verlust hinführen.

»Die Menschen sichern ihren Lebensunterhalt oder vermeiden den Schmerz, nicht weil diese Tätigkeiten für sich ein zureichendes Resultat erbringen, sondern um zu der insubordinierten Tätigkeit der freien Verausgabung zu gelangen.« (AÖ, 31)

Das Interesse an beträchtlichen Verlusten, an Katastrophen, die heftige Depressionen, Angstanfälle oder gewisse orgiastische Zustände hervorzurufen vermögen, erklärt er zu den *realen Bedürfnissen* der Gesellschaft (cf. II, 150). Unter diese Kategorie fällt – welche Blasphemie! – nicht zuletzt der Klassenkampf; er wird, »wenn er, und zwar diesmal von den Arbeitern, mit einer Radikalität weitergeführt und entfaltet wird, die die Herren selbst bedroht, (. . .) zur grandiosesten Form sozialer Verausgabung« (AÖ, 27).

»Welche Form die entsprechende Entwicklung aber auch annehmen mag, eine revolutionäre oder servile, die allgemeinen Konvulsionen, die vor achtzehn Jahrhunderten durch die religiöse Ekstase der Christen geprägt wurde und heute durch die Arbeiterbewegung, müssen gleichermaßen als entscheidender Impuls angesehen werden, der die Gesellschaft *zwingen* wird, mit Hilfe der gegenseitigen Ausschließung der Klassen eine Form der Verausgabung zu schaffen, die so tragisch und frei wie möglich ist, und zugleich Formen des Heiligen einzuführen, die so menschlich sind, daß die traditionellen Formen daneben vergleichsweise verächtlich erscheinen.« (AÖ, 29)

Ohne sich Illusionen über das postrevolutionäre Rußland hinzugeben, konzediert Bataille in einem themenbezogenen Fragment eine

Der Gesamt-Aspekt des Lebens ist nicht *die Notlage, die Hungerlage, viel-mehr der Reichtum, die Üppigkeit, selbst die absurde Verschwendung. (Nietzsche,* Götzen-Dämmerung*)*

Also keine falsche »Nützlichkeit als Norm«! Verschwendung ist ohne weiteres kein Tadel: sie ist vielleicht notwendig. *Auch die* Heftigkeit der Triebe gehört hierher. *(Nietzsche,* Aus dem Nachlaß der Achtzigerjahre*)*

Das Leben selbst ist kein Mittel *zu etwas; es ist der* Ausdruck *von Wachs-tumsformen der Macht.*

Daß wir nicht mehr »Wünschbarkeiten« zu Richtern über das Sein machen! (Ibd.)

Art relativer Nützlichkeit, die die absolute ablösen soll. Er stellt sich eine sozialistische Ökonomie vor, die der unproduktiven Verausgabung, das heißt den imperativen Bedürfnissen der Menschen Rechnung trüge (cf. II, 151).

An dieser Stelle seien einige exemplarische zeitgenössische Kritiken am Begriff der Verausgabung diskutiert.
– Baudrillard: die universelle Verausgabung – im Maßstab des Universums – sei reines *wishful thinking*. Die zentrale Figur der Jetztzeit sei nicht die Expansion, sondern vielmehr die Implosion.

»Anders verhält es sich, wenn wir von einer tausendjährigen Phase der Befreiung und Entbindung von Energien zu einer Phase der Implosion übergehen, nach einer Art maximaler Ausstrahlung (Batailles Begriffe des Verlustes und der Verausgabung sowie der solare Mythos eines unerschöpflichen Ausstrahlens, auf den er seine Anthropologie der Verschwendung gründet, sind in diesem Sinne zu revidieren: sie sind der letzte explosive und strahlende Mythos unserer Philosophie, das letzte Feuerwerk einer im Grunde allgemeinen Ökonomie, die jedoch für uns keinen Sinn mehr hat) zu einer Phase der *Umkehrung des Sozialen* – zu der gigantischen Umkehrung eines Feldes in dem Augenblick, da der Sättigungsgrad erreicht ist. Auch die Sternsysteme, wenn sie einmal ihre Strahlungsenergie verschleudert haben, hören nicht etwa zu existieren auf: in einem zunächst zögernden, dann zunehmend sich beschleunigenden Prozeß implodieren sie – sie ziehen sich auf ein fabuloses Ausmaß zusammen und werden zu involutiven Systemen, die alle Energien des Umfeldes absorbieren, um endlich zu schwarzen Löchern zu werden, in denen die Welt, wie wir sie verstehen, als Ausstrahlung und unbegrenztes Energiepotential, sich auflöst.« (Baudrillard 1978, 79)

Einige Grundkenntnisse von physikalischen Prozessen hätten Baudrillard davor bewahrt, sich auf ›schwarze Löcher‹ zu berufen, um seine Implosionshypothese zu stützen. Bevor nämlich der Strom von Gas und Staub in ein ›schwarzes Loch‹ stürzt, wird die Materie durch dessen übermächtiges Gravitationsfeld zu einer ungeheuren *Energieausschüttung* in breitesten Strahlungsbereichen stimuliert. Im übrigen hat Bataille im sozialen Bereich nie die Möglichkeit einer Verausgabung ausgeschlossen, die in konvulsivischer Zerstörung oder im tragischen Untergang endet. Die Metapher der Implosion erfaßt nur die halbe Wahrheit, folgt ihr doch regelmäßig eine Explosion unter beachtlicher Verschwendung von Energie.
– Perniola (1982, 132): die Gegensatzpaare Arbeit/Lust, Akkumulation/Verausgabung unterstünden bei Bataille dem Primat einer einseitig als *Produktion* von Werten verstandenen Ökonomie, die den theoretischen Makel aufweise, nicht zu berücksichtigen, daß

der Tausch dem Wert konstitutiv ist. – Schließlich sei der Rest an Negativität der Theorie der Verausgabung auf Bräuche beschränkt, die in modernen Zivilisationen definitiv ausgestorben sind.

Perniola moniert eine Aporie bei Bataille, weil er etwas versucht, was scheitern muß: die Theorie der Verausgabung, eine ›Anti-Ökonomie‹, einer wissenschaftlich vertretbaren ökonomischen Theorie zu subsumieren. »Rational nicht verwendbare Güter«, Schaffung »unproduktiver Werte« – das vermag die Ratio nicht zu fassen, und was sie nicht fassen kann, erklärt sie zum Abfall. – Bataille geht es weniger um eine neue Wirtschaftstheorie denn um Formen exzessiver Generosität (Potlatsch, Kula, Opfer), die keine (aus)tauschbaren Werte schaffen, dafür aber qua Gegengabe, Partizipation und Kommunikation eine organische Gemeinschaft bilden, in der die Existenz des Einzelnen eine Steigerung erfährt, eine ekstatische Bedeutung zukommt. (Bataille spricht von der Wiedereinsetzung des Heiligen, denn es allein macht eine Gemeinschaft vorstellbar, die kein schlichter, aus Eigentümern zusammengesetzter Interessenverband wäre.) Gerd Bergfleth hat in seinem Bataille kongenialen Essay (1975, 338 f.) hervorgehoben, daß der soziale Tausch Primitiver nicht mit dem Warentausch – als einer Vorstufe des Handels – identifiziert werden kann, fehlt es ihm doch einerseits an der Äquivalenz der zirkulierenden Güter oder Menschen, und andererseits ermangelt er der Abstraktion (Profanität), dem Kennzeichen des modernen Handels (der archaische soziale Tausch gegen ist zutiefst symbolisch, rituell, festlich, ja sakral).

– In seinem Buch *Der symbolische Tausch und der Tod* (1976) greift Baudrillard ein bataillesches Thema auf. Von der Feststellung ausgehend, daß das gegenwärtige System nicht mehr, wie noch im 19. Jahrhundert, auf der Folie materieller Produktionsprozesse, sondern auf der des Symbolischen beschreibbar sei, definiert er die Gabe als Investition des Apparats zum Zweck der Machtmaximierung. Herrschaft konstituiere sich auf symbolischer Ebene gerade dadurch, daß das System das Monopol der Gabe *ohne Gegengabe* innehabe (gemeint ist die Gabe der Arbeit, der Medien und Botschaften, des Sozialen). Aus dem Teufelskreis herausführen könne nur eine inkommensurable *Gegengabe*. (Cf. Baudrillard 1982, Kap. 1)

Nun, Bataille war die Identität von Lustprinzip und Nützlichkeitsprinzip nicht entgangen. Kein Zweifel, daß er der Generosität (der Gabe) vor der Reziprozität (des Tausches) Priorität verleiht, ja die Verausgabung – alternativ auch Partizipation, Kommunikation, Opferung genannt – in den Stand eines Imperativs erhebt. Es fragt sich, ob die von Baudrillard angeführten sozialen Gratifikationen –

eher Surrogate denn verschwenderische Gaben – es vermögen, die menschliche Begierde nach einer frenetischen, rauschhaften Existenz dauerhaft einzudämmen. Ob die Androiden und Zombies, von den ›Gaben‹ des Systems gedemütigt, sich nicht doch eines Tages reanimieren und zum ruinösen Gegenpotlatsch ausholen, der Batailles Vision war?

Im Literaturteil der *Critique sociale* rezensiert Bataille ausführlich Célines umstrittene *Voyage au bout de la nuit* (1932), und eher lakonisch drei im Jahr zuvor erschienene Gedichtsammlungen von André Breton *(Le revolver à cheveux blancs)*, Tristan Tzara *(Où boivent les loups)*, Paul Éluard *(La vie immédiate)*. Auch das Buch des dritten surrealistischen KP-Mitglieds, René Crevel *(Le clavecin de Diderot*, 1932), bedenkt er mit einem Verriß. (Cf. I, 321–327) Wie nicht anders zu erwarten, macht Bataille die drei Lyriker lächerlich, denn in seinen Augen ergehen sie sich entweder in Archaismen (Breton) oder in Puerilitäten (Éluard). Einzig Tzara konzediert er poetische Qualitäten, wenn auch unter Vorbehalten:

»Gerade auf Grund einer wirklichen Ausdruckskraft scheint es bei Tzara besonders klar zu sein, daß der Surrealismus keinen anderen Sinn haben kann, als die Erschöpfung, die Nichtigkeit und die Verzweiflung, die der geistigen Existenz der modernen Gesellschaften ihre allertiefste Bedeutung verleihen, auf die Spitze zu treiben. Keinesfalls könnte er das gegebene Versprechen einhalten, zu einem Ausbruch aus dieser Existenz zu schreiten, da er unfähig ist, eine Verbindung der Poesie mit dem Leben zu verwirklichen.« (I, 325)

Das gegen die Dummheit der bürgerlichen Gesellschaft gerichtete Pamphlet *Le clavecin de Diderot* enthülle nur René Crevels eigene Dummheit, ja die intellektuelle Dürftigkeit des Surrealismus im allgemeinen. In dem Rekurs auf Marx, Engels und Lenin entdeckt Bataille eine unbewußte Ranküne: indem er ihre Prinzipien anwende, betreibe Crevel, auf dem Wege der Entpersönlichung, nichts als Selbstkastration.

Es sei hinzugefügt, daß, betrachtet man die Literaturseite der *Critique sociale*, Bataille nicht etwa ein kollektives Vorurteil gegenüber ›bürgerlicher‹ Literatur übernimmt.

APRIL: *La critique sociale* Nr. 8 veröffentlicht drei Buchkritiken Batailles: Stefan Zweig, *Freud*; André Roujou, *Philosophie militaire*; Pierre-Jean, *Vérités impies, sur Dieu, la gloire et la république* (I, 328–331).

Zweigs Biographie wird als brauchbar qualifiziert – mit Ausnahme der »müßigen« Reflexionen ihres Autors über die gegenwär-

Célines schon berühmter Roman kann als die Beschreibung der Beziehungen betrachtet werden, die ein Mensch zu seinem eigenen Tod unterhält, der gewissermaßen in jedem Bild des menschlichen Elends, das im Verlauf der Erzählung auftaucht, gegenwärtig ist. (. . .)

Was der Reise ans Ende der Nacht *eine Sonderstellung zuweist und ihr ihre menschliche Bedeutung verleiht, ist der getätigte Austausch von Leben mit jenen, die das Elend aus der Menschheit verstößt – ein Austausch von Leben und Tod, von Tod und Verkommenheit: eine gewisse Verkommenheit liegt der Brüderlichkeit zugrunde, wenn die Brüderlichkeit darin besteht, auf allzu persönliche Forderungen und auf allzu persönliches Bewußtsein zu verzichten, um sich die Forderungen und das Bewußtsein des Elends zu eigen zu machen, das heißt des Daseins der überwiegenden Mehrzahl. (I, 321; 322)*

tige Zeit. Bataille macht auf Freuds Autobiographie sowie auf die Monographie von Wittels aufmerksam, die beide in französischer Übersetzung vorliegen.

Roujous Apologie des Militärs gestatte es, eine neue Form der Armee vorauszusehen, deren Basis nicht mehr die Fahne, sondern das Zuchthaus sein wird; die, statt durch Affektivität, durch Sklaverei zusammengehalten werden wird.

Pierre-Jeans tiradengespicktes Pamphlet bezeichnet Bataille als pure Absurdität angesichts eines christlichen Auditoriums, das sich nur noch aus Sitzengebliebenen, aus alten Jungfern zusammensetze.

Die *Critique sociale* 8 schließt mit einem von Bataille, Lucien Laurat, Jacques Mesnil, Pierre Pascal und Boris Souvarine unterzeichneten *Appel* zu Gunsten des französischsprachigen kommunistischen Schriftstellers Victor Serge*, der sich seit März des Jahres in den Händen der Leningrader GPU befindet. Angesichts der unmotivierten Repressalien, denen der Schriftsteller ausgesetzt ist und die sich auch auf seine nächsten Verwandten erstrecken, rufen die Unterzeichner die Öffentlichkeit auf, gemeinsam mit ihnen zu protestieren und zu fordern, daß man die Inhaftierten (Serge und dessen Schwägerin) auf freien Fuß setzt.

In der Sorbonne hört Bataille am 6. April Antonin Artauds legendären Vortrag *Das Theater und die Pest*** (cf. VIII, 180). Artaud liest auf Einladung der von Dr. René Allendy initiierten ›Groupe d'études philosophiques et scientifiques pour l'examen des tendances nouvelles‹. Seit 1929 läßt dieser Studienkreis Ärzte, Psychologen, Analytiker sowie namhafte Vertreter der literarischen oder künstlerischen Avantgarde zu Wort kommen.

JULI: »Zum ersten Mal krank« (V, 90).

Festigung der Freundschaft mit André Masson, von dem er eine Dionysos-Darstellung erwirbt (reproduziert im *Minotaure* 3/1933). (Cf. Clébert, p. 76) Daß Walter F. Ottos Buch *Dionysos. – Mythos und Kultus*, das gerade erschienen war, das Interesse der beiden aktualisiert haben mag, scheint mir sekundär gegenüber dem

---

* Der Trotzkist, mit bürgerlichem Namen Kilbatchiche (1890–1947), wird auf ein Gesuch Lavals hin von Stalin freigelassen. In Paris wird Serge von Stalinisten ermordet.
** Cf. Kapralik, p. 143 u. 341, Anm. 118, wo Batailles Eindruck wiedergegeben wird. – Mit Brief vom 19. 12. 1933 an Raymond Queneau läßt Artaud Georges und Sylvia zu einer auf den 21. Dezember festgesetzten Lesung im Freundeskreis einladen (cf. Artaud, *Œuvres complètes*, t. V, Paris 1979, p. 164). Tatsächlich findet die Soiree erst am 6. 1. 1934 bei Lise Deharme statt, wo Artaud aus Shakespeares *Richard II.* und vermutlich sein Stück *Die Eroberung Mexikos* vorträgt. Batailles Präsenz ist nicht dokumentiert, und, seiner Erkrankung wegen, auch unwahrscheinlich.

bekannten Mythos des Gottes der Ekstase, der in der Zerreißung stirbt. Für einen Thanatophilen wie Bataille ist dies ›Motiv‹ genug . . .

Abermals regt Masson den Freund zu einem Text an. Im Hinblick auf eine Graphikmappe, provisorisch und in Anlehnung an Frazer (der ein Kapitel des *Goldenen Zweigs* »Die Sterblichkeit der Götter« überschrieben hatte) *Sterbende Götter* betitelt, zeichnet Masson einen Minotaurus, gefolgt von Osiris, Orpheus, Mithra und dem Gekreuzigten. Zu dieser Folge von Radierungen bat er Bataille um einen Titel sowie um ein Vorwort (cf. Masson 1976, 74). Zwischen dem 13. und 25. Juni hatte die Galerie Jeanne Bucher, neben seinen Studien zu Léonide Massines Ballett *Les présages*, die Skizzen zu *Sacrifices* (Opferungen) ausgestellt. – Unter diesen äußeren Voraussetzungen schreibt Bataille *Sacrifices* (I, 87–96), einen Text, den er modifiziert in der *Expérience intérieure* (V, 83–90) wiederaufnehmen wird.

Krankheit, temporäre Trennung von seiner Frau, Beethovens Musik bilden Auftakt zum Taumel namens *Sacrifices:*

»In dem, was folgt, (. . .) vermochte ich die Ekstase nur zu ahnen. Es handelte sich um einen ohne Strenge verfolgten Weg, allerhöchstens um eine fixe Idee.

Diese paar Seiten verbinden sich mit:

– den ersten Phrasen der *Leonoren*-Ouvertüre, die mir erschütternd schienen vor Schlichtheit; ich gehe sozusagen nie ins Konzert, und ich hatte keineswegs vor, Beethoven zu hören; ein Gefühl göttlicher Trunkenheit überwältigte mich, das ich nicht ohne Umschweife hätte beschreiben können noch beschreiben kann, aber dem nachzugehen ich versucht habe, indem ich das schwebende – und mich zum Weinen bringende – Wesen des Seinsgrundes heraufbeschwor;

– einer nicht sehr schmerzlichen Trennung: ich war krank, bettlägerig – ich entsinne mich einer schönen Nachmittagssonne –, und ahnte plötzlich die Identität meines Schmerzes – den eine Abreise mir gerade verursacht hatte – und einer Ekstase, einer unvermittelten Entzückung.« (V, 83)

Der Tod ist in gewisser Weise ein Betrug, die Überschrift der zweiten Fassung aus dem Jahr 1942, erfaßt prägnanter das Thema von *Sacrifices*. Das Ich wird als Präkarität und Produkt des Zufalls beschrieben, »letzten Endes die irrsinnige Unwahrscheinlichkeit des einzigen Wesens, ohne das, *für mich,* nichts wäre« (V, 83). Seine Unwahrscheinlichkeit verleiht dem Ich das Prädikat einer »totalen *Heterogenität*«.

»(. . .) Ich, das heißt die unendliche, schmerzhafte Unwahrscheinlichkeit eines unersetzlichen Wesens, das ich bin.

In der Verlassenheit, in der ich verloren bin, ist die empirische Erkenntnis meiner Ähnlichkeit mit anderen gleichgültig, denn das Wesen des Ichs besteht darin, daß es durch nichts je ersetzt werden kann: das Gefühl meiner wesentlichen Unwahrscheinlichkeit versetzt mich in die Welt, wo ich als etwas ihr Fremdes, völlig Fremdes bleibe.« (V, 84)

Wie unterscheidet sich das tiefere, substantielle Dasein von den illusorischen Formen, vom Schein? Vor der Frage nach dem wesentlichen Dasein erweist sich dieses hypertrophe autonome Ich als das, was es sein will: nämlich als Illusion, Nichtigkeit, Unwahrscheinlichkeit ohne echten Bezug zur Welt, zur totalen Existenz. Allein das Subjekt, das außer sich ist, in Tränen aufgelöst, von Angst geschüttelt wird oder orgastisch sich verströmt, vermag das Ich zu tangieren. Beim Nahen des Todes erscheint eine Struktur des Ichs, die vom »abstrakten Ich« völlig verschieden ist. Nur in der Gestalt des »sterbenden Ich« gelangt das Ich zu seiner ganzen Spezifität und Transzendenz. An der Grenze des Todes offenbart sich die Zerreißung, aus der sich das Wesen des unermeßlich freien Ichs zusammensetzt.

»Sterbend werde ich, ohne mögliche Ausflucht, die Zerreißung wahrnehmen, die mein Wesen ausmacht und in der ich transzendiert habe, ›was existiert‹. Solange ich lebe, begnüge ich mich mit einem Ungefähr, einem Kompromiß. Was ich auch darüber sage, ich weiß mich als Individuum einer Gattung und bleibe in großen Zügen einverstanden mit einer allgemeinen Realität; ich nehme an dem teil, was zwangsläufig existiert, an dem, was unwiderruflich ist. Das sterbende Ich gibt diese Übereinstimmung auf: es nimmt wirklich das, was es umgibt, als Leere und sich selbst als Herausforderung an diese Leere wahr (. . .).«* (V, 85 f.)

Imperativische Vollendung und Souveränität des Wesens im Augenblick, da es in die irreale Zeit des Todes eintaucht, lauten die Prämissen für die Offenbarung des ›sterbenden Ich‹, die so an die »erschütternde Zersetzung der sterbenden Gottheit« heranreicht.

»Der Tod der Gottheit vollzieht sich nicht wie die metaphysische Alteration (. . .), sondern wie das Aufgehen eines nach imperativischer Freude begierigen Lebens in der drückenden Animalität des Todes.« (I, 92)

In diesem Licht zeigt sich die Todesfaszination des Lebens, statt als einfaches Annullierungsbedürfnis (»Nirvanaprinzip«), als reine Begierde, ein Ich zu sein. »Verführung, Stärke, *Souveränität* sind

---

* Cf. weiter unten: *Le labyrinthe*, 1936.

für das sterbende Ich nötig: man muß ein Gott sein, um zu sterben.«
(V, 86) Leben und Leere vereinigen sich gleich Liebenden in den
konvulsivischen Bewegungen des Endes. (Cf. I, 93) Analog interpretiert Bataille die Andacht des Christen vor dem Kreuz: weder
feindselige Ablehnung noch respektvolle Anbetung, wird sie ihm zu
einer Umarmung, zur Tötung des Ich – angestachelt von »sadisti-
scher Ekstase« und dem Feuer eines »*blinden* Wahnsinns«, der
allein zur »*Passion*« des reinen Imperativs führt. (Cf. I, 94)

Der Tod nicht als banales Verlöschen verstanden, vielmehr als der
Punkt, wo größte Begierde und äußerster Schrecken koinzidieren:
sowohl das Verlangen, ein Ich zu sein, wie das, nichts mehr zu sein,
sind der Motor eines derartigen fieberhaften Oszillierens zwischen
Ekel und Verlockung. »Im Halo des Todes, und nur da, begründet
das *Ich* sein Reich (. . .).« (V, 86)

In der Leere, wo Dunkelheit und Chaos herrschen, wo alles
Wüste, Kälte, undurchdringliche, aber zugleich gleißende Nacht ist,
öffnet sich das Leben dem Tod, »das *Ich* wächst bis zum reinen
Imperativ: im feindseligen Teil des Seins lautet dieser Imperativ
›stirb wie ein Hund‹ (. . .)« (V, 87). Imperativ, der dasjenige
Leben meint, das sich mit einer Leidenschaft dem Sterben weiht,
die nur an der Leidenschaft eines Liebenden für die Geliebte meß-
bar wäre. Es ist die Ich-Falle, die dem menschlichen – unterschieden
vom tierischen – Leben seine tragische Färbung verleiht. Diese tragische Welt gebiert die Ekstase, das heißt die Fiktion, das Künstliche. »Das *Ich* ist nur befreit, wenn es *außer sich* ist.« (V, 88)

Nach dem Sein der Zeit fragend, schreibt Bataille:

»Die *Katastrophe* – die gelebte Zeit – muß ekstatisch dargestellt werden;
nicht in Gestalt eines Greises, sondern eines mit der Sense bewehrten Skeletts: eines eisigen und leuchtenden Skeletts, an dessen Zähnen die Lippen
eines abgeschnittenen Kopfes kleben. Als Skelett ist die Zeit vollendete
Zerstörung, aber eine bewehrte, die sich zur gebieterischen Reinheit
erhebt.«[*] (I, 94 f.)

Die spätere Version von *Sacrifices* identifiziert ›sterbendes Ich‹ und
Zeit in ihrer Eigenschaft als illusorische Existenzen. Die Zeit als
Struktur des Ich und Gegenstand seiner – erotischen – Ekstase.

---

[*] Vgl. Laure (1980, 75), die 1937 schreibt: »Die Zeit mäht auf den Feldern die
Köpfe ab. (. . .) Die Zeit ist nicht diese grauhaarige und geifernde Greisin, sie ist
eine kraftstrotzende Frau; sie mäht die Köpfe ab.« – Immer wieder zerbrechen sich
Archäologen den Kopf über Grabfunde, die nur aus menschlichen Schädeln bestehen
oder wo der Kopf vorsätzlich vom Skelett getrennt wurde . . .

»So entspricht die Zeit, als Gegenstand seiner Ekstase, dem sterbenden Ich: denn ebenso wie die Zeit ist das sterbende Ich reine Veränderung, und weder die eine noch das andere haben eine reale Existenz.« (V, 89)

Aus diesem Postulat folgt, daß mein persönlicher Tod den Untergang der Welt nach sich zieht:

»(. . .) was auch immer sie sein mag, die Existenz der Dinge kann nicht den Tod einschließen, den die Existenz mir bringt; sie wird dagegen selbst in meinen Tod geschleudert, der sie einschließt.« (V, 89)
»Der Tod, der mich von einer Welt erlöst, die mich tötet, schließt nämlich die reale Welt in der Irrealität des sterbenden Ich ein.« (V, 90)

. . . .

Nachdem er André Masson den Text vorgelegt, erklärt dieser, nur den ersten Teil verstanden und bewundert zu haben, vom zweiten Teil dagegen habe er nichts begriffen. Darauf Bataille: »Ich auch nicht«. (Cf. Masson 1976, 74)

Von Sommer 1933 an unterstützt Simone Weil, die sowohl mit Colette Peignot als auch mit Souvarine sich angefreundet hat, die Flugblattaktionen des ›Cercle‹ zugunsten deutscher Emigranten (cf. Krogmann, p. 82). Nach Hitlers Machtergreifung zählt man innerhalb eines Jahres 60 000 politische Emigranten und rassisch Verfolgte. Die Flugschriften weisen auf den Skandal hin, daß die Deutschen von der Sowjetunion nicht aufgenommen werden. »Eines dieser Blätter berichtet von dem, was sich im Hafen von Hamburg zugetragen hatte. Dort waren kommunistische Parteimitglieder, die sich als Flüchtlinge an Bord russischer Schiffe befanden, wieder an Land gesetzt und den Nazibehörden ausgeliefert worden. Sie [Simone Weil] nahm auch an den Versammlungen einer in Paris gegründeten Gruppe teil, die aus deutschen Flüchtlingen und aktiven französischen Parteimitgliedern bestand.« (Cabaud, p. 94) Zwischen September 1933 und März 1934 läßt Simone Weil in der *Critique sociale* zwei Aufsätze und einige Rezensionen erscheinen (Nr. 9/'33: »E. Günther-Gründel, *La mission de la jeune génération*«; »E. O. Volkmann, *La révolution allemande*«; Nr. 10/'33: *Réflexions sur la guerre*; »Rosa Luxemburg, *Lettres de la prison*«; »Lenin, *Materialismus und Empiriokritizismus*«; Nr. 11/'34: *Un soulèvement prolétarien à Florence, au XIVᵉ siècle*; »Otto Rühle, *Karl Marx*«).
SEPTEMBER: *Le problème de l'État* und die Rezension des *Minotaure* erscheinen in der *Critique sociale* Nr. 9.

Die Katastrophe ist das, wodurch ein nächtlicher Horizont entflammt wird, wofür die zerrissene Existenz in Ekstase geraten ist – sie ist die Revolution –, sie ist die von jeder Kette befreite Zeit und reine Veränderung, sie ist das Skelett, das wie aus einem Kokon aus einem Leichnam hervorgegangen ist und sadistisch die irreale Existenz des Todes lebt. (I, 95)

Wenn faschistische und sozialistische Ökonomie (Staatskapitalismus) ununterscheidbar, die Koinzidenzen zwischen Faschismus und Bolschewismus immer evidenter werden, wird es unabdingbar, den antifaschistischen Kampf zum Kampf gegen den Staat per se, gegen den ihn tragenden Wert auszuweiten, lautet die Grundthese von *Das Staatsproblem* (I, 332–336). Kein Zweifel: das Regierungsmodell der Stunde ist der totalitäre Staat, in Rußland ebenso wie in Deutschland und Italien. Nachdem der offizielle Kommunismus – der Stalinismus – die wesentlichsten revolutionären Prinzipien mißachtet hat, schreibt Bataille, sei das revolutionäre Bewußtsein verleitet, sich historisch als Nonsens zu betrachten: es sei, mit Hegel gesprochen, »zerrissenes« und »unglückliches Bewußtsein« geworden. Zerrissenes Bewußtsein, da Bewußtsein von der Tragik der gegenwärtigen Situation. Psychologisch gesehen, kann die Verzweiflung eine Stimulus-Funktion annehmen, das Todesbewußtsein zum dynamisierenden Moment werden, das die revolutionäre Kraft freisetzt, ja potenziert. Eine Art Katastrophenbewußtsein, das der Gefahr inne ist, die sich der ganzen Menschheit nähert, werde die geometrische Zukunftsauffassung ablösen. Für Bataille liegt die Zukunft nicht in bemühtem Optimismus, sondern in der »allgemeinen Desorientierung«. Seines Erachtens ist ausschließlich die »Gewalt der Verzweiflung« stark genug, die Aufmerksamkeit auf das grundlegende Staatsproblem zu lenken; Problem, für welches Revolutionäre blind blieben, da sie sein Vorhandensein ableugneten, mit Lenin jegliche Kritik als »kleinbürgerlichen Anarchismus« im Keim erstickten.

Die Souveränität des diktatorischen sozialistischen Staates kritisierend, formuliert Bataille in seinem Aufsatz eine Alternative, die sich wie das Statut des ›Cercle communiste démocratique‹ liest: nämlich die Schaffung demokratischer Einrichtungen innerhalb einer proletarischen Partei, um die Omnipotenz, den Machtabusus des sozialistischen Staates zu beschränken.

»(. . .) das von der liberalen Politik diskreditierte Prinzip der Demokratie kann (. . .) nur in Abhängigkeit von der Angst, die die Geburt der drei allmächtigen Staaten in den Arbeiterklassen hervorruft, wieder eine lebendige Kraft werden. Unter der Bedingung, daß diese Angst sich als eine *autonome Kraft* zusammensetzt und auf dem Haß gegen die Staatsmacht beruht.« (I, 336)

Hinsichtlich der Besprechung der beiden ersten Ausgaben des *Minotaure* (I, 337–338) möchte ich skizzieren, inwiefern Bataille mit diesem Periodikum verflochten ist. Der Bataille gewogene Genfer Kunstverleger Albert Skira hatte mit dem Anfang des Jahres gegründeten *Minotaure* beabsichtigt, *Documents* und *Le Surréalisme au service de la Révolution* zu ersetzen. Als man über den Titel diskutierte, schlagen Tériade, Desnos, Vitrac et al. *L'âge d'or* vor, den Bataille als unzeitgemäß, inopportun verwirft. Gemeinsam mit André Masson drängt er darauf, daß die von Tériade herausgegebene Zeitschrift *Minotaure* heißen soll. (Cf. Clébert, p. 65) Das Programm der Luxus-Revue erinnert daher nicht zufällig an das von *Documents*: »Plastik – Poesie – Musik – Architektur – Ethnologie – Aufführungen – Psychoanalytische Studien und Beobachtungen«. Bis zur Aussöhnung zwischen Bataille und Breton – die Skira insgeheim mit der Neugründung intendiert hatte – prägen surrealistische Beiträge den *Minotaure* (in dem Batailles Name erst 1936 auftaucht). – Entsprechend fällt Batailles Rezension nichts weniger als unparteiisch aus. Von Heft 1 lobend erwähnt werden Freunde, das sind André Masson, der darin *Massacres* veröffentlicht; dann Maurice Heine, der den »konsequentesten Vertreter des französischen Materialismus im 18. Jahrhundert« vorstellt (sein Text *Dramaturgie de Sade* begleitet *Sujet de Zélonide*, eine Handlungsskizze des späteren, nicht veröffentlichten Stückes des Marquies: *Sophie et Defrancs*); schließlich Dr. Jacques Lacan und seine psycholinguistische Studie *Le problème du style et la conception psychiatrique des formes paranoïaques de l'expérience*. – Apropos der Bretonschen Ausführungen über Picassos Malerei heißt es bündig, ihr Verfasser wiederhole lediglich das in *Le Surréalisme et la peinture* Gesagte. – Es folgt ein schlichter Hinweis auf die Nr. 2 des *Minotaure*, die ausschließlich die Afrika-Expedition unter der Leitung von Marcel Griaule dokumentiert. – *Minotaure*, urteilt Bataille, sei eine Art Sammelbecken disparater Tendenzen, denen gemeinsam sei, daß sie mit subversiven Kunstformen verbunden seien oder verbunden gewesen seien. Nicht von ungefähr hätten sich die meisten Mitarbeiter der Zeitschrift auch zu revolutionären politischen Überzeugungen bekannt. Die Frequenz des Begriffs »Dialektik« in den Texten wertet er allerdings als ein ebenso gut gemeintes wie hilfloses Nachbeten marxistischer Gemeinplätze. In diesem Kontext bedauert Bataille die Borniertheit der ›Kommunisten‹ gegenüber subversiver Kunst, und läßt es sich nicht nehmen, andererseits die politische Inferiorität der subversiven Künstler und Schriftsteller angesichts der aktuellen Lage anzuprangern.

Im NOVEMBER-Heft (Nr. 11) der *Critique sociale* läßt Bataille erscheinen, was er eine grundsätzliche Analyse der Modalitäten religiöser und politischer Gesellschaftsbildung nennt: *La structure psychologique du fascisme* (1), fortgesetzt in Heft 11 der Zeitschrift vom März 1934 (I, 339−371). Die Studie, ein heterologischer Versuch, intendiert, mit Hilfe von Soziologie, Phänomenologie und Psychoanalyse den vom Marxismus als akzidentell vernachlässigten ›Überbau‹ zu explorieren. Der Faschismus sei das Modell, an dem der soziale Überbau und seine Beziehungen zum ökonomischen Unterbau studiert werden sollen. Vom Ansatz her setzt *Die psychologische Struktur des Faschismus* die von Psychoanalytikern begonnenen Forschungen fort – mit dem Unterschied, daß Bataille das Phänomen ›von innen‹ zu beschreiben versucht. Das Werk des Ungarn Aurel Kolnai, Autor von *Psychoanalyse und Soziologie. – Zur Psychologie von Masse und Gesellschaft* (1920), war Bataille zumindest bruchstückhaft präsent (cf. II, 438), Freuds Analyse der affektiven Struktur von Armee und Kirche, *Massenpsychologie und Ich-Analyse* (1921), mit Sicherheit bekannt (cf. PSF, 19, Anm.); hypothetisch bleibt, ob er außerdem auch schon Wilhelm Reichs marxistisch-psychoanalytisch orientierte Faschismusanalyse rezipiert hat (*Massenpsychologie des Faschismus. – Zur Sexualökonomie der politischen Reaktion und zur proletarischen Sexualpolitik*, 1933).

Wie dem auch sei, Bataille projiziert in erster Linie das Oppositionspaar homogen/heterogen auf die gesellschaftlichen Tatsachen. Diesem Schema gemäß bildet die Produktion im Verein mit dem Primat der Nützlichkeit die Basis gesellschaftlicher Homogenität, deren Repräsentanten vornehmlich Fabrikanten, also Eigentümer von Produktionsmitteln sind. Mit Ausnahme des Proletariers, der jenseits der Produktions-Sphäre seine Heterogenität bewahrt, wird das Wesen des Menschen hier auf den Status der homogenen *Dinge* reduziert. Ein Zweifaches, der Staat und die Homogenität des Produktions-Systems, garantieren also die soziale Homogenität.

Zur Definition des Heterogenen bietet sich zunächst seine radikale Negativität an. Heterogene Elemente entziehen sich als solche wissenschaftlicher Erkenntnis, denn

»Sobald die Wissenschaft die Existenz von irreduziblen Elementen zugestehen muß, die ebenso unvereinbar mit ihrer Homogenität sind wie etwa eingefleischte Kriminelle mit der sozialen Ordnung, fühlt sie sich *aller funktionalen Befriedigung beraubt* (. . .).« (PSF, 14)

(Das Heterogene ist hier identisch mit der Definition der Materie in *Der Begriff der Verausgabung*.) Will Bataille die ›desinteressierte wissenschaftliche Objektivität‹ als blendenden Schein demaskieren, daß er die Wissenschaft in diesem Passus grammatikalisch wie ein Subjekt behandelt?

Die positive Begriffsbestimmung des Heterogenen erfolgt durch die Akzentuierung von Affinitätsbeziehungen mit 1. dem *Unbewußten* bzw. dem Verdrängten, 2. dem *Sakralen (Mana)* als einer besonderen Form des *Tabus.*

»Der Ausschluß der *heterogenen* Elemente aus dem *homogenen* Bereich des Bewußtseins hat demnach eine formale Ähnlichkeit mit dem Ausschluß von Elementen, die die Psychoanalyse als *unbewußte* beschreibt und die durch Zensur vom bewußten Ich ferngehalten werden.« (PSF, 15)

Abfall, Exkremente, Sakrales, soziale Randgruppen, unbewußte Prozesse, gewalttätige oder renitente Individuen etc. – alles, was die homogene Seite nicht assimilieren kann, nämlich die Erzeugnisse *unproduktiver Verausgabung,* provozieren extreme affektive Reaktionen:

»Die *heterogene* Realität ist die der Kraft oder des Schocks. Sie stellt sich als eine ›charge‹ dar, als eine Wertigkeit, die (. . .) von einem Objekt zu einem anderen übergehen kann (. . .).

Gewalt, Maßlosigkeit, Delirium und Wahnsinn charakterisieren verschiedene Grade der heterogenen Elemente: aktiv, sofern es sich um Personen oder Massen handelt, brechen sie, wo sie ausbrechen, die Gesetze der sozialen *Homogenität.*« (PSF, 17)

Bataille präzisiert: ist die Erkenntnisstruktur der *homogenen* Realität die der Wissenschaft, so ist die Erkenntnisstruktur einer *heterogenen* Realität identisch mit dem mythischen Denken der Primitiven*, das heißt mit dem Unbewußten.

»Die *heterogene* Existenz kann also in bezug auf das gewöhnliche (Alltags-) Leben als das ganz andere bezeichnet werden; als inkommensurabel, wenn man diese Worte mit dem *positiven* Wert auflädt, den sie in der *affektiven* Lebenserfahrung haben.« (PSF, 18)

(Hier setzt sich Bataille von Durkheims rein negativer Bestimmung des Heterogenen ab.) Die Dichotomie der heterogenen Existenz – hier Autorität (positiver Pol), dort formloser Aufstand, Macht der Verzweiflung von Lumpenproletariat, Geächteten, Parias (negativer Pol) – hat ihr Pendant in der Ambiguität des Heiligen: der Begriff *sacer* umfaßt sowohl reine (›rechtes‹ Sakrales) als auch

---

* Bataille rekurriert explizit auf die folgenden Referenzwerke: Lévy-Bruhl, *La mentalité primitive* (1922); Cassirer, *Das mythische Denken* (= *Philosophie der symbolischen Formen,* Bd. 2, 1923–1929); Freud, *Die Traumdeutung* (1900).

unreine (›linkes‹ Sakrales) Formen. Während der positive Pol tendenziell immobil und immobilisierend ist, kann der negative Pol als potentiell virulent, aktiv beschrieben werden (cf. PSF, 39). Dennoch sind beide Formen der Heterogenität stark polarisiert, konträr zur schwach polarisierten Homogenität, der Bataille »Plattheit« prädiziert.

Die faschistische Bewegung repräsentiert nun den vornehmen, überlegenen, erhabenen Pol; Bataille nennt sie die »imperative Form der heterogenen Existenz: die Souveränität«.

»Die einfache Tatsache der Herrschaft von Menschen über Menschen impliziert die *Heterogenität* des Herrn, wenigstens insoweit er der Herr ist: in dem Maße, in dem er sich zur Rechtfertigung seiner Autorität auf seine Natur, auf seine persönliche Qualität beruft, bezeichnet er diese Natur als das *ganz andere*, ohne rational Rechenschaft davon ablegen zu können. (. . .)
Während die *heterogene* Natur des Sklaven mit der des Unreinen gleichgesetzt wird, durch die materielle Misere, in der er zu leben gezwungen ist, besteht die *Heterogenität* des Herrn im Akt des Ausschlusses alles Unreinen, einem Akt, der die Reinheit intendiert, dessen Form aber sadistisch ist.« (PSF, 22)

Als spezifisches Merkmal des Faschismus arbeitet Bataille die »Konzentration von Energien in einer einzigen Person« heraus. Beim faschistischen Führer hat man es mit einer einheitstiftenden Instanz zu tun, die gleichsam mittels Hypnose ihre Gefolgschaft rekrutiert (vgl. die Funktion von »Ichideal« bzw. »Über-Ich«) und zur moralischen Identifizierung anstiftet. (Cf. PSF, 19)

Diese Kondensation, diese Konzentration von Macht ist die Wurzel des Faschismus selbst: eine Synthese von militärischer und religiöser Macht nach monarchischem Vorbild. Mit dem Unterschied, daß die ›Volksgemeinschaft‹ darüber hinaus die gesellschaftlichen Klassen dedifferenziert:

»Die faschistische Einheit ist im Gegensatz zur Monarchie (in der die Gesellschaft von zu weit oben her beherrscht wird) nicht nur Einheit der Gewalten verschiedenen Ursprungs und symbolische Einheit der Klassen: sie ist auch totale Einheit der *heterogenen* mit den *homogenen* Elementen, der Souveränität im eigentlichen Sinne mit dem Staat.« (PSF, 35)

Auf den Zerfall der homogenen Gesellschaft lautet die mögliche Antwort Subversion (Revolution) oder Faschismus. In bezug auf demokratische Gesellschaften scheint Bataille nur die letztere Lösung probabel.

»(man kann) sagen, daß die Entwicklung der *heterogenen* Kräfte (. . .) immer die Tendenz hat, ein durch die Widersprüche der *Homogenität* gestelltes Problem zu lösen. Die entwickelten *heterogenen* Kräfte verfügen, nachdem sie zur Macht gekommen sind, über den Zwangsapparat, der notwendig ist, um den Widerstreit zwischen vorher unversöhnlichen Elementen beizulegen. Aber es ist klar, daß in einer Bewegung, die jede Subversion ausschließt, die Entscheidung im Sinne der existierenden *Homogenität*, d. h. letzten Endes im Interesse der Gesamtheit der Kapitalisten gefällt wird.« (PSF, 38)

»(. . .) in einer demokratischen Gesellschaft (. . .) muß die *heterogene* imperative Instanz (in den republikanischen Formen die Nation, in den konstitutionellen Monarchien der König) verkümmern, und mögliche Veränderungen scheinen nicht mehr notwendig an ihren Sturz geknüpft. (. . .)
Und wenn die *homogene* Gesellschaft eine kritische Phase des Zerfalls durchmacht, treten die dissoziierten Elemente nicht mehr notwendigerweise ins Magnetfeld der subversiven Anziehung ein, denn es bildet sich an der Spitze ein anderer Pol: die imperative Anziehung, die diejenigen, die ihr unterliegen, nicht mehr zur Immobilität verurteilt.« (PSF, 40)

»In dieser neuen Situation (. . .) unterliegen die niederen Klassen nicht mehr ausschließlich der durch die soziale Bewegung repräsentierten subversiven Anziehung, vielmehr gelingt es einer Organisation militärischen Typs, Teile von ihnen in die Bahn der Souveränität zu ziehen.« (Ibd., 41)

Der befreienden Subversion der Gesellschaft dagegen räumt Batailles Skeptizismus nur in einer Monarchie eine Chance ein (cf. PSF, 39 ff.). Eine düstere Prognose,

»Jedoch wäre es kurzsichtig, die Welt in ein solches Schema zu pressen: schon ein Blick auf die affektiven sozialen Beziehungen genügt, um der immensen Ressourcen gewahr zu werden, des unerschöpflichen Reichtums der Formen affektiven Lebens. Nicht nur sind die psychologischen Konstellationen der demokratischen Kollektivitäten vergänglich (. . .), sondern es bleibt auch möglich, sich (. . .) Kräfte vorzustellen, die anders sind als die jetzt bekannten, ebenso verschieden vom heutigen oder sogar gestrigen Kommunismus, wie der Faschismus von den dynastischen Forderungen.« (PSF, 42)

(Spekulation, ob dieser Teil des Textes schon auf den faschistischen ›Putschversuch‹ vom Februar 1934 in Paris reagiert.) Jedenfalls bekräftigt Bataille die Dringlichkeit eines Umdenkungsprozesses. Wenn es zutrifft, daß die psychologische Struktur das Wesen des Faschismus ausmacht und nicht die ökonomischen Bedingungen, erweist sich das Studium des sogenannten Überbaus, der affektiven sozialen Reaktionen als Gebot der Stunde.

»Es geht heute nicht mehr, wie noch zur Zeit des utopischen Sozialismus, um Probleme der Moral oder des Idealismus, wie es auch dem Faschismus nicht darum geht: Ein systematisches Wissen über die sozialen Bewegungen der Anziehung und der Abstoßung erweist sich schlicht als Waffe in einem Augenblick, da nicht so sehr der Faschismus dem Kommunismus, als vielmehr radikal imperative Formen in einer weltweiten Konvulsion der Subversion entgegenstehen, die ihrerseits zäh auf die Befreiung menschlichen Lebens hinarbeitet.« (PSF, 42 f.)

Batailles Rezension von André Malraux' *La condition humaine* (dt.: *So lebt der Mensch,* 1943), ebenfalls in der *Critique sociale* Nr. 11 abgedruckt, greift abermals die Revolutionsthematik auf. – Der Goncourt-Preisträger beschreibe in seinem 1933 publizierten Roman die Revolution als einen Erregungszustand unter Berücksichtigung der entgegengesetzten Kräfte, die sie entfesselt, nämlich Tortur und Tod, mit welchen die Revolution das Leben konfrontiere.

Die Korrelation von Sein und Sinn in den Vordergrund stellend, konstatiert Bataille den Verfall der menschlichen *Werte,* jener vitalen Werte, nach denen der Mensch lechzt, um leben zu können; sei es, um das Leben aushalten, sei es, um handeln, es handelnd verändern zu können. Eine Folge der Wissenschaft, habe die Arbeiterbewegung den Bankrott der Werte besiegelt. Daher bedeute das Proletariat oder nur die Zugehörigkeit zu ihm die vollendete Verneinung eines jeglichen Wertes und sogar die Verneinung des Prinzips des Wertes – ausgenommen die Nützlichkeit. Für Bataille liegt der Sinn und die Bedeutung der Revolution allerdings nicht allein in den Werten, die sie schafft, für ihn ist sie ein Wert an sich:

»Denn die Revolution ist *in Wirklichkeit* (ob man das für schlecht oder gut erachtet, ist nicht so wichtig) nicht einfach Nutzen oder Mittel, sondern *Wert,* verbunden mit uneigennützigen Erregungszuständen, die zu leben, zu hoffen und, notfalls, auf furchtbare Weise zu sterben gestatten.« (I, 373)

Auffallend der antiteleologische Charakter seines Revolutionsbegriffs, der eigentlich eine Katastrophentheorie (vgl. *Sacrifices*) ist. Batailles Revolutionsbegriff hat größere Affinität mit dem ekstatischen Fest, dem Zerstörungs-Potlatsch oder gar dem Amok (als freiwilligem Opfer) denn mit einer rationalen Strategie oder einem Eroberungskrieg. Die so verstandene Revolution antwortet auf das Koma des *status quo.*

»(. . .) es ist gewiß von größter Wichtigkeit, die Tatsache zu berücksichtigen, daß die spezifisch revolutionäre Macht in ihrer psychologischen Struktur auf einer Katastrophe gegründet ist, auf dem ständigen Bewußtsein einer Katastrophe, von der das Schicksal der großen Masse abhing. Demjenigen, der gewillt ist, weiter zu sehen, ist es also möglich, in den gewissermaßen seltener gewordenen *Werten*, die im Laufe der Schilderungen der *Condition humaine* entdeckt werden, nicht nur ein Vorspiel jeglichen sozialen Lebens zu erkennen, das unserem elenden Los entkommt, sondern die moralische Grundlage der Gesellschaft und der revolutionären Macht.« (I, 375)

Simone Weil bereitet eine Replik auf Batailles Malraux-Rezension vor, die jedoch unveröffentlicht bleibt. Zwar geht sie beispielsweise in der Einschätzung der Sowjetunion mit Bataille konform, als Moralistin aber kritisiert sie Malraux' Tendenz, die Motive der Revolutionäre als Flucht vor der Nichtigkeit der eigenen Existenz zu denunzieren. In ihren Augen ist und bleibt die Revolution ein Mittel zu einem genau definierten Zweck, kein selbstmörderischer Weg. (Cf. Pétrement, p. 209 f.)

Schließlich stellt Bataille noch das Elaborat eines ehemaligen Priesters vor, *La révolution prochaine* von Jules Claraz (I, 376).

Gegen Jahresende wird sich Bataille einer – dauerhaften – Obsession bewußt: ihr Gegenstand ist der Obelisk von Luxor inmitten der Pariser Place de la Concorde*. Der Platz ist ein Kondensat dessen, was Bataille die Tragödie eines Volkes nennt; die Metamorphosen des Platzes spiegeln ein halbes Jahrhundert französischer Geschichte, das Auf und Ab des Königtums wider.

»Vor sechs Jahren passierte es mir, daß ich den Obelisken und die Place mit einer Folge von nächtlichen Knallen assoziierte; dieser Lärm vermischte sich mit meinen Schluchzern: meine Erinnerung daran ist so undeutlich wie ein Traum (ich weiß nicht, wie diese doppelte Assoziation für mich die Einfachheit eines hinabsausenden Fallbeils annehmen konnte). Gegen Ende 1933 habe ich eine Seite geschrieben, die die Erregung zum Ausdruck brachte, die ich empfunden hatte. Ich muß das Manuskript vernichtet

---

* Siehe weiter unten: *L'obélisque,* 1937. – Als Place Louis XV. konzipiert, wird sie während der Französischen Revolution in Place de la Révolution umbenannt; die Statue des Königs weicht der Guillotine. Ludwig XVI. wird 1793 eines ihrer zahllosen Opfer. Während des Direktoriums erhält der Platz 1795 seinen heutigen Namen: ›Platz der Eintracht‹. Unter Louis-Philippe wird 1833 in der Mitte der Place der Obelisk errichtet: ein 22 m hoher, rosafarbener Phallus. Ramses II. ließ ihn 1200 Jahre vor unserer Zeitrechnung zu seiner Selbstidolisierung errichten, bevor er von Mehemed Ali, dem türkischen Pascha für Ägypten, Frankreich zum Geschenk gemacht wurde. – Von der Place de la Concorde aus sichtbar der Invalidendom, Grabmonument der »Weltseele«, wie Hegel Napoleon I. bezeichnet hatte . . .

1933

haben, das mir fremd geworden war (nichts als steckengebliebene Literatur). Aber der Obelisk hat mich immer wieder angezogen.« (1939: V, 503)

Hat hier die revolutionäre Nostalgie geschrieben, oder welche?

1934

In den ersten beiden Monaten des Jahres wird Bataille von Rheuma ans Bett gefesselt, das er nur hinkend verläßt, um dringende Bedürfnisse zu befriedigen. (Cf. V, 90; II, 262) Daher ist er gezwungen, sich längere Zeit vom Bibliotheksdienst beurlauben zu lassen. Während seiner Erkrankung besucht ihn Colette Peignot zwei- oder dreimal. »Wir sprachen bloß über Politik.« (VI, 278) Seinen erotischen Fantasien zu diesen sporadischen Besuchen gibt Bataille in dem Roman *Das Blau des Himmels* Raum, wo der Name ›Xenia‹ für Colette Peignot steht. (Cf. BH, 58—75)

Unterdessen interessiert er sich lebhaft für den Stavisky-Skandal, über den ihn seine Freunde auf dem laufenden halten (cf. Piel 1982, 155 f.). Die mit dem Namen des ungarischen Juden Alexandre Stavisky verknüpfte Korruptionsaffäre hat insofern Signalfunktion, als sie die französische Demokratie einer extremen Belastungsprobe aussetzt. (Als man den Betrug im Januar aufdeckt, flüchtet Stavisky und entzieht sich der Justiz durch Selbstmord. Von seiten der Linken wie der Rechten wird sein Tod als Mord durch die Staatsorgane interpretiert: ein lebender Stavisky hätte namhafte Radikalsozialisten, die ihn jahrelang protegiert haben, kompromittieren können.) Den reaktionären Kräften bietet der Skandal eine willkommene Zielscheibe für ihren Antisemitismus, ihre Xenophobie, ihren Antiparlamentarismus, ihren Haß auf die Republik. Ab 10. JANUAR macht die Action française, die Triebfeder der antiparlamentarischen Kampagne, mit Demonstrationen (»Nieder mit den Dieben!«) der Empörung Luft. Am 27. Januar tritt das Kabinett Chautemps zurück, und Daladier wird von Lebrun mit der Regierungsbildung beauftragt. Am 6. FEBRUAR umstellen die faschistoiden Ligen

(Action française, Croix-de-Feu, Solidarité française, Jeunesses patriotes, Redressement français, Union nationale des combattants) sowie die kommunistische Association republicaine des ancien combattants das Palais Bourbon. Die fanatisierten Massen liefern sich mit der ›Garde mobile‹ (berittene Polizei) eine Straßenschlacht, die etwa fünfzehn Aufständischen das Leben kostet und mehr als zweihundert Verletzte fordert. Der Druck der öffentlichen Meinung zwingt die radikalsozialistische »Mörder-Regierung« Daladier noch vor ihrem Tätigwerden zum Rücktritt, um der nationalen Unionsregierung unter Doumergue zu weichen. Der *coup* der Rechten ist geglückt, und André Tardieu, Minister für Sonderaufgaben, pfeift alsbald die rechtsradikalen Ligen, die er bis 1932 subventioniert hatte, zurück. (Cf. Dubief 1976, 76 ff.) Der ›faschistische Putschversuch‹ schärft jedenfalls das Bewußtsein der Franzosen für die epidemisch sich ausbreitende faschistische Revolution. Marxisten aller couleur, darunter der ›Cercle communiste démocratique‹ und die surrealistische Gruppe, verbreiten antifaschistische Kampfappelle. Am 9. Februar organisiert die KPF auf der Place de la République eine Kundgebung »Gegen den Faschismus und die Killer Daladier und Frot«. Das brutale Einschreiten der Polizei fordert neun Menschenleben. Am 12. Februar ruft die kommunistische Gewerkschaft CGT zum Generalstreik auf, dem sich die CGTU, Parti socialiste und die PCF anschließen. Dem Aufruf folgen mehr als vier Millionen Arbeiter, und an diesem denkwürdigen Tag marschieren erstmals Kommunisten in scheinbarer Eintracht mit Sozialisten »Gegen die Bedrohung durch den Faschismus und für die Verteidigung der politischen Freiheiten«. Die Pariser Demonstration, die sich von der Porte Vincennes zur Place de la Nation bewegt, mobilisiert etwa hunderttausend Menschen. (Cf. Dubief 1976, 163 ff.) Unter ihnen, eher in der Rolle eines erwartungsvollen Beobachters, der von Krankheit geschwächte Georges Bataille:

»(. . .) während ich mich im Auto Roland Tuals mit Leiris zu der Demonstration begebe, fährt kein Autobus, keine Straßenbahn mehr; wenige Autos verkehrten noch, eines davon wurde mit Hilfe irgendeines Fähnchens in einen improvisierten Krankenwagen verwandelt.

An der Place Daumesnil steuert Tual, in der Voraussicht, daß es eventuell zu Brandstiftungen kommt, sein Auto in eine Garage; Leiris und er tragen Hüte; ich habe vergessen, den meinen aufzusetzen: das beunruhigt mich und ich mache mir Kopfzerbrechen. Insbesondere Tual, der aus seinen Schränken einen sehr hellen Filzhut hervorgekramt hat, der auf seinem Kopf einen jämmerlichen Eindruck macht; denn dieser Hut aus dünnem

1934

Filz würde keinen Schlag dämpfen. Wir sind ziemlich guter Laune und scherzen nach Kräften. Es ist die Rede von Bronzeknüppeln. Die JP [Jeunesses patriotes] haben die weise Vorsichtsmaßnahme ergriffen, unter ihre Tellermützen eine Schaumgummilage zu stopfen. Wir können uns nicht einen Augenblick lang vorstellen, daß die Demonstration ohne Schlägereien ausgehen kann, und die einzige Frage, die sich uns stellt, ist, ob die Schlägereien in Metzeleien ausarten werden oder nicht.« (II, 257 f.)

An der Cours de Vincennes treffen die um das Heil ihrer Köpfe besorgten Intellektuellen auf einen kommunistischen Zug; die Internationale wird angestimmt, man faßt sich an den Händen oder hält sich umschlungen:

»Einen Schritt vor ihnen ein riesiger alter, kahlköpfiger Arbeiter; zu beiden Seiten seines rötlichen Gesichts hängt ein enormer weißer Schnauzbart herab: vor sich hebt er eine rote Fahne empor. Das ist kein Zug mehr, noch irgend etwas schlicht Menschliches: die ganze Verwünschung der Arbeiterbevölkerung, und nicht nur in ihrem entfesselten Haß, sondern in ihrer ELENDEN GRÖSSE, nähert sich, noch gesteigert durch eine Art berauschender Feierlichkeit von Ort und Zeit – und durch die Gefahr einer Metzelei, die die ganze Menge erfaßt. Auf einem Transparent in der ersten Reihe (. . .) stehen diese schlichten Worte: FASCHISTEN, IHR KOMMT NICHT DURCH.« (II, 258)

Etwas abseits stößt er auf seine Kameraden aus dem ›Cercle‹, die sich weder formiert haben noch Spruchbänder tragen. Sie sind sichtlich nervös, denn am Vortag hat man drei der ihren beim Plakatieren festgenommen, was sie ihre Stellung kosten wird. Bataille begegnet weiteren Freunden, meist Intellektuelle. Wiederholtes Händeschütteln, das ihm den Eindruck vermittelt, lediglich in ein Volksfest geraten zu sein. Gegen vier Uhr nachmittags ziehen sich die Massen auf der Place de la Nation zusammen, um diversen Ansprachen zuzuhören. Eine Menschentraube überwuchert alsbald das pompöse Denkmal der Republik, die ›Marianne‹, der man eine rote Fahne in den Mund steckt. Das Polizeiaufgebot hält sich wider Erwarten zurück, so daß es in Paris zu keinen nennenswerten Krawallen kommt. Wie ein Spuk löst sich die Massenkundgebung auf. – Unmittelbar danach trifft sich Bataille mit seinen Freunden Raymond Queneau, Max Morise, Jean Piel und Simone Kahn zu einem Meinungsaustausch. Es scheint, daß Queneau, der den Generalstreik als Mißerfolg deutet – da er das Alltagsleben kaum beeinträchtigt hat –, die Ansicht der Mehrheit vertritt. (Cf. II, 261) Auch Bataille gerät nicht in Euphorie, zumal er am nächsten Tag von der Niederwerfung einer sozialdemokratischen Erhebung in Wien erfährt. Diese »katastrophale« Nachricht deutet er richtig als eine

Verengung der faschistischen Schlinge, die sich um Europa zusammenzieht.

En attendant la grève générale (II, 253–263), eine Art Journal, das die Zeitspanne vom 11. bis 13. Februar protokolliert, referiert zunächst die psychologischen Reaktionen von Menschen der verschiedensten Milieus: ob im Bordell, an der Börse oder unter Museumsbeamten – der faschistische ›Putsch‹ hat Hysterie und Angst erzeugt. Was die Rechtsradikalen in Vorschlag zu bringen haben, nimmt sich zwar dürftig aus (z. B. die Wiedererrichtung der Guillotine, Schließung von Spielkasinos und Wettbüros), aber die der linken Regierung nachgewiesene Korruption stiftet in der Bevölkerung eine auf Unmut gegründete Solidarität, die keine politischen Divergenzen kennt. Obwohl Bataille also die Arbeiterbewegung in einer Sackgasse wähnt, hat er dennoch vom Generalstreik tragische Ereignisse erwartet. Der unblutig ausgegangene 12. Februar bringt die Ernüchterung, das Protestgeschrei der Arbeiter kommt ihm, noch während es ertönt, bereits wie dasjenige – verspätete – von Phantomen vor, gleichsam als seien da Todeskandidaten aufmarschiert. – Über den ephemeren Charakter des Bündnisses zwischen Kommunisten und Sozialisten macht sich nicht nur Bataille keine Illusionen. War nicht der Radikalsozialist Bergery gescheitert, als er, unterstützt von Doriot (KPF), dem Physiker Langevin und dem Sozialisten Georges Monnet – dem Bataille einst in Begleitung des Jungradikalen Bertrand de Jouvenel begegnete (cf. II, 256) – eine ›Einheitsfront gegen den Faschismus‹ auf die Beine stellen wollte? Die einzige unmittelbare Konsequenz aus dem faschistischen Aufruhr ist, am 3. MÄRZ, die Gründung eines ›Wachsamkeitskomitees antifaschistischer Intellektueller‹. In diesen bewegten Wochen prognostiziert Bataille in einem Vortrags-Skript *Das Scheitern der Volksfront* (II, 264–265).

In der *Critique sociale* Nr. 11 vom März rezensiert er eine Schrift des Holländers G. J. Heering: *Dieu et César. – La carence des Églises devant le problème de la guerre* (I, 377–378). Bataille erklärt das Sujet des Buches für obsolet, da die Kirchen seit langem nichts anderes als Organe des Staates seien. Die Distinktion zwischen Gott – als der Gekreuzigte – und Cäsar sei seit Luther hinfällig geworden. Die Proskynese der römisch-katholischen Kirche vor einem Hitler und einem Mussolini läßt ihn seinen Artikel mit einem Anathema gegen Heering schließen. – Die *Critique sociale* bringt außerdem den zweiten Teil von *La structure psychologique du fascisme*.

Unterdessen arbeitet der Unermüdliche weiter an dem im genannten Essay beleuchteten Problemkreis. Den ersten Seiten eines geplanten Buches mit dem Titel *Le fascisme en France* (II,

205–213) folgt ein *Essai de définition du fascisme* (II, 214–216). In beiden Fragmenten bemüht sich Bataille, den herrschenden Kommunismus (à la Lenin und Stalin) gegen den Faschismus abzugrenzen. Doch angesichts der frappierenden Affinitäten zwischen den kontradiktorischen Systemen, gelingt ihm bloß eine Ehrenrettung des Bolschewismus, verstanden als Subversion der Gesellschaft durch die Unterdrückten, die er prinzipiell gutheißen muß. Die unübersehbare Affinität zwischen Kommunismus und Faschismus besteht für ihn darin, daß es sich jeweils um monozephale Gesellschaften handelt, in denen Staat und Gott-Souverän (›Führer‹) ein Ganzes bilden (»ein Reich, ein Volk, ein Führer«). Gemeinsam ist ihnen überdies die Aufhebung der Klassen, die eine Einheit nach monarchischem Muster oktroyiert. Solch autoritäre Wiedervereinigung erhebt Bataille zum Naturgesetz, zur Norm: die Einheit der Nation sei normal (II, 211), die Klassenspaltung dagegen – das Äquilibrium der kontroversen Parteien im Liberalismus – pathologisch. In dem Vorgefühl, daß die Ära des Liberalismus zu Ende geht, daß das Individuum bedroht ist, auf ein Körperteil reduziert zu werden, dessen Kopf der Gott-Führer sein wird, erinnert Bataille an eine nonpolitische Möglichkeit der Autonomie, ja der absoluten Freiheit – ausgehend von dem Gedanken, daß nur die Selbstbesitzer, das mit sich selbst identische Subjekt heteronom, fremdbestimmt ist und völlig unterworfen werden kann:

»Es geht nicht mehr darum, das komische Recht zu wahren, sich selbst zu gehören (zu welcher puerilen Aufeinanderfolge von Nichtigkeiten, die einen übertrieben und die anderen platt?). Jenseits derer, die bereits überall die Gesamtheit der Menschen auf ihr Reich einengen, ist es möglich geworden, in der Ekstase *dem Tod* anzugehören.« (II, 212 f.)

L'abjection et les formes misérables (Verworfenheit und elende Formen, II, 217–221) untersucht die Verschiebung der Wertigkeit des Prädikats *misérable* von »bedauernswert, elend« zu *abject* (verworfen, gemein, scheußlich), die den Elenden symbolisch zum Exkrement degradiert. Mit Hilfe einer unorthodoxen Psychoanalyse (in Notizen wird Aurel Kolnai zitiert) setzt Bataille einerseits den imperativen Akt der Ausschließung zur Analerotik (beschränkt auf den Ausschluß, die negative Wertung der *excreta*), andererseits die Souveränität zum Sadismus (als genereller Tendenz, das Unreine auszuschließen) in Beziehung. – Daß auf den Elenden, gezwungen, mit gemeinen oder ekelerregenden Dingen umzugehen, gewissermaßen die Eigenschaften dieser Dinge übergehen, leuchtet noch ein. Der Rassismus jedoch läßt sich mit dieser verkürzten Psychologie schwerlich analysieren.

Aus einem Briefentwurf Simone Weils geht hervor, daß Bataille sie eingeladen haben muß, sich dem ›Cercle communiste démocratique‹ zwecks gemeinsamer Aktivitäten anzuschließen. Die ›rote Jungfrau‹ indes, deren Nonkonformismus kein dauerhaftes Engagement für irgendeine politische Organisation zuläßt, plädiert in ihrem Schreiben für die Auflösung des ›Cercle‹. Sie kritisiert ferner die Gruppe als ein rein »psychologisches Phänomen«, zusammengehalten von gegenseitiger Zuneigung, dunklen Ähnlichkeiten, Repressionen und Widersprüchen. Eben diese theoretischen und praktischen inneren Widersprüche läßt sie Batailles Anerbieten ausschlagen. Vor allem sind es Batailles Ansichten selbst, die sie nicht zu teilen vermag: während für ihn die Revolution ein Sieg des Irrationalen, eine Katastrophe, eine Befreiung der Triebe sei, bleibe sie für sie ein Triumph der Vernunft, eine methodische Aktion mit einem Minimum an Ungerechtigkeiten oder Blutvergießen, und eine »höhere Moral« sei ihres Erachtens ein erstrebenswerteres Ziel der revolutionären Aktion, als die Entfesselung der Sinne. Innerhalb des ›Cercle‹ glaubt sie sich in diesem Punkt höchstens mit Souvarine, eventuell noch mit Pierre Kaan und Charbit solidarisch. Gänzlich allein wähnt sie sich jedoch hinsichtlich ihrer Ambition, den ›Cercle‹ zur Keimzelle für eine Partei zu machen. Schließlich vermißt sie, heißt es in dem Briefentwurf, die Grundlage zu einer Tätigkeit, die über Diskussionen mit anderen unbedeutenden Gruppen hinausginge, nämlich zur Bildung bewaffneter Gruppen führte. (Cf. Pétrement 1976, 207 f.)

APRIL: Den Rekonvaleszenten zieht es nach Italien. Zunächst in die römische Campagna an den Albanersee (hat er den benachbarten, mit dem Dianus-Mythos verbundenen Nemisee ignoriert?), dann nach Stresa am Lago Maggiore (Nietzsche 1880, im Rückblick auf Stresa: »... daß ich mich kaum einer schlimmeren Zeit erinnere«).

»Da ich glaubte, es ginge mir besser, und ich mich in der Sonne erholen wollte, fuhr ich nach Italien, aber es regnete (. . .). An manchen Tagen konnte ich nur mit Mühe und Not gehen und es kam vor, daß das Überqueren einer Straße mich vor Schmerzen stöhnen ließ: ich war allein und erinnere mich (so lächerlich war ich), daß ich auf der ganzen Straße, die den Albanersee (wo ich vergeblich ein Quartier suchte) überragt, geweint habe. Ich beschloß, nach Paris zurückzukehren, aber in zwei Etappen: ich brach früh in Rom auf und schlief in Stresa. Am nächsten Tag war sehr schönes Wetter und ich blieb. Das war das Ende einer schäbigen Odyssee: den auf Hotelbetten vertrödelten Reisenachmittagen folgte die angenehme Entspannung in der Sonne. Der große, von frühlingshaften Bergen umgebene

See glitzerte vor meinen Augen wie eine Luftspiegelung: es war heiß und ich blieb in Blumengärten unter Palmen sitzen. Schon litt ich weniger: ich versuchte zu laufen, es war wieder möglich. Ich ging bis zur Schiffsbrücke, um den Fahrplan zu studieren. Stimmen von unendlicher Herrlichkeit, zugleich bewegt, ihrer selbst sicher und zum Himmel schreiend, erhoben sich in einem Chor von unglaublicher Kraft. Ich war auf der Stelle ergriffen, ohne zu wissen, was diese Stimmen waren: ein Augenblick der Verzückung verstrich, bevor ich begriff, daß ein Lautsprecher die Messe übertrug. Ich fand auf der Schiffsbrücke eine Bank, von wo aus ich eine immense Landschaft genießen konnte, welcher die strahlende Helle des Morgens ihre Transparenz verlieh. Ich blieb dort, um zuzuhören, wie man die Messe singt. (. . .)

Auf dieser Schiffsbrücke vor dem Lago Maggiore schien es mir so, daß nie andere Gesänge mit mehr Kraft die Vollendung des kultivierten, feinsinnigen und doch vehementen und fröhlichen Menschen, der ich bin, der wir sind, konsekrieren könnten. Kein christlicher Schmerz, sondern ein Frohlocken über die Gaben, mit denen der Mensch zahllose Schwierigkeiten spielend überwunden hat (. . .). Der heilige Charakter der Inkantation verstärkte nur noch ein Gefühl der Kraft und ließ noch mehr gegen den Himmel und bis zur Zerreißung die Gegenwart eines Wesens herausschreien, das über seine Gewißheit frohlockt, gleichsam wie eines unendlichen Glücks versichert.« (V, 90 f.)

Die Erregung, die Ergriffenheit, die Bataille Jahre danach schildert, scheint mir an Intensität nur mit derjenigen vergleichbar, die sich seiner einst auf der Isle of Wight, mehr noch in Siena bemächtigte. Ist es Zufall, daß er regelmäßig im Angesicht von Sakralbauten ekstatische Erfahrungen macht? Wie dem auch immer sein mag, es ist die Depression, die Angst, der Odem des Todes, die ihn letztlich stets emporreißen und in die ›heilige Zeit‹ eintauchen:

»In diesem Jahr brach der Sturm über mir los; aber so einfach und brisant es auch war, ich kann nur etwas an den Tag bringen, indem ich nicht von den Dingen selbst rede, sondern, um mich mit mehr Kraft auszudrücken, von Kirchen- oder Operngesängen.

Ich kehrte nach Paris zurück, wurde wieder gesund: und zwar, um jäh den Schrecken kennenzulernen.

Ich begegnete dem Schrecken, nicht aber dem Tod. Wessen er sich annimmt, wie um ihm beizustehen, wen er verlockt, den befreit übrigens durch Angst, Trunkenheit und Entzücken, die Tragödie.« (V, 91)

In Rom läßt sich Bataille nicht die ›Ausstellung der faschistischen Revolution‹ entgehen, die 1933 zur Zehnjahresfeier des Marsches auf Rom eröffnet wurde. Sie weckt in ihm das Interesse, eine »vergleichende Geschichte« der »verschiedenen großen Kulturen der Welt« zu schreiben. In seinem Brief vom 14. April möchte er Queneau als Mitarbeiter an dieser ›Weltgeschichte‹ gewinnen (cf. Piel 1982a, 8), der Freund jedoch hat nur noch literarische Ambitionen.

Wochen darauf lernt Bataille Colette Peignot näher kennen:

»Im Monat Mai, glaube ich, verbrachten wir zwei oder drei Tage im Land-haus eines Freundes (im Ruel), Souvarine, sie, Sylvia und ich. Damals wurde mir bewußt, daß ihr Verhältnis mit Souvarine vergiftet war. Zur gleichen Zeit ergab es sich, daß Souvarine mir bei Tisch auf beinahe uner-trägliche, aggressive Weise widersprach. Zwischen Laure und mir bestand eine stillschweigende Komplizenschaft. Während eines Spaziergangs hatte sie diesmal mit mir über nicht-politisches Leben gesprochen. Auf eine ziem-lich unklare und traurige Art und Weise. Ich glaube, wir beide waren so oft wie möglich allein. Souvarine, der zweifellos begriff, was dunkel in uns vorging, ahnte das Unvermeidliche und ließ seinem intoleranten Charakter freien Lauf.« (VI, 278)

Nach diesen Ereignissen ist es nur konsequent, wenn Bataille künf-tig Souvarines Gesellschaft und den ›Cercle‹ meidet. (Dieser siecht im übrigen dahin, *La critique sociale* kann aus finanziellen Gründen nicht mehr erscheinen.) Ob man sich als Splitterfraktion des ›Cercle‹, als Keimzelle einer neuen Organisation oder einfach als freie Diskussionsgruppe begreift, ist mir unklar; fest steht nur, daß fortan Bataille, Ambrosino, Queneau, Simone Weil und der Katho-lik Marcel Moré bei Jacques Lacan* zusammentreffen.

Georges Batailles entscheidende Begegnung mit Colette Peignot findet genau am 3. JULI, in einem Café statt (cf. Bataille 1977, 305). Was eher ein ebenso zufälliges wie flüchtiges Zusammentreffen ist, transformiert er in seinem Roman (BH, 44−49) in eine turbulente Nacht. Colette schreibt ihm jedenfalls am nächsten Tag, überzeugt von der Notwendigkeit der Koinzidenz, doch diese Überzeugung

---

* Mit einer Dissertation über die paranoische Psychose hatte Lacan (1901−1981) 1932 den Grad eines Doktors der Medizin erworben. In Surrealisten-Kreisen kein Fremder, veröffentlicht der Dandy in deren Periodika gelegentlich Fachartikel, spä-ter auch Gedichte (1946). Der Psychoanalytiker avanciert zum Leiter der Pariser Irrenanstalt Sainte-Anne, um 1964 als Professor an der École Normale Supérieure zu wirken. Dort gründet er die legendäre ›École freudienne de Paris‹ (1964−1980), deren Einfluß bekannt ist. − Es kursiert das Gerücht, daß auch Georges Bataille auf der Couch von Frankreichs prominentestem Analytiker gelegen haben soll . . . Bemerkenswerter, aber allzu menschlich, daß Lacan − als Leser und Freund Batailles − den Namen des Schriftstellers an keiner Stelle nennt. Monomanie oder beredtes Schweigen des späteren Rivalen? Der zweite Teil dieser Thanatographie könnte zu einer Antwort beitragen.

artikuliert sich spöttisch, beinahe verächtlich. Gegen den *coup de foudre* wehrt sich ihr Stolz mit einer distanzierenden Provokation:

»(. . .) das ist ziemlich widerwärtig. Ich werde nicht meine Zeit damit verlieren, zu erklären warum, weil ich glaube, daß alles, was Sie in einem gewissen ›kleinen Milieu‹ erleben, immer nur Gesprächsgegenstände sein werden – Halten Sie das für ›Pose‹, wenn Sie wollen! Aber *ich* möchte unbedingt, *mich verlangt danach,* stumm und unbemerkt zu bleiben.« (Laure 1980, 188)

Colette Peignot erfaßt hier mit Röntgenaugen einen Aspekt von Batailles Leben, den sein Tagebuch *La Rosace* (Titel der französischen Herausgeber), das die Zeit von Juni 1934 bis Juli 1935 rekapituliert, bestätigt: es vergeht kein Tag, den er allein verbringt. Lacan, Leiris, Limbour, Pierre Klossowski, Queneau, Janine Kahn, Ambrosino, André Breton (!), Jean Piel (der ihm häufig Nachtquartier in Paris gewährt), Fraenkel, Bernier, Charles Peignot, das russische Emigrantenpaar Odoevceva, Simone Weil bilden seinen täglichen Umgang*. Trifft er die Freunde nicht zu Hause, so verabredet er sich mit ihnen in Pariser Cafés oder Bars (Select, Deux-Magots, La Roseraie, Chez Francis, Critérion, Fred Payne u. a.). Wenn er sich nicht gerade mit seinen zahlreichen Mätressen beschäftigt – in *La Rosace* findet man die Namen Edith, Denise, Polly, S. W., K. bzw. Ka(?) –, zerstreut er sich im Concert Mayol, im Tabarin oder im Nobelbordell Sphinx.

Wenige Tage darauf bereist Colette Peignot mit Souvarine Nord-Tirol und Italien. Zwischen Georges und Colette entwickelt sich eine intensive Korrespondenz. Aus der Pension Piburger-See bei Ötz erreichen Georges Briefe, in denen Colette ihm ihre Liebe gesteht. Bataille, der mit seiner Tochter Laurence die Ferien in Font Romeu (Pyrénées Orientales) verbringen wollte, disponiert kurzentschlossen um und reist Colette nach. Am 20. Juli verbringt er mit ihr einige Stunden in Innsbruck, wo er im Hotel Victoria abgestiegen ist (cf. Bataille 1977, 306).

»Ich kehrte nach Italien zurück, und obwohl das wie ›irrsinnig‹ vonstatten ging, von einem Ort zum anderen gehetzt, führte ich dort das Leben eines Gottes (die Flaschen dunklen Weines, der Blitz, die Vorzeichen). Ich kann jedoch kaum darüber sprechen.« (V, 91)

---

* Zumindest in dem Maße, in dem ich die Initialen und Kürzel von Batailles Journal zweifelsfrei identifizieren konnte.

. . . jetzt begriff ich, daß Sie, was ich auch tun möge, immer da wären – Sie könnten mich immer ausfindig machen –, Sie wären wie das Auge, das, ich weiß nicht mehr wen, in einem ›Gedicht‹(!) verfolgte* (Laure 1980, 189)

. . . ich brauche unbedingt Ihre Kraft, Ihre Gelassenheit . . .

. . . ich wollte mir nicht eingestehen, daß Sie mir überaus teuer sind, wollte es vor allem Ihnen nicht eingestehen . . . (Ibd., 192)

Unterdessen mißtraue ich furchtbar dem ›als ob wir nicht mehr zwei, sondern eins wären‹ . . . Das Wertvollste wäre austauschen und nicht identifi-zieren . . .

Als ich neulich** in der Nationale auf Sie wartete, stützte ich mich auf die Vitrine, sah den Saal durch drei Glasschichten . . . und ich dachte, daß ich Sie kommen sähe und daß wirklich nur noch Glaswände zwischen Ihnen und mir waren. (Ibd., 194)

---

* Cf. Bataille: »Œil.« *Documents,* Nr. 4, 1929 (I, 188).

** Am 29. 6. 1934 erwartete Laure Georges an seiner Arbeitsstätte (cf. Bataille 1977, 305).

Den nächsten Tag steigt er, wieder allein, auf Colettes Rat hin auf das Hafelekar (2300 m), um am 23. Juli über Bolzano nach Mezzo-corona zu fahren, wo er sich mit der Geliebten verabredet hat, die Souvarines Gesellschaft temporär ledig ist. Die beiden verbringen einige Tage in der italienischen Provence: sie besuchen Trento (». . . eine Stadt, die der Kulisse eines Trauerspiels ähnelte«, BH, 21), Ándalo und Molveno, machen einen Ausflug in die Dolomiten. – Am 31. Juli befindet sich Bataille abermals in Innsbruck, ohne Colette. Die schwarzen Oriflamme, mit denen die Stadt der Ermor-dung ihres Bundeskanzlers Dollfuß durch die Nazis betrauert, deu-tet er als persönliches böses Vorzeichen:

». . .) die langen schwarzen Banderolen von I. (. . .), (die) Vorzeichen meines Unglücks.« (V, 558)
»Ich kann nur sagen, daß sich der Tod in meinem Kopf einnistete . . . (. . .) Genau mir gegenüber auf der Straße hing ein langes schwarzes Fahn-entuch. Es war gut acht bis zehn Meter lang. Der Sturm hatte den Mast in der Mitte geknickt: das Tuch sah aus, als schlüge es mit den Flügeln. Es fiel nicht: laut klatschte es in der Höhe des Daches im Winde. In wirren Formen rollte es sich auf; wie ein Tintenrinnsal, das sich in die Wolken ergossen hat. Dieser Zwischenfall scheint nichts mit meiner Geschichte zu tun zu haben, aber für mich war es, als ob sich eine Tintenflasche in meinen Kopf ergösse, und ich war überzeugt, noch an jenem Tage sterben zu müssen.« (BH, 37)

Der ›Georges Troppmann‹ aus *Das Blau des Himmels* macht in seinem Hotelzimmer einen kläglichen Selbstmordversuch, während Georges Bataille am 4. AUGUST seine Irrfahrt beendet, indem er sich via Zürich nach Paris begibt.
Boris Souvarine (1983, 26) gesteht ein, daß ihm Colette mit einem Genossen aus dem ›Cercle‹, der sie beide nach Tirol chauffiert hatte, durchgebrannt ist. Dr. Bernard Weil, Simone Weils Vater, rät Souvarine, Laure in einer Klinik in Saint-Mandé unterzubrin-gen, was geschieht. –
Die »bösen Vorzeichen« lassen sich als Depressionen entziffern, und Batailles Journal (1977, 307) bezeugt, daß er von da an bis September regelmäßig seinen Psychoanalytiker Dr. Borel in Sainte-Anne konsultiert.
Im gleichen Monat schreibt er den aphoristischen Text *Le bleu du ciel* (V, 92−95), den er erst zwei Jahre später im *Minotaure* veröf-fentlicht. Er deckt sich fast mit dem ›Ersten Teil‹ des gleichnamigen Romans*.

---

* Siehe unten: 1935.

Ich füge hier hinzu, daß ich einst Simone Weil begegnet bin: sehr wenige menschliche Wesen haben mich im gleichen Maße interessiert. Ihre unbestreitbare Häßlichkeit war abschreckend, aber ich persönlich behauptete, daß sie in gewisser Weise auch eine wirkliche Schönheit besaß. (Ich meine noch immer, daß ich recht hatte.) Sie verführte durch eine sehr sanfte, sehr schlichte Gewalt; sie war gewiß ein bewundernswertes Wesen, geschlechtslos mit etwas Unseligem. Immer in Schwarz, schwarze Kleidung, Haare wie Rabenflügel, braune Haut. Zweifellos war sie sehr gütig, aber ganz bestimmt ein Don Quichotte, der durch seine Luzidität, seinen kühnen Pessimismus und durch einen extremen Mut, den das Unmögliche anzog, gefiel. Sie war reichlich humorlos, aber dennoch bin ich sicher, daß sie innerlich närrischer und lebhafter war, als sie selbst glaubte. (. . .) Ich sage es, ohne sie herabsetzen zu wollen: in ihr gab es einen herrlichen *Willen zur Nichtigkeit: er ist vielleicht die Triebfeder einer genialen Härte, die ihre Bücher so packend macht – und die Erklärung eines Todes, den sie sich aus* Übertreibung *auferlegte (. . .). (Cr., Nr. 40, 1949,* p. *793 f.)*

Am 25. August begleitet er Sylvia und Laurence im Auto bis zur Baskischen Küste, von wo aus sie zu einem zweimonatigen Spanienaufenthalt aufbrechen. Ihr Gastgeber heißt André Masson, der sich in Tossa de Mar niedergelassen hat. (Cf. Bataille 1977, 307) Georges kehrt allein nach Paris zurück.

»In dem Zeitabschnitt meines Lebens, in dem ich am unglücklichsten war, traf ich mich oft – aus unerfindlichen Gründen und ohne den Schatten eines sexuellen Reizes – mit einer Frau, die mich nur durch ihr absurdes Aussehen fesselte: als ob mein Glück geböte, daß ein Unglücksvogel mich auf diesem Weg begleitete.« (BH, 25)
Gewöhnlich traf ich sie in einem kleinen Barrestaurant hinter der Börse. Ich lud sie ein, mit mir zu essen. Wir kamen nie dazu, eine Mahlzeit zu beenden. Die Zeit verging mit Diskussionen.
Sie war fünfundzwanzig Jahre alt, häßlich und sichtlich ungepflegt (während die Frauen, mit denen ich zuvor ausging, gutgekleidet und hübsch waren). (. . .) Mein Interesse an ihr war schwer zu erklären. Man mußte eine Geistesstörung annehmen. (. . .)
Sie war zu jener Zeit das einzige Wesen, das mich meiner Niedergeschlagenheit entriß: kaum war sie zur Tür der Bar hereingekommen – ihre gequälte schwarze Gestalt am Eingang dieser dem Zufall und dem Glück geweihten Stätte glich einem stupiden Auftauchen des Unglücks –, schon erhob ich mich und führte sie an meinen Tisch. Sie trug schwarze, schlechtgeschnittene und fleckige Kleider. (. . .) Sie trug keinen Hut, ihre kurzen, strähnigen und schlechtgekämmten Haare hingen wie Rabenflügel zu beiden Seiten ihres Gesichtes herab. Sie hatte die große Nase einer mageren Jüdin, mit gelblicher Haut, unter einer Stahlbrille zwischen den Flügeln hervortretend. Sie bereitete Unbehagen: sie sprach langsam, mit der Abgeklärtheit eines wirklichkeitsfremden Geistes; Krankheit, Müdigkeit, Entbehrungen oder Tod galten nichts in ihren Augen.« (Ibd., 27)
»(. . .) schmutzige Nägel, die Hautfarbe wie bei einer Leiche; unwillkürlich dachte ich, daß sie sich nach dem Verlassen eines gewissen Ortes offenbar nicht gewaschen hatte . . .« (Ibd., 32 f.)
»(. . .) ihr stockender und somnambuler Gang, der Ton ihrer Stimme, die ihr eigene Fähigkeit, eine Art Stille um sich zu verbreiten, ihre Opfergier, all das trug dazu bei, den Eindruck zu erwecken, sie habe mit dem Tod einen Vertrag geschlossen.« (Ibd., 40)

Wen Bataille hier unter dem Namen Lazare portraitiert, ist keine Geringere als Simone Weil. Mit der sechsundzwanzigjährigen damaligen Pädagogin (die sich im Oktober vom Schuldienst beurlauben läßt, um ab Dezember in Pariser Fabriken zu arbeiten) verbindet ihn in jener Epoche eine Art *amour macabre*. Gleich Bataille ist die Weil vom Niedrigen, Frivolen, Extremen fasziniert (in Barcelona besucht sie beispielsweise dieselben Nachtlokale wie er, oder fühlt sich von Prostituierten angezogen). Mit Colette Peignot befreundet, teilt sich Simone Weil mit ihr den absoluten Wahrheitsanspruch, den sozialen Messianismus und den rigorosen Moralismus. Diese Rigorosität ohne die geringsten Konzessionen läßt den Moralismus umkippen in Amoralität, das Kennzeichen der Radikalen. Ein Konsens entschied, im Falle Simone Weils diese Eigenschaften Heiligkeit zu nennen. – Spuren dieser episodischen, aber dennoch intimen Liaison (Patrick Waldberg, im Brustton der Überzeugung zu mir: »Nun, sie haben zwei-, dreimal miteinander geschlafen«) finden sich hauptsächlich im Tagebuch Batailles (La Rosace), da sich Simone Weils Biographen und Herausgeber anstrengen, alles Sexuelle im Leben der Heiligen zu retuschieren oder zu ignorieren.

Um auf Batailles emotionale Krise, die seinem Italien-Aufenthalt folgt, zurückzukommen, sie heißt: zeitweilige Trennung von Colette Peignot*. Präziser: er reagiert auf die Erfahrung, daß er gerade bei

---

* Colette Peignot (»Laure«) wird am 6. Oktober 1903 in Paris geboren. Ihr Elternhaus grenzt an die psychiatrische Anstalt Sainte-Anne im 14. Arrondissement (Rue Cabanis). Sie wächst in einem großbürgerlichen, streng katholischen Milieu auf. Ihr Vater sowie drei ihrer Onkel fallen im Weltkrieg, als sie 1914 an Tuberkulose erkrankt. 1917 meldet sich ihr älterer Bruder Charles freiwillig zur Front. Ein Priester geht im Hause der Peignots ein und aus, das Colette mit ihrer Mutter und ihren beiden Schwestern bewohnt. Der Kleriker nutzt die Situation, um sich den Töchtern sexuell zu nähern. Colette löst sich daraufhin zunehmend vom katholischen Glauben und beginnt insgeheim zu schreiben (cf. Geschichte eines kleinen Mädchens). Das Vermögen ihrer Familie erlaubt ihr eine pekuniär relativ unbeschwerte Existenz. – Bei ihrem verheirateten Bruder lernt sie 1925 Drieu la Rochelle sowie die Surrealisten Louis Aragon, René Crevel und Luis Buñuel kennen. »In den Anfängen verlockte Laure der Surrealismus, aber die ›Umfrage über die Sexualität‹ stieß sie ab: sie folgerte daraus die Bedeutungslosigkeit der Charaktere. Sie hatte, nicht ohne Erregung, Sade gelesen, nichtsdestoweniger blieb in der Kühnheit der Schrecken, die Weiblichkeit selbst bestehen.« (VI, 277) Im Wochenendhaus der Familie, in Garches, begegnet sie u. a. Léon Blum und Jean Bernier, in den sie sich verliebt (cf. Journal für Jean Bernier). 1927 Suizidversuch in ihrem Pariser Hotelzimmer. Sie beendet die eher episodische Verbindung mit Bernier. 1928 lebt sie ungefähr ein Jahr bei dem Arzt und Schriftsteller Eduard Trautner in Berlin. Dem Sadisten Trautner gegenüber schlüpft sie in die Rolle einer Hündin. – Nach Russischstudien hält sie sich 1930 in Leningrad und Moskau auf. Sie wird die Geliebte des Dichters Boris Pilnjak, dem sie in Paris wiederbegegnen sollte. Bei dem Versuch, das Leben der Muschiks zu teilen (vgl. S. Weil), erkrankt sie schwer und muß von ihrem Bruder zurückgeholt werden. Mißlungener Inzestversuch auf der Rückreise nach Paris. – Zu ihren Befreiungsversuchen (Selbstdemütigungen) dieser Zeit gehört, daß sie, elegant gekleidet, vulgären Männern nachstellt, um sich ihnen – selbst in Eisenbahnaborten – hinzugeben, ohne Lust zu empfinden.

1931 verbindet sie sich mit Boris Souvarine, »der sich bemühte, sie zu retten, sie als Kranke, als Kind behandelte, und für sie mehr ein Vater als ein Liebhaber war« (VI, 277). [Verständlicherweise fällt Batailles Souvarine-Portrait von 1942 mißgün-

ihr sexuell versagt, mit Selbstmordwünschen. (Bataille hat intimen Freunden seine Potenzstörungen offenbart.) Vorausgesetzt, ›Dirty‹ läßt sich mit Colette Peignot und ›Georges Troppmann‹ mit Bataille identifizieren, dann liest sich das so:

»Niemals habe ich eine schönere oder aufreizendere Frau gehabt als Dirty: sie brachte mich schier um den Verstand, aber mit ihr im Bett war ich impotent . . .
(. . .) Alles klappte tadellos, wenn ich eine Frau verachtete, zum Beispiel eine Prostituierte. Nur bei Dirty hatte ich immer Lust, mich ihr zu Füßen zu werfen. Ich achtete sie zu sehr, und ich achtete sie gerade, weil sie sich durch Ausschweifungen zugrunde gerichtet hatte . . .« (BH, 31, 31)

Aber was macht die mittelgroße, schlanke Frau mit braunen Haaren zur Favoritin des polygamen Bataille? Was läßt in Colette wie auch in Georges die Überzeugung entstehen, im anderen seinem Schicksal, seiner Wahrheit begegnet zu sein?* Um mit einer äußeren Charakterisierung zu beginnen – Michel Leiris läßt in einer »Nietzscheanerin« Colette Peignot aufleben:

---

stig aus, da von Rivalität bestimmt. Immerhin besaß er genügend Loyalität, sich qua Malraux für Souvarines *Stalin* bei Gallimard einzusetzen. Malraux' Zögern und das Veto Groethuysens machen den Plan zunichte. Souvarines Stalin-Buch erscheint mit einigem Erfolg 1935 bei Plon.] Zum gleichen Zeitpunkt wird sie eine Klientin des Psychoanalytikers Dr. Borel (cf. Souvarine 1983, 32). Colette Peignot engagiert sich nun für den ›Cercle communiste démocratique‹, wo sie Bataille erstmals begegnet. Fortan veröffentlicht sie unter dem Pseudonym C. Araxe Artikel in *La critique sociale* und im *Travailleur communiste syndical et indépandant de Belfort*. – Nach einer Reise mit Souvarine, im Sommer 1934, löst sie sich von dem Russen, um Batailles Geliebte zu werden. Mit der Zeit werden Batailles engerer Freunde auch die ihren (Leiris, Masson, Pierre Klossowski, Patrick Waldberg). Zwei Spanienaufenthalte, im Jahre 1935 und 1936, nehmen sie sowohl für den Stierkampf wie für den Anarchismus ein. Unter Batailles Einfluß wird Colette Peignot ihren nonkonformistischen Individualismus forcierend zur Nietzsche-Adeptin. (Cf. VI, 275–278; Laure 1980, 228–229) Fortan gibt es zwischen ihrem und Georges' Leben eine solche Parallelität – selbst wenn sie dem Gefährten erst nach ihrem Tod, im Angesicht ihrer Schriften eindringlich bewußt wird –, daß ich es vorziehe, ihre weiteren Lebensjahre im Zusammenhang mit Batailles Vita darzustellen.
  * Vgl. Laures Brief an Georges, der sich auf D. H. Lawrences *The Plumed Serpent* bezieht: »Zudem kommt mir alles, was Du bist, ein wenig wie der Ton der Trommel für Kate vor. Ich habe dieses Buch (Gefiederte Schlange) sehr gern. Es geht viel weiter, als ich glaubte.« (Laure 1980, 203) Lawrences Heldin Kate steht zunächst der revolutionären religiösen Bewegung, die eine Wiederbelebung der aztekischen Sonnenreligion intendiert, feindselig gegenüber, um dann für einen ihrer Führer, Don Cipriano, zu entflammen. Mehr als den Mann, findet sie so einen Lebenssinn, der sie erfüllt . . .
  Das Identifikationsmuster liegt, denke ich, offen zutage.

»Eine junge, sich wiegend bewegende Frau mit einem leicht neurotischen Aussehen – ein wohlklingender, aber leicht tadelnder Ausdruck, dessen Gebrauch hier einzig durch das Bedürfnis gerechtfertigt ist, sie außerhalb der Norm zu stellen –, oder mit dem verschlossenen Gesichtsausdruck einer Rauschgiftsüchtigen, und auf die das Epitheton ›kosmopolitisch‹ passen würde, weniger wegen dessen nachsichtiger Ungenauigkeit, sondern weil es Kosmopoliten gibt, die es von Natur aus sind (. . .): sie erscheint in meiner Träumerei mit langen kastanienbraunen oder venezianischblonden Haaren, bis zu den Knöcheln in ein seidenartiges Kleid gehüllt, inmitten eines unmöglich zu beschreibenden Dekors, das ich aber von großem Luxus weiß, eingehüllt in die Rauchschwaden einer Zigarette (gewiß aus dem Orient) und die Düfte wohlriechender Substanzen.« (Leiris 1976, 56 f.)

»Laures Schönheit zeigte sich nur jenen, die sie ahnen konnten. Nie schien mir jemand so unnachgiebig und rein wie sie, nie entschieden ›souveräner‹, aber alles in ihr war dem Schatten geweiht. Nichts kam zum Vorschein.« (VI, 276)

»(Ein Wesen) von dem jene, die in enger Verbindung mit ihm standen, genau wissen, wie unantastbar sein Anspruch in seiner Höhe und wie heftig seine Rebellion gegen jene Normen war, denen die meisten beipflichten.« (Leiris 1955, 239)

»Im Gespräch mußte man aufpassen. Es gab Dinge, die man nicht aussprechen durfte, ohne sich einer unerbittlichen Strafpredigt auszusetzen. Bei ihr hatte man das Gefühl, sich auf des Messers Schneide zu befinden.« (Leiris zit. nach: J. Peignot 1977, 26)

»(. . .) oft habe ich den heftigen Verwünschungen Laures Widerworte gegeben, aber ich hielt nur mit Mühe durch und gewann das Elend wie eine Lebensmöglichkeit lieb.« (1939: V, 513)

»(. . .) man muß wissen, daß Laure nicht mit jedem die gleiche Sprache sprach. (. . .) Es gebrach ihr weder an Fröhlichkeit noch an einem ausgeprägten kritischen Sinn, und was mich an ihr verblüffte, ist eine oft unerbittliche Luzidität, die sie gegen sich selbst zu wenden vermochte.« (P. Waldberg am 27. 3. 82 an B. M.)

Erinnern diese Darstellungen – im Hinblick auf den Wahrheitsfanatismus – allesamt an Simone Weil, so erlebt Fardoulis-Lagrange (1969, 26–35), vermutlich erst gegen 1937/38, eine – im Text als »das Idol« codierte – Laure, die er als unnahbar, arrogant schweigend, lasziv und gespenstisch zugleich empfindet, und die sich Georges in einem Grad entzogen haben soll, daß dieser auf eine Art mystische Vereinigung mit ihr verwiesen war. (Wie könnte es von einer Person, die nichts als die Zerreißung lebt, ein stimmiges, einmütiges ›Bild‹ geben? Sie ist *l'ange, l'or* und zu Zeiten *mantis religiosa*, die Frau, die sich mit mehreren Männern gleichzeitig verabredet.)

Laure, das ist zuallererst die Begierde, sich – bis zur Angst – zu verschwenden:

»Was sie beherrschte, war das Bedürfnis, sich ganz und unmittelbar hinzugeben.« (VI, 277)

»Ich möchte Dir ganz leise etwas sagen: ich begreife, daß ich Dich furchtbar brauche, um zu leben, und das verletzt meinen unerträglichen Stolz nicht, Du weißt. (. . .)
Bin ich nicht besser in Deinen Armen aufgehoben als ›ganz allein auf einem hohen Berg?‹« (Laure 1980, 204)

»Laure und ich glaubten oft, daß die Wand, die uns trennte, zusammenbrach: die selben Worte, die selben Begierden gingen uns im selben Augenblick durch den Kopf, was uns um so mehr beunruhigte, als der Anlaß zerreißend sein konnte. Laure war sogar empört über das, was sie manchmal als einen vernichtenden Verlust ihrer selbst empfand.« (V, 508 f.)

Bataille wird die Angebetete eines Tages als jemanden bezeichnen, der das Leben bejaht . . . Freilich rückhaltlos, bis zum Schrei, bis zum Tod:

»Ich habe sie [sc. Ihre Idee] so verstanden: dadurch, daß ich so oft denke ›nun, wenn ich sterbe – kann ich – kurz davor – diesen Namen sagen – Ihren Namen schreien, aussprechen – daher ist auch alles gleichgültig.« (Laure 1934 an Bataille, in: dies. 1980, 200)
»Ich möchte davon sprechen, ›den Tod zu lieben‹, weil das allein bedeutet, das Leben *ohne Einschränkung* zu lieben, es bis dahin zu lieben, einschließlich des Todes.« (Briefentwurf vom August 1936, ibd., 239)
»Oft habe ich gewünscht, mich in dem Moment zu befinden, wo man ›zufällig‹ stirbt. Dann wiederholt man sich ›das letzte Wort, das sie gesagt hat‹, und das wäre jenes, dieses Wort, das sein Name ist.« (Laure um 1937 an M. Leiris, ibd., 185)

Die Todesfaszination – sie heißt nichts anderes, als das Leben unter einem absoluten, unbegrenzten Aspekt zu sehen, heißt riskant leben, ohne das Äußerste zu fürchten – wäre nicht die unbedeutendste Koinzidenz zwischen Laure und Bataille. Der Begriff der *amour-passion* oder *amour fou* bedarf hier insofern einer Korrektur, als er weniger Symbiose denn Zerreißung, weniger Harmonie denn gegenseitige Verwundung meint; er beinhaltet keine irreversible Fusion zweier Wesen zu einem (à la André Breton) – selbst wenn Bataille auch dieser Wunsch befällt –, sondern die Überschreitung der individuellen Abgeschlossenheit, das Aufs-Spiel-Setzen des Ich-Selbst als Prämisse dessen, was Bataille »Transparenz« oder »Kommunikation« nennt. Die Leitfiguren dieser Leidenschaft sind die Wunde, die Öffnung, das Sichverströmen . . .

»(. . .) die Notwendigkeit, mich in einer Welt voller geheimer Bedeutungen zu bewegen, wo ein Fenster, ein Baum, die Tür eines Wandschrankes nicht ohne Angst betrachtet werden können, eine so *schöne* Notwendigkeit war in mir wie auch in dem Schicksal Laures vorgezeichnet. Weder sie noch ich haben etwas getan (oder so wenig), damit diese Welt um uns entsteht: sie ist einfach nach und nach aufgetaucht, als der Nebel aufgestiegen war: sie ähnelte nicht weniger der Katastrophe als dem Traum. Denn nie wird ein Mensch, der die Schönheit um ihrer selbst willen begehrte, in eine solche Welt eindringen. Der Wahnsinn, die Askese, der Haß, die Angst und die Herrschaft der Furcht sind notwendig, und die Liebe muß so groß sein, daß der Tod auf der Schwelle dagegen lächerlich erscheint.« (1939: V, 515 f.)

Abermals Notre-Dame-la-Mort als das schnellste Fahrzeug, das zur Ekstase führt, die Wollust gleich einem Reagens vervielfacht. Annäherungen an den Tod im Schwindelgefühl auf Berggipfeln, im orgiastisch-toxischen Rausch, im Orgasmus, in der Ekstase der Nekrophilie, in den Räuschen des Hasses, der Angst, der Exkrementophilie und der Krankheit . . . Zwei ehemalige Erzkatholiken entbrennen füreinander. Jeder versucht auf seine Weise, aber durch den grenzüberschreitenden Exzeß, die christliche Vergangenheit zu exorzisieren. Statt in Gott liegt für sie beide das Heilige im Obszönen. Laures Möglichkeit* der Entsublimierung besteht in maßloser, masochistischer Selbsterniedrigung:

---

* Was Batailles Part angeht, so bin ich auf seine fiktionalen Texte und auf das verwiesen, was Laures Schriften von Bataille reflektieren, da bisher keine Zeile von seiner Hand an die Geliebte zugänglich ist (Bataille konnte übrigens nach Laures Tod über ihre Papiere nach Belieben verfügen . . .). Für mich ist jedoch der sadomasochistische Charakter ihrer Verbindung evident. Beinahe eine ideale Konstellation von Perversionen: die masochistisch disponierte Geliebte, die ganz Objekt sein, unpersönlich geliebt werden will; der Fetischist, dessen nekrophilen Neigungen die ein ekelerregendes Objekt gewordene Frau entgegenkommt. Die Gesamtbewegung dieser Triebwünsche zielt auf die Selbstverschwendung, die Tötung des Ich.
»Die Perversionen weisen konkret auf die Grenzen und Beschränkungen der erlaubten Sexualität hin und transzendieren diese.
(. . .) Fetischismus zeigt die Enge der Personalität und der Partnerschaftsideologie. (. . .) Eine sadomasochistische Beziehung weist auf die Möglichkeit einer schrankenlosen Unbedingtheit in der gegenseitigen Zuwendung hin bis zur Auslieferung und Auslöschung der eigenen Person; zeigt also die Grenzen, die in der erlaubten Sexualität durch die Individualität gegeben ist.« (Schorsch 1976, 88) Solch ›Opferobsession‹ scheint mir ebenso eng mit einer spezifisch katholischen Erfahrung verflochten, wie die doppelte Assoziation von Sünde (Verbot) und Tod, Sünde und Wollust.
Der Schmutz, das Verbot, die Tränen, die Angst, die im Zusammenhang mit der Erotik Batailles Vokabular beherrschen – sind es nicht die Spuren, die der Stachel Katholizismus in Hirn und Fleisch hinterlassen hat? Sollte die Libertinage (Transgression, die ohne verinnerlichtes Verbot fade wäre) nicht eine Replik seiner Wahl sein? Die Angst in Wollust verwandeln . . .

»Mitunter scheint es mir so, daß ich etwas tun *muß*, das mich in Ihren Augen herabsetzt. Widerwärtiger sein können, mich widerwärtiger machen als das, was Sie am meisten auf der Welt verabscheuen.« (Laure an Bataille, in: dies. 1980, 197)

»Sie haben auch gesagt
›Sie *waren* die Frau, die ich am meisten geachtet *habe*, und Sie sind die gemeinste‹
tut mir furchtbar leid, lieber Freund
ich hasse Sie für diesen Satz (. . .)« (Ibd., 202)

»Ich bin heute abermals wie eine Hündin – Chauffeur – Fahren Sie, egal wohin: ›zum Schmelzofen, zum Schuttabladeplatz, zum Bordell, zum Schlachthaus‹. Ich muß verbrannt, geviertelt, mit Unrat bedeckt sein und nach allem Sperma riechen, damit ich Dir ganz zuwider bin – und danach dann – auf Deiner Schulter einschlafen –« (Ibd., 202 f.)

»Sich mehreren hingeben, um die Kraft des Zynismus zu haben« (Ibd., 126)

»Eines Tages wird er in *Le Journal** eine Anzeige setzen: ›Gesucht wird eine entlaufene Hündin‹.« (Laure, ca. 1937 an M. Leiris, in: dies. 1980, 185)

Da Bataille geistige Gespräche mit der Geliebten vermeidet, wird sie sich an ihren, dann seinen Freundeskreis halten. Allmählich erkennt man Laure in der Gestalt wieder, die in *Le bleu du ciel* mal Dirty, mal Xenia genannt wird. Man geht mit Freunden auf ein Glas ins Lupanar, durchzecht die Nächte:

»(. . .) eines Abends, als wir zu mehreren in den Bars von Montmartre herumlungerten und sie sich betrunken hatte, wie es oft geschah, wenn sie nicht mehr die nötige Kraft aufbringen konnte, ein Gleichgewicht zu bewahren, das immer nur an einem Faden hing, hatte ich ihr – die sie durch ihre Strenge und ihre Leidenschaft, ihren Überdruß und ihre Lust am Leben, durch ihren gesellschaftlichen Messianismus und ihre Unfähigkeit, einen Zwang zu ertragen, in der Schwebe war zwischen Eis und Feuer – meine Hand auf ihre Stirn gelegt, um ihr zu helfen, sich von ihrem Ekel durch Erbrechen zu befreien; die einzige Liebkosung, an die meine rechte Hand – auf der dieser Kopf lastete, der sich ebensosehr durch die Wirkung des Alkohols hingab wie durch die der unversöhnlichen Widersprüche, deren Beute er ewig war – nicht die Erinnerung verloren hat. Wie manche der Blätter, die sie verfaßt hatte, es bezeugen, hatte diese Freundin, um sich zu beschreiben, den ergreifenden Vornamen ›Laure‹ gewählt: ein mittelalterlicher Smaragd, der in seinem etwas katzenhaften Feuer die leicht parochiale Lieblichkeit eines Engelsstabes vereinte.« (Leiris 1955, 214)

. . . .

---

* In Paris erscheinendes promussolinisches Nachrichtenblatt. (B. M.)

Die Vertrautheit mit meinem eigenen Leichnam, die ich fast unfreiwillig erworben habe, das Bewußtsein, das ich von heute an habe, mehr als jeder anderen Sache dem anzugehören, was [   ], die Tatsache, daß ich sogar mit Schluchzern (simulierten oder ehrlichen) in der Kehle von meinem eigenen Tod besessen bin wie von einer obszönen und folglich schrecklich begehrenswerten Schweinerei: alles trägt dazu bei, das, was mir an Leben bleibt, so fern wie möglich von den Umständen anzusiedeln, unter denen ich schreibe.
(II, 87)

Prostituierte, Erotik, Tod . . . Bataille gehört einer Generation an,
deren junge Männer die höheren Weihen der Erotik in der Regel im
Bordell empfangen. Das Bordell verdankt später seine Anziehungskraft nicht mehr allein der Tatsache, daß es der einzige Ort ist, an
dem der Einsame seine perverse oder normale Sexualität ausleben
kann: seine Faszination bezieht es aus dem anrüchigen, verbotenen,
beschämenden, niedrigen Charakter, der diesem Ort anhaftet; er ist
sakral wie auf andere Weise ein Schlachthaus oder eine Kirche.
Diese Eigenschaften des Lupanars übertragen sich gleichsam auf
jeden Klienten, der um so mehr Frivolität beweist, als er von den
angebotenen Dienstleistungen keinen oder nur einen partiellen
Gebrauch macht: so heißt im Bordell philosophieren, die Philosophie in den Dreck ziehen, verächtlich machen, *la pensée* zur
dépense, zum Gelächter anstiften. Man übertrage dies auf das Beispiel, wo Bataille in Begleitung von Freunden und Laure das Bordell besucht. –

Die Idealisierung wie auch ihr scheinbares Gegenteil, die Verteu-
felung der Prostitution, gehen zutiefst mit den moralischen Stan-
dards einer Epoche konform. Nachdem der sakrale Charakter der
Dirne unwiederbringlich verlustig gegangen ist, seitdem die Prostitution zum tarifierten Dienstleistungsgewerbe verkam, das die
beschränkte bürgerliche Ökonomie detailliert reproduziert, reflektieren beide extremen Haltungen nur etwas von der Verelendung
und Eingeschränktheit gesellschaftlich sanktionierter Sexualität: sie
verweisen auf uneingestehbare Wünsche. In dieser Optik wird die
Idolisierung der Prostituierten zur schlichten Kehrseite der z. B.
von den Surrealisten gepriesenen exklusiven Liebesbeziehung, die
sich im monogamen Paar erfüllt: gemeinsam ist beiden Positionen
eine paternistische Idealisierung der Frau . . . als Inkarnation oder
Fetisch der Liebe, der Schönheit, des Lebenssinns etc. Dabei weiß
solche männliche Doppelmoral in der Praxis genau zu unterscheiden
zwischen Liebe und Wollust, das heißt zwischen Engel (Geliebte)
und Dämon (Hure) auf der einen Seite, Ehefrau (Mutter) und
Mätresse auf der anderen. Jenes zur ›bösen‹ Seite tendierende
Frauenideal, Frucht des Ödipus, verbirgt den Wunsch nach De-
sexualisierung der Frau, wo es, sublimiert, die Gestalt der Heiligen,
des Engels oder des Kindes annimmt. Lacanisch: der Hang zur
Jungfrau oder zur Hure (zwei ›unberührbare‹ betreffend) verweist
auf ein »männliches Begehren des Phallus«. Bataille übernimmt dieses Muster und reagiert zugleich darauf, wenn er vorzugsweise von
Mädchen *(fille)* redet, um den Gegenstand seiner Geilheit zu benennen, das er von der Frau abzugrenzen trachtet, die demnach mit
ihrer Funktion als Ehefrau und Mutter zusammengedacht wird. Er

privilegiert den Ausdruck Mädchen (*fille* bedeutet bezeichnenderweise auch ›Prostituierte‹), da es hinsichtlich der Reproduktion der Art so dysfunktional, luxuriös und unproduktiv ist wie eine Prostituierte. In Batailles Denken ist die Prostituierte (oder ganz allgemein die deklassierte Frau) die Verkörperung der Verausgabung per se (cf. II, 181). Genaugenommen nicht nur sie, denn er situiert jede Frau jenseits des männlichen Besitztriebes bzw. -denkens. (Cf. II, 397 ff.)

Aber ich hatte – nicht aus Lust an Etikettierungen, sondern um das Exzentrische zu benennen – von Perversität gesprochen (Sadomasochismus, Fetischismus, Nekrophilie), vom christlichen Erbe, das sich im Batailleschen Eros durchsetze (Idee der Sünde, des Verbots, der Erniedrigung). Trotz der einstigen materialistischen Gegenbekundungen, wird Bataille die spezifisch katholische psychosexuelle Konditionierung eines Tages anerkennen, aber, Soziologismen gleichermaßen fliehend wie Psychologismen, die nur die Kategorien der Norm und der Abweichung, der Gesundheit und der Krankheit kennen, bemüht er sich, den »verfemten Teil« zu universalisieren, zu einer Art anthropologischer Konstante zu erheben. Er wird die Identität von religiöser und erotisch-sadistischer Ekstase behaupten; die von orgiastischem ›kleinen Tod‹ und seinem realen Pendant. In dieser Identität liegt die Duplizität von Wollust und Angst, Schändlichkeit und Lust:

»Wir bedürfen der mit der Prostitution verbundenen *Schmach* (honte), die auf allen Umwegen in die Alchimie der Erotik eindringt; aber die Schmach könnten wir auf andere Weise finden, nämlich die *Gestalt* der Begierde selbst, die nicht hätte entworfen werden können, wenn die Käuflichkeit der Frauen nicht die Regung freigesetzt hätte, die sie entwarf.« (Ca. 1950:VIII, 122 f.)

»Ich hatte nur noch den Gedanken, so weit wie möglich zu gehen und die tödliche Leere zu streifen. Jeden Tag versteifte ich mich darauf, diese nicht greifbare Leere zu packen, indem ich ihr von Bordell zu Bordell und überall dort nachspürte, wo ich mich an der Nacktheit ergötzen konnte. Ich versank schmerzhaft in der Angst, um mich in dem Riß der Mädchen noch mehr zu zerreißen. Je mehr Angst ich hatte, um so unfehlbarer fand ich, was der Körper einer Prostituierten mir an Schändlichem sagen konnte (günstig für Wollüste, die mich öffnen). (. . .) Auf diese Weise taumelte ich und schrumpfte vor den Mädchen zusammen, die ich bezahlte, und deren nackter Hintern mir endlich in einem gespenstischen Halo erschien. Von da an lebte ich nur noch dieses tückischen weißen Glanzes wegen, der in meinen Augen mit jenem herben Verfall geschmückt war, an dem es den *schönen* Dingen so schmerzlich gebricht.« (1946: V, 578)

Für Bataille verkörperte die Prostituierte noch die Ambiguität des Sakralen: sie ruft Ekel und gelegentlich Todesangst hervor, aber gerade dadurch vermag sie ihn in die Ekstase zu katapultieren. Schönheit der – beschmutzenden – Häßlichkeit (starke Polarisierung), Häßlichkeit der makellosen, ungebrochenen Schönheit (schwache Polarisierung) . . . Der hell-dunkel Bereich des Arsches, die Nacktheit: der vom Tod (das heißt von der Erotik) Faszinierte sieht in ihnen das symbolische Äquivalent der Tötung, die das Subjekt auslöscht, zur Sache macht:

»Der Reiz der Nacktheit ist nicht das Los der Prostituierten allein, sondern es ist der Reiz einer Sache, eines greifbaren Gegenstands, und die käufliche Liebe genießt das Privileg, eine Frau auf diesen ›Gegenstand‹ zu reduzieren, der die erotische Nacktheit ist.« (VIII, 122)

Ambiguität des Begehrens, Simultanität von Liebe und Tod.

»Die Prostituierte ist übrigens insofern ganz allgemein die Gestalt des Todes unter der Maske des Lebens, als sie die Erotik bedeutet, die ihrerseits der Ort ist, wo Leben und Tod sich vermischen . . .« (VIII, 124)

Was die Nosologie Fetischismus oder Nekrophilie nennt, erklärt Bataille zum Apriori der Libido: der Ausdruck ›Lustmord‹ gerinnt hier zum Pleonasmus.

»Es ist tatsächlich notwendig, daß ein Wesen wie eine Sache betrachtet wird, damit die Begierde eine Gestalt bildet, die ihr entspricht.
   Das ist ein wesentliches Element der Erotik, und nicht nur muß die Gestalt passiv gewesen sein, um diese oder jene Form erhalten zu haben, um mit diesen oder jenen Gegenständen verbunden werden zu können, sondern die Passivität ist an sich eine Antwort auf die Forderung der Begierde. (. . .)
   Was die Erotik charakterisiert, ist nicht das bewegliche Lebendige, sondern das unbewegliche Tote, das allein von der normalen Welt losgelöst ist.« (VIII, 124 f.)

Sadismus und symbolischer Mord gehörten demnach zu den prinzipiellen Modalitäten der erotischen Begierde. Was täglich geschieht, was kein Wissenschaftler zu denken wagt. Was de Sade wußte und ein Krafft-Ebing katalogisiert hat.
   Der Königsweg, alles Funktionelle, das der »normalen Welt« angehört, auszuschließen, hat etwas Mörderisches:

»Solange der andere lebendig ist, ist auch sein Körper ein Bewußtsein, das mich widerspiegelt und mich negiert. Die erotische Transparenz ist trügerisch: in ihr sehen wir uns, nie den anderen. Den Widerstand überwinden heißt die Transparenz aufheben, das fremde Bewußtsein in einen opaken Körper verwandeln.« (Paz 1979a, 168)

Für jene letztere Möglichkeit optiert Bataille, wenn er die Prostituierte als optimales Objekt erkennt, das ihn außer sich geraten läßt. Mit anderen Worten: im Unterschied zur ›Liebe‹ wäre die Begierde apsychologisch und, im humanistischen Jargon, nicht-menschlich; sie suchte die größte Fremdheit, das heißt eine möglichst unbewußte, subjektlose, unpersönliche, austauschbare Projektionsfläche für ihr eigenes inneres Theater . . .

Ein Brief André Massons vom 5. SEPTEMBER belegt, daß Bataille ein *Les Présages* betiteltes Buch schreiben will. Er hat Masson um die Freigabe des Titels sowie um fotografische Dokumente des gleichnamigen Balletts von Léonide Massine gebeten, für das der Maler die Bühnenausstattung geschaffen hatte. [*Les Présages* (Die Vorzeichen) wird er sein Spanientagebuch von 1935 betiteln, aber meiner Ansicht nach geht das geplante Buch in dem Roman *Le bleu du ciel* auf, dessen ›Zweiter Teil‹ »Das böse Vorzeichen« überschrieben ist.] Im übrigen bemühen sich die Freunde, für ihr Mappenwerk *Sacrifices* einen Verleger zu finden. Da die Galerie Bucher, die das Werk angekündigt hatte, von dem Vorhaben (mangels Subskribenten?) zurückgetreten ist, versucht Bataille, Gallimard für *Sacrifices* zu interessieren, das er sich übrigens durchgängig blutrot gedruckt wünscht. Doch seine Intervention über André Malraux, der für Gallimard lektoriert, führt zu keinem Ziel. (Cf. Masson 1976, 281 f.)

In *La Rosace* notiert Bataille unter dem 25. und 26. OKTOBER: »Von Ambrosino aus dem Kreis ausgeschlossen. Ambrosino Liebe Ausschluß aus dem Kreis *(Cercle)*.« (1977, 309) Die Querelen zwischen Bataille, Queneau und Lacan dürften ihren Grund in der Idee des Frauentausches haben, die, durch solche Gesprächskreise begünstigt, bedrohliche Wirklichkeit wird. Bataille protestiert brieflich gegen die Zusammenkünfte bei Lacan, die er nicht mehr akzeptieren könne. Im selben Augenblick »läßt« ihn Raymond Queneau »im Stich« (cf. V, 514).

Im NOVEMBER macht Bataille eine Fahrt auf Mosel und Rhein, um »Edith«, das heißt, der Logik von *Le bleu du ciel* zufolge, Laure oder Sylvia bis nach Frankfurt zu begleiten. In Marxens Geburtsstadt Trier machen sie einen Tag Station (cf. BH, 123–133):

»1. [November] 9h Diedenhofen. 8 h Trier.
Htl. Köln Frühst. dann Dom besucht. Hotel. Mittagessen. Dann Kok-
kelsberg. Abendessen im Hotel.
   2. Am Morgen Einkäufe in Trier. dann Abf. 10 h 36 Mosel. 12 h
Koblenz Mittagessen Eisbein dann Kaffee 15 h 45 Rheinsegler Friedhöfe
Astern und Kerzen. 18 h Frankfurter Römer. Abendessen Börsenkeller.
17 h 52 Abreise Ediths nach Heidelberg.« (Bataille 1977, 309 f.)

1935

> Die Kriege sind einstweilen die größ-
> ten Phantasieaufregungen, nachdem
> alle christlichen Entzückungen und
> Schrecknisse matt geworden sind.
>
> Nietzsche, 1880–81

JANUAR/FEBRUAR Lektüre von Pierre Janets *De l'angoisse à l'extase*. –
Études sur les croyances et les sentiments (Paris 1926–1928) – der
Titel der psychiatrischen Studie, deren wissenschaftlichen Geist
Bataille verachtete, würde indessen sehr gut Batailles eigenes Den-
ken bezeichnen.
   Am 8. MAI reist Bataille zu André Masson nach Tossa de Mar
(Costa Brava), wo dieser seit einem Jahr – eine Faschisierung
Frankreichs befürchtend – im Haus des Geschäftsmannes Eduardo
Balam lebt. (Bataille ist jetzt Massons Schwager, nachdem dieser
Rose Maklès geheiratet hat.) In Barcelona begegnet er u. a. dem
schweizer Maler Kurt Seligmann, der 1934 zur surrealistischen
Bewegung gestoßen ist, und dem Philosophen Paul Ludwig Lands-
berg (1901–1944), der – 1933 aus Deutschland emigriert – an der
Universität Barcelona liest. Bataille trifft während seines dreiwöchi-
gen Spanienaufenthaltes des öfteren mit den Landsbergs zusammen, wobei er sichtliches Interesse für Landsbergs Frau Madeleine
bekundet.

In seinem *Les Présages* (Die Vorzeichen) betitelten Reisetage-buch notiert Bataille lakonisch, welche erhabene und niedrige, hei-lige und profane Orte er – vertraut mit den einschlägigen Etablisse-ments – allein oder in Begleitung Massons aufsucht: Bordelle, Stier-kämpfe, Bars und Kabaretts, ein Museum, eine Kirche, einen Leuchtturm, einen Berg. Höhepunkt der Reise stellt zweifellos die Besteigung des Montserrat (1200 m hoch), eines zerklüfteten Berg-stocks des Katalonischen Gebirges in der Provinz Barcelona, mit André Masson dar. Masson, der bereits im November 1934 mit seiner Frau auf diesem heiliggesprochenen Berg, Stätte eines alten chthonischen Kultes und Wallfahrtsort, eine Nacht verbracht hatte, dürfte seinen Freund für diese Wanderung begeistert haben. Am frühen Morgen des 10. Mai brechen die beiden auf. »André erklärt mir immer deutlicher seine auf dem Montserrat auf einem Felsen verbrachte Nacht. Die Landschaft wird immer großartiger. Ich erkläre André, was ich über Himmel und Erde denke. Über dem Encantado-Giganten angekommen: rechts eine Art geweihter Fel-sen. Der Gipfel: zum ersten Mal sehe ich den Planeten. Die Kathe-drale von Manresa wie durch ein Fernrohr wahrgenommen. Mittag-essen in San Jeronimo. Auf dem Rückweg erklärt mir André immer deutlicher die Nacht auf dem Montserrat. Die Furcht vor dem Sturz in den Himmel. Die Öffnung des Himmels: In der Kirche wie ein Fötus.* Ich schlage ihm vor, die Erzählung unserer Reise zu schrei-ben.« (II, 267) Bataille wird nicht über ihr Montserrat-Erlebnis schreiben, dafür gerät er mit Masson ins Schwärmen, wenn dieser von seiner Nacht auf dem Berg berichtet, die er in einem Gedicht, in Zeichnungen und Gemälden reflektiert, und träumt vom »gestirn-ten Himmel unter den Füßen« (II, 269).

Das Masson nachempfundene Erlebnis geht dagegen transponiert in seinen ›Roman‹ *Das Blau des Himmels* ein, den er am Vortag seiner Rückreise nach Paris, am 29. Mai, abschließt, jedoch bis zu seiner Veröffentlichung im Jahre 1957 geheimhält. Bei seiner Ankunft in Spanien notiert Bataille: »Beginn der Erregung mit den eher falschen Idolen im Zusammenhang mit Das Blau des Himmels. Eindruck, daß das Elend wie eine Mutter ist.« (II, 266)

Im Vorwort zur Erstausgabe des André Masson gewidmeten Romans insistiert Bataille darauf, daß er *gezwungen* war, dieses Buch zu schreiben, und »daß einzig eine Qual, die mich zugrunde richtete, den Ausgangspunkt für die ungeheuerlichen Anomalien von *Das Blau des Himmels* bildeten. Diese Anomalien begründen

---

* Cf. Massons Schilderung bei Clébert, p. 70–71; auch in: Masson, *Mythologies*, Fontaine, Paris 1946, p. 49–50.

Das Blau des Himmels« (III, 382). Das Buch – nicht weniger als die Spanienreise selbst – muß als Effusion und Überwindung einer schweren geistigen Krise betrachtet werden, die sein Autor – nach einigen Monaten Krankheit und der vorübergehenden Trennung von seiner Frau im Jahre 1934 – durchmacht, wenngleich er es nicht als »Erzählung dieser Krise« verstanden wissen will, sondern allenfalls als einen »Reflex davon« (VII, 461). Batailles Journal aus diesem Zeitraum *(La Rosace)* legt von dieser Krise Zeugnis ab, läßt auf eine erneute psychoanalytische Behandlung durch Dr. Borel schließen. Stellte die Niederschrift der *Histoire de l'œil* 1928 für ihren Autor eine Befreiung von psychischen Zwängen dar, ermutigt und ermöglicht durch den psychoanalytischen Erkenntnisprozeß, so gewinnt die Niederschrift von *Das Blau des Himmels* eine vergleichbare Bedeutung für die Zeit von 1934 – 1935.

Der heterogene Teil des Werkes, die außergewöhnlich umfangreiche ›Einleitung‹, ist gleich ein Rekurs auf das Jahr 1928: so ist *Dirty* datiert, ein Fragment seines ersten, jedoch vernichteten Buches *W.-C.* (Bataille veröffentlicht einzig dieses erhaltengebliebene Fragment 1945 gesondert).* Bataille gab dem Autor von *W.-C.* das Pseudonym Troppmann, so wie sich auch der Ich-Erzähler des *Blau des Himmels* nennt. Troppmann, der Überflüssige (Mann *de trop*) oder der Exzessive (Mann *en trop*), wird als lächerlicher Anti-Held gezeichnet: »Ein Idiot, der sich mit Alkohol benebelt und weint – das war komischerweise aus mir geworden! Um dem Gefühl zu entrinnen, der letzte Dreck zu sein, gab es nur ein Heilmittel, ein Glas Alkohol nach dem anderen in sich hineinzuschütten. Ich hoffte, meine Gesundheit zugrunde zu richten, vielleicht sogar mein sinnloses Leben. (. . .) Im Augenblick war alles bedeutungslos.« (BH, 44) Troppmann, beständig zwischen Panik und Ohnmacht taumelnd, zwischen Todesangst und -lust hin- und hergerissen, kann leicht – trotz oder wegen seiner Impotenz – mit Don Juan identifiziert werden, der in der ängstlichen Erwartung des steinernen Gastes lebt. »Don Juan ist in meinen (. . .) Augen bloß eine persönliche Inkarnation des fröhlichen Festes, der Orgie, die die Hindernisse verneint und auf wunderbare Weise umstürzt« (V, 92), kommentiert Bataille, abgestoßen von der psychologischen** Deutung dieser Figur. »Ich bedaure es manchmal, den Eindruck einer leiden-

---

* Eine ahistorische Lektüre der ›Einleitung‹ zu *Das Blau des Himmels*, die die dualistische Konzeption des Romans explizit macht, schlägt Lucette Finas vor: »Entretien en marge de la crue.« *Gramma,* Nr. 1 (automne 1974), p. 123 – 130.

** Donjuanismus im psychoanalytischen Jargon: Mutterkomplex, zwanghafter Potenzbeweis in Gestalt von Polygamie, weibliche Phantasie, etc.

den Existenz zu hinterlassen. Die Zerrissenheit ist der Ausdruck der Fülle. Der fade und schwache Mensch ist dazu nicht fähig.

Daß alles in der Schwebe, unmöglich, unerträglich ist . . . ich habe kein Heilmittel dafür!« (V, 95) Statement, das er 1942 in der *Expérience intérieure* dem aphoristischen Text *Das Blau des Himmels* folgen läßt. Von diesem Text, im August 1934 geschrieben und zwei Jahre danach im *Minotaure* publiziert, verwendet Bataille vier der insgesamt vierzehn Aphorismen leicht modifiziert in dem unverhältnismäßig kurzen ›Ersten Teil‹ von *Das Blau des Himmels*. Die Beschwörung der Nacht von Trento darin ist eine Reminiszenz an seinen Aufenthalt in dieser Stadt, die er im Juli 1934 in Begleitung Laures besucht hatte.

»Vor einigen Tagen kam ich – wirklich und nicht nur in einem Alptraum – in eine Stadt, die der Kulisse eines Trauerspiels ähnelte. eines Abends – ich sage das nur, um in ein noch unglücklicheres Gelächter auszubrechen – war ich nicht der einzige Betrunkene, als ich zwei alten Päderasten zusah, wie sie sich tanzend im Kreise drehten, wirklich und nicht im Traum. Mitten in der Nacht trat der Komtur in mein Zimmer: am Nachmittag war ich an seinem Grab vorbeigegangen, der Hochmut hatte mich dazu angestachelt, ihn in ironischem Ton einzuladen.

Sein unerwartetes Kommen erschreckte mich.

Vor ihm erbebte ich. Vor ihm war ich ein Wrack.« (BH, 21)

Dieses entsetzliche Erlebnis in Trento wird Bataille nochmals in *Sur Nietzsche* (VI, 126 f.) erwähnen, ja er wählt gar die französische Form dieses Ortsnamens zu seinem Pseudonym: Louis Trente, unter dem er 1943 *Le petit* erscheinen lassen wird; seine Obsession von diesem Namen läßt sich bis zu dem Gedicht *La tombe de Louis XXX.* (trente) und dem späteren Plan hin verfolgen, eine Art Autobiographie der fiktiven Person Louis Trente zu konstruieren.

Eine weitere Obsession, das phantasmatische ›œil pinéal‹ bestimmt den aphoristischen Text *Das Blau des Himmels* und macht Batailles Identifikation mit André Massons Montserrat-Erlebnis einsichtig. Der Text, im ›Ersten Teil‹ der Romanfassung allerdings nicht wiederholt, wird mit dem ›œil pinéal‹ eröffnet:

»Wenn ich sachte, selbst inmitten der Angst eine seltsame Absurdität herausfordere, öffnet sich am Scheitel meines Schädels ein Auge.

Dieses Auge, das sich in seiner Nacktheit einzeln der Sonne in ihrem ganzen Glanz öffnet, um sie zu betrachten, ist nicht die Sache meiner Vernunft: es ist ein ausgestoßener Schrei. Denn in dem Augenblick, in dem das Leuchten mich blendet, bin ich der Splitter eines zerbrochenen Lebens, und indem sich dieses Leben – Angst und Taumel – einer unendlichen Leere öffnet, zerreißt und erschöpft es sich plötzlich in dieser Leere.« (V, 92)

Bei Bataille macht der Kopf, lebens- sowie vernunftbewahrendes Gehäuse, eine erotische Metamorphose in einen Ort der Verausgabung des Lebens durch:

»Von Anfang an identifiziert sich der Mythos nicht bloß mit dem Leben, sondern mit dem Verlust des Lebens – mit dem Verfall und dem Tod. Von dem Wesen an, das ihn zutagegefördert hat, ist er keinesfalls ein äußeres Produkt, sondern die Gestalt, die dieses Wesen in seinen unzüchtigen Abenteuern, in der ekstatischen Gabe annimmt, zu der es sich selbst als obszönes, nacktes Opfer macht – und Opfer nicht angesichts einer obskuren und immateriellen Macht, sondern angesichts des schallenden Gelächters der Prostituierten.

Die Existenz ähnelt nicht mehr einer Strecke, die von einem zweckmäßigen Zeichen nach dem anderen festgelegt wird, sondern einer krankhaften Weißglut, einem dauerhaften Orgasmus.« (II, 25)

Eine Redeweise, die von Sinnen, die desorientiert ist, oben und unten ununterscheidbar macht: »Nur durch eine krankhafte Vorstellung – ein Auge, das sich am Scheitel meines eigenen Kopfes öffnet – eben an der Stelle, wo die naive Metaphysik den Sitz der Seele placierte – gelangt das menschliche Wesen, das auf der Erde vergessen worden ist – hoffnungslos in Vergessenheit geraten, so wie ich mich heute mir selbst zeige – plötzlich zum zerreißenden Sturz in die Leere des Himmels.« (V, 93) Bild, das am Schluß des Romans wieder auftaucht in der Liebes-Szene mit Dirty, die oberhalb eines von Kerzen erleuchteten Friedhofs in Trier spielt (und zumindest partiell auf Erlebtes zurückführbar ist, denn Bataille machte ja im November 1934 in Trier Station):

»An einer Wegbiegung tat sich eine Leere unter uns auf. Seltsamerweise war diese Leere zu unseren Füßen ebenso grenzenlos wie der bestirnte Himmel über unseren Köpfen. Eine Menge kleiner im Winde flackernder Lichter feierte in der Nacht ein schweigendes unbegreifliches Fest. Zu Hunderten leuchteten diese Sterne, diese Kerzen über dem Boden: dem Boden, auf dem sich die Vielzahl beleuchteter Gräber aneinanderreihte. (. . .) . . . in diesem Augenblick glitten wir auf ein abschüssiges Gelände.

Etwas weiter unten ragte ein überhängender Fels hervor. Hätte ich dieses Gleiten nicht mit dem Fuß aufgehalten, wären wir in die Nacht gestürzt, und ich hätte verzaubert glauben können, wir stürzten in die Leere des Himmels.« (BH, 125, 126)

Einem solchen Sturz mangelt der Sinn, der Boden, das Tiefe; so stürzt man nur, wenn man nicht unter den Sinn fällt, d. h. in eine Tiefe, der keine Höhe gegenübersteht. Taumel oder Verlust der Erektion, Sturz des *homo erectus* aus Sinn und Vernunft heraus.

Der vertikalen Tyrannei entkommen, das heißt dem Primat des Kopfes, indem man taumelt, den Kopf verliert, azephalisch wird. Der konfuse und furchtbare Sturz (und in Batailles Roman stürzen die Personen bei Erschütterungen unablässig, fallen zur Erde zurück), der von lauten Schreien begleitet wird, ist in Batailles Perspektive Zeichen eines grenzüberschreitenden Erfolgs: »In meinem närrischen Herzen singt die Narrheit aus vollem Halse.

ICH TRIUMPHIERE!« endet der ›Erste Teil‹ des *Blau des Himmels*.

Der ›Zweite Teil‹ des Romans, der umfangreichste, »Das böse Vorzeichen« überschrieben, wird um sechzehn Typoskriptseiten gekürzt; eine weitere Kürzung nimmt Bataille in dem Kapitel »Antonios Geschichte« vor – gleichsam als spiegelte die Redaktion des Buches die Unmöglichkeit wider, einen Roman im konventionellen Sinn zu schreiben. Auf drei unveröffentlichten Manuskriptseiten berichtet der Erzähler von seinen Zerstreuungen in den Bordellen Barcelonas, von seinen Anwandlungen, eine der Prostituierten zu erwürgen, und kokettiert mit seiner Frivolität:

»Oh, ich spucke auf die Kommunisten. Natürlich. Eure Geschichten langweilen mich. Ich spucke darauf und dann lecke ich meine Spucke ab. Ich kann bloß noch Kommunisten ertragen; die anderen Leute langweilen mich tausendmal mehr. (. . .)
– Du bist nie ein ernsthafter Mensch gewesen.
– Wie könnte ich ernst sein. Ich komme aus einem Bordell.« (III, 562)

Im zweiten Teil der erotischen Schrift führt Bataille mit Lazare und Xenia die beiden anderen Geliebten Troppmanns, neben Dirty (vulgäres Diminutiv von Dorothea), ein. Für die Figur der Lazare (der Name konnotiert Lazarus: also Kennerin und Überwinderin des Todes), »schmutzige Jungfrau« und Kommunistin mit revolutionären Ambitionen, hat Simone Weil Modell gestanden. Mit Bataille teilt sie den Todesenthusiasmus, der sich unter ihrem »Willen zur Nichtigkeit« und ihrer moralischen Intransigenz verbirgt (»Sie nähert sich der Immoralität der Hitlerbewegung«).

Die Rolle von Dirty teilt sich Laure mit Sylvia Bataille, die außerdem als Edith (die sie in Renoirs *Le crime de M. Lange* verkörpert) figuriert. Laure kann demnach teils mit Dirty, teils mit Xenia identifiziert werden. In der Person Xenias (= die Fremde) karikiert Bataille Laure mehr, als daß er sie porträtiert. Einige Textstellen mögen das verdeutlichen:

»Sie verschlang die Blutwurst wie ein Bauernmädchen, doch das war Pose. Sie war ganz einfach ein müßiggängerisches und zu reiches Mädchen. Vor ihrem Teller sah ich eine avantgardistische Zeitschrift mit grünem Umschlag, die sie mit sich herumtrug. (. . .)

– Hör zu, Xenia (. . .) du hast dich auf eine literarische Agitation eingelassen, du hast sicher Sade gelesen, du hast Sade großartig gefunden – wie die anderen. Die aber Sade bewundern, sind Hochstapler – verstehst du? (. . .)

Ich griff nach ihrem Gepäck: es war auch ein Stoß Zeitungen und Illustrierte darunter, und die ›Humanité‹. Xenia war im Schlafwagen nach Barcelona gekommen, aber sie las die ›Humanité‹!« (BH, 45, 60, 111)

In seinem *Vie de Laure* – wonach auch die erotische Krankenbett-Episode des Romans in den Bereich des Möglichen rückt – sollte Bataille sogar nach dem Tod der Gefährtin kaum von seinem ursprünglichen Urteil abweichen: »Sie wollte eine militante Revolutionärin werden, besaß jedoch bloß eine nutzlose und fieberhafte Unruhe.« (VI, 277)

War es nicht eher diese verzerrte Darstellung von Personen, für die seine Vertrauten Modell gestanden hatten, die Bataille bewog, *Das Blau des Himmels* zu vergessen, dazu bewog, in der publizierten Fassung Passagen zu unterdrücken, die seine Geliebten oder Freunde (wie Aimé Patri) kompromittieren konnten, und was ihm »Unbehagen« und »Unzufriedenheit« einflößte – als die Inaktualität des Buches nach den dramatischen historischen Ereignissen? Strenggenommen sind alle Personen des Romans Projektionen Troppmanns (mit Ausnahme Michels vielleicht, der sich in den Tod stürzt, da er außer seinem Leben nichts zu verlieren hat: Intellektuelle, die durchaus Privilegien zu verlieren haben, und deren beständige Selbstreflexion jede Entscheidung und alles Handeln letztlich verhindert – es sei denn, man zählte die Option für das Nichthandeln oder eine vage, zu nichts verpflichtende politische Parteinahme zum Handeln –, und die zugleich um ihre Schwäche, ihre komfortable Servilität wissen: »Wie gern hätte ich auch so abstoßend ausgesehen [wie der Vagabund], so sonnenhaft wie er, anstatt einem Kind zu gleichen, das niemals weiß, was es will. (. . .)

– Die Menschen sind alle Knechte . . . (. . .) die, die sich vor nichts beugen, stecken im Gefängnis oder liegen unter der Erde . . . und was Gefängnis oder Tod für die einen . . . bedeutet für alle anderen Unterwürfigkeit . . .« (BH, 110, 61) Das Bewußtsein, ein ohnmächtiger Komplize des *status quo* zu sein, führt zu Minderwertigkeitsgefühlen, schlechtem Gewissen gegenüber jenen, die sich für Ideen schlagen – oder gar zur Selbstzerstörung. Den vom Tod besessenen Qietisten vermögen nur noch blutrünstige Spektakel zu stimulieren, heißen sie nun Krieg oder Anarchie. Affirmation des Lebens, weil Affirmation des Todes, Affirmation des Lebens bis in den Tod hinein.

»Es wäre unmöglich, dieser steigenden Flut des Mordens, die viel ätzender ist als das Leben (da das Leben nicht so blutigrot ist wie der Tod), etwas anderes entgegenzustellen als Nichtigkeiten und das Klagen alter Weiber. Waren nicht alle Dinge für die Feuersbrunst bestimmt, einem Gemisch aus Flamme und Donner, so fahl wie brennender Schwefel, der in der Kehle beißt? Ein Gefühl der Heiterkeit ergriff von mir Besitz: mich dieser Katastrophe gegenüberstehen zu sehen, erfüllte mich mit jener finsteren Ironie, wie sie mit Krämpfen zusammen auftritt, bei denen niemand mehr ein Aufschreien unterdrücken kann.« (BH, 132 f.)

Das Blau des Himmels steht unter dem bösen Vorzeichen des kollektiven Dramas, mit dem das heftige innere Drama Batailles konfrontiert wird.

»Der Cercle communiste démocratique hört 1934 auf zu existieren. Zu diesem Zeitpunkt erlebt Bataille, nach einigen Monaten Krankheit, eine schwere geistige Krise. Er trennt sich von seiner Frau. Er schreibt dann *Das Blau des Himmels*, das in nichts die Erzählung dieser Krise ist, sondern allenfalls ein Reflex davon.

Bataille ergreift 1935 persönlich die Initiative, eine kleine politische Gruppe zu gründen, die, unter dem Namen *Contre-Attaque*, einige ehemalige Mitglieder des Cercle communiste démocratique zusammenbringt und, in der Folge einer plötzlichen Versöhnung mit André Breton, die Gesamtheit der surrealistischen Gruppe.« (VII, 461) Batailles autobiographische Notiz legt die Kausalität: Auflösung des ›Cercle communiste démocratique‹ – Gründung von ›Contre-Attaque‹ (Gegen-Angriff) nahe. Nach dem Verschwinden von Souvarines ›Cercle‹ und dessen Zeitschrift ist Bataille ohne Publikationsmöglichkeit, aber vor allem auch ohne ein Forum (er suchte immer den direkten Dialog). Dabei ist ›politische Basisarbeit‹ die logische Konsequenz seiner Theoretisierungsversuche, sie allein würde sein Engagement hinreichend beglaubigen. Nicht daß die sich in Frankreich konstituierende Volksfront Bataille optimistisch gestimmt hätte. In *Der Faschismus in Frankreich* hatte er geschrieben:»Es ist *natürlich*, daß die westliche Arbeiterbewegung, die heute todkrank und bedauernswert ist und gerade noch gegen sich selbst kämpfen kann, liquidiert wird und verschwindet, *da sie nicht zu siegen verstand*. In Zukunft gibt es auf der Erde vielleicht nur noch Platz für große, in monarchischem Sinne veränderte Gesellschaften, die so sehr geeinigt sind, wie es der Wille eines einzigen Mannes sein kann, das heißt: Platz für große faschistische Gesellschaften.« (II, 212) Nicht weniger kritisch und beunruhigt dürfte Bataille die Euphorie anläßlich des offiziellen Geburtstages der Volksfront am 14. Juli betrachtet haben. Eine Linke, die ihre »wiedergefundene Einheit« feiert, sich auf ihr revolutionäres Erbe beruft, dabei aber in patriotische Parolen einstimmt; der Kitt, der diese neue Einheit zusammenhält, ist einzig der defensive Antifaschismus, und vor dem Hintergrund des französisch-sowjetischen Beistandsbündnisses gegen Deutschland nimmt sich die entstehende Volksfrontregierung wie eine Wiederauferstehung der ›Heiligen Union‹* aus. Schon 1933 konstatierte Bataille:»Unter diesen Bedingungen sind die verfrühten Lösungen, die hastigen Gruppierungen nach kaum modifizierten Formeln, und sogar der schlichte Glaube an die Möglichkeit solcher Gruppierungen gleichermaßen – zwar unbedeutende – Hindernisse für das verzweifelte Überleben der revolutionären Bewegung. Die Zukunft beruht nicht auf den winzigen Anstrengungen einiger Gruppenschmiede mit unverbesserlichem Optimismus: sie hängt völlig von der allgemeinen Verwirrung ab. (. . .) Nun, die Zeit ist vielleicht gekommen, wo alle die, die von allen Seiten von ›Kampf gegen den Faschismus‹ reden, beginnen sollten zu begreifen, daß die Vorstellungen, die in ihrem Geist diese Formel begleiten, nicht weniger pueril sind als die der Hexer, die gegen das Unglück kämpfen.« (I, 335)

Bereits im Frühjahr sieht man Bataille in Gesellschaft seines einstigen Kontrahenten Breton:»Im ›Deux Magots‹ oder ›Chez Lipp‹ saß ich neben Léon-Paul Fargue, André Breton, Georges Bataille, René Daumal. André Malraux, damals Lektor bei N.R.F., war dabei, Labisse, Balthus . . .« (Barrault 1975, 94) Dieses Bild der Eintracht kam auf folgende Weise zustande:

In diesem Moment waren Breton und seine Gruppe ebenfalls isoliert. Ohne eigene Zeitschrift, von der KPF beharrlich refüsiert (1933 Ausschluß Bretons, Éluards und Crevels aus der KPF und der A.E.A.R., dem Verband revolutionärer Künstler und Schriftsteller), waren die Interventionsmöglichkeiten der Surrealisten minimal geworden. Sie treten dem ›Wachsamkeitskomitee antifaschistischer Intellektueller‹ bei (1934 von den drei Professoren Alain, Rivet und Langevin ins Leben gerufen), unterzeichnen dessen Manifest wider eine Rückkehr zur ›Heiligen Union‹ vom 25. März 1935 und partizipieren – mehr geduldet denn gebeten – an dem ›Schriftstellerkon-

---

* Bezeichnung für den Zusammenschluß der französischen Parteien bei Ausbruch des Ersten Weltkriegs.

greß zur Verteidigung der Kultur‹, nur um sich danach entschieden von den dort vertretenen moskauhörigen Intellektuellen sowie von der stalinistischen Politik insgesamt zu distanzieren:

»Wie so viele andere waren wir betroffen von der Erklärung, mit der am 15. Mai 1935 ›Stalin sein Verständnis sowie sein volles Einverständnis für die nationale Verteidigungspolitik gibt, durch die Frankreich seine Armeestärke auf der Höhe seiner Sicherheitsbedingungen halten will‹. Es konnte sich hier für uns nur um einen neuen, besonders schmerzlichen Kompromiß von seiten des Führers der kommunistischen Internationale handeln; und unverzüglich haben wir die ausdrücklichsten Vorbehalte hinsichtlich der Möglichkeit geäußert, Instruktionen wie diese eilends vorbereiteten zu akzeptieren: Aufgabe der Parole ›Umwandlung des imperialistischen Krieges in einen Bürgerkrieg‹ (Verurteilung des revolutionären Defätismus); die Erklärung von 1935, Deutschland sei der einzige Schuldige am kommenden Krieg (Zunichtemachen jeder Hoffnung auf Verbrüderung im Kriegsfalle), Ermunterung zum Patriotismus bei der französischen Arbeiterbevölkerung. Welche Haltung wir diesen Direktiven vom ersten Tag an entgegengesetzt haben, ist bekannt. Diese Haltung stimmt in allen Punkten mit der des ›Aktions-Komitees der Intellektuellen‹ überein: gegen jede Einkreisungs- und Isolierungspolitik gegenüber Deutschland; für eine internationale Prüfungskommission zwecks Untersuchung der von Hitler gemachten konkreten Rüstungsbeschränkungen; für eine Revision mittels politischer Verhandlungen des Versailler Vertrags, dem Haupthindernis aller Friedensbestrebungen.« (Breton 1977, 108 f.)

Von den Unterzeichnern des Manifestes *Als die Surrealisten noch recht hatten* schließt sich etwa ein Drittel ›Contre-Attaque‹ an. Die Thesen dieses Manifestes vom August 1935, nicht zu vergessen die Appelle der Surrealisten vom Februar 1934 zu einer Aktionseinheit des Proletariats, bilden zumindest die theoretische Voraussetzung, unter welcher die erneute Annäherung Bataille–Breton stattfindet und die zu ›Contre-Attaque‹, jenem ›Kampfverband revolutionärer Intellektueller‹, führt. Womöglich gab die antifaschistische Wochenzeitung *Gegenangriff*, das Sprachrohr der deutschen Emigranten, dem Verband seinen Namen.

Henri Dubief (1976, 66), ein ehemaliges Gruppenmitglied, bezeichnet ›Contre-Attaque‹ als ultralinke Konkurrenz zu *Commune*, dem seit 1932 bestehenden Sprachrohr der französischen Landesgruppe der A.E.A.R. (Mitarbeiter: Henri Barbusse, André Chamson, André Gide, Jean Giono, Jean Guéhenno, André Malraux, Paul Nizan, Paul Vaillant-Couturier), freilich ohne jemals deren Wirkungsradius zu erreichen. Von der Tendenz her kann man ›Contre-Attaque‹ mit der ›Ordre nouveau‹ vergleichen, die 1930 von Robert Aron, Arnaud Dandieu* und Jean Charles Henry Daniel-Rops gegründet wurde. Diese Bewegung sammelte junge Ingenieure, angehende Führungskräfte um sich und vertrat proudhonistische Ziele, stritt gegen Kapitalismus und Parlamentarismus – was sie faschismusverdächtig machte. Für *L'Ordre nouveau* (1933–38), das Publikationsorgan der Gruppe, schrieben z. B. Denis de Rougemont und Roger Caillois.

›Contre-Attaque‹ konstituiert sich im SEPTEMBER um Bataille und Breton. Die Initiatoren des Kampfverbands, darunter auch einen Moment lang Caillois (cf. Dubief 1970, 52), treffen im Café de la Régence (an der Place du Théâtre français) zusammen: Pierre Aimery, Georges Ambrosino, Bataille, Roger Blin, Jacques-André Boiffard, Breton, Claude Cahun, Jacques Chavy, Jean Delmas, Paul Éluard, Maurice Heine und Pierre Klossowski** unterzeichnen das Inauguralmanifest vom 7. OKTOBER.

Der sechs Punkte umfassende ›Beschluß‹ wendet sich an alle, die »mit allen Mitteln und ohne Vorbehalte entschlossen sind, die kapitalistische Herrschaft und deren politische Institutionen niederzuwerfen« (I, 379). Doch »ein unförmiger Aufstand wird die Macht nicht an sich reißen. Was heute über das gesellschaftliche Schicksal entscheidet, ist die organische Bildung einer umfassenden, disziplinierten, fanatischen Verbindung von Kräften, die fähig ist, im gegebenen Augenblick eine unerbittliche Herrschaft auszuüben« (I, 380). Das Programm der Volksfront, deren Führer im Rahmen der bürgerlichen Institutionen wahrscheinlich an die Macht kämen, sei dem Bankrott geweiht, heißt es. »Die Konstitution einer Regierung des Volkes, einer Leitung des öffentlichen Wohls, verlangt eine *unnachgiebige Diktatur des bewaffneten Volkes*. (. . .) *Tod allen Knechten des Kapitalismus!*« (I, 380) ›Contre-Attaque‹ verwirft im übrigen die traditionellen Taktiken der revolutionären Bewegungen, die nur bei Autokratien tauglich gewesen seien und bekräftigt, »daß das Studium des gesellschaftlichen Überbaus heute die Grundlage jeder revolutionären Tätigkeit werden muß« (I, 381).

---

* Dandieu (1897–1933) war wie Bataille Bibliothekar an der Bibliothèque nationale. Die Lektüre seiner Schriften, insbesondere von *La Révolution nécessaire* (1933, in Kollaboration mit R. Aron), dürfte Bataille nicht versäumt haben.

** Seit dieser Zeit steht Bataille in näherer Beziehung zu dem Essayisten, Romancier und Zeichner Pierre Klossowski (geb. 1905 in Paris). Klossowski hatte damals noch kein Buch veröffentlicht, schrieb aber für die Zeitschriften *Esprit, Volontés, Recherches philosophiques, Revue française de psychanalyse*. Er stieß also als linker katholischer Intellektueller, als Sade-Interpret und -Adept, Übersetzer von Otto Flake, P.-L. Landsberg, Max Scheler und W. Benjamin zu ›Contre-Attaque‹.

»Unsere wesentliche, dringende Aufgabe ist die Konstitution einer Doktrin, *die aus gegenwärtigen Erfahrungen hervorgeht.*« (I, 379) Weitere acht Punkte des Manifestes grenzen die Position des Verbands ein. Der Verband, bestehend aus Marxisten und Nicht-Marxisten, werde seine Doktrin gemäß drei marxistischen Grundgedanken entwickeln:

– Entwicklung des Kapitalismus auf einen zerstörerischen Widerspruch zu;

– Vergesellschaftung der Produktionsmittel als Ende des gegenwärtigen historischen Prozesses;
– Klassenkampf als geschichtlichen Faktor und als Quelle wesentlicher moralischer Werte (cf. I, 380) Konkret faßt das Programm jedoch nur eine unverzügliche Vergesellschaftung der wichtigsten Zweige der Schwerindustrie ins Auge, der Vergesellschaftung sämtlicher Produktionsmittel soll dagegen eine Übergangszeit vorausgehen. Außerdem spricht sich ›Contre-Attaque‹ gegen eine Reduktion des Lebensniveaus der Bourgeois auf das der Arbeiter aus und glorifiziert nicht die proletarische Existenz als die einzig wahre. Dagegen tritt die Gruppe für eine Gleichverteilung des Wohlstands ein und intendiert, mit der ökonomischen Ohnmacht Schluß zu machen, die die Menschen zur »zügellosen Produktion, zum Krieg und zum Elend« verdamme. Die Todesstrafe wird für ein Gesellschaftswesen für angemessen gehalten, das die menschlichen Entwicklungsmöglichkeiten der Arbeiter und Bauern beschneidet. Indem ›Contre-Attaque‹ die Sache der Arbeiter und Bauern zu der ihren macht, appelliert der Verband an jene ihrer Hoffnungen, die im Rahmen der gegenwärtigen Gesellschaft unerfüllt bleiben müssen, und will deren Selbst- wie Machtbewußtsein stärken: »Die Zeit ist gekommen, uns *alle* wie Herren zu verhalten und die Knechte des Kapitalismus physisch zu vernichten.«* (I, 382) Dieselbe aktuelle Massenerregung, die – wie Bataille erkannte – den Ausgangspunkt für die Konstitution einer faschistischen Machtstruktur bildet, soll nun in den Dienst der *universellen* Interessen der Menschen gestellt werden. »Wir stellen fest, daß es die nationalistische Reaktion in anderen Ländern verstanden hat, sich die politischen Waffen, die von der Arbeiterwelt geschaffen worden sind, zunutze zu machen: wir verstehen es unsererseits, uns der vom Faschismus geschaffenen Waffen zu bedienen, der es verstanden hat, das fundamentale Stre-

---

* Die Formel vom Herren-Aufstand gebraucht auch Ernst Jünger in *Der Arbeiter* (1932).

Les Cahiers de

CONTRE-ATTAQUE

MAI 1936   NUMÉRO 1   PRIX : 1 FR. 50

Intervention de G. Bataille à la réunion de « Contre-Attaque » du 24-XI-35

FRONT POPULAIRE
DANS LA RUE

Camarades,

Je parlerai de la question du Front Populaire.

Je ne voudrais pas, cependant, laisser s'introduire une équivoque.

Nous ne sommes pas des politiciens.

Nous tenons à nous exprimer sur la question du Front Populaire. Il est nécessaire, pour nous, de définir notre position par rapport à un nouvel ensemble de forces, dont la constitution domine actuellement la situation politique. Mais lorsque nous demandons qu'on nous fasse confiance, nous ne penserions pas que cette confiance soit exactement celle que nous cherchons si elle nous était donnée en raison de définitions plus ou moins heureuses qui relèvent, que nous le voulions ou non, de la manœuvre politique.

Nous ne tenons pas à ajouter de nouvelles manœuvres aux manœuvres déjà complexes et souvent divergentes des politiciens.

Lorsque nous parlons à ceux qui veulent nous entendre, nous ne nous adressons pas essentiellement à leur finesse politique. Les réactions que nous attendons d'eux, ce ne sont pas des calculs de position, ce ne sont pas des combinaisons politiques nouvelles. Ce que nous espérons est de tout autre nature.

Nous voyons que les masses humaines demeurent à la disposition de forces aveugles qui les vouent à des hécatombes inexplicables, qui leur font en attendant une existence moralement vide, matériellement misérable.

Ce que nous avons devant les yeux c'est l'horreur de l'impuissance humaine.

Nous en appelons, nous, directement à cette horreur. Nous nous adressons, nous, aux impulsions directes, violentes, qui dans l'esprit de ceux qui nous écoutent peuvent contribuer au sursaut de puissance qui libérera les hommes des absurdes maquignons qui les conduisent.

Nous savons que de telles impulsions ont peu de choses à voir avec la phraséologie inventée

Titelseite der *Cahiers de Contre-Attaque*, Nr. 1, Mai 1936

CONTRE-ATTAQUE

SOUS LE FEU DES CANONS FRANÇAIS...

1. **HITLER GEGEN DIE WELT - DIE WELT GEGEN HITLER**
HITLER CONTRE LE MONDE - LE MONDE CONTRE HITLER

Cette pseudo-dialectique qui s'étale sur la couverture d'une brochure stalinienne ornée de quatre haches sanglantes disposées en forme de croix gammée, suffit à prouver que la politique communiste a rompu définitivement avec la révolution. Faire appel au monde tel qu'il est contre Hitler, c'est en effet **qualifier** ce monde en face du national-socialisme, alors que l'attitude révolutionnaire implique nécessairement une **disqualification** (disqualification dont rendaient compte il y a peu des expressions méprisantes comme *monde bourgeois* ou *monde capitaliste*).

2. L'adhésion au groupe des vainqueurs de 1918 de l'U.R.S.S. et des communistes, a entraîné par là-même leur adhésion au traité de Versailles et à toute une série d'élucubrations sinistres qui l'ont suivi. Il est normal que de la qualification du monde découle, sur la route du reniement, la qualification des instruments diplomatiques qui servent à donner à ce monde un semblant de cohésion.

3. **Nous sommes, nous, pour un monde totalement uni** - sans rien de commun avec la présente coalition policière contre un ennemi public n° 1. Nous sommes contre les chiffons de papier, contre la prose d'esclave des chancelleries. Nous pensons que les textes rédigés autour du tapis vert ne lient les hommes qu'à leur corps défendant. Nous leur préférons, **en tout état de cause,** la brutalité antidiplomatique de Hitler, plus pacifique, en fait, que l'excitation baveuse des diplomates et des politiciens.

Paul ACKER, Pierre AIMERY, Georges AMBROSINO, Georges BATAILLE, André BRETON, Claude CAHUN, Jacques CHAVY, Jean DAUTRY, Jean DELMAS, Henry DUBIEF, Reya GARBARG, Arthur HARFAUX, Maurice HENRY, Georges HUGNET, Marcel JEAN, Léo MALET, Suzanne MALHERBE, Henry PASTOUREAU, Benjamin PÉRET, Jean ROLLIN.

LES IMPRESSIONS DIVERSES, 6, Av. de la Porte-Brunet, Paris-19e

Flugblatt des ›Gegenangriffs‹, März 1936

Inaugural-Manifest ›Contre-Attaque‹, 7. 10. 1935

Adolf Hitler bei Elisabeth Förster-Nietzsche 1934 in Weimar

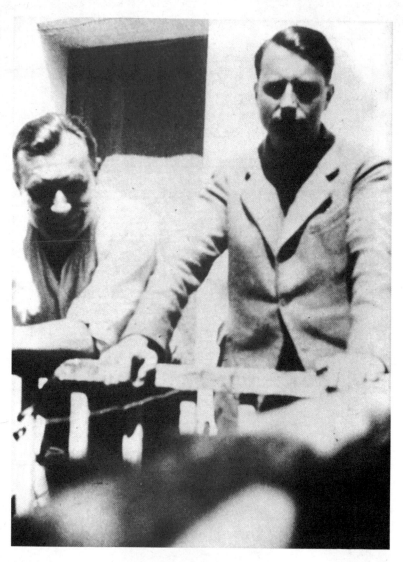
Masson und Bataille in Tossa de Mar, 1936

ben der Menschen nach affektiver Erregung und nach Fanatismus zu benutzen.« (I, 382) Das Manifest schließt, indem der Begriff der Revolution als unvereinbar mit nationalen oder egoistischen Interessen erklärt und der völlig aggressive Charakter der Revolution hervorgehoben wird. »Alles, was unseren Willen rechtfertigt, uns gegen die regierenden Knechte zu erheben, interessiert, ohne Unterschied der Hautfarbe, die Menschen auf der ganzen Erde.« (I, 382) ›Contre-Attaque‹ unterstellt der (Klassen)Volksfront, keine organisierte Form mit der Absicht der revolutionären, subversiven Machtergreifung zu sein. Daher der antiparlamentarische Gegenangriff, den die Germanophobie und die Propagierung nationaler Ideale aller Parteien ausgelöst hat.

Die zweite Auflage des Inauguralmanifestes, auf grünem und rotem (Vorzugsausgabe) Papier gedruckt, trägt bereits 38 Signaturen. Der Kampfverband wächst auf fünfzig, maximal siebzig Mitglieder an.*

Er setzt sich aus ehemaligen Mitgliedern des ›Cercle communiste démocratique‹, Mitgliedern der Gruppe ›Masses‹, der »Gruppe Bataille«, Surrealisten und deren Sympathisanten sowie Unabhängi-

---

* Der Mitgliederstand von ›Contre-Attaque‹ bis 1936 (hervorgehoben die Bataille-Anhänger): Adolphe Acker, Pierre *Aimery*, Georges *Ambrosino*, Bataille, Bernard, Jean Bernier, Roger Blin (Schauspieler), J.-A. Boiffard, André Breton, Jacques Brunius, Claude Cahun (Nichte von Marcel Schwob), Louis Chavance, Jacques *Chavy*, René *Chenon*, Lucie Colliard (Sozialarbeiterin), Michel Collinet, Bella *Corvin*, Jean *Dautry*, Jean Delmas, Henri *Dubief*, Pierre *Dugan*, Jean Duval, Paul Éluard, Dr. Gaston Ferdière (Psychiater), Jacques Fischbein, Lucien Foulon, Reya Garbarg, Georges Gilet (ein griechischer Surrealist), Arthur Harfaux, Maurice Heine, Maurice Henry, Georges Hugnet, Janine Jane, Marcel Jean, Pierre Kaan, Pierre *Klossowski*, Frédéric *Legendre*, Loris, Dora *Maar*, Léo Malet, Marcel Martinet, Suzanne Malherbe, Jehan Mayoux, Georges Michon, Alphonse Milsonneau, Pierre Monatte, Georges Mouton (Arzt), Henry Pastoureau, Colette Peignot (Laure), Benjamin Péret, Germaine Pontabrie, Robert Pontabrie, Jean Rollin, Pierre Ruff, Gui Rosey, Yves Tanguy, Robert Valançay, Patrick Waldberg, André Weill.
Nicht jeden Namen wird man unter den Manifesten wiederfinden. Die aktive Beteiligung Simone Weils ist unwahrscheinlich, da sie die proletarische Revolution nun reformistischen Ideen geopfert hat und sich in dem von Auguste Detœuf initiierten Kreis von Jungunternehmern engagiert.
Vielleicht vermißt man unter den Mitgliedern Leiris und Queneau: zwischen jedem der beiden und Bataille liegen zu diesem Zeitpunkt – nicht ausschließlich – persönliche Differenzen. So beklagt Bataille in einem Briefentwurf vom Juli '35 an Louise Leiris, daß für ihn heute die »Beschränkung der Existenz die Gestalt Michels« angenommen habe (cf. B.N., n.a.fr. 15853, f. 98). Batailles eigene Unsicherheit, sich selbst und andere stets in Frage stellend, verwickelt ihn häufig, gerade mit seinen besten Freunden, in Streitigkeiten, aber nicht weniger spontan ist er zur Wiederversöhnung bereit.

gen zusammen, die sich manchmal der einen oder anderen Unter-
gruppe anschließen. Die Zusammenkünfte von ›Contre-Attaque‹
finden einmal wöchentlich im kleinen Rathaus-Café des sechsten
Arrondissements an der Place Saint-Sulpice statt, ganz in der Nähe
von Batailles Wohnung (nach der Trennung von seiner Frau ist er
wieder in die Rue de Rennes 76*bis* gezogen). Für größere Kundge-
bungen mietet man Jean-Louis Barraults Atelier im Grenier des
Grands-Augustins (7, Rue des Grands-Augustins), Räume in einem
Fabrikgebäude, die Picasso später als Atelier nutzt. Surrealisten
und »Gruppe Bataille« halten ihre Sitzungen in Fraktionen getrennt
ab. Darüber hinaus schlägt Bataille eine Formierung nach dem Vorbild der ›Section des Piques‹, der Sade während der Revolution
angehörte, vor; daher ist ›Contre-Attaque‹, abesehen von den Voll-
versammlungen, geographisch geteilt in die Gruppe Sade (rechts
der Seine) und die Gruppe Marat (links der Seine). Daß Bataille
und Breton, die beide zur größeren Gruppe Sade gehören, selten
bei den Versammlungen erscheinen, erleichtert die Koexistenz der
beiden Richtungen innerhalb von ›Contre-Attaque‹. Auch in dem
›Exekutiv-Büro‹, bestehend aus Bataille, Breton, Péret, Gilet, Dautry, Acker und Pastoureau, arbeitet Breton selten mit.

Pierre Klossowski portraitiert den Mann, der entschlossen ist, die
Welt in Frage zu stellen und seine Mitmenschen zu erreichen, so:

»All das, was persönlicher, intimer Art ist, von sehr begrenztem Interesse,
scheint mir bei Batailles Verhalten nicht unbeteiligt zu sein, bei seinem
Bekehrungseifer hinsichtlich dessen, was damals als revolutionäres Stel-
lungnehmen und Auffordern galt. Im Gespräch drückte er sich nie anders
denn auf diskrete, fragende Weise aus, selbst wenn er mit einer Geste seine
eigene Sicht kenntlich gemacht hätte, dabei in mönchischem Ton anbah-
nend, unterbrochen vom Grinsen eines verschlagenen Menschenfressers,
bloß um sich kurz zu vergewissern, daß durch das, was er praktisch vor-
brachte, der Zuhörer den Widerschein dessen ahnte, was er das ›Unaus-
sprechbare‹ oder das ›Unmögliche‹ genannt hat. Ganz und gar nicht im
erotischen Sinne, sondern im Sinne dessen, was das ›Taktgefühl‹, der ver-
ödete Bereich der Theologie vielleicht (man sollte den früheren Einfluß
Schestows nicht verschweigen), zu verbieten scheint, und dessen Schein
noch auf das Gebiet der ökonomischen und sozialen Normen fiel, so wie er
es empfand. Dennoch nichts Verrücktes, nichts Perverses in seinem Wesen
– aber ein beständiger Blick auf diese Gestalten der Selbstzersetzung,
gleichsam wie auf eine doppelte Dimension, die sich jenseits dessen
erstreckt, was zu unternehmen er beschloß.« (1970, 104)

Im NOVEMBER erscheint Bretons Buch *Position politique du surréalisme*, dem das erste Manifest von ›Contre-Attaque‹ beigefügt ist

sowie ein Subskriptionsprospekt, in dem die »Cahiers ›Contre-Attaque‹« angekündigt werden, die ab Januar 1936 erscheinen sollen. In
einer Art Präambel zu diesem Prospekt (cf. I, 384–392) heißt es,
daß die Bewegung gegründet worden sei, um zur »revolutionären
Offensive«, zum »entscheidenden Kampf« beizutragen, dessen einziges Ziel nur die Machtergreifung sein könne. Als Kampfbeitrag
stellt ›Contre-Attaque‹ vor allem Theoretisches in Aussicht: die
Artikulation neuer Ideen und Direktiven, welche den jüngsten,
nicht vorhersehbaren Umständen entsprechen sollen – sei es nun in
Form von öffentlichen Versammlungen, von Vorträgen oder durch
die Heftreihe ›Contre-Attaque‹. Die geplanten Titel:

Tod den Knechten, von Breton und Bataille: »Die Zeit ist gekommen, wo
die Welt von knechtischen Führern, von Verblendeten befreit werden muß,
die heute die unglückliche Menge in den Abgrund führen« (dieses Heft, das
sich im Druck befinde, soll einen Rechenschaftsbericht über die Aktivitäten
von ›Contre-Attaque‹ seit dessen Gründung enthalten); *Volksfront auf der
Straße,* von Bataille (das einzige Heft, das wirklich erscheint: die Kurzfas-
sung dieses Textes wird Bataille am 24. November vortragen); *Umfrage
über die Milizen, die Machtergreifung und die Parteien*: »Die Macht wird der
Revolution zukommen, wenn die bewaffneten Milizen einer Gruppierung
von Männern, die aus der Volksfront hervorgehen, die Basis zu einer unerbittlichen Herrschaft verleihen« (der Fragebogen zu den drei Themen soll
verschiedenen Persönlichkeiten der Volksfront und militanten Revolutionären vorgelegt und im ersten Heft von ›Contre-Attaque‹ publiziert werden); *Für eine unabhängige Bauernbewegung,* von Jean Dautry und Henri
Dubief; *Die ökonomischen Pläne* (»Jeder ernste ökonomische Reformver-
such muß mit der vorrangigen Frage der Machtergreifung durch die Arbeiter verbunden bleiben. Und die entworfenen Pläne können gegenwärtig
bloß eine autarke Neugestaltung der Produktion ins Auge fassen . . . das
heißt eine Art gütliche Übereinkunft mit der Krankheit selbst! Die ökonomische Politik muß bis auf weiteres der gegenwärtigen politischen Aktion
untergeordnet bleiben«); *Die Revolutionen Mitteleuropas gegen Ende des
Krieges,* von Jean Dautry und Pierre Aimery (»Niemals ist eine stabilisierte
Demokratie ernstlich durch eine aufständische Arbeiterwelt gefährdet worden. Einzig die faschistischen Bewegungen sind mit demokratischen Regierungen fertig geworden. Solche Feststellungen müssen gegenwärtig die
theoretischen Forschungen über die revolutionäre Taktik bestimmen«).

Allein fünf Publikationen will man der moralischen Revolution
bzw. ihren großen, meistverkannten Vorläufern widmen:

Das Familienleben (von Bernier und Bataille), *Soziale und sexuelle Fragen*
(von Maurice Heine und Benjamin Péret), *Der revolutionäre Extremismus*

de Sades (von M. Heine), *Fourier* (von Klossowski), *Nietzsche* (von Ambrosino und Gilet); *Die Hegelsche Dialektik von Herr und Knecht als Eckpfeiler der ›Phänomenologie des Geistes‹ und der marxistischen Doktrin* (»Die Gesamtheit der buchstäblich gewaltigen Hegelschen Gedanken über das menschliche Werden – von denen Marx gesagt hat, daß sie von Anfang bis Ende wahr seien, selbst wenn man ihre Grundlage bestreite – bleibt auf die fruchtbarste Weise mit der schöpferischen Zerstörung der gesellschaftlichen und moralischen Revolutionen verbunden«); *Das Vaterland oder die Erde,* von Pierre Kaan und Georges Bataille (»Wir berufen uns auf das Universalbewußtsein, das mit der geistigen Freiheit und der Solidarität der Besitzlosen in Verbindung steht, so wie das Nationalbewußtsein mit der Gebundenheit und der Solidarität der Reichen in Verbindung steht«); *Herrschaft, Massen und Führer,* von Bataille und Breton (»*Ausnahmslos* folgte bisher jeder Revolution eine Individualisierung der Macht. Diese Tatsache wirft für die Revolutionäre eine wesentliche Frage, zweifellos sogar die Hauptfrage auf. Wir meinen, daß eine solche Frage in der offensten Art und Weise, ohne blinden Optimismus wie ohne Zurückweichen erläutert werden muß. Alle Hilfsmittel der modernsten Sozialpsychologie müssen bei der Suche nach einer *glücklichen* Lösung angewandt werden, die die utopischen Leichtfertigkeiten verwirft. Kann die Weigerung gegenüber Herrschaft und Zwang viel mehr werden als das Prinzip der individuellen Isolierung, nämlich das Fundament der sozialen Bande, das Fundament der Menschengemeinschaft oder nicht?«).

Neben diesen Heften nimmt man sich die Herausgabe von ergänzenden Faszikeln vor, die der polemischen Auseinandersetzung mit Tagesereignissen gewidmet sein sollen; das erste dieser Faszikel, verfaßt von Bernier und Bataille, wird für Februar 1936 unter dem Titel *Revolution oder Krieg* angekündigt; in ihrer Schrift wollen die Autoren Probleme der Außenpolitik behandeln, das heißt: die Tätigkeit ›Contre-Attaques‹ radikal all jenen gegenüberstellen, »die heute die Wiederholung des Krieges von 1914 vorbereiten; die, unter dem Vorwand, gegen den Faschismus zu kämpfen, einen neuen *Kreuzzug der Demokratien* vorbereiten« (I, 392). Aus Geldmangel kommt die Publikationsreihe nie zustande. Auch der Plan, Gruppen in der Provinz – beginnend mit Moulins – zu bilden, bleibt unausgeführt.

Von der Existenz ›Contre-Attaques‹ erfährt eine breitere Öffentlichkeit durch den Artikel *Moscou-la-gâteuse** in der neoroyalistischen Wochenschrift *Candide* vom 18. November. Der Journalist Georges Blond erklärt hierin André Breton zum alleinigen Gründer

---

* Das schwachsinnige Moskau: Aragons berühmte Sentenz in dem *Un Cadavre* (1924) betitelten Pamphlet der Surrealisten gegen Anatole France anläßlich seines Todes.

von ›Contre-Attaque‹; Breton bemüht sich um keine Rektifikation, selbst als Georges Sadoul dies in der *Humanité* vom 1. Dezember wiederholt. Diese – wenn auch unverschuldete – Annektion dürfte bei Bataille und dessen Fraktion wenigstens Mißbehagen ausgelöst haben.

Auf der Versammlung ›Contre-Attaques‹ vom 24. November, die vermutlich in der zweiten Etage des Grenier des Grands-Augustins abgehalten wird, tritt Bataille in seinem Vortrag für die *Volksfront auf der Straße* ein. Er richtet seine Ausführungen an »Genossen«, also offenbar auch an gruppenfremde Sympathisanten der sozialistischen revolutionären Linken. Zu Eingang seines ›Plädoyers‹ stellt er fest, daß ›Contre-Attaque‹ – Bataille spricht im Namen aller Mitglieder – keine Politiker in seinen Reihen habe; mehrmals spricht er im Laufe seiner Rede den Berufspolitikern, den Parteien, ja selbst jenen oppositionellen Kommunisten sein Mißtrauen aus, deren Tätigkeit sich in der Suche nach einer Plattform für eine künftige Aktion erschöpfe (letzteres könnte ein Seitenhieb gegen Souvarines ehemaligen ›Cercle communiste démocratique‹ sein). Dagegen votiert Bataille für eine Politik auf der Straße, wobei er das Arbeitervolk in seiner »elenden Größe« beschwört, das beim Generalstreik vom 12. Februar 1934 die Straßen eroberte. »Wir müssen zum Machtbewußtsein der Volksmassen beitragen; wir sind gewiß, daß die Stärke weniger aus der Strategie denn aus der kollektiven Erregung resultiert, und die Erregung kann bloß von Worten kommen, die nicht die Vernunft, sondern die Leidenschaften der Massen berühren.« (I, 411) Präzisiert er hier nicht, was er unter »Aneignung der von seinen Gegnern geschaffenen Waffen« versteht? Allerdings geht es ihm darum, mit Hilfe ebendieser Waffen zu verhindern, daß rechtsextremistische Organisationen wie die ›Croix-de-Feu‹* oder die ›Action française‹ an Zulauf gewinnen, Ligen, die sich letztlich als Sammelbecken für die Kolonne der menschlichen Langeweile erweisen. In der Erkenntnis, daß das Opium des Volkes in der heutigen Welt nicht so sehr die Religion denn die akzeptierte Langeweile sei, von der keine rein theoretische Aktivität erlöse, erklärt er:

---

* Paramilitärische Organisation unter der Führung des Neobonapartisten Oberst de la Rocque, der von Regierungskreisen (Coty, Laval, Tardieu) und Großindustriellen wie de Wendel unterstützt wurde. Die seit 1928 bestehende ultrarechte Massenbewegung (Anfang 1936 450 000 Mitglieder) provozierte u. a. Straßenunruhen mit Linken.

»Uns liegt einzig daran, die Intelligenz weniger zur Analyse der politisch genannten Situationen und zu den logischen Deduktionen, die sich daraus ergeben, anzuwenden, als zum unmittelbaren Verständnis des Lebens. Sogar unabhängig von den tragischen Ereignissen, die dort geschehen, glauben wir, daß es in den Straßen der Großstädte zum Beispiel mehr zu lernen gibt als in den politischen Zeitschriften oder in den Büchern. Der niedergeschlagene und gelangweilte Zustand, den im Inneren eines Autobusses ein Dutzend menschlicher, einander fremder Gesichter zum Ausdruck bringt, ist für uns eine bedeutsame Wirklichkeit. Für den, der sich nicht durch die Gewohnheit der Sinnlosigkeit des Lebens verhärten läßt, existiert auf dieser Welt, die über grenzenlose Reichtümer zu verfügen scheint, eine Not, der bloß eine Art von allgemeiner Geistesschwäche abhilft, die mit Trägheit angenommen wird. Selbst das Elend erscheint zumindest weniger unabänderlich als diese stumpfsinnige Not. Ein Bettler, dessen verbrauchte Stimme ein Lied brüllt, das man am Grunde eines Hinterhofs schlecht hört, scheint manchmal im Spiel des Lebens weniger verloren zu haben als das Menschenmaterial, das man zur Hauptgeschäftszeit in den städtischen Verkehrsmitteln zusammendrängt.«* (I, 409 f.)

Bedeutenden Raum nimmt in Batailles Vortrag die Kritik an der Volksfrontpolitik ein. Der Volksfront unterstellt er die sukzessive Aufgabe revolutionärer Absichten und Ziele: Aufgabe der antikapitalistischen Offensive – Übergang zur antifaschistischen Defensive – Übergang zur schlichten Verteidigung der Demokratie – Aufgabe des revolutionären Defätismus (cf. I, 406). Aus Sorge um die Nachfolge einer Demokratie, die allem Anschein nach dem Untergang geweiht sei, fordert er daher die Transformierung der *defensiven* Volksfront in eine *kämpferische* Volksfront, welche für die antikapitalistische Diktatur des Volkes ficht.

»Genossen, wenn die menschliche Wirklichkeit, genauer: die menschliche Wirklichkeit auf der Straße – persönlich, das heißt, indem ich mit ihm jede mich aufrichtende Hoffnung verbinde, gebrauche ich diesen Ausdruck Straße, der das Leben, wirklich das Leben der Isolierung des absurd in sich selbst zurückgezogenen Individuums ebenso wie den Berechnungen entgegenstellt: wenn die menschliche Wirklichkeit auf der Straße nicht in jeder Weise über die mittelmäßigen Vorstellungen und die Preisgaben gewissenloser Politiker hinausragte, hätte die Volksfront für keinen von uns die tiefe Bedeutung, die sie in den Umständen bekommen hat, die wir erlebt haben und die wir weiterhin erleben.« (I, 406 f.)

---

* In *Das Blau des Himmels* erblickte Bataille im besitzlosen Clochard eine Art von Souveränität, die ihn selbst über die privilegierten, aber innerlich entzweiten und daher unentschlossenen Intellektuellen erhebt.

»Bei den ersten Sitzungen von *Contre-Attaque* hört ihm Breton mit vorsichtiger Empfänglichkeit zu, läßt sich zuerst zu einem Gefühl unmittelbarer Solidarität hinreißen, sucht dann wieder, manchmal perplex, zu sich zu kommen, Batailles Äußerungen gemäß seinen eigenen Maßen und Gewichten und gemäß der Art des Kodes abwägend, der damals in der zahlreichen, ihn umgebenden Gruppe zu herrschen scheint. Übrigens eine ziemlich disparate Gruppe, ausgenommen einige alte Anhänger, als sich *Contre-Attaque* einige Monate vor der Volksfront agglutiniert. (. . .) Während der Debatten bleibt Breton von diesem einzigen Skrupel beherrscht (und zeigt sich darin rational und humanitär): um jeden Preis vermeiden, daß die Vereinigung, die unlängst aus dem Surrealismus hervorgegangen ist, den mindesten Verdacht irgendeiner Desolidarisierung mit den egalitären Traditionen der Arbeiterbewegung – also mit dem Geist der Commune erregt.« (Klossowski 1970, 104, 105)

8. DEZEMBER: Auf der zweiten, diesmal öffentlichen Versammlung von ›Contre-Attaque‹ (21 Uhr, Grenier des Grands-Augustins) ergreifen Breton und Bataille zum Thema *L'exaltation affective et les mouvements politiques* (Die Gefühlserregung und die politischen Bewegungen) das Wort. Von keinem der Vorträge ist der Wortlaut erhalten, doch es scheint mir nicht inopportun, an dieser Stelle auf jene Appendizes hinzuweisen, mit welchen Bataille die Druckfassung seines Vortrags *Volksfront auf der Straße* ergänzte – sie umkreisen m. E. die Thematik der Reden vom 8. Dezember 1935.

Zusätzliche Anmerkungen über den Krieg. I. DIE VERWIRRENDEN REAKTIONEN ANGESICHTS DES KRIEGES. II. DIE REVOLUTIONÄRE ERREGUNG UND DAS UNIVERSALBEWUSSTSEIN: »Doch wer wagt zu sagen, daß die Menschenmassen *jemals* das heftige und freie Gefühl verspüren werden, das allein sie von der nationalen Knechtung und Hetze befreien kann? Wer wagt zu sagen, daß die Erde *jemals* versammelte Menschenmengen sehen wird, die sich – erschüttert, zu Tode geängstigt – aufgerichtet haben, um mit der patriotischen Idiotie Schluß zu machen.« (I, 431) Angst und Zweifel* können hier befreiend sein, postuliert Bataille, insofern sie, liiert mit dem universellen Bewußtsein, zu einer realen Bewegung führen, welche den

---

* »In diesem Sinne ist es jetzt notwendig, angesichts der drei servilen Gesellschaften zu sagen, daß keine menschliche Zukunft, die diesen Namen verdient, erreicht werden kann, wenn nicht aus einer befreienden Angst der Proletarier heraus.« (I, 336: »Le problème de l'État.« *La critique sociale*, Nr. 9, Sept. 1933) Batailles Erfahrung der Geschichtlichkeit könnte mit Nietzsches Aphorismus aus der *Fröhlichen Wissenschaft* umschrieben werden: »Ich liebe die Unwissenheit um die Zukunft.« Er verleiht der Angst politische Tragweite. Doch diese Geschichtlichkeit der Angst ist nicht fortschrittlich, sondern revolutionär – im Gegensatz zu einem

»leidenschaftlichen, unvorhersehbaren, äußerst ansteckenden Charakter religiöser Bewegungen« annimmt, »die die Völker bereits erschüttert und ihnen den universellen Wert der Existenz offenbart haben«. »Aus der äußersten Ohnmacht der heutigen Menschen kann morgen nur noch eine MACHT hervorgehen, die die Lösung eines höhnischen uralten Schicksals ist – oder das höchste Unglück.« (I, 432) Jene »reale Bewegung« definiert Bataille in dem Text *Vers la révolution réelle (Von der revolutionären Phraseologie zum Realismus)* genauer als *organische* (Kampf)*Bewegung.* Zugeschnitten auf die Bekämpfung bürgerlicher Demokratien, soll sie an die Stelle von Putsch oder Aufstand treten, also Mitteln, die nur bei Autokratien angebracht und wirksam waren. Im Gegensatz zu Parteien würden organische Bewegungen nicht direkt aus definierten Klasseninteressen heraus geboren, sondern aus dramatischen historischen Situationen**. (Cf. I, 422) Bataille setzt dem diskriminierenden, weil hoffnungslosen Begriff der Klasse den der Masse entgegen. Der Mensch soll nicht mehr länger gemäß seiner Funktion im sozialen Produktionsprozeß kategorisiert werden. Die Beseitigung der Klassenhierarchie – der Hegelschen Gleichsetzung von Existenz und Arbeit – führt den gesellschaftlichen Widerspruch in den Bereich der Reproduktion (Sexualität z. B.) und der unproduktiven Verausgabung der Subjekte ein. »Es geht nicht mehr darum, die Ausgebeuteten als Ausgebeutete zu vereinigen, die mit dem Bewußtsein ihrer – sogar gegenwärtigen – Minderwertigkeit leben, sondern als Ausgebeutete, die die Machtausübung beanspruchen und zu beanspruchen verstehen, mit einem Wort: die sich von Anfang an als Herren verhalten.« (I, 423) Eine antifaschistische »organische Bewegung« – und Bataille konzediert der Volksfront wesentliche ihrer Eigenschaften – könne im gegenwärtigen Frankreich nur von dem Wunsch belebt werden, die Menschen von zwei Systemen blinder

---

geometrischen Zukunftsbegriff à la Hegel oder Marx, der sich, wissenschaftlich abgesichert, der Zukunft im voraus versichern und Risiken ausschließen will. Der Reproduktion des Gegenwärtigen feind, die schließlich die Zeit anhalten würde, verspricht die heterogene revolutionäre Bewegung, die Zukunft aus dem Gefängnis der Wissenschaft zu befreien (cf. Hollier 1974a, 105).
** Cf. Batailles-Faschismus-Definitionen von 1933: »Konstitution einer totalen heterogenen Machtstruktur, (. . .) die ihren manifesten Ursprung in einer aktuellen *Massenerregung* findet. (. . .) Die spezifische Differenz zwischen Sozialismus und Faschismus liegt in der faschistischen *Aufhebung der Klassen* zugunsten der Volksgemeinschaft.« (PSF, 33, 35) Bataille wendet sich an die nicht-organisierten Arbeiter, die nichts repräsentieren, an jene heterogenen Elemente, die von dem gegebenen ökonomischen System weder assimiliert noch befriedigt werden können. Vom Befreiungskampf dieser heterogenen Menge verspricht er sich die Desintegration sämtlicher Strukturen, die die Homogenität des sozialen Gebäudes gewährleisten.

Kräfte zu befreien: von Krieg und Ausbeutung (cf. I, 425). Dabei schwebt Bataille eine mehrere Jahre währende Offensive (Gegenangriff) wider das etablierte parlamentarische System vor, eine permanente Aggression, die die Kapitalisten in ihren Banken zum Zittern bringe.

Die Zuhörerschaft der Veranstaltungen von ›Contre-Attaque‹ sei, so Dubief (1970, 53), oft zahlreich und unruhig gewesen, jedoch selten widerspruchsbereit – abgesehen von den auf persönliche Feindschaften zurückführbaren Interventionen (Bernier, Michel Collinet, Van den Broeck). »Zu diesem Zeitpunkt mischen sich unter reine Anarchismus- und Trotzkismus-Sympathisanten Sozialisten und Gewerkschaftler, die dann eine Art ›Morast‹ zwischen Bataille und Breton bilden und, einschließlich einiger deutscher Emigranten, zur Verwirrung und zur Zweideutigkeit beitragen werden. Die Gegenwart dieser unterschiedlichen Elemente hat notwendigerweise Einfluß auf die Wahl des Vokabulars, das zwischen Übertreibung und nachträglichen Verbesserungen laviert. (...) Die bei Bataille so häufigen Ausdrücke ›Entsetzen‹, ›höchstes Unglück‹, ›Tränen lachen‹ – wenn sich auch in ihnen seine eigenen Gefühlszustände berühren – haben sich seinem Vokabular angesichts einer Zuhörerschaft aufgedrängt, die der Feindseligkeit verdächtig oder zweifelhaft war. Die Ausdrücke ›Verhöhnung‹ – ›höhnisch‹ im Zusammenhang mit dem Wirksamen oder dem Unwirksamen, charakterisieren am besten seine Konfrontation mit den Surrealisten ...« (Klossowski 1970, 104) Zu jenen deutschen Emigranten im Auditorium gehört Walter Benjamin (1892–1940). Er dürfte nicht zuletzt durch Pierre Klossowski auf ›Contre-Attaque‹ aufmerksam geworden sein, der seit Herbst *Das Kunstwerk im Zeitalter seiner technischen Reproduzierbarkeit* für die *Zeitschrift für Sozialforschung* ins Französische übersetzt. »Obwohl Bataille und ich damals mit ihm [Benjamin] auf allen Gebieten im Widerspruch standen, hörten wir ihm begeistert zu. Es gab in diesem Marx-Adepten oder vielmehr: maßlosen Kritizisten einen Visionär, der über den ganzen Vorstellungsreichtum Jesajas verfügte. Er lebte gespalten zwischen den Problemen, die allein die geschichtliche Notwendigkeit lösen würde und den Vorstellungen der okkulten Welt, die sich oft als einzige Lösung aufdrängten. Aber *das* schien ihm die gefährlichste Versuchung zu sein. Jedoch dank ihrer war Benjamin ein zutiefst poetischer Charakter, aber weil er noch tiefer moralisch war, schob er sie lieber auf, als sie zu verwerfen. Er erwartete die totale Befreiung vom Machtantritt des verallgemeinerten Spiels im Sinne Fouriers, den er grenzenlos bewunderte. (...) Er besaß ein kolossales Wissen von allen esoterischen Strömungen, und die ent-

legensten geheimen Doktrinen schienen durch ihn zu einer hand-
werklichen Geheimlehre zu führen, deren Arkana er uns jeden
Augenblick erklärte.« (Klossowski 1952, 456–457)

Ein Interview André Bretons: *Le surréalisme en liberté* (Der freie
Surrealismus), das im *Figaro* vom 21. Dezember erscheint, ver-
schärft die prästabilierte Disharmonie zwischen den beiden Haupt-
fraktionen ›Contre-Attaques‹ (der Dissens zwischen Breton und
Bernier, Éluard und Péret, nicht zu vergessen Batailles abfällige
Äußerungen über Éluards und Bretons Dichtungen zwei Jahre
zuvor . . .). In diesem Interview karikiert ein obskurer ›Croix-de-
Feu‹-Journalist (Maurice Noël) den Kampfverband; er gibt zu ver-
stehen, ›Contre-Attaque‹ habe sich zum wesentlichen Ziel gesetzt,
André Gide Rechenschaftsberichte über die Unterdrückung der
Päderastie in der Sowjetunion abzuverlangen (dies ist als Fortset-
zung einer Hetzkampagne zu verstehen, die André Rousseaux sei-
nerzeit im *Figaro* gegen den Moskau-Sympathisanten Gide führte).
Breton unternimmt nichts gegen diese Darstellung*, was alle Nicht-
Surrealisten betrübt; das Ereignis sollte jedoch erst im Frühjahr
1936 zur Sprache kommen.

»Später wurden André Breton und vor allem Benjamin Péret sehr
aggressiv gegen Bataille, und dieser provozierte sie durch seine
ruhige und dickköpfige, fast ochsen- und eselhafte Art, ihre Meinung in keiner Weise zu berücksichtigen.« (Dubief 1970, 55) »Es ist
nicht vorstellbar, daß Breton, der die Texte Batailles, die vorher in
der *Critique sociale* erschienen waren, kannte, einen Augenblick
lang auf die Idee verfallen ist, ihn sich bei seinem eigenen Streben
aneignen zu können. Auf den ersten Blick geben sich beide vielleicht über das Trachten des anderen Täuschungen hin und glauben,
dasselbe Ziel zu verfolgen: Kontemplation und Aktion – revolutionär, weil kontemplativ – kontemplativ, weil revolutionär. Bei Breton versteht sich das kontemplative Experiment als ein gesellschaftlich, also rational gerechtfertigtes, indem es mit der aufständischen
Aktion von *außen* übereinstimmt – für Bataille ist die Kontemplation von sich aus Aufstand. Beim einen wie beim anderen rührt die
Inversion der Kontemplation in Aufstand und des Aufstands in
Kontemplation von geistigen Prozessen her, die zu unterschiedlich
sind, als daß sie sich mit ihnen dem aleatorischen Amalgam ihrer
jeweiligen Gruppen anvertrauen – aus Sorge, ihre wesentliche
Unverträglichkeit laut werden zu lassen.

---

* Breton wiederholt in keiner seiner späteren Textsammlungen dieses Interview,
ebenso wie er über ›Contre-Attaque‹ schweigen wird.

Nun, Bataille macht sich keine Gedanken um irgendeinen Zusammenhang seiner eigenen Vision mit der Arbeiterbewegung, und vor allem nicht um irgendeine Hörigkeit hinsichtlich der egalitären Traditionen. (. . .) Wie kann der Aufstand jemals eine ›unerbittliche Herrschaft‹ ausüben? Sie setzt einen Intensitätsgrad voraus, den eine anachronistische Rationalität nicht ertragen kann. (. . .) Die ›vollendete Tatsache‹ würde von einer Methode der Inkonsequenz herrühren, so wie sie hinsichtlich der Stellungnahmen üblich wurde, die stets vom Kontext der traditionellen Ideologien bestimmt waren – besonders vom Marxismus, der damals für Bataille zur organisierten Ohnmacht führte. Sollte sich eine Vereinigung nicht, damit ihre Tätigkeit wirksam wäre, die Inkonsequenz und die Unstetigkeit zur Regel machen? Im wesentlichen diktierte *das* heimlich das Verhalten Batailles und löste ein seltsames Unbehagen aus.« (Klossowski 1970, 105)

Von trotzkistischer Seite wird dieser Zug des Kampfverbandes als Irrationalismus angegriffen. In der *Que signifie Contre-Attaque?* überschriebenen Notiz, die in *Documents 35* (Nr. 6, November –Dezember 1935), dem Organ eines belgischen kulturrevolutionären Verbands erscheint, heißt es:

»Sofort werfen wir diesem Manifest vor, die brennendsten Fragen aufzuwerfen, jene, die gewöhnlich die revolutionären Intellektuellen entzweien, ohne sie direkt anzugehen.

Man gelangt so zu diesem für die Autoren paradoxen (wir meinen es wenigstens) Ergebnis, daß man – abgesehen von einer Note und einer Erklärung gegen die Volksfront –, betrachtet man ihre wesentlichen Beschlüsse, die gegenwärtige Taktik der Parteien, die sich auf den Marxismus berufen, rechtfertigen kann.« (Folgen Punkt 2 und 3 des Inauguralmanifestes von ›Contre-Attaque‹.)

Während weiterer Versammlungen ›Contre-Attaques‹ werden die Fragen *Anarchie oder Föderalismus* (Maurice Heine erörtert die Möglichkeit einer sozialen Revolution nach sowjetischem Vorbild, aber unter Ausschluß eines KPdSU-Äquivalents) und *Diktatur des Proletariats oder Diktatur des Volkes* diskutiert. Nach einer Spanienreise berichtet Michel Collinet über die austurischen Streiks und Aufstände. (Cf. Short, p. 157)

... ich war entschlossen, wenn nicht
eine Religion zu begründen, so doch
wenigstens in diese Richtung zu gehen.
Was die Religionsgeschichte mir enthüllt hatte, hatte mich allmählich begeistert. Außerdem schien es mir so,
daß die surrealistische Atmosphäre, in
der [in deren Umgebung] ich gelebt
hatte, mit dieser einzigartigen Möglichkeit geladen war. Und so verblüffend
eine solche Schrulle einem auch vorkommen mag, ich nahm sie ernst.

Bataille, *Préface du Coupable*, 1959/60

Am 5. JANUAR findet im Grenier des Grands-Augustins eine Pro-
testveranstaltung unter dem Motto *Das Vaterland und die Familie*
statt (Redner: Bataille, Breton, Heine, Péret). In der Vorankündigung heißt es:

»Ein Mensch, der das Vaterland gelten läßt, ein Mensch, der für die Familie
kämpft, ist ein Mensch, der Verrat begeht. Er verrät, wofür wir leben und
kämpfen.

Das Vaterland steht zwischen dem Menschen und den Schätzen des
Bodens. Es fordert, daß die Erträge des menschlichen Schweißes in Kano-
nen verwandelt werden. Es läßt ein menschliches Wesen zum Verräter an
seinesgleichen werden.

Die Familie ist die Grundlage des sozialen Zwanges. Fehlende Brüderlichkeit zwischen Vater und Sohn ist für alle gesellschaftlichen Beziehungen, die auf Autorität und auf Verachtung der Arbeitgeber für ihre Mitmenschen beruhen, beispielhaft geworden.

VATER, VATERLAND, ARBEITGEBER – diese Trilogie dient der alten patriar-
chalischen Gesellschaft und heute der faschistischen Schweinerei als Grundlage.

Die von der Angst verstörten Menschen, einem Elend und einer Ausrottung preisgegeben, deren Ursachen sie nicht durchschauen, werden sich
eines Tages wütend erheben. Sie werden die alte patriarchalische Trilogie
endgültig zugrunderichten: sie werden die *brüderliche* Gesellschaft der
Arbeitskollegen gründen, die Gesellschaft der menschlichen Macht und
Solidarität.« (O.C.I, 393)

Auf einer der kommenden Versammlungen will man sich zum Thema Religion äußern, der engen Verflochtenheit mit Vaterland und Familie wegen.

Am 10. Januar wird das gemeinsame Programm der Volksfront, die aus Radikalsozialisten, Kommunisten und Sozialisten besteht, veröffentlicht (es sieht vor: antifaschistische Verteidigung, Auflösung der Ligen, Verteidigung der Freiheiten, sittliche Hebung der Presse, Verstaatlichung der Rüstungsindustrie, Reform der Banque de France).

Das Exekutiv-Büro des Kampfverbands tritt am 18. Januar zusammen; man formuliert u. a. die Direktive, daß Zuhörer der öffentlichen Versammlungen besser gruppenweise den Heimweg antreten, um sich vor faschistischen Überfällen zu schützen (cf. Short, p. 157).

Ein abgeschnittener Kalbskopf auf rotem Hintergrund, gezeichnet von Marcel Jean, lädt zu der öffentlichen Versammlung von ›Contre-Attaque‹ am 21. Januar im Grenier des Grands-Augustins ein. Gegenstand der Versammlung sind die »200 Familien« (d. h. die Großaktionäre der Banque de France), »die von der Volksjustiz abhängen« (I, 394). Bataille, Breton und Heine ergreifen das Wort. Barrault erinnert sich: »So fand dort . . . anläßlich der Enthauptung Ludwigs XVI. ein merkwürdiges Zeremoniell mit viel schwarzem Humor statt. Humor? Es war ein Ernst, der sich selbst nicht ernst nimmt, um nicht allzu ernst zu werden.« (p. 106) Mit drei Freunden plante Bataille im selben Jahr, am Fuße des Obelisken auf der Place de la Concorde (der einstigen Place de la Révolution, der Hinrichtungsstätte von 1793) das eigene Blut zu vergießen; eine Pressemitteilung, mit Marquis de Sade unterzeichnet, sollte neugierige Journalisten zu einem Ort führen, wo man ein Paket mit einem präparierten Totenkopf versteckt hätte: in dem Paket sollte sich die schriftliche Erklärung befinden, daß man den echten Schädel Ludwigs XVI. wiedergefunden habe (cf. V, 503). Eine obsessionelle Idee, die Georges Bataille noch zu Zeiten von ›Acéphale‹ und des ›Collège de Sociologie‹ verfolgt: jeweils am 21. Januar wollte er, daß man an der historischen Stätte der Hinrichtung Ludwigs XVI. gedenke.

Am 13. Februar kreuzt das Auto Léon Blums unglücklicherweise den Leichenzug des ›Action française‹-Mitglieds Jacques Bainville. Das Auto wird eingekreist und der Sozialistenführer entkommt – schwer verletzt – nur mit knapper Not der Lynchjustiz. An der riesigen Protestkundgebung vom 16. FEBRUAR, die sich vom Panthéon bis zur Bastille erstreckt, beteiligt sich ›Contre-Attaque‹, das

Flugblatt – aus der Feder Pérets – *Genossen, die Faschisten lynchen Léon Blum* . . . (I, 394) verteilend. Man führt darin das Attentat auf Blums Drohung zurück, das Quartier Latin durch 15000 Proletarier von Faschisten säubern zu lassen. »Fünfhunderttausend Arbeiter haben, herausgefordert von gemeinen Kakerlaken, die Straße überschwemmt und eine ungeheure Entrüstung zu verstehen gegeben.

Genossen, wem kommt es zu, sein Gesetz aufzuzwingen?

Dieser ALLMÄCHTIGEN Menge, diesem MENSCHENMEER . . .

Einzig dieses Meer aufständischer Menschen wird eine Welt von dem Alptraum der Ohnmacht und des Blutbads erlösen, in der sie untergeht!« (I, 412) wird Bataille in Erinnerung an diese Demonstration schreiben. Maurras' neoroyalistische *Action française* vom 17. Februar reproduziert das ›Contre-Attaque‹-Flugblatt unter der Überschrift *Sie gestehen, daß sie die Studenten niedermetzeln wollten* und dem Kommentar: »Während des Maskenzugs der Volksfront vom vorigen Sonntag haben die sozialistischen und kommunistischen paramilitärischen Gruppen das folgende Flugblatt verteilt, das wirklich ein Geständnis ist.«

Ligen wie die ›Action française‹ waren zwar mit Gesetz vom 10. Januar 1936 verboten, was aber ihre *leader* nicht an der verbalen Agitation hindert. Das veranlaßt Bataille zur Formulierung eines *Kampfaufrufs*, der nahezu einhellig von den Mitgliedern ›Contre-Attaques‹ gebilligt wird. Das Flugblatt *Appel à l'action*, auf gelbem Konzeptpapier gedruckt, ist in sehr volkstümlichem Stil verfaßt, an Genossen und Arbeiter adressiert. Bataille ruft zum Umsturz der etablierten Ordnung auf, da die Parteien – selbst die sogenannten revolutionären – sich konservativ und defensiv verhielten, eingeschüchtert von dem Reaktionär de la Rocque (»ein Arschloch«), der in seinen Augen einzigen *tätigen* außerparlamentarischen Kraft, der die ganze Sympathie all derer zufallen könnte, die einen »starken Mann« erwarten. Nur die nahende Revolution sei imstande, Frieden und Überfluß zu erstreiten. Damit Frankreich nicht dem Beispiel Deutschlands und Italiens folgen möge, ergeht an die Arbeiterschaft der Appell, sich zu organisieren. »Genossen, ihr antwortet auf das Gebell der Wachhunde des Kapitalismus mit der brutalen Parole

GEGEN-ANGRIFF!« (I, 397)

Aus den ideologischen Debatten, der polemischen Auseinandersetzung, der agitatorischen Redeweise fällt eine Arbeit Batailles heraus, die ebenfalls im Februar entsteht: *Das Labyrinth* (I, 433–441), mit dem Zusatz »oder Die Zusammensetzung der Wesen« modifi-

Pierre Klossowski

Protestierende Arbeiter (Szene aus
Jean Renoirs Film *La Vie est à nous*,
1936)

Marcel Moré

Obelisk von Luxor, Paris, Place de la Concorde, Foto: Man Ray

Rechts: Zeitgenössische Darstellung der Hinrichtung Ludwigs XVI. (1793)

André Masson, Bataille als Toter, Zeichnung, ca. 1936

ziert und erweitert wiederaufgenommen in der *Expérience inté-*
rieure. Der sehr dichte Text reflektiert kaum Batailles aktuelles
politisches Engagement – es sei denn sein Ungenügen daran –, sondern kündigt ein ganz anderes Streben an: sich der Eroberung eines
unerreichbaren Gutes, eines Grals, eines Spiegels zu widmen, in
welchem sich die erfahrenen Taumel reflektieren würden. Sechs
Jahre später wird Bataille im Zwischentext erklären:»Meine Suche
hatte zuerst ein zweifaches Ziel: das Heilige, dann die Ekstase. Ich
schrieb das Folgende als eine Einleitung zu dieser Suche und betrieb
sie wirklich erst später. Ich bestehe auf dem Punkt, daß ein Gefühl
unerträglicher Nichtigkeit der Grund von alledem ist (so wie die
Demut der Grund der christlichen Erfahrung ist).« (V, 97) Der
Autor des *Labyrinths* kreist sein Sujet durchaus didaktisch und wissenschaftlich ein, demonstriert seine Thesen anhand von Beispielen
aus der Atomphysik, der Mikrobiologie, der Zoologie, während auf
die philosophischen Intentionen das Hegel-Zitat, das dem Essay als
Motto vorangestellt ist, sowie terminologische Anleihen bei diesem
verweisen; ein professioneller, mit Bataille befreundeter Philosoph
– Kojève, Landsberg? – sollte, bei aller Wertschätzung der Arbeit,
Batailles Aussagen als närrisch bezeichnen, wie der letztere nicht
ohne Stolz vermerkt (cf. VI, 415 f.). *Das Labyrinth* kann als Vorbote der Theorie der Kommunikation betrachtet werden, einer Philosophie des Heiligen (der Transgression, des Lachens), die Bataille
Hegels Philosophie der Arbeit und des Entwurfs entgegensetzt.

Daß die Menschen handeln (arbeiten, denken etc.), um zu sein,
enthüllt für ihn die »Unzulänglichkeit der Wesen«. Jede Tätigkeit,
behauptet er, sei es die des lohnabhängigen Arbeiters, sei es die des
Gelehrten auf der Suche nach dem Sein, beschneide gleichermaßen
das Subjekt um die Fülle des Lebens. »Das ›Sein‹ wächst in der
stürmischen Bewegung eines Lebens, das keine Grenzen kennt: es
verkümmert, es verschwindet, wenn derjenige, der gleichzeitig
›Sein‹ und Kenntnis ist, sich verstümmelt, indem er sich auf die
Kenntnis beschränkt.« (I, 434) Diese Abwertung des Gelehrtenda-
seins geht noch mit Hegels Phänomenologie konform.*

Batailles zweite Hypothese behauptet den »zusammengesetzten

---

* ». . . es gibt eine ganze Kategorie von Menschen, die nicht aktiv an der historischen Bautätigkeit teilnehmen und sich damit begnügen, in dem erbauten Gebäude
zu leben und davon zu *sprechen*. Diese Menschen, die gewissermaßen ›über den
Schlachten‹ leben und sich damit begnügen, von Dingen zu *sprechen*, die sie nicht
durch ihre *Tat* schaffen, sind die Intellektuellen, die *Ideologien* für Intellektuelle
produzieren und sie für Philosophie halten . . .« (Kojève 1975, 50)

Charakter der Wesen und die Unmöglichkeit, die Existenz in irgendeiner *Ipse* festzulegen« – »das Sein . . . findet sich NIR-GENDWO«.* Jedes Wesen trete als aus Teilchen zusammengesetztes Ganzes auf, wobei die relative Autonomie der Teilchen erhalten bleibe und das Ganze seine Bestandteile transzendiere. Der Autor exemplifiziert das, indem er z. B. Korallen-Kolonien mit höher organisierten Tieren und Menschen kontrastiert, die Gesellschaften aus Individuen bilden, deren Körper jedoch autonom bleiben. Geschlechtliche Fortpflanzung wäre die Prämisse für jegliche Individualität. Bataille wirft nun die Frage auf, ob *Ipseität*, Diskontinuität die letzte Erscheinungsform des Wesens sei oder einfach ein Irrtum (cf. I, 436). Auf diese Weise werden Einzeller, Elektronen etc. diesseits der *Ipseität* situiert, da jede Modifikation bekanntlich ihre Charakteristika verändert, weil sie nie Identität besessen haben; komplexe Wesen (wie der Mensch, den Bataille der Teilchentheorie subsumiert) werden gewissermaßen als jenseits der *Ipseität* befindlich situiert, da die Identität, die sie erreichen, einen Verlust ihrer *Ipseität* nach sich zieht. »Von einer höchsten Komplexität an zwingt das Wesen der Reflexion mehr als die Unsicherheit einer flüchtigen Erscheinung auf, doch diese Komplexität – die sich allmählich ver-

---

* Bataille setzt *être* und *existence* in Anführungsstriche, um sich von der metaphysischen Imprägnation der Begriffe zu distanzieren. So ist die *Einheit* das wesentliche Merkmal *eines Wesens* für Bataille, nämlich die Möglichkeit, es zu unterscheiden, zu benennen. Mangels *Ipseität* (Selbstheit, Selbstsein) sind dagegen Atome, Elektronen, Moleküle oder Einzeller ununterscheidbar; sie fallen dem unbestimmten Sein zu, nicht jedoch dem Nicht-Sein (cf. VI, 443).
  Auch hat Bataille den Ausdruck *Ipse* (Selbst) nicht von dem Heidegger-Übersetzer Corbin übernommen (cf. VIII, 666), wie Sartre behaupten sollte: »Was mich angeht, so habe ich *Ipseität* im Sinne des Wörterbuchs von Lalande [*Vocabulaire technique et critique de la Philosophie*, 1926] geschrieben, wegen einer Zweideutigkeit hinsichtlich der Individualität – der in jeder Hinsicht identischen Individualität; diese Fliege ist dennoch nicht jene.« (V, 474) Schließlich betrachtet er das *Ich* nicht als Fundament, sondern als ein Ergebnis: ausgehend von der Erfahrung der Prekarität des Seins im Ich-Selbst, von dem Bewußtsein der wenigen Glücksfälle, zu sein, das heißt ein bestimmtes Wesen zu sein und nicht irgendein anderes. Das Ich als ein Wesen, das nicht hätte sein können. – Ähnlich sieht dies Ernst Jünger: »Die Schrift über den Tod müßte vielleicht beginnen mit einem Kapitel, das das Zufällige unseres individuellen Lebens betont. Wir wären nicht, hätte unser Vater eine andere Frau, unsere Mutter einen anderen Mann geheiratet. Auch das Bestehen dieser Ehe angenommen, sind wir unter Millionen von Keimen ausgewählt. So sind wir flüchtige Kombinationen des Absoluten (. . .). Von hier aus wäre zu schließen, daß wir als Individuen unvollkommen sind und daß die Ewigkeit uns weder angemessen noch tragbar ist. Wir müssen uns vielmehr zum Absoluten zurückverwandeln, und diese Möglichkeit eben bietet uns der Tod.« (*Strahlungen I: Das erste Pariser Tagebuch*, in: *Sämtliche Werke*, Bd. 2, Tagebücher II, Stuttgart 1979, [14. 10. 42], p. 399 f.)

schiebt – wird ihrerseits das Labyrinth, in dem sich merkwürdigerweise das verirrt, was aufgetaucht war.«(I, 436) Was – im universellen Spiel –»aufgetaucht« war als unvorhergesehener Glücksfall und
Herausforderung: die *Ipse*, das diskontinuierliche Wesen. Das
Labyrinth: das von der Sprache errichtete, in dem die *Ipseität* bloß
auftaucht, um unterzugehen, indem sie sich als Mitsein, Beziehung
zu anderen, als vermittelt durch nichts als Worte konstituiert. »Die
Kenntnis menschlicher Wesen erscheint so wie ein unbeständiger
biologischer Konnexionsmodus, der aber ebenso real ist wie die
Konnexionen der Zellen in einem Gewebe. Der Austausch zwischen zwei menschlichen Teilchen besitzt in der Tat die Fähigkeit,
die augenblickliche Trennung zu überleben.«(I, 437) So wie Atom,
Elektron, Neutron etc. ein chemisches Element konstituieren,
würde die ›Kommunikation‹, selbst die profane, banale in Form des
›Kennens‹ von seinesgleichen, die menschliche Existenz als eine
zusammengesetzte ausweisen; ›Kommunikation‹, bei welcher die
Beteiligten temporär zu einem Ganzen würden. Dieses Ganze
kommt jedoch nur auf Kosten der *Ipseität* zustande: Sprechen ist
dann die Negation des Solipsismus, eine Art von Entselbstung.
Allein die Instabilität der via Sprache vermittelten Verbindung
(Überbrückung) erlaube die Illusion einer isolierten, diskontinu-
ierlichen, in sich selbst zurückgezogenen Existenz. Doch der Austausch – die profane Kommunikation – werde gerade durch die
Angst vor dem Autonom- und Isoliertsein in der Nacht initiiert.
Habe die *Ipse* – in ihrem Streben, eine Ganzheit, ein Universum zu
werden, einem gefräßigen Anthropozentrismus nachgebend – einmal einen Gipfel erreicht, stoße die Angst den Menschen ins Labyrinth der »Kenntnisse« zurück.* Jene Ambition, die das Subjekt
unweigerlich auf seine Insuffizienz zurückwerfe, verspottet Bataille
als Flucht, Furcht vor dem Menschsein. Positiv gewendet hieße dies:
das Prinzip der Insuffizienz – Heteronomität – der Wesen ist die
Mutter der Kommunikation (»der Mensch ist das, was ihm fehlt«);
oder, in Form einer reversiblen Gleichung ausgedrückt: Kommunikation = Sein = Opfer des Seins, der *Ipseität*. Ohne Kommunikation (Verausgabung) keine Autonomie.

Das Einzelwesen wird weiter als Teil der Welt der konsequenzlo-
sen Kenntnisse und des Geschwätzes dargestellt: peripheres, satelli-
tisches Element, kreist es um Kraftzentren, in welchen das Sein sich

---

* Cf. das Echo bei Laure in ihren ›erotischen Texten‹ aus 1936: ». . . ›wir sind auf
dem Gipfel des Berges‹, ›der Berg erdrückt uns‹.«»Ins Scheißhaus mit den Gipfeln . . .«(1980, 63, 65)

verdichtet – wie in den Städten (die ihrerseits durch die Metropolen ihrer hervorragendsten Elemente beraubt werden). »Von Stufe zu Stufe erhebt eine Bewegung der Zusammensetzung immer komplexerer Einheiten die menschliche Art bis zur Universalität, aber es scheint so, daß die Universalität auf dem Höhepunkt jede Existenz sprengt und sie gewaltsam zersetzt.« (I, 439) Die pyramidiale, hierarchische Struktur der Gesellschaft wird in dieser Perspektive selbst prekär (gleich dem labyrinthisch konstruierten Fundament mancher ägyptischer Pyramiden).

»Das Sein erlangt seinen blendenden Glanz in der tragischen Vernichtung. Das Lachen bekommt hinsichtlich des Seins seine ganze Tragweite nur in dem Augenblick, wo in dem Sturz, der das Lachen auslöst, zynisch eine Darstellung des Todes erkannt wird. Nicht bloß die Zusammensetzung der Bestandteile begründet die Weißglut des Seins, sondern seine Zersetzung in seiner tödlichen Gestalt. Die Bodensenkung, die das gemeinsame Lachen auslöst – die den *Mangel* eines absurden Lebens der Fülle des gelungenen Seins entgegensetzt –, kann durch jene ersetzt werden, die dem Gipfel der imperativen Erhebung den dunklen Abgrund entgegensetzt, der jede Existenz einsinken läßt. (. . .) Auf die kleinliche Schadenfreude über den Sündenbock verzichtend, wird das Sein selbst, als Gesamtheit der Existenzen an der Grenze der Nacht, krampfartig geschüttelt bei der Vorstellung des Bodens, der unter ihm nachgibt.« (I, 441)

Der cartesianische ›feste Boden‹, auf dem alles beruht, wird unter Batailles Kritik, besser: Lachen zu etwas Fragilem. Das fatale Los der *Ipse*, die nur sterbend das Ganze werden kann, die das hegelsche absolute Wissen nur durch ihre Selbstnegation erlangt, bringt Bataille zum Schluß seines Essays in das Bild des »Monstrums in der Nacht des Labyrinths« (Monstrum evoziert hier den Minotauros, das mythische Mischwesen aus Mann und Stier). Der Stier bei einer Corrida wird mit dem einsamen Menschen verglichen, der – zerrissen von seinem Willen, eine Ganzheit, Allheit zu sein – nicht mehr mit etwas Ebenbürtigem ringt, sondern mit dem Nichts. Im Gegensatz zum Monstrum, das ein Spielzeug des Nichts ist, das der Torero vor ihm öffnet, wird das Nichts ein Spielzeug dieses Menschen. Trunken von der Leere, die ihn tötet, erhellt er die Nacht des Labyrinths mit seinem maßlosen Gelächter – er lacht vor Sterben . . . »Das von Bruch zu Bruch vollendete ›Sein‹ ist, nachdem ein wachsender Ekel es der Leere des Himmels ausgeliefert hat, kein ›Sein‹ mehr, sondern Wunde und sogar ›Agonie‹ all dessen, was ist« (V, 95), hatte er im *Blau des Himmels* geschrieben.

»Alle Neigungen des Menschen in einem Punkt versammeln, alle Möglichkeiten, die er ist, zugleich deren Übereinstimmungen und deren heftige
Zusammenstöße ableiten, nicht mehr länger das Lachen heraushalten, das
die Verkettung (den Stoff), aus der der Mensch besteht, zerreißt, sich im
Gegenteil der Bedeutungslosigkeit gewiß sein, solange das Denken nicht
selbst dieses gründliche Zerreißen des Stoffes und sein Gegenstand – das
Sein selbst – der zerrissene Stoff ist (Nietzsche hatte gesagt: ›falsch heiße
uns jede Wahrheit, bei der es nicht ein Gelächter gab‹ – *Zarathustra, Von
alten und neuen Tafeln*) – darin beginnen meine Anstrengungen Hegels
Phänomenologie von vorne und vernichten sie. Hegels Konstruktion ist
eine Philosophie der Arbeit, des ›Vorhabens‹ *(projet)*. Der hegelsche
Mensch – höchstes Wesen und Gott – erfüllt, vollendet sich entsprechend
des Vorhabens. Die *Ipse*, die eine Ganzheit werden muß, scheitert nicht,
wird nicht komisch und unzulänglich, sondern das Besondere, der in den
Wegen der Arbeit verwickelte Knecht, gelangt nach vielen Windungen zum
Gipfel des Allgemeinen *(universel)*. Die einzige Klippe dieser Auffassung
(die übrigens von unerreichter, gewissermaßen unerreichbarer Tiefgründig-
keit ist) besteht in dem, was im Menschen nicht auf das Vorhaben zurückführbar ist: die nicht-diskursive Existenz, das Lachen, die Ekstase, die –
zuletzt – den Menschen mit der Negation, *die er* dennoch *ist*, verbinden –
der Mensch versinkt *schließlich* in einer *völligen* Auslöschung dessen, was
er ist und jeder menschlichen Affirmation. Das wäre der leichte Übergang
von der Philosophie der Arbeit – der Hegelschen und profanen – zur heiligen, welche die ›Marter‹ zum Ausdruck bringt, die aber eine Philosophie
der Kommunikation, die zugänglicher ist, voraussetzt.« (1942: V, 96)

So skizziert Bataille seine erst später verwirklichte Intention in
einem Text, den er der erweiterten Fassung des *Labyrinths* voran-
stellt (der Kommentar erfüllt, was der Text selbst nicht geleistet). –
Den Begriff Kommunikation mag er Karl Jaspers (*Philosophie* II,
1932; *Vernunft und Existenz*, 1935) entlehnt haben, nicht jedoch die
dem Deutschen eigene Dialektik von Selbstsein und Hingabe, Einssein und Zweiheit, die dieser damit verbindet. Begreift Jaspers
Kommunikation als Austausch und identitätsstiftenden Prozeß, so
bedeutet sie bei Bataille Verausgabung, Exzeß, Souveränität, Kontinuität, Verlust, Scheitern, Untergang, Vernichtung, Wollust. In
der Urfassung des *Labyrinths* geht Bataille hauptsächlich auf die
profane ›Kommunikation‹ ein, das heißt auf jenes verbale Band, das
ein Subjekt mit einem anderen verbindet: gestützt auf ihr Wissen
voneinander, meinen sie einander zu kennen, sind sich jedoch weiterhin so fremd wie Leben und Tod (cf. I, 437). Das Wissen und
sein Austausch erweisen sich als unzulänglich. Die Illusion der
Selbstzufriedenheit bzw. Seinsfülle, die einst die Eltern dem Kind
vermittelten, diese Erfahrung sucht die *Ipse* (das Ich, das Subjekt)
im Bewußtsein ihrer Unzulänglichkeit zu wiederholen, indem sie die

Aufgabe, die Ganzheit des Seins zu realisieren, an Gesamtheiten delegiert, die sich im Zentrum befinden – in der Regel eine Stadt, ein Gott-Souverän etc. Das Einzelwesen in seiner Verlassenheit existiert so als peripheres Element, das, während es um das Zentrum, um Seinsknoten kreist, lediglich an der totalen Existenz *partizipiert*. Doch dieses Verhältnis erweist sich als relativ und, dank des Lachens, als reversibel: das Lachen, das, von der Spitze der Pyramide (Gipfel der sozialen Hierarchie und der Seinsfülle) ausgehend, der aus Korpuskeln bestehenden Basis Seins-Fähigkeit bzw. -Würdigkeit abspricht, kann zum Bumerang werden, wenn der Souverän Schwäche zeigt und beispielsweise stürzend seine eigene Unzulänglichkeit offenbart. Dem Lachen, das im Sturz der Autorität deren Tod antizipiert, hält keine Pyramide (Symbol der Unvergänglichkeit, Denkmal der Macht und des Todes) stand: je größer sie ist, desto tiefer wird der Sturz von ihrer Spitze herab sein. – Bataille konzediert der abhängigen *Ipse* nicht nur die Fähigkeit, alles in Frage zu stellen; sie will sich darüber hinaus des Objekts bemächtigen, um es zu besitzen, will das Ganze werden. Doch das Streben nach Universalität zerreißt sie, stürzt sie um so vehementer in die »leere Nacht« (cf. I, 440). Statt Universalität, Vollendung, Ganzheit und Autonomie zu erlangen, zersetzt sich dieses gefräßige Selbst unter Gelächter. Das Lachen durchbricht seine monadische Isolation. Es ist dieses widersprüchliche Gelächter, das, meist von Tränen der Verzückung begleitet, ein ›besiegt!‹, ich meine, das Bewußtsein der eigenen Größe und Nichtigkeit zum Ausdruck bringt, die Koinzidenz von Wollust und Schrecken, Freude und Trauer; ein triumphierendes Lachen, das jede Gewißheit in Zweifel zieht, das den Sprung vom Möglichen ins Unmögliche und vice versa verkündet (cf. V, 346). Ungewisse Zukunft und Auflösung der Identität sind Perspektiven, die sich dem Lachenden (da er dem Augenblick lebt, dem Ernst, dem Vorhaben abgeschworen hat) gleichwie dem Sterbenden eröffnen.

»Wenn das Denken sich denkt, lacht es über das Lachen, wenn es das Undenkbare denkt, stirbt es vor Lachen: Das All wird vom Lachen verneint.

(. . .) Das Lachen ist eine These der A-Theologie der Totalität, die Georges Bataille nicht schlafen läßt. Es ist eine These, die an sich nicht fundamental, sondern lächerlich ist. Sie ›begründet‹ nichts, weil sie unergründlich ist und alles in sie hinabfällt, ohne je den Grund zu berühren. Wer wird lachen bis zum Tod? fragt Bataille. Alle und niemand. Das antike rationale Rezept der Stoiker war ›Lache über den Tod!‹ Aber wenn wir lachend sterben: Lachen wir selbst oder lacht der Tod?« (Paz 1979, 62 f.)

Das Sein kann sich vollenden und die bedrohliche Größe der gebieterischen Ganzheit *(totalité)* erreichen, schreibt Bataille, aber um den Preis seines Untergangs, seines Versinkens in der alles umfassenden, alles absorbierenden Nacht, dem Grund des Unsinns. Wer sich auf die Nacht einläßt, »die helle Nacht des Nichts der Angst« (Heidegger), riskiert sich völlig, riskiert das Nichts, »das innere Nichts meines Ichs,/ das Nacht ist,/ Nichts,/ Irreflexion« (Artaud). Das Labyrinth der Kenntnisse (des Wissens, des Geschwätzes) und eine verstümmelte Existenz, oder die Nacht des Nichtwissens und die Ekstase, das Sichriskieren – diese Alternative zeigt Bataille auf.

Das sterbliche Ich, die um Universalität ringende *Ipse* isoliert sich entsprechend ihrer Erfolge; nichts Adäquates steht ihr dann mehr im Wege, um sich herum entdeckt sie das Nichts, die Leere, sich selbst als Herausforderung an diese Leere begreifend – gleich einem Stier* in der Arena. Bataille zufolge kann dieses Subjekt sich jedoch nur *verlieren* und muß erkennen, daß der Wille zum Wissen Unsinn ist. Solange das Selbst sich erhalten und wissen will, währt die Angst; gibt es sich aber auf und dem Nichtwissen hin, das heißt: *kommuniziert* es, gleitet es ins Seinsvergessen, beginnen die Verzückung und die Freude: die Grenzen des Wissens (seine Unvollkommenheit) und der Existenz (ihre Endlichkeit) werden ekstatisch affirmiert. Nichts versichert den so erschlossenen neuen Daseins-Sinn dagegen, nicht seinerseits dem Nonsens anheimzufallen: wieder der Angst und der Nacht ausgesetzt, öffnet sich das Subjekt abermals der Kommunikation. (Cf. V, 67 f.) Der Kommunikation (dem Außersichsein, der Überschreitung der Partikularität, dem Verlust seiner selbst bis zum Tod, etc.), das heißt der Grundlage des Daseins, der nicht-diskursiven Existenz. Der Welt der Arbeit, der Vollendung des Seins und des Entwurfs, in der Angst und Tod verdrängt, das Gelächter vernachlässigt werden, setzt Bataille den Exzeß, das Sein ohne Aufschub entgegen; der Transzendenz der theologisch-dialektischen Systeme die vorbehaltlos angenommene Immanenz; die Ekstase, den Untergang, das Scheitern der *Ipse*. Die

---

* Vermutlich hat Bataille die Stier-Metapher von P. L. Landsbergs »Essai sur l'Expérience de la Mort« übernommen, der französisch 1935 in *Esprit* erschienen war (dt.: *Die Erfahrung des Todes,* Frankfurt a. M. 1973). Bei Landsberg symbolisiert der Kampfstier das als Tragödie verstandene Leben des Atheisten. Bataille wird das Monstrum mit dem seinem Kopf entsprungenen Acéphale assoziieren: »Es ist kein Mensch. Es ist auch kein Gott. (. . .) sein Bauch ist das Labyrinth, in dem es sich verwirrt hat, in dem es mich mit sich verwirrt und in dem ich mich wiederfinde als es, das heißt als Monstrum.« (I, 445)

Wahrheit der *Ipse* sei ihr Untergang. Was ist, muß vergehen und ist nur, insofern es vergeht, sich verschwendet . . .

Ende Februar oder Anfang MÄRZ erweitert Bataille seinen Vortrag *Volksfront auf der Straße* für die Druckfassung um die Texte *Vers la révolution réelle* und *Notes additionelles sur la guerre.*

Die verbalen Drohungen des radikalsozialistischen Ministerpräsidenten Sarraut nach der militärischen Besetzung des Rheinlands durch deutsche Truppen am 7. MÄRZ fordern ›Contre-Attaque‹ zu einer Replik heraus. Jean Dautry wird beauftragt, das Flugblatt *Unter dem Feuer der französischen Geschütze* zu redigieren; aus Zeitmangel geht es ohne die Kenntnisnahme Bretons in Druck, der bei dessen Reedition einige Modifikationen durchsetzt, so die Änderung des Titels in *Unter dem Feuer der französischen und alliierten Geschütze.* In dem Flugblatt wird die Parole einer stalinistischen Schrift – »Hitler gegen die Welt – die Welt gegen Hitler« – zum Anlaß der Polemik gegen die Politik der Siegermächte genommen. Der Appell »Die Welt gegen Hitler« beinhalte die Aufgabe der revolutionären Position, da er die Welt aus der Perspektive des Nationalsozialismus bewerte, anstatt sie *abzuwerten.*

»*W i r sind für eine völlig vereinte Welt –* ohne etwas mit der gegenwärtigen polizeilichen Koalition gegen einen Staatsfeind Nr. 1 gemein zu haben. Wir sind gegen die Papierfetzen, gegen die Sklavenprosa der Kanzleien. Wir meinen, daß die Texte, die am grünen Tisch verfaßt werden, die Menschen nur mit Widerwillen verbinden. Wir ziehen ihnen *auf jeden Fall* die antidiplomatische Brutalität Hitlers vor, die tatsächlich friedlicher ist als die geschwätzige Erregung der Diplomaten und Politiker.« (I, 398)

Es folgen die Signaturen von zwanzig repräsentativen Mitgliedern ›Contre-Attaques‹ (in der zweiten Auflage des Flugblatts findet man, stellvertretend für die Gruppe, fünfundzwanzig Unterschriften).

Da Sarrauts »kriegerische Botschaft« (die Weigerung, Straßburg dem deutschen Geschützfeuer auszusetzen) die Billigung der Kommunisten findet, redigiert Bataille, in Kollaboration mit Jean Bernier und Lucie Colliard, im März ein weiteres Pamphlet: *An die, die den Krieg für Recht und Freiheit nicht vergessen haben. – Arbeiter, ihr seid verraten!* (I, 399–401) Das Flugblatt warnt sowohl vor den antifaschistischen Kreuzzüglern als auch vor den Nationalisten Deutschlands, Rußlands und Frankreichs als Bellizisten. Die Kommunisten werden als Verteidiger des in Versailles festgelegten *status quo* denunziert, die Versailler Verträge als Geburtshelfer Hitler-

Deutschlands erkannt. Den Verrätern der Menschengemeinschaft (Sarraut, Hitler, Thorez, Stalin, La Rocque), die sich auf den Krieg vorbereiteten, wird die Nachfolge aufgekündigt. »Wir werden den Kampf, der uns dem allgemeinen Tumult entgegensetzt, bis zur Grenze unserer Kräfte führen. Doch wie auch immer das Ergebnis ausfallen mag, glücklich oder, für eine Zeit, beklagenswert: wir werden angesichts der Verdummung der Nationalisten aller Länder, aller Parteien die Integrität eines für die Panik unzugänglichen Willens aufrechterhalten.« (I, 400 f.) Dem Text ist die Aufforderung angefügt, das Flugblatt unterschrieben an Batailles Adresse zu retournieren – die neuen Unterschriften würden bei einer Neuauflage abgedruckt. – Sicherlich ging die Flugschrift ohne Bretons Plazet in Druck, obwohl sie mit seinem und vierzehn anderen Namen unterzeichnet ist; erstmals auch wird ›Contre-Attaque‹ nicht erwähnt.

Die Erklärung *Travailleurs, vous êtes trahis!* ist unterdessen für Bataille nur Ausgangspunkt für eine neue, von ›Contre-Attaque‹ unabhängige Aktivität. Das belegt der dem Flugblatt beigefügte, vervielfältigte Subskriptionszettel (cf. I, 672), der um Mitglieder und Förderer einer nicht näher definierten Bewegung wirbt, und zwar im Namen eines »Komitees gegen die Heilige Union« (provisorisches Büro: Georges Bataille, Jean Bernier, Lucie Colliard, Jean Dautry, Gaston Ferdière, Georges Michon) – in Anspielung auf die »Union de la nation française«, den neuesten Slogan der Kommunisten. Über die ephemere Unterfraktion schreibt Gaston Ferdière:

»Ich stellte ihn [Bataille] Lucie Colliard vor, und er kam pünktlich zu unseren Verabredungen in einem Café nahe des Rathaus-Basars. Gemeinsam wollten wir den Text einer Erklärung gegen den Krieg schreiben. Als man erst einmal an der Arbeit war, konnte man wirklich nicht sagen, daß Georges Bataille sich rasch begeisterte. Er schrieb tatsächlich sehr langsam, indem er ein Wort am anderen prüfte, die Worte sozusagen abwog und die Dichte in der Genauigkeit suchte. Er schien mir im Paris dieser Monate ziemlich isoliert zu sein, und nie hörte ich ihn von seinem Privatleben sprechen.« (1978, 138)

Dieser Versuch, eine André Breton ebenbürtige Handlungsfreiheit zu demonstrieren, führt die Auflösung des Verbands ›Contre-Attaque‹ herbei. Bataille wird seines Alleingangs wegen von der surrealistischen Gruppe hart angegriffen, was zu einer heftigen Szene führt, als man dieser Bretons *Figaro*-Interview aus dem Vorjahr entgegenhält.

Das Ende der prekären Koalition scheint in der Retrospektive gleichsam vorherbestimmt gewesen zu sein: ›Contre-Attaque‹ lebte von den Ideen Batailles; in der Analyse politischer Situationen versierter als Breton, war sein ehemaliger Gegner auf die pure Kritik der Konstruktionen eines anderen verwiesen – was dessen Aggressivität schüren mußte. Dagegen genoß André Breton als Schriftsteller ein größeres Ansehen als Bataille (der erst 1943, mit der Veröffentlichung der *Éxpérience intérieure* eine nennenswerte Öffentlichkeit erreichen sollte), und die surrealistische Bewegung besaß unbestreitbar für die noch nicht Dreißigjährigen eine gewisse Anziehungskraft. ›Batailles Gruppe‹ war nicht nur kleiner und jünger (alle um 1910 geboren) als die Bretons: sie kamen aus sozialistischen oder kommunistischen Jugendverbänden, waren einschlägig belesen, konservativer und disziplinierter als die surrealistischen Künstler und Literaten – das waren folglich Akademiker, künftige Beamte oder Lehrer. Von daher erscheint Batailles Position als die schwächere; einzig eine Unterstützung außerhalb seiner Gruppe hätte, mutmaßt Dubief, das Gleichgewicht der Kräfte wiederherstellen können, eine Unterstützung, die er, nach der Abweisung Roger Caillois', nicht finden sollte. Pierre Klossowski, dem die Polemik widerstrebte, verhielt sich äußerst reserviert, allein Maurice Heine hätte – als ältestes Mitglied, dazu renommiert als streitbarer Kommunist und Sade-Forscher – den Bruch aufhalten können; aber Heine war herzkrank, lebte in der Umgebung der Metropole und war sich der Schwierigkeiten, die Lager miteinander zu versöhnen, wahrscheinlich bewußt.»Während einiger Zeit schien sich mir in der Person Maurice Heines ein vermittelndes Element zwischen Breton und Bataille zu zeigen. Er verfehlte es nicht, uns durch sein sonderbares Äußeres eines ›Baron Saturn‹*, seine unerschütterliche Liebenswürdigkeit, wobei er selbst den reinen Anarchismus von *Der Einzige und sein Eigentum* verkörperte, buchstäblich zu bezaubern; aber auch und vor allem durch seine Art und Weise, die Physiognomie Sades wachzurufen, ja sogar fühlbar zu machen, wie es einzig ein Intimus des Marquis hätte tun können. ›Das ist einer der Toten, die ich am meisten fürchte‹ – sagte mir Breton. Maurice Heine vermittelt, sobald er seine Stimme hören läßt, den dämmerigen Eindruck eines Jenseits, das nach reiflicher Überlegung spricht. Absolut pessimistisch, jeder Zornesäußerung fremd, in mehr als einem Punkt zu Bataille hinneigend, unterläßt er es währenddessen, bei der letzten Sitzung im Rathaus-Café an der Place Saint-Sulpice, die den Bruch und die Auflösung vorbereitet, zu intervenieren.« (Klossowski 1970, 106)

---

* Protagonist aus Villiers de l'Isle-Adams Erzählung *Le Convive des dernières fêtes (Contes Cruels)*. (B. M.)

Die letzte Versammlung ›Contre-Attaques‹ folgt knapp auf den Eklat apropos des von Bataille initiierten ›Komitees gegen die Heilige Union‹, »die Surrealisten kritisieren dabei den *Überfaschismus* der ehemaligen Souvarineaner« (Dubief 1970, 55). Jean Dautry habe den mißverständlichen Ausdruck »Überfaschismus« aufgebracht, der, so Dubief, für überwundenen Faschismus stehen sollte, im Sinne Dautrys aber auch als Huldigung an den Faschismus gemeint war – was Breton und seine Anhänger provozieren mußte.
»Während die Surrealisten, besessen von ihren Streitigkeiten mit den kommunistischen Intellektuellen, sich dem Faschismus gegenüber in einem Verteidigungszustand hielten, der aus Contre-Attaque einen verfehlten Prototyp des Wachsamkeits-Komitees nach seinem Bruch mit der KPF gemacht hätte, litten *wir* vor allem unter der Angst vor dem Faschismus. Überzeugt von seiner wesentlichen Perversität, stellte Bataille dessen Überlegenheit im politischen und geschichtlichen Lauf gegenüber einer verwirrten Arbeiterbewegung und einer korrumpierten liberalen Demokratie fest. Es ging also weniger darum, sich zurückgezogen gegen den Faschismus zu verteidigen, als ihn durch die Mobilisierung der Volksmassen zu überwinden, die der Einkreisung durch die verkalkten Arbeiterverbände ausgeliefert waren. (. . .) Von der Angst vor dem Faschismus gibt es einen unvermeidbaren Übergang zum faschistischen Taumel. In diesem Augenblick gab es Reflexe des faschistischen Experiments bei Georges Bataille und seinen Freunden.«[*] (Dubief 1970, 56–57)
Dubief schildert den Bruch im Café de la Mairie als unspektakuläre Trennung: »Wider alle Erwartung, denn die Heldenlegende der Freunde Bretons ließ uns einen Bruch mit Stuhlbeinhieben befürchten, geschah das eher ruhig. Doch man war erleichtert, als André Bréton nüchtern feststellte, daß man sich trennen müsse. Die Auflösung ging von ihm aus, so wie wir es provoziert hatten, was es uns erlaubte, die Kasse zu behalten, um den Drucker zu bezahlen, und das war legitim, da wir die einzigen waren, die ihre Mitgliedsbei-

---

[*] Artaud war von Batailles profaschistischer Haltung offenbar überzeugt. Während seines antimarxistischen Vortrags *Surrealismus und Revolution* an der Universität Mexiko (Februar 1936), hatte er jenes Statement ›Contre-Attaques‹ verlesen, das die Protestversammlung wider Vaterland und Familie ankündigte. »Bei Einbruch der Nacht (. . .) stolperte ich über ihn [Artaud] an der Ecke der Rue Madame und der Rue de Vaugirard: er drückte mir energisch die Hand. Das war zu jener Zeit, in der ich mich um eine politische Aktivität bemühte. Er schleuderte mir unverblümt entgegen: ›Ich habe gewußt, daß Sie feine Sachen unternommen hatten. Glauben Sie mir, wir müssen einen mexikanischen Faschismus einführen!‹ Er ging weiter, ohne zu insistieren.« (VIII, 180)

träge entrichteten.« (Dubief 1970, 55) Gegen diese Darstellung sprechen sich Jean Dautry und Pierre Klossowski aus.* »Bataille wird Konkurs anmelden. Seine Gruppe beschränkt sich auf etwa zehn Personen gegen die etwa hundert Leute Bretons, die, macht mich Bataille aufmerksam, ›mit großem Kraftaufwand vom Montmartre heruntergeholt wurden‹. Er beginnt mit matter Stimme zu lesen, und als er gerade einen Satz mit ›Ich bereue . . .‹ oder: ›Ich habe ein paar Gewissensbisse‹ einführen will – schneidet ihm Breton, mit der Faust auf den Tisch schlagend, das Wort ab: ›Reue, Gewissensbisse? Das ist doch christlich! Auf einen solchen Spannungsabfall war ich nicht gefaßt!‹« (Klossowski 1970, 106) Rückblickend erklärt Bataille dazu:

»*Contre-Attaque* wurde Ende des Winters aufgelöst. (Die angebliche profaschistische Tendenz einiger Freunde Batailles, die Batailles selbst in einem geringeren Grad). Wenn man verstehen will, was – trotz der völlig entgegengesetzten Intention – an dieser paradoxen faschistischen Tendenz Wahres war, so muß man *Die rote Nelke* von Elio Vittorini und das merkwürdige Nachwort dieses Buches lesen. Es ist gewiß, daß die bürgerliche Welt, so wie sie ist, eine Provokation zur Gewalt darstellt und daß in dieser Welt die äußerlichen Formen der Gewalt faszinierend sind. (Wie dem auch sei, Bataille meint, zumindest seit *Contre-Attaque*, daß diese Faszination zum Schlimmsten führt).« (VII, 461)

Der Druck von rechts forciert die Konsolidierung der Volksfront. Im Hinblick auf die Allianz mit den nationalen Bourgeoisien macht die KPF Konzessionen, die an Selbstverleugnung grenzen. Doch es dürfte kein bloßer Zufall sein, daß ›Contre-Attaque‹ kurz vor dem Wahlsieg der Volksfrontparteien verschwindet.

Bereits am 4. APRIL legt Bataille seinen Freunden aus der Gruppe ›Contre-Attaque‹ ein Programm zur Bildung einer neuen Gemeinschaft vor: ›Acéphale‹. »*Contre-Attaque* aufgelöst, beschließt Bataille auf der Stelle, mit denjenigen seiner Freunde, die daran teilgenommen hatten, unter ihnen Georges Ambrosino, Pierre Klossowski, Patrick Waldberg, eine ›Geheimgesellschaft‹ zu bilden,

---

* Bretons gelassenes Verhalten wird auch anzweifelbar angesichts der folgenden Episode: während eines Vortrags von Bernier im Café Augé (Rue des Archives) über die ›Kampfmittel‹, verläßt Breton – die Tür zuknallend – den Raum, nachdem er erklärt hat, daß er von einem ehemaligen Mitarbeiter der Zeitschrift *Les Humbles* (Die einfachen Leute) zu diesem Thema keine Ratschläge annehme (cf. Short, p. 157). Bretons Ranküne äußert sich auch darin, daß er unter seinen Leuten Bataille als »Rose in der Jauchengrube« tituliert und ihn, da er ihn für einen Perversen hält, verdächtigt, der Absender eines Pakets mit Exkrementen zu sein, das er erhalten hat (cf. Short, p. 162).

die der Politik den Rücken zukehren und nur noch ein *religiöses* (aber antichristliches, im wesentlichen nietzschisches) Ziel ins Auge fassen würde. Diese Gesellschaft wurde gebildet.« (VIII, 461)

Batailles behauptete Abkehr von der Politik kann nicht wörtlich genommen werden; allein sein Elf-Punkte-Programm, das die Ziele der künftigen »schöpferischen Gemeinschaft« umreißt, enthüllt revolutionäre Absichten: (7) Bekämpfung jeder nicht-universellen Gemeinschaft (nationale, sozialistische, kommunistische oder kirchliche Gemeinschaften), (9) Vernichtung der gegenwärtigen Welt mit Blick auf die zukünftige, aber (10) Vermeidung der Propagierung endgültiger Heils- oder Glücksversprechen, die so unerreichbar wie hassenswert seien, (2) Abschaffung von Schuld und entfremdeter Arbeit, Spiel statt Beruf oder Pflicht (5). Konterrevolutionär dürfte der affirmative Teil jenes Programms aus der Sicht orthodoxer Marxisten sein; Bataille spricht sich aus für die individuelle Vollendung des Seins mittels Konzentration, positiver Askese und einer individuellen positiven Disziplin (4) sowie für die universelle Verwirklichung des persönlichen Seins mit der Ironie des Tierreichs und der Offenbarung eines azephalischen Universums (5); ferner tritt er für die Annahme von Perversion und Verbrechen ein, nicht als exklusiver Werte, sondern vor ihrer Integrierung in die menschliche Gesamtheit (6), und stimmt für die Affirmation der Wirklichkeit der Werte und folglich der *Ungleichheit der Menschen* und des organischen Charakters der Gesellschaft (8), die Affirmation des Wertes der Macht und des Willens zur Aggression als Basis aller Macht (11). (Cf. I, 273) In einem titellosen Fragment vom 14. April wird seine nietzscheanische Position offensichtlich:

»Ich entferne mich von jenen, die vom Zufall, von einem Traum, einem Aufstand die Möglichkeit erwarten, der Unzulänglichkeit zu entfliehen. Sie gleichen zu sehr jenen, die sich einst aus der Sorge heraus, ihre verfehlte Existenz zu retten, an Gott gewandt haben. Doch ich fürchte die entgegengesetzte Erwartung, die alles einer Improvisation preisgegeben meint.« (II, 275)

Im Augenblick der Niederschrift dieser Zeilen befindet sich Bataille zum zweiten Mal bei André Masson in Tossa. Gemeinsam bereiten sie die erste Ausgabe der Zeitschrift *Acéphale* (Religion – Soziologie – Philosophie) vor, die viermal im Jahr erscheinen soll. In der Küche des alten schlichten katalonischen Hauses finden ihre täglichen Unterredungen statt, die um Heraklit, Nietzsche, Dionysos, das Labyrinth kreisen. Bataille stellt das Thema, und unter seinen Augen zeichnet Masson – fast automatisch – das azephalische Idol

Eines Tages sagte ich mir, daß ich kein wirklicher Kommunist sei. Ich hatte gelten lassen, daß es notwendig oder unvermeidlich war, das bestehende System in Frage zu stellen und umzustürzen: es ging um eine historische Bestimmung, gegen die ich nichts einzuwenden hatte. Selbstverständlich war ich mit einer Forderung einverstanden, der sich egoistische Interessen widersetzten, aber ich war pessimistisch und, wenn die Dinge in Erfüllung gehen sollten, erwartete mir nichts sehr Erfreuliches davon. Ich persönlich glaubte sogar, daß eine sozialistische Welt mich langweilen würde und daß es umgekehrt meiner oder meinesgleichen nicht bedürfte. Der letztere Punkt schien mir belanglos aber peinlich zu sein. Ich betone ihn aufgrund einer ziemlich weitverbreiteten Einstellung. Viele Leute meinen, daß es von seiten der Kommunisten unstatthaft ist, sich gegen gewisse Freiheiten zu stellen. Ich persönlich glaubte, daß Proletarier an der Macht Leuten wie mir (oder wie den Schriftstellern und Malern, die ich liebte), die sie weder amüsieren noch ihnen nützlich sein konnten, nicht einen einzigen Pfennig zum Leben geben konnten.

Aber sicher, persönlich kein Kommunist zu sein, fühlte ich mich nicht im geringsten weitergekommen. Ich sah deshalb nicht weniger die Sackgasse, in der die Menschheit sich vergeblich abmüht. (1950: VIII, 643)

André Masson, Illustration zu *Du haut de Montserrat*, 1935

André Masson, Illustration zu *Du haut de Montserrat*, 1935

der ›Geheimgesellschaft‹: an der Stelle der Genitalien des kopflosen Mannes befindet sich ein Totenkopf (der Kopf verlängere sich beim Mann bis in die Genitalien, bis ins Herz hinein, erläutert Masson), in der rechten Hand des ausgestreckten Arms hält er ein flammendes Herz (seine Form vergleicht der Maler mit der der Hoden, aber das ist ebensogut Massons emblematische Frucht: der Granatapfel), in der linken einen Dolch, die dionysische Selbstopferung symbolisierend; der Bauch wird als Sitz des Labyrinths dargestellt, die Brust bestirnt (cf. Masson 1976, 72). Eine Zeichnung, die letzte in *Acéphale* Nr. 1, zeigt den Acephalos auf einem Vulkan sitzend, das Schwert unter den Füßen (»Das Schwert ist der Steg« . . . über den Abgrund, ließe sich die Bildlegende ergänzen). Zufällige Koinzidenz oder nicht: der auf den Vulkan plazierte Anus visualisiert einen Aspekt der Batailleschen Skatologie, das heißt den Primat von Deflagration und Defäkation vor der Akkumulation oder Absorption, visualisiert die Subordination der durch das Schwert repräsentierten phallischen Instanz unter die anale (cf. Gandon 1982, 189). Daß das Emblem ›Acéphales‹ kein Geschlechtsteil aufweist, gewissermaßen »azephallisch« ist, verdoppelt in diesem Kontext die zuletzt gemachte Aussage.

»Der Mensch ist seinem Kopf entsprungen wie der Verurteilte dem Gefängnis«, schreibt Bataille am 29. April in dem programmatischen Text *La conjuration sacrée*.

»Jenseits seiner selbst hat er nicht Gott gefunden, der das Verbot des Verbrechens ist, sondern ein Wesen, das das Verbot nicht kennt. Jenseits dessen, was ich bin, treffe ich auf ein Wesen, das mich lachen macht, weil es ohne Kopf ist, das mich mit Angst erfüllt, weil es aus Unschuld und Verbrechen besteht: es hält einen Dolch in der Linken und Flammen wie die eines heiligen Herzens in der Rechten. Es vereint in einer und derselben Eruption Geburt und Tod. Es ist kein Mensch. Es ist auch kein Gott. Es ist nicht ich, sondern es ist mehr ich als ich: sein Bauch ist das Labyrinth, in dem es sich verwirrt hat, in dem es mich mit sich verwirrt und in dem ich mich wiederfinde als es, das heißt als Monstrum.« (I, 445)

Eine azephalische Gottesdarstellung illustrierte Batailles Artikel *Le bas matérialisme et la gnose* in *Documents* (Nr. 1, 1930), und in *Soleil pourri* (*Documents*, Nr. 3, 1930) erwähnt er, daß die Sonne mythologisch durch ein anthropomorphes Wesen ohne Kopf zum Ausdruck gebracht worden sei.* Aber mit Sicherheit ist *acéphale*

---

*Der in hellenistisch-ägyptischen Zauberpapyri beschworene Akephalos kann mit dem kopflosen Sonnenherrscher Osiris identifiziert werden. (Cf. A. Delatte, »AKE-

kein Neologismus von Bataille: so stieß er auf diese Bezeichnung, im Zusammenhang mit Ludwig Klages, in dem Werk *De la déesse nature à la déesse vie* (1931) des Essayisten Ernest Seillière (cf. I, 458); für die Vermutung, daß Bataille von dem Dichter René Daumal (»Der Körper möge anstelle des Kopfes denken«) angeregt wurde, eine gleichsam »viszerale, anti-intellektuelle« Gemeinschaft zu bilden, fehlen stichhaltige Zeugnisse.* Daß André Masson der erste Verschworene ›Acéphales‹ wird, kann nicht auf Batailles persönliche Inklination für den Künstler zurückgeführt werden, sondern auf eine seltene Koinzidenz der thematischen Obsessionen: seit seiner surrealistischen Zeit bevölkern azephalische Menschen und zerstückelte Körper das bildnerische Universum Massons (vgl. die Werke *L'Armure, L'Homme, Les Métamorphoses, L'Homme mort, Massacres* . . .).

»Was ich denke und was ich hier darstelle, habe ich nicht allein gedacht und dargestellt. Ich schreibe in einem kleinen kalten Haus eines Fischerdorfs, ein Hund hat eben gebellt in der Nacht. Mein Zimmer liegt neben der Küche, in der André Masson glücklich herumläuft und singt: im Augenblick, da ich dies schreibe, hat er die Platte mit der Ouvertüre zu ›Don Giovanni‹ aufs Grammophon gelegt: mehr als alles andere verknüpft die ›Don Giovanni‹-Ouvertüre die Existenz, die mir zugefallen ist, mit einer Herausforderung, die mich dem verzückten Außersichsein öffnet. Gerade in diesem Augenblick sehe ich jenes kopflose Wesen, den Eindringling, dem zwei gleichermaßen enthemmte Obsessionen Gestalt gegeben haben, zum ›Grabmal Don Giovannis‹ werden. Als ich vor einigen Tagen mit André Masson in dieser Küche saß, ein Glas Wein in der Hand, während er, der sich plötzlich seinen Tod und den Tod der Seinen vorstellte, mit starren Augen, schmerzerfüllt, beinahe schrie, daß der Tod ein hingebungsvoller und leidenschaftlicher Tod werden müsse, und so seinen Haß hinausschleuderte auf eine Welt, die noch dem Tod ihre Angestelltenpfote aufdrückt, da konnte ich nicht mehr zweifeln, daß das Schicksal und der unendliche Tumult des menschlichen Lebens sich nur denen auftun, die nicht länger mit toten Augen zu leben vermögen, sondern die wie Sehende sind, die ein aufrüttelnder Traum entrückt, der ihnen nicht gehören kann.« (I, 445 f.)

PHALOS THEOS.« *Bulletin de Correspondance Hellénique,* Nr. 38, Paris-Athen 1914; K. Preisendanz, »AKEPHALOS, der kopflose Gott.« *Beihefte zum ›Alten Orient‹,* H. 8, Leipzig 1926) In seiner Eigenschaft als Gott der Unterwelt lebte Osiris fort in holsteinischen wie auch byzantinischen Sagen, in denen ein kopfloser Mann den Tod symbolisiert. – Bezeichnenderweise diente der ägyptische Serapis (i. e. Osiris) dem griechischen Dionysos als Modell.

* Eine Spur jedoch führt zu Masson: dieser hatte zu der ersten Ausgabe der Zeitschrift *Le Grand Jeu* (1928), deren Mitherausgeber Daumal war, einen Beitrag geliefert.

Michel Leiris äußerte die Vermutung, daß die Idee zu der ›Geheim-gesellschaft‹ Bataille von Laure eingegeben wurde. Laure bezeich-net sich in diesem Lebensabschnitt als Anarchistin. »Die Tatsachen hatten sie dahin gebracht, die politische Tätigkeit wie wertlos zu verwerfen, sie mußte sich, ihrem Ausdruck gemäß, erholen *›von diesem großen Erdbeben, das der Verlust eines Glaubens ist.‹*« (Bataille und Leiris in: Laure 1980, 236)

Anfang MAI kehrt Bataille, drei für einen Kunsthändler bestimmte Gemälde Massons im Gepäck, nach Paris zurück.

Georges Ambrosino, Pierre Klossowski, der Dichter Michel Far-doulis-Lagrange (*1910), Henri Dubief und Michel Leiris schließen sich ›Acéphale‹ an. Ein Jahr später stößt Patrick Waldberg hinzu. Waldberg führt 1938 den japanischen Maler Taro Okamoto (geb. 1911) in die Gruppe ein (cf. Waldberg 1976, 101 ff., 160), die höch-stens zehn Personen vereint. Nicht Batailles Auswahlkriterien bedingen die geringe Zahl, sondern eher die Absagen derer, die er einlädt. Georges Duthuit fordert Bataille indessen nicht auf, aber dieser partizipiert an den Aktivitäten der Gruppe als »Zaungast«, beobachtet z. B. die geheimen Zusammenkünfte aus schützender Entfernung. Nicht zugelassen werden Frauen, aber, Laure verfolgt ›Acéphale‹ ohnehin mit kritischer Distanz: nicht zuletzt war ihr die azephalische Konjunktion von Unschuld und Verbrechen suspekt und forderte ihren Protest heraus (cf. Laure 1980, 74, 243 f.).

Gleichsam als Nachruf auf den erloschenen Kampfverband erscheint die erste und letzte Nummer der *Cahiers de Contre-Atta-que*, ein 15seitiges Heft, dessen Inhalt von Bataille allein bestritten wird. Darauf hin lassen die Surrealisten in dem radikalsozialisti-schen Blatt *L'Œuvre* am 24. Mai die folgende Protestnote veröffent-lichen:

»Die surrealistischen Mitglieder der Gruppe ›Contre-Attaque‹ registrieren mit Genugtuung die Auflösung der genannten Gruppe, in deren Mitte sich ›überfaschistisch‹ genannte Tendenzen gezeigt hatten, deren rein faschisti-scher Charakter immer offenkundiger wurde. Sie mißbilligen im voraus jede Veröffentlichung, die noch im Namen ›Contre-Attaques‹ erfolgen könnte (ebenso wie ein *Cahier Contre-Attaque* Nr. 1, falls es keine weiteren gibt). Sie ergreifen die Gelegenheit dieser Warnung, um ihre unerschütter-liche Verbundenheit mit den revolutionären Traditionen der internationa-len Arbeiterbewegung zu bekräftigen. (. . .)« (I, 673)

Die von Henri Pastoureau verfaßte Note trägt die Signaturen von Adolphe Acker, André Breton, Claude Cahun, Marcel Jean, Suzanne Malherbe, Georges Mouton, H. Pastoureau und Benjamin

Péret. Bataille will als Supplement der Zeitschrift *Acéphale*, in Zusammenarbeit mit Klossowski, eine Replik publizieren: »Der große Unterschied zwischen den Surrealisten und meinen Freunden besteht darin, daß meine Freunde keinen Respekt vor den Wörtern hatten, sie waren in keiner Weise Idealisten. Im politischen Supplement muß man das hervorheben, die Note aus dem Œuvre und gleichzeitig die Texte von Dugan zitieren.« (I, 677) Es blieb bei dem Plan. Pierre Dugan schreibt unter dem Datum des 17. Juni 1936 die folgenden Zeilen, die sich wie der Entwurf zu einer Entgegnung lesen, die er jedoch nie publiziert:

»Gegenüber der Demokratie und gegenüber dem Marxismus hat sich bisher eine einzige Kraft manifestiert, die des Faschismus. Überall, wo diese Kraft auf authentischen Grundlagen errichtet wurde, die der irrationalen und antirationalen Mystik des Führers der Nation, hat sie mit beunruhigender Leichtigkeit die Partie gewonnen. Der Faschismus bedarf bereits keiner historischen Rechtfertigung mehr. Im übrigen hat der Faschismus mit einer einzigartigen Leichtigkeit alle marxistischen Propagandamethoden assimiliert und seine treuen Gegner mit überholten Methoden praktisch entwaffnet. Angesichts des Faschismus sind Demokraten und Marxisten gezwungen, mutig auf die *Abwesenheit* des Gegners zu setzen, das heißt auf die Nichtaffirmation eines Führers oder einer väterlichen Mystik. Ihre einzige Hoffnung ist die Nichtexistenz des Feindes. (Der Eunuche, der hofft, nicht auf die Probe gestellt zu werden.)

Es geht darum, die faschistische Kraft mit derselben Leichtigkeit zu überwinden, mit der der Faschismus die marxistische Schwäche überwunden hat. (. . .) Ebenso wie der Faschismus letztlich nur ein Übermarxismus ist, ein wieder auf die Füße gestellter Marxismus, kann die Macht, die ihn bändigen wird, nur ein Überfaschismus sein. Der Faschismus heißt nicht Übermarxismus, da er Faschismus heißt. Ebenso wird der Überfaschismus nicht Überfaschismus heißen . . .« (Zit. nach Gandon 1982, 175)

Am 24. JUNI erscheint *Acéphale* Nr. 1, acht Seiten umfassend, herausgegeben von Ambrosino, Bataille und Klossowski; als verantwortlicher Herausgeber zeichnet Jacques Chavy (ehemals ›Contre-Attaque‹), der eigenwillige Guy Lévis Mano, der auch als Verleger von *Sacrifices* gewonnen wurde, ediert die Zeitschrift. Das Heft enthält drei Zeichnungen von Masson (die auf der letzten Umschlagseite angekündigte Radierung, Acéphale darstellend und für Förderer der Zeitschrift bestimmt, wird nie hergestellt), eine knappe Analyse des Begehrens bei Sade (*Le monstre*) von Klossowski und den Hauptbeitrag von Bataille: *Die heilige Verschwörung*. Dem in Tossa geschriebenen Text gehen Zitate von Sade, Kierkegaard und Nietzsche voran – drei wirkliche Propositionen. Der *Conjuration sacrée* folgt der nicht signierte Text *L'unité des*

flammes, in dem Bataille (?) auf die Volksversammlung im Vel'
d'Hiv' (vom 7. 6. 36) anspielt, dabei die Gier der Menge mit derjenigen der Flammen vergleichend, die nicht allein Brot fordere, sondern ihr Sein (cf. I, 678).

Angesichts der euphorischen Atmosphäre in der Bevölkerung,
die von der Volksfrontregierung eine Art Rückkehr des Goldenen
Zeitalters (Ludwigs XVI.) erwartet und die sich in Streiks und
Fabrikbesetzungen manifestiert, während Reste der ›Groupe
Octobre‹ mit der Aufführung von Préverts *Tableau des merveiles*
die Stimmung anheizen, muß *Acéphale* geradezu aristokratisch, ja
volksfeindlich wirken und das Programm der heiligen Verschwörung wie ein heterodoxer Affront. Batailles ganze Skepsis gegenüber der demokratisierenden politischen Aktion kommt in dem
genannten Sade-Zitat* zum Ausdruck. Absolut nonkonformistisch,
wird sämtlichen anerkannten Werten der Krieg erklärt. Bataille
strebt mit ›Acéphale‹ die Transzendierung

der unmittelbaren Wirklichkeit,
der Vernunft,
der Arbeit,
der Utilität,
der Zerebralität,
der Notwendigkeit,
der individuellen – weil knechtischen – Identität,
des wissenschaftsgläubigen Fortschrittsdenkens
in der Ekstase, im Spiel, im Lachen, in der ekstatischen Liebe an.
Das Bekenntnis »WIR SIND UNERBITTLICH RELIGIÖS« findet in einer
späteren, unveröffentlichen Notiz Batailles eine unmißverständliche
Interpretation:

»Religion kann für uns bloß die Praxis des Lachens (entweder das der
Tränen oder das der erotischen Erregung) auf gemeinsame, irre, universelle
Weise bedeuten – in dem bestimmten Sinne, daß das Lachen (wie die
Tränen oder die erotische Erregung) die Vernichtung all dessen darstellt,
was seine Fortdauer hat aufzwingen wollen.« (I, 679)

---

* »Eine schon gealterte und korrumpierte Nation, die mutig das Joch ihrer monarchischen Regierung abschüttelt, um eine republikanische anzunehmen, wird sich nur
durch zahlreiche Verbrechen behaupten können; denn sie befindet sich bereits im
Verbrechen, und wenn sie vom Verbrechen zur Tugend, das heißt von einem gewaltsamen zu einem friedfertigen Zustand übergehen wollte, würde sie in eine Trägheit
fallen, die alsbald zu ihrem sicheren Untergang führen würde.« (I, 442) Sade, *Français, encore un effort, si vous voulez être Républicains*, in: *La Philosophie dans le
boudoir* (1795).

In *Minotaure* Nr. 8 erscheint »*Montserrat* par André Masson et Georges Bataille«. Massons Beitrag besteht aus der Reproduktion der Gemälde *Aube à Montserrat* und *Paysage aux prodiges** sowie dem Gedicht *Du haut de Montserrat* (ursprünglich für *Acéphale* bestimmt), in dem Heraklit, Paracelsus und Zarathustra beschworen werden. Bataille schickt seinem Text *Le bleu du ciel* (1934) die Erklärung voraus:

»Was André Masson auf dem Montserrat empfunden hat, besonders während der Nacht der *Paysage aux prodiges*, und was er in den hier reproduzierten Gemälden zum Ausdruck gebracht hat, verbindet sich innig mit dem, was ich selbst empfunden und im folgenden Text zum Ausdruck gebracht habe.

Es ist nötig, der Tatsache die größtmögliche Bedeutung zu verleihen, daß die Wirklichkeit, um die es geht, bloß in der religiösen Ekstase erreicht werden kann.« (V, 438)

Ebenfalls im Juni erscheint die erste und letzte Nummer von *Inquisitions*, dem Organ der ›Groupe d'Études pour la Phénoménologie humaine‹, herausgegeben von Louis Aragon, Roger Caillois, Jules Monnerot und Tristan Tzara. In einer Notiz der *N.R.F.* vom August schreibt Jean Wahl: »Zur gleichen Zeit wie *Inquisitions* ist *Acéphale*, die Zeitschrift Batailles und Massons, erschienen; Caillois strebt nach Strenge, Bataille greift auf das Herz, auf den Ethusiasmus, die Ekstase, die Erde, das Feuer, auf das Gefühl zurück.« ((›Acéphale‹ in die Nachfolge der Gruppe um Daumal und Gilbert-Lecomte, ›Le Grand Jeu‹ (1928–32), zu stellen, drängt sich auf; rund dreißig Jahre später sollten die affektiven Werte in der sogenannten Jugendrevolte eine neue Konjunktur erleben.)) *Inquisitions* wird durch einen Text Gaston Bachelards, *Le surrationalisme* überschrieben, eröffnet, in dem es z. B. heißt: »Wenn man bei einem Experiment nicht seine Vernunft aufs Spiel setzt, ist dieses Experiment nicht der Mühe wert, gemacht zu werden.« Für ein revolutionäres Denken, das sich nicht auf die intellektuelle Sphäre beschränkt, sondern aufs Leben übergreift, tritt auch der Ex-Surrealist und Universalgelehrte Caillois in seinem Manifest *Pour une orthodoxie militante* ein. Diese Arbeit des ethnographisch geschulten Agregé und Diplomé der École pratique des hautes études, Roger Caillois (1913–1979), dürfte – ebenso wie dessen frühere Zeitschriftenpublikationen: *La mante religieuse* und *Paris, mythe moderne* – Batailles Aufmerksamkeit geweckt und einen persönli-

---

* Ein identisch betiteltes Aquarell Massons befindet sich in Batailles Besitz.

chen Kontakt zwischen beiden eingeleitet haben. Zu dieser Begegnung erklärt Caillois in einem Gespräch: »Ich hatte mich bereits von der surrealistischen Gruppe entfernt, das war in den Jahren 34–35, und ein Artikel Batailles in *La critique sociale* über den *Begriff der Verausgabung* war mir sehr enthüllend erschienen. (. . .) Wir hatten also viele Dinge gemeinsam: beide meinten wir, daß man sich bemühen sollte, die Welt durch die revolutionäre Tat zu verändern. Wir waren, wenn Sie so wollen, mehr Kommunisten als Marxisten, um nicht zu sagen: Anti-Marxisten. Der Marxismus schien uns von einem zu engen Rationalismus durchdrungen zu sein, denn er kümmert sich wenig um instinktive, leidenschaftliche, religiöse etc. Beziehungen. Die auf ausschließlich ökonomischen Feststellungen begründete Revolution interessierte uns weniger als eine auf emotioneller Ebene zu entfesselnde Revolution. Die gleiche Wichtigkeit, die wir dem emotionellen Aufruhr beimaßen, brachte uns einander näher.

Bei Jacques Lacan bin ich Bataille zum ersten Mal begegnet. Wir haben uns darauf ziemlich oft gesehen und wir haben mit Michel Leiris die Idee gehabt, eine Studiengesellschaft zu gründen, die das *Collège de Sociologie* wird.« (Caillois 1970, 6) Gleichzeitig knüpft sich, vermittelt durch Leiris, ein engerer, langjähriger Kontakt zu dem katholischen Schriftsteller Marcel Moré an, ein Personalist, mit dem Laure aus ihrer – noch gläubigen – Jugendzeit her bekannt war.*

Im JULI entsteht der posthum veröffentlichte, Jacques Prévert gewidmete Text *Calaveras*: apodiktische Reflexionen über das Verhältnis zum Tod in ›rückständigen‹ und ›zivilisierten‹ Gesellschaften, Verhöhnung unserer hypokritischen Trauerzeremonien und leidenschaftlicher Appell zur »Freude vor dem Tod« zugleich. (Cf. II, 407–409).

Bataille sucht, vermutlich beauftragt von Masson, den Schauspieler und Regisseur Jean-Louis Barrault auf, um ihn für Cervantes' Tragödie *La Numancia* (1584) zu interessieren (cf. Massons Brief, in: ders., 1976, 289).

Batailles größter Wunsch, einen Priester darzustellen, erfüllt sich bei der Verfilmung von Maupassants Novelle *Une partie de cam-*

---

* Moré (geb. 1887) ist bei einem Börsenmakler angestellt, während er mit der Gruppe um Mounier und *Esprit* zusammenarbeitet. In den vierziger Jahren sollte er einen Gesprächskreis organisieren, in dem religiöse Probleme diskutiert wurden und der zur Gründung der *Cahiers Dieu vivant* führte.

pagne durch Jean Renoir (1894–1979). Er figuriert hier in einer Gruppe von Seminaristen, der schaukelnden Henriette (dargestellt von seiner Frau Sylvia) begehrlich unter die Röcke schauend. – Renoir dreht den Kurzfilm an den Ufern der Loing in der Nähe von Marlotte. Das regnerische Wetter verlängert die Dreharbeiten, die am 15. Juli beginnen, bis September und verurteilt die Schauspieler oft zur Untätigkeit, was besonders Sylvia Bataille enerviert. Renoir schreibt jedoch richtig diese Mißgestimmtheit ihren persönlichen Problemen – mit Georges – zu (cf. Sesonske, p. 236). Nicht zuletzt durch den Krieg bedingt, kommt *Une partie de campagne* erst im Frühjahr 1946 in die Kinos.

Dem zweiten Heft von *Acéphale*, das der Rehabilitation Nietzsches dienen soll, ist eine Arbeitssitzung gewidmet, die am 31. Juli in der Kellerwohnung des Cafés ›À la Bonne Étoile‹ (80, Rue de Rivoli) stattfindet. Für diese Nummer bittet Bataille André Masson um die zeichnerische Darstellung des Zarathustra.

Hier sei hervorgehoben, daß die Mitarbeiter der Zeitschrift *Acéphale* nicht identisch sind mit den Verschworenen der gleichnamigen ›Geheimgesellschaft‹, das heißt: weder der Philosoph Jean Wahl (1888–1974) noch der Schriftsteller und Soziologe Jules Monnerot (geb. 1908) nehmen an den azephalischen Zusammenkünften teil; das gleiche gilt für André Masson und Jean Rollin, Caillois und Leiris schlagen diesbezügliche Einladungen Batailles aus. Zu den sporadisch erscheinenden Gästen der Versammlungen ›Acéphales‹ gehört Walter Benjamin (dieser identifiziert allerdings ›Acephale‹ mit dem Collège de Sociologie). »Verwirrt durch die Ambiguität der ›azephalischen‹ Atheologie, hielt uns Benjamin die Schlüsse entgegen, die er damals aus seiner Analyse der bürgerlichen geistigen Entwicklung in Deutschland zog, nämlich daß die politische und metaphysische Überbewertung des ›Inkommunikablen‹ (im Zusammenhang mit den Widersprüchen der kapitalistischen Industriegesellschaft) dem Nazismus den psychischen Boden bereitet hätte. (. . .) Taktvoll wollte er uns von der ›abschüssigen Bahn‹ abhalten; trotz des Anscheins einer irreduziblen Inkompatibilität liefen wir Gefahr, einem schlichten und einfachen ›präfaschisierenden Ästhetizismus‹ beizustehen. An dieses Interpretationsschema, das noch stark von den Theorien Lukács' gefärbt war, hielt er sich, um seine eigene Bestürzung zu meistern und zu versuchen, uns in diese Art von Dilemma einzuschließen.

Keinerlei Verständigung war über diesen Punkt seiner Analyse möglich, deren Voraussetzungen überhaupt nicht mit den gegebenen Tatsachen und der Vergangenheit der Gruppierungen koinzidierten, die aufeinanderfolgend von Breton und Bataille gebildet

worden sind, besonders nicht mit der Gruppierung *Acéphale*.«
(Klossowski 1969)

Im SEPTEMBER befindet sich Bataille ein drittes und letztes Mal bei
Masson in Tossa (der Spanische Bürgerkrieg läßt den Maler im
Dezember nach Frankreich zurückkehren). Vermutlich bei diesem
Aufenthalt bittet Bataille Masson, ihn als Toten zu porträtieren; es
entsteht eine Bleistiftzeichnung, auf welcher Batailles Kopf aus
gestielten Totenschädeln auftaucht (cf. Clébert, p. 65).
  Während der Vorstellung der *Innocentes* im Théâtre des Arts gibt
es am 29. und 30. September Zuschauerproteste, die der Schauspielerin Marcelle Géniat gelten. Die Schauspielerin leitet eine Erzie-
hungsanstalt in Boulogne, aus der unlängst mit dem Schrei »à nous
le Front populaire!« ein Dutzend Mädchen mit Hilfe von Passanten
entflohen waren. »Sie spielen wie eine Gefängnistür!« »Nieder mit
den Kinderzuchthäusern!« tönt es folglich aus dem Zuschauerraum.
Zu den Manifestanten gehören einige Ex-Mitglieder von ›Contre-
Attaque‹; Bataille, Laure, Léo Malet, G. Hugnet, Gaston Ferdière
und Jehan Mayoux werden festgenommen (cf. Dubief 1970, 55).

Am 3. DEZEMBER erscheint im Verlag G. L. M. *Sacrifices* mit 5
Radierungen von André Masson, »Mithra, Orphée, Le crucifié,
Minotaure, Osiris« betitelt. Es handelt sich um eine rote Papp-
mappe mit 12 Text-Seiten auf 3 Doppelblättern (35×46 cm) und
den 5 Radierungen; die Auflage beträgt 140 Exemplare (und 10 von
Masson signierte Exemplare auf Japan). Der Preis des Werkes (125
bzw. 200 FF für die Luxusausgabe) ist relativ niedrig – Masson
genoß als Künstler noch keine Reputation. Finanziell war die Publikation für alle Beteiligten wohl auch kein Erfolg: laut Masson bleiben etwa 20 Exemplare erhalten, die übrigen seien im Abfall gelan-
det. Lévis-Mano gibt an, daß insgesamt nur 50 Exemplare mit den
Originalgraphiken in den Handel gelangt seien. (Cf. Will-Levaillant, p. 133)
  In seiner Eigenschaft als Bibliothekar hat Bataille die Bibliographie der Bände 16 und 17 der *Enzyclopédie française*, den »Catalogue méthodique des principaux ouvrages contemporains se rapp-
ortant aux arts et aux littératures« zusammengestellt, der in Band
17 der *Enzyclopédie* erscheint.
  Recherches philosophiques, herausgegeben von A. Koyré, veröffentlicht in Bd. 5 (1935/36) *Le labyrinthe.*

»Über die ›Geheimgesellschaft‹«, bemerkt Bataille post festum,
»ist, strenggenommen, schwierig zu reden, aber es scheint so, daß
zumindest einige ihrer Mitglieder von ihr einen Eindruck des ›Her-

austretens aus der Welt‹ bewahrt haben« (VII, 461 f.). Das Schweigen (Beschämung?) der meisten der eingeweihten Beteiligten an dieser »Bewegung um der Bewegung willen« (Klossowski) ermöglicht bloß eine vage und fragmentarische Rekonstruktion der nichtpublizistischen Aktivitäten ›Acéphales‹. Bataille versprach sich allein durch die Zelebration von Riten die Reanimation des Heiligen. »Manche dieser Riten waren reichlich unpraktisch, zum Beispiel die Idee, den Tod Ludwigs XVI. am 21. Januar auf der Place de la Concorde zu feiern. Andere Riten waren weniger kompliziert, so die Auflage, an die wir uns gehalten haben, Antisemiten nicht die Hand zu geben.

Es gab auch die von Bataille angezettelte Vorstellung, daß die Tätigkeit einer Gruppe ihre volle Wirksamkeit nur in dem Maße erreichen könnte, in dem der anfängliche Verbindungspakt wirklich unwiderruflich wäre. Nun, um die Energien zu bündeln, war er von der Notwendigkeit eines Menschenopfers überzeugt.« (Caillois 1970, 7) An anderer Stelle heißt es bei Caillois (1974, 59), daß man ein freiwilliges Opfer* gefunden und ein Zeugnis vorbereitet hätte, das den Mörder vor der Justiz entlasten sollte. Aber offenbar war der Mut der Adepten geringer als der des Opfers, allenfalls dürfte man das Ritual an einem Tier vollzogen haben . . . Definitiveres ist über die nächtlichen Exkursionen ›Acéphales‹ bekannt. Diese finden, bei jedem Wetter, einmal im Monat bei Neumond statt. Als Versammlungsort wird der Wald von Marly (bei Saint-Germain-en-Laye) und von Yvelines gewählt. Die rituelle Wanderung führt am im Wald von Marly gelegenen ›Désert de Retz‹ vorbei, ein von Mauern umgebener Privatbesitz, auf dem die Eigentümer künstliche Ruinen, Nachbildungen asiatischer Tempel errichtet haben. Die Anweisungen für die Treffen erhalten die Verschworenen in einem verschlossenen Briefcouvert von Bataille. Auf einem für Dubief bestimmten Umschlag liest man: »Sich Donnerstag, spätestens um 19.45 Uhr zum Gare Saint-Lazare begeben. Nicht vor Betreten des Bahnhofs öffnen.« (*Papiers des groupes Contre attaque et Acéphale*) Der inliegende Text informiert über den Treffpunkt (in diesem Fall Saint-Nom-la-Bretèche, 30 km von Paris und 10 km von Saint-Germain-en-Laye entfernt) und enthält Verbote, die den nebenstehend formulierten gleichen.

Der Sinn des strikten Redeverbots dürfte im Anhalten des logischen, verbalen Denkens liegen, der der gegenseitigen Kontaktvermeidung in der Ermöglichung der Meditation.

---

* Fardoulis-Lagrange (1969, 72 ff.) suggeriert, daß es sich um Laure gehandelt habe.

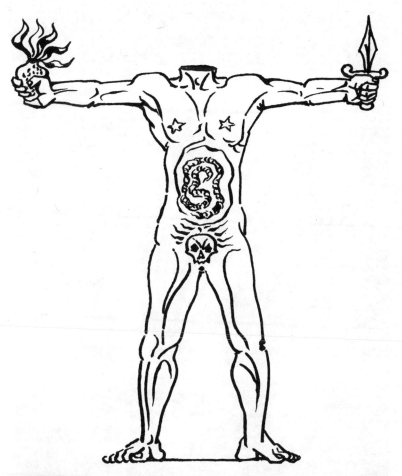

ACEPHALE

RELIGION · SOCIOLOGIE · PHILOSOPHIE - REVUE PARAISSANT 4 FOIS PAR AN

1e année · LA CONJURATION SACRÉE · 24 juin 1936

PAR GEORGES BATAILLE PIERRE KLOSSOWSKI ET ANDRÉ MASSON

Titelseite von *Acéphale* Nr. 1, 1936

PELAGIVS.

CÆLESTIVS.   IVLIANVS.

CORNELII IANSENII
EPISCOPI IPRENSIS
ET
IN ACADEMIA LOVANIENSI QVONDAM
TH:DOCT:ET PROFESSORIS REGII
AVGVSTINVS

LOVANII
TYPIS ET SVMPTIBVS
IACOBI ZEGERI.

Masson, Zeichnung aus *Acéphale* Nr. 3/4, 1937, Dionysos

Umschlag von Jansenius' *Augustinus*, 1640

»Pinealischer Sturz in den Himmel«, Zeichnung André Massons zu *Acé-phale*, Nr. 2, 1937

Zur heiligen Stätte erklärt Bataille einen vom Blitz getroffenen Baum, zu dem die Exkursionsteilnehmer einzeln geführt werden.

»Es ist möglich, in diesem Baum die stumme Gegenwart dessen zu erkennen, was den Namen Acéphale angenommen und sich in Gliedmaßen ohne Kopf zum Ausdruck gebracht hat; es ist der Wille, eine Gegenwart zu suchen und ihr zu begegnen, die unser Leben mit Daseinsgrund erfüllt, der Schritten einen Sinn verleiht, der sie jenen der anderen entgegensetzt. Diese BEGEGNUNG, die im Wald *versucht* wird, findet in Wirklichkeit in dem Maße statt, in dem der Tod dabei durchscheint. Dieser Gegenwart vorausgehen heißt die Kleidung entfernen wollen, mit der unser Tod bedeckt ist« (II, 278),

schreibt Bataille-Dianus in einem internen Papier.

Über seine Initiation berichtet Patrick Waldberg: »Zu diesem Zweck wurden mir ein Fahrplan sowie die Kopie einer Marschroute übergeben. Zum angegebenen Zeitpunkt, an einem Neumond-Tag, war mir befohlen, am Gare Saint-Lazare den Zug nach Saint-Nom-la-Bretèche zu nehmen. Sollte es mir passieren, im Laufe der Reise bekannte Gestalten zu treffen, so war vereinbart worden, sie nicht zu kennen, ebenso wie nach dem Aussteigen, beim Folgen des angegebenen Weges durch den Wald, wenn dieselben Gestalten den gleichen Weg nähmen, die Anweisung bestand, Abstand zu halten und Schweigen zu bewahren. Der lange schweigsame Spaziergang auf den ausgefahrenen Wegen, eingetaucht in den feuchten Geruch der Bäume, führte uns in der finsteren Nacht zum Fuß einer vom Blitz getroffenen Eiche am Rand einer Wegekreuzung, wo sich bald, stumm und regungslos, etwa zehn Schatten versammelten.

Nach einem Augenblick wurde eine Fackel entzündet. Bataille, der sich am Fuße des Baumes aufhielt, holte aus einer Tasche eine Emailleschüssel hervor, in der er einige Schwefelstückchen anordnete, die er anzündete. Zur gleichen Zeit, wie die blaue Flamme knisterte, kam ein Rauch auf, von dem uns stickiger Qualm erreichte. Der Fackelträger stellte sich zu meiner Rechten auf, während, mir die Stirn bietend, einer der anderen Offizianten auf mich zukam. Er hielt in der Hand einen Dolch, der mit dem identisch war, den der kopflose Mann in dem Bildnis *Acéphales* schwingt. Bataille ergriff meine linke Hand und streifte meine Jacke und den Hemdsärmel bis zum Ellenbogen zurück. Der, der den Dolch hielt, drückte dessen Spitze auf meinen Unterarm und machte dort einen Einschnitt von einigen Zentimetern, ohne daß ich den geringsten Schmerz verspürte. (. . .) Darauf wurde ein Taschentuch um die Wunde gewickelt, mein Hemd und meine Jacke wieder an Ort und Stelle gebracht und die Fackel gelöscht. Darauf verstrich ein Augen-

Anweisungen für das Treffen im Wald

1. In den Teil des Waldes von Yvelines, der den Namen Fore Cruye getragen hat, bloß unter Bedingungen eintreten, die jede Möglichkeit der Nichtübereinstimmung mit dem Charakter einer heiligen Stätte, die diese Region für uns haben wird, ausschließt.

2. Bloß bei den Zusammenkünften von Acéphale in ein begrenztes Schongebiet eindringen, das später bestimmt wird.

3. Niemals ein einziges Wort aussprechen, sei es auch nur eine Anspielung hinsichtlich der Zusammenkünfte; dies unter keinem Vorwand und wem gegenüber es auch sein mag – mit Ausnahme der Fälle, die insoweit festgelegt werden, als ihre absolute Notwendigkeit einleuchtend erscheint, und bloß nach der Definition.

4. Was von jedem von uns über die Zusammenkünfte zum Ausdruck gebracht wird, wird in Texten geschehen, die für das innere Journal von Acéphale bestimmt sind, aber diese Texte werden einen reservierten Teil dieses Journals bilden, der nur jenen übermittelt werden kann, die eingewilligt haben, sich den Vorschriften zu fügen.

5. Alle negativen Vorschriften, die jeder Zusammenkunft eigen sind, beachten (nicht sprechen, sich anderen nicht anschließen, während einer bestimmten Zeit nicht vom Wege abkommen oder einen Ort verlassen, vor der genannten Zeit den Umschlag nicht entsiegeln). Die positiven Vorschriften, die vorkommen können, werden nicht Gegenstand irgendeiner allgemeinen Verpflichtung sein.

6. Die Vorschriften können später modifiziert und weniger schwer gemacht werden, ohne daß Grund besteht, was auch immer an der Verpflichtung zu ändern.

7. Sie werden je nach Notwendigkeit von jenen aufgehoben, die die Aufgabe haben, oder später haben werden, die Zusammenkünfte zu organisieren.

Was die vorbehaltene Region im Wald betrifft, so ist es notwendig, daß jeder von uns an Ort und Stelle die Grenzen kennenlernt. Acp.* wird zuerst mit einem oder maximal zweien von uns gehen. Was von einem zum anderen fortgesetzt und bis zu dem Augenblick wiederholt wird, wo niemand mehr diese Grenzen wird ignorieren können.

Der Schwefel ist ein Stoff, der aus dem Inneren der Erde stammt und aus ihr bloß durch den Schlund der Vulkane herausströmt. Das besitzt offensichtlich – im Zusammenhang mit dem chthonischen Charakter der mythischen Wirklichkeit, die wir verfolgen, einen Sinn. Es hat auch einen Sinn, daß die Wurzeln eines Baumes tief in die Erde vordringen. (*Laure* 1980, 241)

---

* In einer Variante dieses Textes (II, 278) ist die Personifizierung Acéphales durch den Namen Ambrosinos ersetzt. (B. M.)

blick, der mir lang erschien, während dessen wir uns, stets unter strengstem Schweigen, in Hab-acht-Stellung um den Baum herum aufhielten, unheimlich, unerklärlich, die Gesichter vom blauen Licht des Schwefels erblaßt. Dann gab jemand das Aufbruchszeichen, und wir machten uns in der zunehmend finstereren Nacht im viel Zwischenraum lassenden Gänsemarsch auf den Weg, nicht mehr nach Saint-Nom-la-Bretèche, sondern diesmal in Richtung Saint-Germain-en-Laye. Wie bei der Hinfahrt bestimmten die Vorschriften, daß es verboten war, im Zug, der uns nach Paris zurückbrachte, das geringste Zeichen des Erkennens auszutauschen.« (Waldberg, *Acéphalogramme*, p. 12−13) Die unterschiedlichen An- und Abreiseorte, die verschlossenen Botschaften haben den Zweck, den geheimen Charakter ›Acéphales‹ zu wahren, das heißt: Spionage zu vermeiden. »Ich behaupte nicht, daß *Acéphale* nur dies war: ich glaube, daß sich Bataille, sollte man eine kindische Seite daran bemängeln, gerade zu ihr bekennen würde.« (Klossowski 1970, 106) Mit dem Erlaß bestimmter Lebensregeln versucht Bataille, der Partizipation an ›Acéphale‹ das Unverbindliche zu nehmen und die Teilnehmer auch außerhalb der Zusammenkünfte an die religiöse Gemeinschaft zu binden: so sollen Zeiten der Askese (z. B. vierzehn Tage lang schweigen, Vermeidung persönlicher Kontakte untereinander) mit Zeiten der Freiheit (Exzesse, Promiskuität) alternieren. Von den Verschworenen verlangt er »preußische Steifheit« im Benehmen und, gegenüber dem Unvorhergesehenen, »britisches Phlegma«. (Cf. Waldberg, op. cit., p. 14)

Der traditionelle Ritus der symbolischen Tötung (›Wandlung‹ und ›Auferstehung‹) des Neophyten weist ›Acéphale‹ als Initiationsgemeinschaft aus. Im Unterschied zu revolutionären oder Komplottgesellschaften ist ihre Existenz bekannt, einzig ihre Riten, Ort und Zeitpunkt der Versammlungen werden geheimgehalten. Selbst das Publikmachen der ›Lehre‹ widerspricht nicht dem Charakter einer Geheimgesellschaft, sofern ihr weiteres Ziel in der geistigen Regeneration der als korrumpiert aufgefaßten übrigen Gesellschaft besteht.

Nichts weniger als ›Blutbande‹ konstituieren eine solche Wahlgemeinschaft: vielmehr wird der Initiand durch ein Opfer in den Männerbund ›Acéphale‹ integriert, durch die Bereitschaft, sein Wertvollstes zu geben, nämlich sein Blut. [Fardoulis-Lagrange (1969, 67) beschreibt eine Mutprobe, die in einem Brandopfer besteht: der Priester hält die Fackel so lange in der Hand, bis die Flamme seinen Arm erreicht; jedes Mitglied, das sich dieser Feuerprobe unterzog, hatte prinzipiell Anspruch auf den Priester-Rang.] Wie die Initiation intendieren der Ritus und der interne Kodex (Respektierung örtlicher Tabus, Schweigegebot, ›positive Askese‹ im Wechsel mit dem dringend empfohlenen Exzeß) zum einen die Dekonditionierung, Transformation des Privatmannes, zum anderen bilden sie die Brücke zur heiligen Zeit, zum Geheimnis. Ritus und Disziplin scheiden den Adepten von der profanen Welt, ohne daß dies äußerlich manifest würde.

Suche nach dem Sinn eines Rituals – Baudrillard (1983, 237 ff.) verwirft sie als müßig. Ihm zufolge besitzt die Zeremonie keinen Sinn, aber eine esoterische Regel; kein Ziel, da sie initiatisch ist, das heißt, eine heilige Unterscheidung zwischen initiiert und nicht initiiert macht. Der Begierde, der Subjektivität, der Finalität und dem Zufall setzt die Regel eine auf Willkür beruhende Konvention entgegen. Ritualisierung der Existenz (jenseits des Lustprinzips), ihre Derealisierung. Die Form (hier zyklische, nicht-öffentliche Zusammenkünfte, Regelung der Kommunikation etc.) sei der Inhalt.

Der Wald (heiliger Hain) stellt vielleicht die älteste heilige Stätte dar. Im indogermanischen Hain- und Baumkult gilt der Baum (vorzugsweise die Eiche) als Sitz eines göttlichen Numen (*arbores habent numen*). Den sakralen Charakter speziell der vom Blitz getroffenen Eiche führt Frazer* auf die Vorstellung zurück, daß sich in diesem Baum die Donnergottheit niedergelassen habe. Doch die unterirdischen Wurzeln des Baumes, der vulkanische Schwefel, der Mond, die bei den Zusammenkünften eine Rolle spielen, verweisen darauf, daß der Ritus ›Acéphales‹ um den chthonischen Charakter der mythischen Realität kreist. Das Chthonische umfaßt die Welt der Mütter, des Bauches, der tiefen Erde, das Infernalische und Schwarze, die Nacht des Labyrinths. Nach Erich Neumann** sind Neumond und Vollmond die frühesten heiligen Zeiten. Dies könnte die Option für eine zyklische (nietzscheanische), periodische, rhythmische Zeitauffassung involvieren, welche die linear-progressive (hegelsche), aufs Ende zu verlaufende verwirft.

Da Dionysos im weiteren Sinne als Gott der Wälder gilt (wie übrigens Diana/Artemis und Dianus, der *Rex Nemorensis*), sind erdhaft, lunar, matriarchal, mänadisch, dionysisch Synonyme, mit welchen sich das azephalische Sakrale adjektivieren läßt. Dionysos,

---

* »Sicher ist es, daß die Griechen und Römer wie manche Wilde ihren großen Gott des Himmels und der Eiche mit dem Blitzstrahl identifizierten, der die Erde traf.« (*Der goldene Zweig*, Kap. LXVIII, Frankfurt a. M.-Berlin-Wien 1977)

** »Über den Mond und das matriarchale Bewußtsein.« Eranos-Jahrbuch 18, 1950. Cf. *Histoire de l'œil*: »Ich assoziiere den Mond mit dem Blut der Mütter, dem übelriechenden Menstrualblut.« (OW, 55)

Empedokles, Heraklit heißen die ›Götter‹ der Geheimgesellschaft – vermittelt durch Nietzsche. »Nietzscheanischer Dionysmus« – will man die Affirmation der zerstörerischen Exuberanz des Lebens und des Willens zur Macht (= Negation jeder Servilität, Wille zur Chance), will man das Bestreben, der Welt einen berauschenden Sinn zu verleihen, auf den Begriff bringen. Von Nietzsche geprägt sind jene positiven Werte, die Bataille in den *Onze agressions* als Anerkennung der Grundlosigkeit alles Seienden, Todesfreude, *amor fati*, Lachen, Selbstopfer, Wahlgemeinschaft, Anti-Individualismus, Verbrechen, Grausamkeit benennen wird.

›Acéphale‹ erweist sich in mehrfacher Hinsicht als ›kopflos‹: eine religiöse Gemeinschaft, ein Kult, ein Mythos, aber kein Gott. Sich als existentielle Gemeinschaft begreifend – als eine solche, die nicht Mittel zum Zweck ist –, ersetzt ihr die Tragödie das Oberhaupt, den *leader* (daß ihr in Bataille, dem ›Hainkönig‹ Dianus unwillkürlich ein ›Kopf‹ erwächst, macht dessen Tötung strenggenommen zu etwas Unabdingbarem . . .). Zum höchsten Ziel wird die Existenz erkoren, das heißt die Tragödie und nicht die Tat, jene servile Version des Willens zur Macht, auch nicht die ›Selbstverwirklichung‹. (Cf. I, 482, 537) Als das Element, das dem Leben einen trunkenmachenden Sinn gibt, das die Existenz steigert, als ihr Tonikum wird *Madame la mort* erkannt. ›Acéphale‹ führt in den Tod ein, akzeptiert nur den Todesmaßstab als den äußersten, eben weil es um ein Leben auf dem »Siedepunkt«, in »Todeshöhe« geht. Der Geheimbund, so Caillois und Bataille, sei mit einem Sakralen verbunden, das in der

»sprühenden Verletzung der Lebensregeln besteht, mit einem verausgabenden Heiligen, einem Heiligen, das sich verausgabt. Ich erinnere zugleich daran, daß die Tragödie aus dionysischen Gemeinden hervorgegangen ist und daß die Welt der Tragödie die der Bakchai ist. Caillois sagt noch, daß eines der Ziele der ›Geheimgesellschaft‹ die kollektive Ekstase und der paroxystische Tod ist. Das Reich der Tragödie kann nicht die Sache einer trübseligen und bedrückten Welt sein. Es ist klar, daß die Macht nicht von Schwätzern festgehalten werden wird. Einzig die *Existenz* in ihrer Integrität, die den Tumult, die Weißglut und den Willen zur Explosion mit einschließt und den die Drohung des Todes nicht aufhält, kann für das angesehen werden, was, da unmöglich zu unterwerfen, sich notwendigerweise alles unterwerfen muß, was einwilligt für andere zu arbeiten: das Reich wird letztlich jenen gehören, deren Leben in einem solchen Grade sprühend sein wird, daß sie den Tod lieben werden.« (II, 361)

Die Transgression jener Normen, die die Stabilität der Gesellschaft garantieren und damit die Existenz zu einem elenden Überlebens-

Ich will einen neuen Stand schaffen: einen Ordensbund höherer *Menschen, bei denen sich bedrängte Geister und Gewissen Rats erholen können; welche gleich mir nicht nur jenseits der politischen und religiösen Glaubenslehren zu leben wissen, sondern auch die Moral überwunden haben. (*Umwertung aller Werte, 4. Buch, Nr. *13)*

*Ihr Einsamen von heute, ihr Ausscheidenden, ihr sollt einst ein Volk sein: aus euch, die ihr euch selber auswähltet, soll ein auserwähltes Volk erwachsen – und aus ihm der Übermensch. (*Die Reden Zarathustras*: Von der schenkenden Tugend)*

Es wird ein höchster Zustand von Bejahung des Daseins konzipiert, aus dem auch der höchste Schmerz nicht abgerechnet werden kann: der tragisch-dionysische *Zustand. (*Umwertung, 4. Buch, Nr. *8)*

*Mit dem Wort »dionysisch« ist ausgedrückt: ein Drang zur Einheit, ein Hinausgreifen über Person, Alltag, Gesellschaft, Realität, über den Abgrund des Vergehens: das leidenschaftlich-schmerzliche Überschwellen in dunklere, vollere, schwebendere Zustände; ein verzücktes Jasagen zum Gesamtcharakter des Lebens, als dem in allem Wechsel Gleichen, Gleich-Mächtigen, Gleich-Seligen; die große pantheistische Mitfreudigkeit und Mitleidigkeit, welche auch die furchtbarsten und fragwürdigsten Eigenschaften des Lebens gutheißt und heiligt; der ewige Wille zur Zeugung, zur Fruchtbarkeit, zur Wiederkehr; das Einheitsgefühl der Notwendigkeit des Schaffens und Vernichtens. (*Ibd., Nr. *561)*

Die Bejahung des Vergehens und Vernichtens, *das Entscheidende in einer dionysischen Philosophie, das Jasagen zu Gegensatz und Krieg, das* Werden, *mit radikaler Ablehnung auch selbst des Begriffs »Sein« – darin muß ich unter allen Umständen das mir Verwandteste erkennen, was bisher gedacht worden ist. Die Lehre von der »ewigen Wiederkunft«, das heißt vom unbedingten und unendlich wiederholten Kreislauf aller Dinge – diese Lehre Zarathustras* könnte zuletzt auch schon *von Heraklit gelehrt worden sein. (*Ecce homo*: Die Geburt der Tragödie)*

Das wäre der höchste Glanz auf dem Tode, *daß er uns* weiterführt *in die andere Welt und daß wir* Lust *haben an allem Werdenden und darum auch an unserm Vergehen! (*Umwertung, 4. Buch, Nr. *583)*

Der Tod. *– Man muß die dumme physiologische Tatsache in eine moralische Notwendigkeit umdrehn. So leben, daß man auch* zur rechten Zeit *seinen* Willen zum Tode *hat! (*Ibd., Nr. *293)*

*Der Tod umzugestalten als Mittel des Sieges und Triumphes. (*Ibd., Nr. *274)*

unternehmen machen, die Selbstverschwendung wie auch das kopflose Aufs-Spiel-Setzen des individuellen Lebens verspricht eine Art ›permanenten Orgasmus‹, die Ekstase, oder den paroxystischen Tod. Initial ist den Azephalen, abgestoßen von der marastischen Gesellschaft dieser Jahre und unbefriedigt von den politischen Handlungs- und Veränderungsmöglichkeiten, die instinktive Suche nach einem Daseinsgrund, der so faszinierend wäre, daß er auch Todesgrund zu sein vermag. Bataille wird diesen Daseinsgrund zu einem bestimmten Zeitpunkt als Gral bezeichnen, auch als Kommunikation oder Souveränität. Jener Gral codiert keine Gottheit, eher die Suche; keine transzendente Entität, kein substantialisiertes Sakrales, sondern ein ›Es‹, das Heilige, begriffen als »privilegierter Augenblick« kommunieller Einheit, konvulsivischer Kommunikation dessen, was gewöhnlich erstickt wird (cf. I, 562). Alles, was aus der individuellen Partikularität herausführt – das Lachen, das rituelle Opfer, die Tragödie, die Erotik, der Stierkampf, das Fest und die Orgie – macht den privilegierten Augenblick erfahrbar, erschließt das Sakrale.

1937

Die zweite Ausgabe von *Acéphale*, eine Doppelnummer, steht unter dem Motto »Nietzsche und die Faschisten«; sie erscheint am 21. JANUAR, Bataille zeichnet jetzt mit Ambrosino und Klossowski als verantwortlicher Herausgeber. Der anonym veröffentlichte Titelbeitrag *Nietzsche et les fascistes* kann zweifelsfrei Bataille zugeschrieben werden, namentlich gezeichnet hat er dagegen einen einzigen von insgesamt vier Beiträgen im selben Heft, nämlich die *Propositions* – alles in allem machen Batailles Textbeiträge mehr als die Hälfte des Heftes aus. Die Anonymität des Hauptbeitrags verweist auf ein kollektives Anliegen: die Wiedergutmachung der Usurpation des Nietzscheschen Werkes durch Antisemiten und Faschisten. Dem ideologischen Mißbrauch Nietzsches durch Alfred

Bäumler (*Nietzsche, der Philosoph und Politiker,* 1931, [3]1937), durch Alfred Rosenberg (*Der Mythus des 20. Jahrhunderts,* 1932) und Richard Oehler (*Friedrich Nietzsche und die deutsche Zukunft,* 1933) hält Bataille Nietzsche-Zitate entgegen, die die Imkompatibilität seines Denkens mit dem Rassismus beweisen. Über die antisemitischen Manipulationen, die unter dem Vorsitz von Nietzsches Schwester, Elisabeth Förster-Nietzsche, am Werk des Philosophen vorgenommen wurden, war man seit Erich Podachs Veröffentlichung (*Nietzsches Zusammenbruch*, 1930, in französischer Übersetzung 1931) informiert, und Bataille kann sich auf eine Reihe von deutschen und französischen Autoren berufen, die seiner Intention nahekommen: Marius-Paul Nicolas (*De Nietzsche à Hitler,* 1936), Ludwig Klages (*Die psychologischen Errungenschaften Nietzsches,* 1926, [2]1930), Charles Andler (*Nietzsche, sa vie et sa pensée,* 1920–31); Karl Jaspers (*Nietzsche. Einführung in das Verständnis seines Philosophierens,* 1936) und Podach werden lobend erwähnt, schließlich auch der Philosoph Emmanuel Levinas, dessen Arbeit (»Quelques réflexions sur la philosophie de l'hitlérisme.« *Esprit,* 1. 11. 34) – gegen den Strich gelesen – Bataille für seine Argumentation nutzt. Lukács' These von *Nietzsche als Vorläufer der faschistischen Ästhetik* (Internationale Literatur – Deutsche Blätter, Nr. 9, Moskau 1934) billigt er einzig rhetorische Qualitäten zu, dem die hegelschen Ursprünge von Mussolinis Faschismus-Auffassung entgegenhaltend. Auf Nietzsches Unvereinnahmbarkeit insistiert Bataille auch in einer Notiz, die dem Abdruck eines Nietzsche-Fragments über Heraklit (entnommen der postum publizierten *Philosophie im tragischen Zeitalter der Griechen*) vorangeht. Nietzsches Philosophie der Tragödie und der Explosion sei das, was der politische Mensch eliminieren müsse, heißt es in Batailles Entwürfen (cf. I, 678). Die Faszination, die die Vorsokratiker auf Bataille ausüben, wobei er Nietzsches Denken in diese Tradition stellt, äußert sich auch darin, daß er André Massons Gemälde *Le Fleuve Héraclite* und *Empédocle* (Ende '36 bzw. Anfang '37 entstanden) erwirbt (cf. Clébert, p. 74 f.). Zu *Acéphale* trägt Masson mit drei Varianten des azephalischen Idols bei, wobei einer Zeichnung als Legende ein Nietzsche-Fragment beigefügt ist. Der Präsentation der erstmals ins Französische – von Klossowski? – übersetzten Nietzsche-Fragmente folgen Batailles *Propositions* über den Faschismus und den Tod Gottes. In beiden Texten, die Batailles politischen Standpunkt aus der Zeit von ›Contre-Attaque‹ konsequent fortsetzen, spricht er sich für eine universelle wie azephalische Existenz aus. Die faschistische politische Struktur beleuchtet die unbewußte Grundlage eines jeden politischen Systems insofern, als es auf einer monozephalen

Repräsentation beruht. In den Demokratien sieht Bataille keine Alternative zu den geschlossenen faschistischen Gesellschaften, sondern allenfalls eine Übergangsform, die durch ein prekäres Gleichgewicht zwischen den Klassen gekennzeichnet ist. (Cf. I, 468) Der revolutionären Zerstörung folge immer die Rekonstruktion der gesellschaftlichen Struktur und ihres Kopfes, so daß die einzig wirkliche und mögliche befreiende Tat die weltweite Bildung einer neuen Struktur und Ordnung sei. Eine kraft- und lebensvolle, eine *freie* Gesellschaft werde nur in einer *bi-* oder *polyzephalen* verkörpert, da sie der Verwirklichung des azephalischen Charakters der Existenz am nächsten sei. (Cf. I, 469) Repräsentiert der Kopf, die bewußte Herrschaft oder Gott jene Herrschaft der servilen Funktionen, die sich als Selbstzweck ausgibt, so drückt der Acephalos mythologisch die der Zerstörung ausgelieferte Souveränität, den Tod Gottes (als einer begrenzten und immobilen Souveränität) aus; darin vermischt sich, schreibt Bataille, die Identifizierung mit dem Menschen ohne Kopf mit der Identifizierung mit dem Übermenschen, der gänzlich »Tod Gottes« *ist*. (Cf. I, 470) Übermensch und Acephalos verbindet nach Bataille eine gemeinsame Haltung gegenüber der – konkreten – Zeit, die als Gegenstand der Ekstase aufgefaßt wird (Nietzsches Erfahrung der ewigen Wiederkehr), ein sowohl gebieterischer als auch die explosive Freiheit des Lebens beinhaltender Gegenstand. Allerdings befinde sich die ekstatische Zeit bloß in der Schau jener Dinge, die der »kindische Zufall« plötzlich auftauchen lasse: »Leichen, nackte Figuren, Explosionen, vergossenes Blut, Abgründe, Sonnenschein und Blitze.« (I, 471) Nation, Armee, Gott selbst stellten den verzweifelten Kampf der Menschen mit der Allmacht der Zeit, den Versuch, sie anzuhalten dar, was der Negation des Todes gleichzusetzen sei (dem Versuch, den Tod zu überwinden, wobei er tatsächlich bloß geflohen wird, wird Bataille in *Sur Nietzsche* das Prädikat faschistisch verleihen). Nation und Armee trennten den Menschen von einem Universum, das der sinnlosen Verausgabung und der bedingungslosen Explosion seiner Bestandteile preisgegeben sei. Aber der Tod Gottes ermöglicht der universellen Existenz ihre Behauptung und Entfaltung, universelle Existenz, die Bataille-Nietzsche charakterisiert als: unbegrenzt, ruhelos, das Leben eröffnend und in die Unsicherheit des Unendlichen stürzend, ewig unvollendet, azephalisch, vergleichbar einer blutenden Wunde, endliche Einzelwesen schaffend und zerstörend. (Cf. I, 473)

Unter der allgemeinen Überschrift *Deux interpretations récentes de Nietzsche* findet sich Batailles – anonyme – Würdigung von Jaspers' Nietzsche-Buch. Dabei kontrastiert er Jaspers' Interpretation mit derjenigen Charles Andlers (der dem ›Collège‹ nahestehen sollte), dessen literarhistorischen Ansatz er als Nietzsche inadäquat kritisiert. Dem folgt, um die Fragwürdigkeit der nationalsozialistischen Annexion Nietzsches neuerlich zu demonstrieren, ein längeres Zitat aus Jaspers' Arbeit zu Nietzsches politischem Denken. Einige kurze Anmerkungen *(Nietzsche et la mort de dieu)* widmet außerdem Jean Wahl der Schrift von Jaspers. *Réalisation de l'homme* betitelt Jean Rollin seine Reflexionen über die Konsequenzen aus dem postulierten Tod Gottes. Pierre Klossowski weist Nietzsches Gelehrten-Habitus als Maske aus *(Création du monde)* und rezensiert Karl Löwiths Buch *Nietzsches Philosophie der ewigen Wiederkunft des Gleichen* (1935) – das Klossowski zu seiner meisterhaften Studie über dasselbe Thema angeregt haben dürfte *(Nietzsche et le cercle vicieux*, 1969).

Als äußere Aktivität der Geheimgesellschaft ›Acéphale‹ bezeichnet Bataille das ›Collège de Sociologie‹, das im MÄRZ gebildet wird. »Dieses ›Kolleg‹, dessen Gebiet nicht die gesamte Soziologie, sondern die ›heilige‹ Soziologie war, manifestierte sich in Vortragsreihen. Dessen Gründer waren, außer Bataille, Roger Caillois und Michel Leiris.« (VII, 461) Das Gründungsmanifest des ›Collège‹ trägt dagegen die Signaturen von Ambrosino, Bataille, Caillois, Klossowski, Pierre Libra und Jules Monnerot – letzterem verdankt die Einrichtung ihren Namen; Leiris unterschreibt bezeichnenderweise nicht, und weder Ambrosino noch Monnerot werden vor dem ›Collège‹ das Wort ergreifen. Der Versuch, Alexandre Kojève für das ›Collège‹ zu gewinnen, schlägt fehl:

»Ich muß sagen, daß unser Vorhaben keine Gnade in seinen Augen gefunden hat. (. . .) Bei Bataille, in der Rue de Rennes, haben wir Kojève unser Vorhaben dargelegt. Er hat uns gefragt, was genau wir zu tun gedachten. Wir haben es ihm erklärt. Es ging darum, philosophische Forschungen zu treiben, aber die Philosophie war in gewisser Weise bloß eine Fassade oder eine Form, das wirkliche Vorhaben bestand darin, das *Heilige* in einer Gesellschaft zu neuem Leben zu erwecken, die dazu neigte, es zu verwerfen. Wir waren uns bewußt, die *Zauberlehrlinge* zu spielen. Wir waren entschlossen, gefährliche Bewegungen zu entfesseln, und wir wußten, daß wir wahrscheinlich deren erste Opfer sein würden, oder daß wir zumindest im möglichen Strom mitgerissen würden.

Kojève hat uns angehört, aber er hat unsere Idee zurückgewiesen. In seinen Augen brachten wir uns in die Lage eines Taschenspielers, der seinerseits Taschenspielerkunst verlangte, um ihn an die Magie glauben zu machen. Wir haben jedoch zu Kojève enge Bande bewahrt.« (Caillois 1970, 6 f.)

Seine aktivistischen Ambitionen noch verhüllend, bietet das ›Collège‹ eine theoretische Lehre in Form von Vorträgen an, die ab Oktober alle vierzehn Tage gehalten werden sollen. In dem nichts weniger als expliziten Gründungsmanifest werden die Ziele dieser Art von freier Universität benannt: Das ›Collège de Sociologie‹ strebt die Analyse der Strukturen moderner Gesellschaften an, bemüht um die Kenntnis der vitalen Elemente einer Gesellschaft. Gegenstand der beabsichtigten Tätigkeit ist jedoch ausschließlich die »heilige Soziologie«, also das Studium der gesellschaftlichen Existenz in all jenen Äußerungsformen, in welchen die aktive Präsenz des Heiligen an den Tag kommt. »Sie nimmt sich also vor, die Punkte darzulegen, in welchen die grundlegenden lästigen Tendenzen der individuellen Psychologie mit den leitenden Strukturen, die den sozialen Verband leiten und seine Revolutionen hervorruft, koinzidieren.« (I, 429) Der virulente Charakter des zu erforschenden Gebiets soll übrigens – hierin unterschieden von den herkömmlichen Gelehrtengemeinschaften – zur Bildung einer geistigen Gemeinschaft (das ›Collège‹ als Einrichtung zur Anwerbung von Azephalen?) und zur gemeinschaftlichen Aktion führen. Im Manifest, publiziert in *Acéphale* vom Juli 1937, gibt sich die ›Collège‹-Gemeinschaft als offen für Interventionen von jedermann aus, was sich in der Praxis freilich umgekehrt verhalten sollte, einer Praxis, die von Selektion und Elektion bestimmt war.

Ehemalige surrealistische Schriftsteller, orientiert an den Soziologen Durkheim, Mauss und Dumézil, bilden folglich – aus Aversion gegen Poesie und Kunst, aber auf der Suche nach dem verlorengegangenen Zusammenhalt der Gesellschaft – die Studiengemeinschaft des ›Collège‹. Motiviert werden sie, so Bataille (»Le sens moral de la sociologie.« *Cr.*, Nr. 1, 1946), durch ihr Unbehagen angesichts der begrenzten Möglichkeiten innerhalb der individuellen Sphäre, wobei über die Zersetzung des Individualismus durch die Gesellschaft Konsensus herrscht. Ihr Streben zielt demnach in Richtung auf eine schöpferische Gesellschaft, die seltene Werte hervorbringt. Dabei sollen Wirklichkeiten, die von allen geteilt werden, als heilig betrachtet werden. Nach Caillois widmen sich diese Soziologen exklusiv dem Studium geschlossener Gruppen: »Männergesellschaften primitiver Völker, Initiations-Gemeinschaften, priesterliche Brüderschaften, häretische oder orgiastische Sekten, klösterliche oder militärische Orden, terroristische Organisationen, politische Geheimverbindungen aus dem Fernen Osten oder aus unruhigen Zeiten der europäischen Welt. Man war begeistert von dem Entschluß der Menschen, die im Laufe der Geschichte von Zeit zu Zeit der disziplinlosen Gesellschaft feste Gesetze geben zu wollen schienen, einer Gesellschaft, die ihr Bedürfnis nach Strenge nicht befriedigen konnte. Man verfolgte mit Sympathie die Schritte derer, die, indem sie sich von der Gesellschaft mit Abscheu entfernten, anderswohin gingen, um unter rauheren Einrichtungen zu leben.« (Caillois 1974, 93) Jene soziologischen Explorationen möchten weder zu oberflächlich noch zu wissenschaftlich-streng, das heißt steril sein, heißt es in Batailles Retrospektive. Das führt zu der Forderung, daß das Wissen die Tat hervorbringt, führt zu dem Paradox einer »aktiven Soziologie«. Ihre Sache wäre weniger das desinteressierte Streben nach Wissen als nach Wertsetzung und Veränderung. Pariser »Messianismus« mit dem Ziel einer »künftigen Religion der Menschheit« meint denn auch Klossowski in ›Acéphale‹ wie im ›Collège de Sociologie‹ zu erblicken, beide Gruppierungen in die Tradition der Pariser »Geheimgesellschaften« des 19. Jahrhunderts stellend: revolutionäre Klubs, romantische und sozialistische Agitatoren von 1830 und 1848, Saint-Simonisten, Fourieristen, proudhonistische Anarchisten und Kommunarden, Surrealisten schließlich zählt er hierzu. (Cf. Klossowski 1947, 158) Amalgam aus Akademikern, Schriftstellern, Politikern . . . die allerdings weniger am fourieristischen Modell der *Phalanstère* sich orientierten denn an der sadeschen »Gesellschaft der Freunde des Verbrechens«, jenes gemeinschaftlich begangenen Verbrechens, auf dem, so Freud, die Gesellschaft beruht.

»Unsere Versammlungen haben begonnen. Die erste hat in diesem staubigen Café des Palais Royal stattgefunden, das damals das Grand Véfour* war. Bataille hat ausführlich über den Zauberlehrling gesprochen. Ich habe einen Vortrag über den *Winterwind* gehalten.« (Caillois 1970, 7) Batailles Vortrag *L'apprenti sorcier*, gehalten im intimen Kreis von Adepten und Sympathisanten, besteht aus 14 »Thesen«, die hier resümiert werden sollen.

1. Der Mangel an Bedürfnis ist unheilvoller als der Mangel an Befriedigung
Als größtes Übel wird der Verzicht angesehen, ein ganzer Mensch zu werden und seine Existenz darauf zu reduzieren, eine Funktion der menschlichen Gesellschaft zu sein (cf. I, 524).

2. Der um das Bedürfnis, ein Mensch zu sein, beraubte Mensch
Die Favorisierung des nützlichen Menschen führt zu der Bedürfnislosigkeit, ein Mensch zu sein, ein Zustand, der gemeinhin als Glück

---

* 17, rue de Beaujolais, Paris 1er (B. M.).

1937

COLLÈGE DE SOCIOLOGIE

ANNÉE 1937-1938 ·· LISTE DES EXPOSÉS

Samedi 20 novembre 1937
LA SOCIOLOGIE SACRÉE et les rapports entre "société", "organisme", "être", par Georges Bataille et Roger Caillois.

Samedi 5 février 1938
ATTRACTION ET RÉPULSION.
II. La structure sociale, par Georges Bataille.

Samedi 4 décembre 1937
LES CONCEPTIONS HÉGÉLIENNES, par Alexandre Kojève.

Samedi 19 février 1938
LE POUVOIR, par Roger Caillois.

Samedi 19 décembre 1937
LES SOCIÉTÉS ANIMALES, par Roger Caillois.

Samedi 5 mars 1938
STRUCTURE ET FONCTION DE L'ARMÉE, par Georges Bataille.

Samedi 8 janvier 1938
LE SACRÉ, dans la vie quotidienne, par Michel Leiris.

Samedi 19 mars 1938
CONFRÉRIES, ORDRES, SOCIÉTÉS SECRÈTES, ÉGLISES, par Roger Caillois.

Samedi 22 janvier 1938
ATTRACTION ET RÉPULSION,
I. Tropismes, sexualité, rire et larmes, par Georges Bataille.

Samedi 2 avril 1938
LA SOCIOLOGIE SACRÉE du monde contemporain, par Georges Bataille et Roger Caillois.

■ Les exposés des mois de mai et juin 1938 seront entièrement consacrés à la MYTHOLOGIE.

■ Le COLLÈGE DE SOCIOLOGIE se réunira dans la Salle des Galeries du Livre, 15, rue Gay-Lussac (5e). Les exposés commenceront à 21 h. 30 précises; ils seront suivis d'une discussion. L'entrée de la salle sera réservée aux membres du Collège, aux porteurs d'une invitation nominale et (une seule fois) aux personnes présentées par un membre inscrit. L'inscription est de 5 fr. par mois (8 mois par an) ou de 30 fr. par an (payables en novembre). La correspondance doit être adressée à G, Bataille, 76 bis, rue de Rennes (6e).

INVITATION NOMINALE valable le _____ ■_____

Programm des ›Collège de Sociologie‹

angepriesen wird. Jener Halbtotzustand des exemplarischen Konsumenten werde von den Vordenkern aus Politik, Kunst und Wissenschaft gebilligt, indem sie die Grenzen des menschlichen Schicksals im Namen aller absteckten (Bevormundung): sie belügen folglich die geistig Unterprivilegierten über die wirkliche Existenz. – Wider ein Leben, das der freiwilligen, bewußtlos akzeptierten Sklaverei der Produktion von nützlichen Gütern geweiht ist!

3. Der Mensch der Wissenschaft
Er verzichtet, aus Sorge um die zu entdeckende Wahrheit, auf den *totalen* Charakter seiner Handlungen, verliert sich im Partikularen, sein Schicksal nicht leben wollend (cf. *Das Labyrinth*).

4. Der Mensch der Fiktion
»Die Wahrheit, die die Wissenschaft verfolgt, ist bloß unter der Bedingung wahr, daß sie ohne Sinn ist, und alles hat bloß unter der Bedingung Sinn, daß es Fiktion ist.

Die Diener der Wissenschaft haben das menschliche Schicksal aus der Welt der Wahrheit ausgeschlossen, und die Diener der Kunst haben darauf verzichtet, eine Welt wahr zu machen aus dem, was ein ängstliches Schicksal sie gezwungen hat, sichtbar werden zu lassen.« (I, 526) Notorische Ignoranz im Partikularismus der Wissenschaftler – Fruchtlosigkeit des individualistischen Universalismus der Dichter. Heteronomität, Heuchelei, Servilität charakterisierten den Wissenschaftler wie den Dichter, wobei jedoch letzterer sein Scheitern für seine Karriere ausbeute (cf. das Echo dieses Standpunktes zehn Jahre später in dem Titel *La haine de la poésie* und in dem Baudelaire-Essay Batailles).

5. Die in den Dienst der Tat gestellte Fiktion
Der Mensch der Fiktion leide darunter, nicht das von ihm beschriebene Schicksal verwirklichen zu können. Die Gespenster, die ihn verfolgten, verlören in der Welt der Tat das Privileg, die menschliche Existenz bis zum Rand auszufüllen. Allein in seiner Karriere entkomme er der Fiktion.

6. Der Mensch der Tat
Die Erfahrung lehre, daß die Idee unter dem Primat des Handelns verkomme. Wer intendiert habe, die Realität gemäß seinem Traum zu verändern – der einzige Weg, Fantasien und Lügen zu vermeiden –, müsse feststellen, daß er nur *seinen Traum* entsprechend der armseligen Realität verändert hat.

7. Die von der Welt veränderte Tat, die unfähig ist, die Welt zu verändern

Der Bereich der Tat sei den rationellen Prinzipien der Wissenschaft unterworfen. Die Tat-Menschen, die Aufständischen eingeschlossen, dienten ausnahmslos dem Existierenden, einem blinden Aktionismus verschrieben.

8. Die aufgelöste Existenz
Die in drei Stücke zerbrochene Existenz, die von Kunst, Wissenschaft oder Politik bestimmt werde, bedeute den Verzicht auf die (Totalität der) Existenz im Tausch gegen die Funktion: jene Bedingung werde von allen unterschrieben.

9. Die erfüllte Existenz und das Bild des geliebten Wesens
Ein menschliches Wesen würde aufgelöst, wenn es sich einer Arbeit oder einem Vorhaben hingebe, die sich nicht selbst genügten.

Die erfüllte Existenz sei mit jedem Bild (des Schicksals) verbunden, das Hoffnung und Entsetzen hervorrufe, gleichsam wie die Virilität mit der Anziehungskraft eines nackten Körpers verbunden sei. Das Tragische, das »blendende Wunder« eines menschlichen Wesens könne man bloß in einem Bett finden (selbst wenn der Schmutz der gegenwärtigen Welt bis in die Zimmer dringe).

10. Der illusorische Charakter des geliebten Wesens
Das geliebte Wesen repräsentiere das Schicksal. Es gehöre nicht mehr der realen, von Zeit und Geld beherrschten Welt an.

11. Die wahre Welt der Verliebten
Die Vereinigung der Körper mache indessen die Illusion wahr, indem sich die Liebenden wie am ersten Tage wiederträfen, und zwar in Gestalt des Schicksals des anderen. Da weder auf Repräsentation noch auf Verbalisation angewiesen, stellt Bataille die Erotik über die Kunstübung, die symbolischen Ausdrucksweisen. Die Welt der Liebenden kommt der Totalität der Existenz am nächsten, vervollkommnet unterdessen nicht das Menschenleben: das Beispiel hat für Bataille in erster Linie eine demonstrative Bedeutung. »Die glückliche Tat ist die ›Schwester des Traums‹, sogar im Bett, wo das Geheimnis des Lebens der Kenntnis offenbart wird. Und die Kenntnis ist die entzückte Entdeckung des menschlichen Schicksals in diesem geschützten Raum, wo die Wissenschaft – ebenso wie die Kunst oder die praktische Tat – die Möglichkeit verloren hat, der Existenz einen fragmentarischen Sinn zu verleihen.« (I, 532)

12. Die Gesamtheit der Zufälle
Das Leben und die Welt der Verliebten setze sich aus einer Gesamtheit von Zufällen zusammen, doch einzig die Konsequenzen verlie-

hen diesen Zufällen einen wahren Charakter (eine Frau »besitzen« –
beim Glücksspiel Geld gewinnen). Ein »gieriger und mächtiger
Wille zu sein« wird als Prämisse der Wahrheit bezeichnet. Und die
Hervorbringung menschlicher Welten mache die Koinzidenz von
Willenskräften notwendig; dem isolierten Individuum mangele die
Kraft hierzu und es versuche es bloß, wenn es sich in der Gewalt von
Kräften befinde, die aus ihm einen Geisteskranken machten. (Die-
ser Passus ist merklich von den hegelschen Lektionen gefärbt.)

13. Schicksal und Mythos

Das Leben am Tod zu messen, wie eine Flamme zu leben, hieße wie
Spieler oder Verliebte leben. Der als unmenschlich denunzierten
Utilität und Rationalität hält Bataille den Zufall, die Chance entgegen und, als Ausdruck der Totalität der Existenz, den verlebendig-
ten Mythos. Überlegenheit des Mythos über die Disziplinen Kunst
(Fiktion), Politik, Wissenschaft insofern, als die Übereinstimmung
eines ganzen Volkes, sich in der Erregung der Feste kundtuend, aus
ihm die vitale menschliche Wirklichkeit mache. Anerkenne die
Kunst noch die niedrigste Wirklichkeit und den überlegenen Charakter der wahren Welt, so fordere die gleichsam schamanistische
Kraft des Mythos, daß sich die Wirklichkeit seiner Herrschaft unterwirft. Dem rituell gelebten Mythos schreibt Bataille die Offenbarung des wirklichen Seins zu. »Einzig der Mythos wirft dem, den
jede Prüfung erschöpft hatte, das Bild einer umfassenden Fülle in
der Gemeinschaft zurück, in der sich die Menschen versammeln.
Einzig der Mythos dringt in die Körper derer ein, die er verbindet
und von denen er das gleiche erwartet. Er ist die Hast eines jeden
Tanzes; er bringt die Existenz auf ihren ›Siedepunkt‹: er vermittelt
ihr das tragische Gefühl, das seine heilige Intimität zugänglich
macht.« (I, 535) Rückkehr zur verlorenen Totalität könnte das Ziel
der heftigen Dynamik des Mythos genannt werden.

14. Der Zauberlehrling

Die Schwierigkeiten von Künstler und »Zauberlehrling« seien identisch miteinander. Wie zur Entkräftung der von Kojève unterstellten »Taschenspielereien« bestimmt, heißt es weiter: Die Forderungen der mythologischen Erfindungen »würden jenen Gestalten
jeden Wert absprechen, in welchen der Teil des beabsichtigten
Arrangements« nicht mit der dem Gefühl des *Heiligen* eigenen
Strenge beseitigt worden wäre. Der ›Zauberlehrling‹ muß sich übrigens von Anfang bis Ende an diese Strenge gewöhnen. (. . .) Das
Geheimnis ist in dem Bereich, in dem er sich bewegt, seinen seltsamen Schritten nicht weniger notwendig wie den Verzückungen der

Erotik (die totale Welt des Mythos, die Welt des *Seins* ist gerade durch jene Grenzen von der *aufgelösten* Welt getrennt, die das *Heilige* vom *Profanen* scheiden). ›Geheimgesellschaft‹ ist genau der Name der gesellschaftlichen Wirklichkeit, die diese Schritte zusammensetzen. Doch dieser schwärmerische Ausdruck darf nicht, wie es üblich ist, im vulgären Sinn von ›Komplott-Gesellschaft‹ verstanden werden. Denn das Geheime betrifft die grundlegende Wirklichkeit der verlockenden Existenz, nicht irgendeine Tat, die der Sicherheit des Staates entgegengesetzt ist.« (I, 537)

Der daran anschließende Vortrag Caillois', *Le vent d'hiver*, schlägt in bezug auf »Geheimgesellschaften« eine pragmatischere wie auch militantere Tonart an. Caillois' Referenten sind u. a.: Nietzsche (den Willen zur Macht wörtlich genommen), Kardinal de Retz (*Mémoires*, 1717), Balzac (*L'Histoire des Treize*), Baudelaire (Schriften zur Kunstästhetik), Corneille (*Le Cid*), Henry de Montherlant (in seiner Eigenschaft als Moralist mit *Service inutile*, 1935), D. H. Lawrence (*The Plumed Serpent*, 1926, ein auch für die Gruppe ›Acéphale‹ wichtiger Roman), die Ethnologen Marcel Mauss und Marcel Granet.

Die Krise des Individualismus konstatierend, wirft Caillois seinen historischen Verfechtern – Sade, Nietzsche, Stirner – Schwäche vor. Das Gebiet der Poesie verwirft er als ein evasorisches. Als Strategie schlägt er den Zusammenschluß der Individuen zu einer Gemeinschaft vor, die

das Erbe der Rebellen und Aufständischen verteidigt;

deren Werte als die allersozialsten sakralisiert;

von der Agitation zur Aktion schreitet, vom aufrührerischen »satanischen« Geist zum »luziferischen« (als dem wirkungsträchtigen) übergeht, das heißt zum Willen zur Macht;

gegen die Gesellschaft als solcher einen »heiligen Krieg« führt, am Rande der existierenden Gesellschaft sich krebsartig ausbreitend.

Von einer solchen Subversion verspricht sich Caillois eine »Übersozialisierung«, wie sie die Religion durch die Präsenz des Heiligen bewirkt habe. Caillois, übrigens der Benjamin der Gruppe, wirbt für die Heranbildung einer geistigen Elite, einer elektiven Gemeinschaft: sie allein sei durch ihre Festigkeit und Dichte der Gesellschaft gegenüber im Vorteil. Das Finale seiner Rede ist der »Moral der geschlossenen Gemeinschaften« gewidmet. Alle Mittel der Differenzierung und der gegenseitigen Distanzierung werden zu Tugenden einer sich selbst genügenden Vereinigung erklärt, so Freundlichkeit, Machtliebe, Verachtung (die Ungleichheit der Menschen legitimiere diese Haltung). (Cf. Hollier 1979, 75–97)

Dieser subversive, kalte, strenge *Winterwind* liest sich wie eine

Apologie des – zwar passiv gewendeten – »Ausleseprezesses« der Schwachen, Dekadenten, ist gleichsam eine aristokratische Variante der Ambitionen ›Contre-Attaques‹, schwankend zwischen Kontemplation (Selbstgenügsamkeit der Wahlgemeinschaft) und Aktion (krebsartiges Anwachsen der Elite bis zur Machtübernahme).

Außerhalb des ›Collège‹ findet am Abend des 21. März in der Maison de la Mutualité (24, rue Saint-Victor) eine Nietzsche gewidmete Versammlung statt (Exposé: Bataille, Interventionen: Caillois, Monnerot). Zeugnisse von dieser Veranstaltung sind nicht erhalten, aber es ist zu vermuten, daß sie der Vorbereitung der nächsten Nummer von *Acéphale* dient, die Dionysos zum Thema haben soll. In einem Abonnements-Zettel wird als Inhalt dieser Ausgabe angekündigt:

»NIETZSCHE-CHRONIK: *Zersetzung und Wiederzusammensetzung der heiligen Werte als die kritische Phase jeder Zivilisation. – Die der Vergangenheit unterworfene faschistische Wiederzusammensetzung. – Die frei in die Zukunft projizierte nietzschesche Wiederzusammensetzung. – Die Rückkehr zu Dionysos, dem Gott der Trance, der Erde und des Todes. – Dionysos und der Krieg. – Die Schreckensherrschaft in Spanien und die Doktrin Sades gegen die unnütze Aggressivität und den unnützen Mord.*
Roger CAILLOIS: Die dionysischen Tugenden. – Pierre KLOSSOWSKI: Dionysos und Kierkegaard (Don Juan und das Unmittelbar-Erotische nach Kierkegaard). Jules MONNEROT: Nietzsche, der Mythos und die Wissenschaft. – Georges BATAILLE: Das mit der größten moralischen Mittellosigkeit betrachtete Tötungsbedürfnis.« (I, 674)

Mit Sentenzen wie »Wenn Sie nicht platt sind, müssen Sie Acéphale abonnieren« (I, 677) möchte Bataille Leser gewinnen.

Im Frühjahr wohnt Bataille einem Symposium über das Problem der Beschneidung bei, veranstaltet von einer ›Groupe d'études d'ethnographie psychologique‹ (Exposés: Mme. Svalberg, Marcel Griaule, Michel Leiris, Dr. René Allendy; Diskussion: Bataille, François Berge, Maurice de Caraman, Dr. Adrien Borel). Aus dieser Studiengruppe heraus bilden Bataille, Dr. Allendy, Dr. Borel, Leiris und Dr. Paul Schiff im APRIL die ›Société de psychologie collective‹, die den Anteil der psychologischen Faktoren – besonders der unbewußten – am gesellschaftlichen Geschehen studieren will mit der Absicht, hierzu unterschiedliche Forschungsdisziplinen zu vereinen (cf. II, 444). Die Präsidentschaft der Gesellschaft, die ihre Tätigkeit im Januar 1938 aufnimmt, übernimmt Prof. Pierre Janet, Bataille fungiert als Vizepräsident. Eine unabhängige Zeitschrift für das ›Collège de Sociologie‹ anstrebend, erwägt er deren Finanzierung mit Hilfe der ›Société de psychologie collective‹ (cf. Hollier 1979, 539 f.).

Das Personalisten-Organ *Esprit* publiziert im MAI zwei Notizen zu ›Acéphale‹:

»›Acéphale‹ ist das Zeichen der radikalen Staatsfeindschaft, das heißt des einzigen Antifaschismus, der dieses Namens würdig ist. Diese Gesellschaft ohne einzigen Kopf ist beinahe das, was wir mit weniger romantischen Ausdrücken eine Föderation nennen. In diesem zentralen Punkt scheint die Übereinstimmung Nietzsches und seiner Schüler mit dem Personalismus viel einfacher zu verwirklichen zu sein als mit jeder anderen politischen Doktrin.« Denis de Rougemont:

»Die Mitarbeiter der Acéphale [sic] erweisen sich hier als Personalisten, indem sie die persönliche Essenz eines Denkens verteidigen, das man nicht vom Leben des Menschen und der Totalität seiner Erfahrung trennen kann.« P.-L. Landsberg

Dionysos wird in Heft 3−4 von *Acéphale* thematisiert, das im JULI erscheint. Die Beiträge: Vier Zeichungen von Masson: »Dionysos« (1933 entstanden, in Batailles Besitz), »La Grèce tragique«, »L'univers dionysiaque« (jeweils einen Minotauros darstellend), »Le taureau de ›Numance‹« (Masson hatte das Bühnenbild zu Cervantes' Stück *Numantia* entworfen, das von Barraults Truppe von April bis Mai im Théâtre Antoine aufgeführt wurde); Walter F. Otto, Karl Löwith und Karl Jaspers: Zitate ad Dionysos; Jules Monnerot: *Dionysos philosophe* (Essay über die Trias Don Juan−Dionysos−Nietzsche); Bataille: *Chronique nietzschéenne*; Caillois: *Les vertus dionysiaques*; Ambrosino, Bataille, Caillois, Klossowski, Pierre Libra, Monnerot: *Note sur la fondation d'un Collège de Sociologie*; Klossowski: *Don Juan selon Kierkegaard* (Klossowski zitiert in seinem Artikel nicht die Abhandlung Kierkegaards *Über den Unterschied zwischen einem Genie und einem Apostel*, 1849, eines der Schlüsselbücher der Geheimgesellschaft).

Batailles *Chronique nietzschéenne* versteht sich als Fortsetzung des Textes *Nietzsche et les fascistes* und soll künftig weitergeführt werden. An den Anfang seiner »Chronik« stellt er die These, daß der Gipfel der Zivilisation eine Krise sei, die die soziale Existenz zersetze. Zur Rekonstruktion einer solchen Zivilisation bieten sich nach Bataille zwei Lösungen an: die faschistische (Wiedereroberung der verlorenen Welt) und die religiöse (vom cäsarischen Himmel zur dionysischen Erde), der Existenz eine Zukunft eröffnet jedoch nur der tragisch-dionysische Weg.

»DER KRITISCHEN PHASE DER ZERSETZUNG EINER ZIVILISATION FOLGT REGELMÄSSIG EINE WIEDERZUSAMMENSETZUNG, DIE SICH IN ZWEI UNTERSCHIEDLICHEN RICHTUNGEN ENTWICKELT: DER WIEDERHERSTELLUNG DER RELIGIÖSEN ELEMENTE DER ZIVILEN UND MILITÄRISCHEN SOUVERÄNITÄT, DIE DIE EXISTENZ AN DIE *VERGANGENHEIT* KETTEN, FOLGT ODER IST GEPAART DIE GEBURT FREIER UND BEFREIENDER HEILIGER GESTALTEN UND MYTHEN, DIE DAS LEBEN *ERNEUERN* UND AUS IHM DAS MACHEN, ›WAS SICH IN DER *ZUKUNFT* ABSPIELT‹, ›WAS BLOSS EINER *ZUKUNFT* ANGEHÖRT‹.« (I, 483)

»ZUR GLEICHEN ZEIT WIE DIE HEILIGE − NIETZSCHEANISCHE − GESTALT DES TRAGISCHEN DIONYSOS DAS LEBEN VON DER KNECHTSCHAFT ERLÖST, DAS HEISST VON DER STRAFE DER VERGANGENHEIT, ERLÖST SIE ES VON DER RELIGIÖSEN DEMUT, VON DEN IRRTÜMERN UND DER ERSTARRUNG DER ROMANTIK. SIE FORDERT, DASS EIN *EKLATANTER WILLE* DIE ERDE DER GÖTTLICHEN GENAUIGKEIT DES TRAUMS ZURÜCKGIBT.« (I, 484)

Der Kampf des römischen Feldherrn Scipio (133 v. Chr.) gegen die aufständischen keltiberischen Numantier, die sich eher selbst töten als sich ergeben, zitiert Bataille als Argument gegen die antifaschistische Bewegung, die eine reine Nein-Bewegung sei, wohingegen Numantia das Synonym von Freiheit wird.

»Die menschliche Gemeinschaft OHNE KOPF suchen heißt die Tragödie suchen: der Mord des Führers ist selbst Tragödie; er bleibt Forderung der Tragödie. Eine Wahrheit, die den Aspekt der menschlichen Dinge verändern wird, beginnt hier: DAS GEFÜHLSMÄSSIGE ELEMENT, DAS DER GEMEINSAMEN EXISTENZ EINE BESESSENE BEDEUTUNG VERLEIHT, IST DER TOD.« (I, 489)

Angekündigt wird ein der Erotik gewidmetes Heft von *Acéphale* (mit Beiträgen von Bataille, Maurice Heine, Klossowski, Leiris und Masson, der das Thema vorgeschlagen hatte), das aber nicht realisiert wird: für den Verleger Lévis-Mano dürfte die Zeitschrift unrentabel geworden sein, so daß das nächste Heft erst zwei Jahre später erscheint, von Bataille im Selbstverlag ediert.

In der Sommerausgabe von *Le voyage en Grèce* (Nr. 7) läßt Bataille *La Mère-Tragédie* erscheinen. Sein Text skizziert die Geburt des Theaters aus den dionysischen Mysterien heraus, situiert − azephalisch − das Theater in der Welt des Bauches, der infernalischen und mütterlichen Welt der tiefen Erde, der schwarzen Welt chthonischer Gottheiten. Die Existenz will er mit dem Tod und dem Tragischen ebenso unlösbar verbunden wissen, wie mit der Mutterbrust. (Cf. I, 493−494) *Le voyage en Grèce*, künstlerisch betreut von E. Tériade und Roger Vitrac, ist die Werbezeitschrift des gleichnamigen Touristikunternehmens, das im Sommer für Künstler Kreuzfahrten nach Griechenland anbietet.

Bataille hat geplant, mit Laure die Sommermonate in Griechenland zu verbringen, aber kurzfristig disponieren sie um, die Toskana und Sizilien bereisend. (Laurence wird, wie so oft, zur Familie Masson nach Lyons-la-Forêt geschickt.) Auf Empedokles' Spuren besteigen sie in zwei Etappen den Ätna, den sie wie die wirklichen »Pforten der Hölle« erfahren:

»Ich erinnere mich an eine Schutzhütte nahe des Gipfels eines Berges (des Ätna), die ich nach einem entkräftenden Marsch, darunter zwei oder drei Stunden bei Nacht, erreichte. Keine Vegetation mehr (von 2000 Metern an), aber schwarze Lava in Form von Asche; in 3000 Metern Höhe eine scheußliche Kälte (es fror) mitten im sizilischen Sommer. Der allerstürmischste Wind. Die Schutzhütte war ein langes baufälliges Haus, das als Observatorium* diente; eine kleine Kuppel überragte das baufällige Haus. Vor dem Schlafengehen verließ ich es, um ein Bedürfnis zu befriedigen. Auf der Stelle packte mich die Kälte. Das Observatorium trennte mich vom Gipfel des Vulkans: ich ging unter dem bestirnten Himmel die Mauer entlang, einen günstigen Ort suchend. Die Nacht war verhältnismäßig dunkel, ich war trunken vor Schwäche und Kälte. Den Winkel der Schutzhütte, die mich bis dahin geschützt hatte, hinter mich lassend, packte mich der ungeheuer stürmische Wind mit Getöse, ich befand mich vor dem lähmenden Anblick des Kraters zweihundert Meter über mir: die Nacht verhinderte es nicht, dessen Grauenhaftigkeit zu ermessen. Vor Entsetzen wich ich zurück, um mich zu schützen, dann kehrte ich, Mut fassend, zurück: der Wind war so kalt und so tosend, der Gipfel des Vulkans so schreckenbeladen, daß es kaum erträglich war. Heute scheint es mir so, daß das *Nicht-Ich* der Natur mich niemals mit soviel Wut an der Gurgel gepackt hat (dieser stets mühselige Aufstieg, den ich lange ersehnt hatte – ich hatte absichtlich die Sizilien-Reise unternommen –, überschritt die Grenze meiner Kräfte; ich war krank). Die Entkräftung verbot mir zu lachen. Dennoch war das, was mit mir den Gipfel erklomm, nichts als ein unendliches Lachen.« (V, 365 f.)

»(. . .) alles war während der Nacht, wo Laure und ich die Hänge des Ätna erklommen, ebenso schwarz und ebenso mit heimtückischem Schrekken beladen (diese Besteigung des Ätna hatte für uns eine außerordentliche Bedeutung; um dorthin zu gelangen, hatten wir darauf verzichtet, uns nach Griechenland zu begeben) – wir ließen uns den Preis der bereits teilweise gezeichneten Überfahrt zurückzahlen; die Ankunft auf dem Grat des ungeheuren und bodenlosen Kraters in der Morgendämmerung – wir waren

---

* Es wurde im Frühjahr 1971 von Lavamassen zerstört. – Man erinnert sich: de Sade hatte den Ehrgeiz artikuliert, den Ätna mit seinem Sperma zu löschen. Bataille . . . (B. M.)

erschöpft und gewissermaßen fassungslos auf Grund einer zu fremdartigen, zu unheilvollen Einsamkeit: ist der Augenblick des Zerreißens, wo wir über die klaffende Wunde, über den Riß des Gestirns gebeugt sind, wo wir Atem holen. (. . .) Mitten auf der Strecke, als wir in ein höllisches Gebiet vorgedrungen waren, ahnten wir gleichfalls in der Ferne, am äußersten Ende eines langen Lavatales, den Krater des Vulkans, und es war unmöglich, sich irgendeinen Ort vorzustellen, wo die grauenvolle Unbeständigkeit der Dinge offensichtlicher war; Laure wurde plötzlich von einer derartigen Angst gepackt, daß sie, von Sinnen, die Flucht ergriff und schnurstracks davonrannte: das Entsetzen und die Trostlosigkeit, in die wir eingedrungen waren, hatten sie verwirrt.)« (14. 9. 1939: V, 499 f.)

Auf ihrer Rückreise – im September oder Oktober – schreibt Laure an den Filmregisseur Jean Grémillon (1902–1959):

»Wir, Georges und ich, haben den Ätna bestiegen. Das ist ziemlich erschreckend. Ich würde gern mit Dir darüber reden, ich kann nicht ohne Bestürzung daran denken und ich stelle dieser Vision alle meine gegenwärtigen Handlungen gegenüber. Auf diese Weise fällt es mir leichter, die Zähne zusammenzubeißen . . . so stark – daß man sich die Kinnbacken zerschmettert.« (V, 501)

André Masson wird nach den Schilderungen der beiden ein Gemälde mit Flammen und Asche schaffen, von dem Bataille sich nicht trennen sollte (cf. V, 500).

In Siena (Toskana) schreibt Bataille *L'obélisque*, einen Text, den er im Brief vom 7. AUGUST Jean Paulhan für die Zeitschrift *Mesures* anbietet (»Ich habe ihn während einer ziemlich langen Reise verfaßt«). *L'obélisque* (I, 501–513) kreist um die ältesten, dauerhaftesten und arbeitsaufwendigsten Monumente des Menschen: Obelisk und Pyramide, beides Grabmonumente, die die Zeit anhalten wollen. »Dieser sehr wichtige, sehr schöne Artikel befaßt sich nacheinander mit zwei historisch-kulturell verwandten und heterogenen Anhäufungen: einerseits der geschichtete Corpus der Zivilisationen, die das Mittelmeerbecken darstellen (Ägypten mit den Pyramiden und dem Obelisken; Griechenland mit Heraklit und Sokrates; das Christentum mit dem wiederaufblühenden Rom); andererseits, im Vergleich zu ihm verschoben, aber auch ihn fortsetzend, ihn wiederholend, diese Art städtischer Hieroglyphe, die die Place de la Concorde bildet, eine Hieroglyphe, die auf einem einzigen Schauplatz in einem ununterbrochenen Zeitraum die Aufeinanderfolge der politischen Regime zusammenfaßt, zu welcher der fallende Kopf des Königs das Aufbruchszeichen gegeben hat. (. . .)

Die Artikulierung dieser zwei Corpora (Mittelmeerbecken, Place de la Concorde) wird durch den Obelisken gewährleistet. Obelisk, auf dessen Stumpf der Text das aufpfropft, was dieser Artikulierung ihre Spielregeln und das Verfahren ihrer Tätigkeit gibt, das heißt ›das System Hegel/Nietzsche‹, und dies durch Vermittlung:

a) einer Metapher, die Obelisken und Pyramiden verbindet: jenseits ihrer relativen morphologischen Ähnlichkeit, hatten sie für die Ägypter in der Tat eine sehr verwandte Bedeutung, beide waren ›versteinerte Sonnenstrahlen‹, Symbole der solaren Dauerhaftigkeit, die mit ihrer Macht die Gesamtheit der Erde beherrscht. Die hegelsche Pyramide (die ideologische Pyramide des Systems) bleibt in diesem ägyptischen Modell gefangen. Der Text Batailles wird neben ihr eine nietzschesche Pyramide auftauchen lassen, deren Zeichen und Bedeutung umgekehrt ist. In der Tat ist Nietzsche neben und beim Anblick eines pyramidenförmigen Felsens von der erschütternden Erfahrung der ewigen Wiederkunft ergriffen worden. Die Pyramide (und, durch eine Metapher, der Obelisk) markiert dann nicht mehr den Sieg über die Zeit, sondern den Sieg der Zeit;

b) einer Metonymie, die, auf der Place de la Concorde, den Obelisken mit dem Tod des Königs verbindet, dieser selbst eine Metapher (oder ein Echo) vom nietzscheschen Tod Gottes.« (Hollier 1974, 142 f.) In Batailles Optik ist die Place de la Concorde der Ort, wo der Tod Gottes verkündet und *ausgerufen* werden muß, da ja der Obelisk dessen ruhigste Negation sei – wenn der Obelisk für die bewaffnete Souveränität des Pharaos das gleiche bedeutete wie die Pyramide für seinen Leichnam. »Unter dem Titel ›Der Obelisk‹ wird Bataille das Fallbeil des Schafotts einschreiben und die ›unerträgliche Leere‹, die zu transzendieren die Funktion des Obelisken ist, wieder eröffnen.« (Holler 1974 b, 155). Ein weiterer Bedeutungsaspekt ist, daß für Bataille Obelisk und Pyramide den Rückzug des (Kriegs)Herrn aus der Kommunikation manifestieren (cf. VII, 578).

Die Inauguralveranstaltung des ›Collège de Sociologie‹ findet am 20. NOVEMBER um 21.30 Uhr in der Salle des Galeries du Livre, dem Nebenraum einer katholischen Buchhandlung in der Rue Gay Lussac Nr. 15, statt. Caillois' Vortragstext ist nicht erhalten (er gab, so Bataille, einen »kurzen historischen Überblick über das Denken der Soziologen«); im Anschluß daran spricht Bataille über *La sociologie sacrée et les rapports entre ›société‹, ›organisme‹, ›être‹*. Von Bataille sind zwei gleichbetitelte Texte erhalten (cf. II, 291–306): beide variieren die in *Das Labyrinth* behandelte Thematik, wobei die kürzere der zwei Arbeiten eine Digression über die Stadt, über städtische und ländliche Siedlungen darstellt, zwischen denen Bataille eine Homologie, aber auch Intensitätsdifferenzen herausarbeitet. Der längere Text strengt eine Definition der *heiligen* Soziologie an: diese studiere sämtliche menschliche Tätigkeiten, heißt es, die eine *kommunielle* Bedeutung besäßen, also einheitsstiftend seien. Diese Aussage markiert eine anti-marxistische Position, den die Gesellschaft definierenden Klassenkonflikt vernachlässigend. Die heilige Soziologie stelle sich die kohärente Darstellung der Gesellschaft zur Aufgabe, wobei wissenschaftliche Objektivität angestrebt werde(!). Im folgenden entwickelt Bataille seine Definition der Gesellschaft, die er mit einem zusammengesetzten Wesen oder Organismus vergleicht und vom Individuum abgrenzt: »Die Gesellschaft unterscheidet sich von der Summe der Elemente, aus denen sie besteht.« (II, 292) Die Prinzipien des Individualismus, die zur demokratischen Atomisierung führten, ablehnend, bringt er seine Vorliebe für die *elektive Gemeinschaft* gegenüber der *traditionellen Gemeinschaft*, der er noch angehört, zum Ausdruck. (Cf. II, 302) In seinen Ausführungen bezieht er sich auf die Naturwissenschaftler Henri Poincaré, James Hopwood und Jeans, auf Nietzsche, auf die Soziologen Durkheim und Armand Cuvillier, den amerikanischen Anthropologen Robert Lowie sowie auf den Astronom Émile Belot (»Le rôle capital de l'astrophysique dans la cosmogonie.« *Revista di scienza*, 1937, aus dem Abschnitt »Biogenetik und Biologie der kosmischen und nicht-kosmischen Wesen im Universum« zitierend).

Zu den illustren Hörern der Vorträge des ›Collège‹, die zunächst samstags, dann dienstags gehalten werden, zählen u. a. Georges Duthuit, Drieu la Rochelle, Julien Benda, Jean Paulhan, André Masson, Jean Wahl, Walter Benjamin, Emigranten der sogenannten Frankfurter Schule: Hans Mayer, vielleicht auch Max Horkheimer und Theodor W. Adorno – einige wird man einladen, Gastvorträge zu halten. – Vor einem »skeptischen und grinsenden« Auditorium, das aus 30 bis 60 Personen besteht, versucht Bataille »verzweifelt und manchmal mit Schweiß auf der Stirn (. . .), sich zu erklären, indem er, wenn nicht einen Mythos, so doch wenigstens den Mythos definiert, das heißt eine Lebensweise, die es ihm gestattet hätte, sich unter den Seinen mit der ganzen Freiheit seiner Kraft, seiner Möglichkeiten, seiner Regungen auszudrücken. Er empfand auf pathetische Weise die Notwendigkeit, eine Gruppe stark vereinter Menschen zu bilden, ihr eine feste Struktur zu geben, die fähig wäre, den bauenden und standhaltenden Kirchen, den Menschen, den Angestellten der Sparsamkeit und der Berechnung Widerstand zu leisten. (. . .) Hinter so vielen Übertreibungen und vielleicht unbewußten Listen gab es bei ihm auch ein großes Verlangen, über die Bilder der

Angst und der brüderlichen Liebe Gedichte, erreichbare Idole, Gesten des Willkommens und des Einverständnisses zu beschwören, die jene Zeiten in Erinnerung gerufen hätten, wo die Gemeinschaft am hellen Tag und mit berauschenden Liturgien einander das sublimierte Äquivalent dessen schenkte, was heute allein die Liebe zur Sinnlichkeit und zur Lust dem in einem Zimmer verriegelten Paar geben kann« (Duthuit 1944, 47 f.).

In der von Tériade geleiteten Kunst- und Literaturzeitschrift *Verve* publiziert Bataille im DEZEMBER die Texte *Chevelures* und *Van Gogh Prométhée* (I, 495−500). Der letzte Text setzt die Arbeit *La mutilation sacrificielle et l'oreille coupée de Vincent van Gogh* (Documents, Nr. 8, 1930) fort, indem er van Gogh in die Reihe der »Sucher des himmlischen Feuers«, Prometheus und Ikaros, einreiht, die Selbstverstümmelung Vincents mit dem göttlichen Opfer Prometheus' vergleichend. Von dem Paradigma Ohr-Sonne-Sonnenblume ausgehend, stellt Bataille einen Zusammenhang zwischen van Goghs Verstümmelung, den Sonnengemälden und dem Bruch mit der Homogenität der Person (Wahnsinn) her. Eine nahezu lückenlose Sammlung der batailleschen Schlüsselbegriffe für Opfer und Verausgabung, für Exuberanz der Existenz, findet sich in *Van Gogh Prométhée:* das Lachen, die Tränen, die Erotik, der Kampf, die Nacktheit, die Trunkenheit, der Tod, der Selbstmord, die Blumen (Sonnenblumen), der Siedepunkt, die Ekstase, die Erde, das Fest, die (glückliche) Perversion, der Tanz, der Wahnsinn, der Mythos (oder das Übermenschliche), Himmelskörper (Sonne), der Vulkan, der in Flammen stehende – azephalische – Kopf, das Feuer, die Flamme usw.

»Nicht zur Kunstgeschichte, sondern zum blutbefleckten Mythos unserer menschlichen Existenz gehört Vincent van Gogh. Er zählt zu den seltenen Wesen, die in einer von Stabilität, von Schlaf behexten Welt plötzlich den furchtbaren ›Siedepunkt‹ erreicht haben, ohne den das, was fortzudauern verlangt, fade, unerträglich wird und verfällt. Denn ein solcher ›Siedepunkt‹ hat nicht nur für den, der ihn erreicht, sondern für *alle* eine Bedeutung, selbst wenn *alle noch nicht* wahrnehmen, was das ungestüme menschliche Schicksal mit dem *Strahlen*, der *Explosion*, der *Flamme* verbindet, und dadurch allein mit der Macht.« (I, 500)

Chevelures bedient sich der Metapher Haare für die »Elemente« Feuer (bzw. Licht) und Wasser. Die Haare werden in Batailles Text zum Symbol des den Alltagssorgen Fremden, zur Metapher für das »Unnütze«, die Verausgabung – im Vergleich mit den übrigen funktionalen menschlichen Körperteilen und Organen. Das Vertraute fremd machen wollend, stellt er neben das Strahlen und Leuchten von Sonne und Pflanzen die Vision eines erleuch›teten, mit Haaren gleich Flammen gekrönten Gesichts (cf. I, 495). Es sind dies jene langen Haare, die den Ekstatiker (Yogi oder Schamane) in seiner Wildheit und Erdungebundenheit kennzeichnen. Könnte man das Haar leben, schreibt Bataille, so wie die Tibetaner bei ihren Aske-seübungen ihr Ich in einen anderen Körperteil als den Kopf zu verlagern meinen, würde das Leben seine Erdgebundenheit verlie-ren und wäre unwiderruflicher Selbstverlust – ganz wie ein Fluß, wie das unnütze Schillern der Lichter im dunklen Raum. (Cf. I, 496) Daß nur der Komplize der hereinbrechenden Nacht sich die reine Heftigkeit bewahre, klingt wie ein Bekenntnis zum Nichtwissen und erklärt die Welt zu einem Gegenstand der *Trunkenheit* für den Men-schen, nicht der *Erkenntnis.*

Am 4. Dezember spricht Kojève über *Les conceptions hégéliennes* vor dem ›Collège de Sociologie‹. Nach Bataille bedient sich Kojève Hegelscher Begriffe, um »mit übrigens ziemlich negativen Intentio-nen die Frage der Grundlagen der soziologischen Wissenschaft auf-zuwerfen« (II, 307). Mangels eines Vortragsmanuskriptes veröf-fentlicht Hollier (1979, 164–170) einige Seiten aus Kojèves *Intro-duction à la lecture de Hegel* – das heißt aus seinem Kolleg von 1936/ 37 –, die sich auf die letzten Abschnitte von Kapitel VI der *Phäno-menologie* beziehen (nicht in der deutschen Ausgabe von Kojèves Hegel-Vorlesungen enthalten). Kojève stellt in seinem Hegel-Kom-mentar den Menschen der Tat (Napoléon) dem der Tatenlosigkeit, dem postrevolutionären Romantiker à la Novalis, der die Welt fliehe (Elfenbeinturm), und dem »Intellektuellen des Tierreichs«, der sich selbst fliehe, gegenüber.

»Dieser Vortrag hat uns alle sprachlos gemacht, gleichermaßen wegen der intellektuellen Kraft Kojèves und durch seinen Schluß. (. . .) Kojève hat uns gelehrt, daß Hegel richtig geurteilt hat, aber daß er sich um ein Jahrhundert vertan hatte: der Mensch des Endes der Geschichte war nicht Napoléon, sondern Stalin.«* (Caillois 1970, 7) Kojèves Attacke auf die Selbstgenügsamkeit und Passivität

---

* Walter Benjamin faßt seine Eindrücke von Kojèves Vortrag in seinem Brief vom 6. 12. 1937 an Max Horkheimer folgendermaßen zusammen: »Demungeachtet schei-nen mir seine Konzeptionen der Dialektik selbst im idealistischen Sinne sehr angreif-bar. Sie hinderten ihn jedenfalls nicht, in seinem Vortrag – im Kreise von ›Acéphale‹! – die These zu entwickeln, daß der Mensch nur seiner natürlichen Seite nach, bezie-hungsweise in den Manifestationen seiner bisherigen Geschichte, welche als abgelau-fene die Fixiertheit seines natürlichen Wesens teile, Gegenstand wissenschaftlicher Erkenntnis sein könne. ›Gemacht‹ werde Soziologie heute in Moskau; geschrieben

einer rein literarischen Existenz stellt Batailles Leben offenbar selbst radikal in Frage; am 6. Dezember entwirft er einen an Kojève adressierten und diesem übermittelten Brief, der Kojèves Kritik an *L'apprenti sorcier* erwidert und zugleich Verteidigung und Rechtfertigung vor dem Freund und Lehrer ist (gekürzt in *Le coupable* integriert):

»Mein lieber X.

(. . .) meine mit viel Besorgnis erlebte Erfahrung hat mich zu der Auffassung gebracht, daß ich nichts mehr ›zu tun‹ hatte. (Ich war nicht geneigt, es zu akzeptieren und habe mich, wie Sie gesehen haben, erst gefügt, nachdem ich mich bemüht habe.)

Wenn die Tat (das ›Tun‹) – wie Hegel sagt – die Negativität ist, dann stellt sich die Frage, ob die Negativität dessen, der ›nichts mehr zu tun hat‹, verschwindet oder sich erhält im Zustand der ›beschäftigungslosen Negativität‹: persönlich kann ich bloß in einem Sinne entscheiden, nämlich indem ich selbst genau diese ›beschäftigungslose Negativität‹ bin (ich könnte mich nicht präziser definieren). Ich gebe zu, daß Hegel diese Möglichkeit vorhergesehen hat: zumindest hat er sie nicht am *Ende* der von ihm beschriebenen Prozesse angesiedelt. Ich bilde mir ein, daß mein Leben – oder sein Scheitern, besser noch: die offene Wunde, die mein Leben ist – für sich allein die Widerlegung des geschlossenen Systems Hegels darstellt.

Die Frage, die Sie im Hinblick auf mich stellen, läuft darauf hinaus, ob ich unwichtig bin oder nicht. Ich habe sie mir oft gestellt, gequält von der negativen Antwort. Außerdem, so wie die Vorstellung, die ich mir von mir mache, variiert und es mir gelingt, mein Leben mit demjenigen der bemerkenswertesten Menschen vergleichend, zu vergessen, daß es mittelmäßig sein könnte, habe ich mir oft gesagt, daß es auf dem Gipfel der Existenz nur Unwichtiges geben könnte: wirklich niemand könnte einen Gipfel ›anerkennen‹, der die Nacht wäre. Einige Tatsachen – wie eine außergewöhnliche Schwierigkeit, die ich empfunden habe, mich ›anerkennen‹ zu lassen (auf der einfachen Ebene, auf der die anderen ›anerkannt‹ sind) – haben mich dazu geführt, die Hypothese einer unabänderlichen Bedeutungslosigkeit ernst zu nehmen, aber auf fröhliche Weise. (. . .)

Was ich darüber sage, bewegt Sie dazu, zu denken, daß ein Unglück geschieht, und das ist alles: Ihnen gegenüber habe ich keine andere Rechtfertigung meiner selbst als die eines brüllenden Tieres mit dem Fuß in der Falle. Es handelt sich wirklich nicht mehr um Unglück oder Leben, sondern einzig darum, was die ›beschäftigungslose Negativität‹ wird, wenn es stimmt, daß sie etwas wird. Ich verfolge sie in den Gestalten, die sie erzeugt, nicht zuerst in mir, sondern in anderen. Meistens wird die ohnmächtige Negativität ein Kunstwerk: diese Metamorphose, deren Konse-

---

werden könne sie erst, wenn man dort entschieden habe. – Es war recht traurig, wenn man auch nicht aus dem Auge verlieren darf, daß vieles vielleicht aus Bosheit gegen die Veranstalter seines Vortrags von ihm gesagt wurde.«

Was ist das – die Geschichte? Ein Satz, der die Wirklichkeit widerspiegelt, aber den niemand zuvor gesagt hatte. In diesem Sinne spricht man vom Ende der Geschichte. Ständig vollziehen sich Ereignisse, aber seit Hegel und Napoléon hat man nichts mehr gesagt, kann man nichts Neues mehr sagen. In Griechenland ist etwas entstanden und das letzte Wort ist gesagt worden. Drei Männer haben es im gleichen Moment begriffen: Hegel, Sade und Brummell, ja, ja, Brummell wußte, daß man nach Napoléon nicht mehr Soldat sein konnte. (Kojève 1968, 19)

quenzen real sind, entspricht gewöhnlich schlecht der Situation, die von der Beendung der Geschichte (oder durch den Gedanken an ihre Beendung) hinterlassen wird. (. . .) Was mich betrifft, so hat die mir eigene Negativität erst von dem Augenblick an auf ihren Einsatz verzichtet, wo es für sie keine Verwendung mehr gab: es ist die Negativität eines Menschen, der nichts mehr zu tun hat, und nicht die eines Menschen, der das Reden bevorzugt. Doch die Tatsache – die nicht bestreitbar scheint –, daß eine Negativität, die sich von der Tat abwendet, sich als Kunstwerk ausdrückt, ist, was die für mich bestehenden Möglichkeiten angeht, nicht weniger sinnträchtig. Sie läßt erkennen, daß die Negativität objektiviert werden kann. (. . .)

In der Tat kann der Mensch der ›beschäftigungslosen Negativität‹, der im Kunstwerk keine Antwort auf die Frage findet, wer er selbst ist, bloß der Mensch der ›anerkannten Negativität‹ werden.« (V, 369–371)

(. . .)»So wird die Wissenschaft, in dem Maße, in dem sie die menschliche Negativität zum Gegenstand hat – besonders das linke Heilige* –, der Mittelbegriff dessen, was bloß ein Prozeß der Bewußtwerdung ist. So setzt er die Vorstellungen aufs Spiel, die am meisten mit emotiver Bedeutung beladen sind, Vorstellungen wie die physische Zerstörung oder die erotische Obszönität, ein Gegenstand des Lachens, der physischen Erregung, der Furcht und der Tränen; doch zur gleichen Zeit, wie diese Vorstellungen ihn vergiften, beraubt er sie um die Schlacke, in der sie sich der Kontemplation entzogen hatten und stellt sie objektiv in das Toben der Zeiten, wider alles Unwandelbare. Er versteht dann, daß es sein Glück und nicht sein Unglück ist, das ihn in eine Welt hat treten lassen, wo es nichts mehr zu tun

---

* Cf. Batailles Begriffsbestimmung im Vortrag vom 5. 2. 1938 (II, 330). Nach Robert Hertz (»La prééminence de la main droite«, in: *Mélanges de sociologie religieuse et de folklore,* 1928), auf den sich Caillois beruft (»La polarité du sacré«, in: *L'homme et le sacré,* 1939) läßt sich die Polarität des Heiligen mit folgenden Attributen beschreiben:

rechts	*links*
anziehend	abstoßend
positiv, lebenserhaltend	negativ, destruktiv
unheilvoll	segensreich
rein; oben	unrein; unten
recht, richtig, gerecht, gesetz-mäßig	ungesetzlich, dämonisch, verführerisch
Tag, Himmel	Nacht, Unterwelt
Orient, Süden	Norden
Heilige	Linkshänder (Hexer oder vom Dämon Besessene)
innen (sozialer Raum), Mitte	außen, Peripherie

Es handelt sich um zwei innerhalb der heiligen Welt sich widersprechende Pole, von dem jeder heilig ist. Die strikte Unterscheidung hat nur didaktischen Wert, da ja *sacer* verflucht und heilig, fürchtenswert und anbetungswert zugleich bedeutet.

gab, und was er wider seinen Willen geworden ist, bietet sich jetzt der Anerkennung der anderen an, denn er kann nur in dem Maße der Mensch der ›anerkannten Negativität‹ sein, in dem er sich als solcher anerkennen läßt. Er findet so erneut wieder etwas ›zu tun‹ in einer Welt, wo vom Standpunkt der Tat nichts mehr geschieht. Und was er ›zu tun‹ hat, ist, dem vom Tun befreiten Teil der Existenz Genugtuung zu geben: es handelt sich in der Tat um Freizeitgestaltung.« (V, 563)

Der sich seiner Negativität bewußte Mensch sei dazu verurteilt, fährt Bataille fort, zu siegen oder sich durchzusetzen. Er werde von seiner eigenen Vernichtung bedroht, wenn er diese nicht in den zwei möglichen Phasen des Kampfes beseitigen bzw. überwältigen könne. In der Phase des Widerstands durch Flucht bedrohe ihn die moralische Zersetzung in der Isolation, so daß er den Tod dem Gesichtsverlust sich selbst gegenüber vorzöge. Die vom Menschen der »anerkannten Negativität« aufs Spiel gesetzte Kraft müsse daher größer sein als die Kraft der Flucht und, später, die des Widerspruchs – wenn er nicht untergehen wolle.

»Ich habe hier vom Menschen der ›anerkannten Negativität‹ gesprochen, so als ob es sich nicht einzig um mich handelte. Ich lege wirklich großen Wert darauf, hinzuzufügen, daß ich mich bloß in dem Maße völlig isoliert fühle, in dem ich mir gänzlich dessen bewußt bin, was mir geschieht. (. . .) Was das mir Eigene betrifft, so habe ich nur meine Existenz beschrieben, nachdem sie zu einer entschiedenen Haltung geführt hat. Wenn ich über Anerkennung des ›Menschen der anerkannten Negativität‹ spreche, so spreche ich über das Anspruchsstadium, in dem ich mich befinde: die Beschreibung kommt erst danach. Es scheint mir so, daß Minerva die Eule bis dahin hören kann.« (V, 564)

Der Sinn der *Phänomenologie* steht und fällt für Bataille mit der Anerkennung Hegels als deren Autor. Allerdings habe Hegel nichts riskiert, die Rolle des Menschen der »anerkannten Negativität« nicht völlig annehmen wollend: er gehöre also noch, schließt Bataille, zu den sich selbst fliehenden »Intellektuellen des Tierreichs« (cf. V, 564).

Am 5. Dezember besuchte Bataille, geführt von Maurice Heine, mit Laure Sades testamentarisch bestimmte Grabstätte in Émancé bei Épernon*. In der Irrenanstalt von Charenton hatte der Marquis 1806 verfügt, daß man ihn im Wald seines Gutes Malmaison im

---

* Maurice Heine beschreibt in den *Œuvres complètes de Sade*, t. II (Cercle du Livre précieux, Paris 1962, p. 631 f.) die Örtlichkeiten genau, die er am 11. 8. 1932 und am 5. 12. 1937 aufgesucht hat. – Sade wurde allerdings auf dem Anstaltsfriedhof

Unterholz beerdigt: »Sobald das Grab zugeschüttet ist, sollen Eicheln gesät werden, auf daß später neue Bäume daraus keimen und das Gehölz wieder so dicht wird wie vorher. Die Spuren meines Grabes sollen von der Erdoberfläche verschwinden, wie ich mir schmeichle, daß die Erinnerung an mich aus dem Menschengeist ausgelöscht werden wird . . .«

»›Er wird über [sic] Eicheln verstreut sein . . .‹ Verschlungen von den Wurzeln der Eichen, sich in der Erde eines Unterholzes verzehrend . . . Es schneite an jenem Tage und das Auto kam im Wald vom Wege ab. Auf der Beauce gab es einen stürmischen Wind. Bei der Rückkehr, nachdem wir uns von Maurice Heine getrennt hatten, bereiteten Laure und ich ein Nachtessen zu: wir warteten auf Ivanov und Odoïevtsova*. Wie es vorhergesehen war, war das Abendessen nicht weniger stürmisch als der Wind. Odoïevtsova fing – nackt – an, zu kotzen.« (V, 524 f.)

Den *Tiergesellschaften* ist Caillois' Vortrag vom 19. Dezember vor dem ›Collège‹ gewidmet. Zu *Les sociétés animales* sind einzig Notizen Batailles erhalten, die vielleicht zu einer Intervention gedient haben (cf. Hollier 1979, 178–184). Schließlich geht Bataille in seinem Vortrag vom 22. 1. 1938 kurz auf die wichtigsten Punkte von Caillois' Rede ein: demnach hat er
a) die Gesellschaft als ein »zusammengesetztes Wesen« beschrieben, als ein Ganzes, das mehr darstellt als die Summe seiner Bestandteile (in Übereinstimmung mit der Definition Durkheims und Batailles);
b) dabei den Biologismus oder Neo-Organizismus (die Anwendung biologischer Gesetze auf soziale Phänomene, die Betrachtung der Gesellschaft als einen Organismus) kritisert, wie er nach Comte und Espinas z. B. von Étienne Rabaud (*Phénomène social et sociétés animales,* 1937) vertreten wird (und auf dessen Soziologiefeindlichkeit Bataille in seiner Intervention detailliert eingeht);
c) die Frage aufgeworfen, ob eine Wissenschaft von einer derartig definierten Gesellschaft möglich ist;
d) Tiergesellschaften beschrieben und ist zu der Schlußfolgerung gelangt, daß nicht-menschliche Gesellschaften keine *heiligen* Ele-

---

von Charenton nach katholischem Ritus beigesetzt. Kein Grabmal trägt seinen Namen, und bei Umbettungen fiel sein Schädel in die Hände eines Phrenologen: seitdem gilt er als verschollen.
* Richtig: Irana Vladimirovna Odoẹvceva (Odoevtseva), Pseudonym von Irainda Ivanoff, 1901 in Rußland geboren. Die seit 1922 in der Emigration lebende Dichterin stand den Akmeisten nahe und veröffentlichte Lyrik und Romane mittelmäßigen Niveaus. (B. M.)

mente aufzuweisen scheinen, weshalb er sie als »präsakral« adjektiviert (cf. II, 307). Zum Schluß seiner Intervention bemerkt Bataille:

»Der Gegenstand der heiligen Soziologie ist in der Tat der komplexe und mobile Kern, der von den heiligen Dingen, linken und rechten, gebildet wird. Es scheint so, daß auf der Oberfläche dieses Planeten die Existenz, alles in allem genommen, um Dinge kreist, die sozusagen mit der Angst beladen sind, die sie hervorrufen – mit einer Angst, die sich nicht von der Angst vor dem Tode unterscheiden läßt. Es ist wahr, daß das sehr offene Ziel der Religion darin besteht, die unseligen Dinge in selige oder hauptsächlich wirksame zu verwandeln. Dadurch weicht sie der Angst aus – aber die Erkenntnis, selbst die verspätete, findet den ursprünglichen Prozeß wieder und, indem sie den Rohstoff des Kerns ermittelt, um den die menschliche Existenz kreist, hebt das Wesen des Menschen hervor, das schließlich für den Menschen selbst fremd und verwirrend ist. Es handelt sich auf klarste Weise um eine kapitale Entdeckung, die nicht bloß die vom Menschen gemachte Entdeckung dessen ist, was er ist – sondern vor allem um die Entdeckung der Tatsache, daß er am Grunde der Dinge auf einmal genau das ist, was er am meisten verabscheut und weshalb er vor Begierde brennt, bis er sich in einen explosiven Zustand bringt, der ihn überschreitet.« (Bataille zit. nach: Hollier 1979, 183 f.)

(Der sich in *Das Labyrinth* abzeichnende Paradigmawechsel, das heißt die Ablösung der unten/oben-Opposition durch die von heilig/profan, wird in diesem Passus augenfällig. Der Schriftsteller behält die binare Dialektik bei, aber die dominierende geometrische Oppositionsbeziehung weicht einer dynamischen von Kern/Peripherie, Anziehung/Abstoßung.)

Das immer intensivere Zusammenleben mit Bataille, nachdem es sich nicht mehr auf gemeinsam verbrachte Wochenenden beschränkt, übersteigt das Maß der Belastbarkeit Laures, die zwischen dem Bedürfnis nach Autonomie und bedingungsloser Hingabe hin- und hergerissen ist. In einem Briefentwurf an einen Vertrauten, den sie um Rat bittet, deutet sie den Konflikt an:

»Stellen Sie sich vor, daß sich in dem Zimmer, in dem Sie leben, der Sauerstoff vom Stickstoff trennt und daß dies zwei Zimmer bildet, eines ganz mit Sauerstoff, das andere ganz mit Stickstoff . . . Man muß hinausgehen, nicht wahr? An mir ist es, die Dinge zu beherrschen und mein Leben zu lenken. Doch nichts. Ich bin von einer Woche ununterbrochenen Zusammenlebens wie pulverisiert. Dazu kommt noch, daß ich nichts beherrschen kann, weil das furchtbar gut ist und weil ich werde, wie ich es nicht sagen kann. Ich dürfte eine Gottesanbeterin* sein. (. . .) Auch er [Georges], der meine Wahrheit und mein Leben ist, er begreift, aber wir sind in den Maschen desselben Netzes gefangen.« (Laure 1980, 183)

Deutlicher artikuliert Laure ihre Ängste, ihre Zweifel und schließlich ihre Empörung über diese »lächerliche . . . gemeine . . . unwürdige Hölle« ihres Verhältnisses in den Briefen an den Gefährten selbst, dessen Leben – gemessen an den Ansprüchen seines Denkens und seiner Schriften – ihr zunehmend unglaubwürdig wird. Daß Bataille außer Laure eine weitere Geliebte hat, aber den Schein der Ehe mit Sylvia aufrechterhalten will, provoziert Laure maßlos und verletzt ihren Stolz zutiefst.

»Ich habe unser Leben gehaßt, oftmals wollte ich mich retten, allein ins Gebirge aufbrechen (das bedeutete mein Leben retten, jetzt weiß ich es) (. . .) Ich hatte Angst vor diesem wahnsinnigen Rhythmus, vor meiner Arbeit, vor unseren Nächten, Du *wagtest* mich zu belasten, indem Du mir von ›Schwäche‹ sprachst, Du wagst es noch immer, Du, der Du nicht die Kraft hast, zwei Stunden *allein* zu verbringen, Du, der Du es nötig hast, daß ein anderes Wesen an Deiner Seite Dir alle Deine Gesten einflößt, Du, der Du nicht *wollen* kannst, was Du *willst*. (. . .)

Alles, was Du gelebt hast, ich weiß es – *alles* – seit mehr als einem Jahr, vor, nach Sizilien, alles, was sich um ein Wesen herum kristallisiert hat, das aus Deinem Traum Gestalt angenommen hat (. . .), einem Traum, der der banalsten der alltäglichen Wirklichkeiten entstammt, die jedes beliebige menschliche Wesen fähig ist, zu leben: der gut organisierte, berechnete, geschickte, gerissene, leidenschaftliche – weil heimliche – Ehebruch. Versteh mich, nichts von diesem Wesen kann mich treffen. (. . .) *Niemals,* verstehst Du, wird sie an das rühren, was *uns* beiden gehört. (. . .)

Ist es noch möglich, so fortzufahren? *Bestimmt nicht.*

Keine Transaktion in der Integrität, in der Fülle . . . im Leben. In mir ist keine Transaktion möglich.« (Laure 1980, 205–207)

»Du glaubst, *meine Existenz* für immer unterworfen zu haben – Du siehst sie ganz eingeschlossen, beendet, abgegrenzt – die Grenzen, die Du voraussiehst, die Dir bekannt sind, und dann gehst Du weg . . . lebe aufrichtig und verborgen – oder zumindest glaubst Du daran. (. . .) – Die *christlichste* Zeit meines Lebens habe ich bei Dir erlebt.

– der Kult dieses falschen Opfers ohne jeden *Stolz*

– die Ungeniertheit, über Deine Ferien zu sprechen, als ob die sechs Wochen verstrichen wären. Die Art und Weise, den Platz zu wechseln, die Stimme, den Ton zu ändern –

– SCHREIB Bücher, fabriziere Dir einen Roman, dieses armselige Wesen, das bloß dank meiner EIFERSUCHT existiert hat« (Laure 1980, 204 f.).

---

* *Mantis religiosa:* Fangheuschrecke, die – in Gefangenschaft – nach der Paarung manchmal das Männchen verschlingt. – Das Bild meint nicht nur die Assimilation, Absorption des Geliebten durch Laure, sondern auch erstickenden Götzendienst: »Der Gott – Bataille (. . .) Sich verschiedenen ergeben, um die Kraft des Zynismus zu haben.« (Laure 1980, 126) [B. M.]

In einer Journal-Notiz aus dem Jahr 1939 merkt Bataille an, daß niemals die zu engen Bindungen mehr zerbrochen worden sind als durch Laure, und

».. . der Schmerz, das Entsetzen, die Tränen, das Delirium, die Orgie, das Fieber, dann der Tod sind das tägliche Brot, das Laure mit mir geteilt hat, und dieses Brot hinterläßt in mir die Erinnerung einer furchtbaren, aber maßlosen Sanftheit; es war die Gestalt, die eine Liebe annahm, die begierig war, die Grenzen der Dinge zu überschreiten, jedoch wieviele Male haben wir gemeinsam Augenblicke nicht zu verwirklichenden Glücks erreicht, sternklare Nächte, fließende Bäche: im Wald von [Lyons?], die Nacht war hereingebrochen, lief sie schweigsam neben mir her, ich betrachtete sie, ohne daß sie es bemerkte – habe ich mich jemals mehr auf das verlassen können, was das Leben als Antwort auf die unergründlichsten Regungen des Herzens gibt? Ich betrachtete mein Schicksal, das neben mir in der Dunkelheit voranschritt; es ist nicht möglich, daß ein Satz ausdrückt, in welchem Maße ich sie erkannte: ich kann auch nicht ausdrücken, in welchem Maße Laure schön war, ihre unvollkommene Schönheit war das unstete Bild eines brennenden und ungewissen Schicksals.« (V, 501)

Im Laufe des Jahres zieht Bataille in das 20 km von Paris entfernte Saint-Germain-en-Laye (Yvelines), während Patrick Waldberg – den Bataille mit azephalischen Ideen dazu bewogen hatte, sich nicht in den USA niederzulassen – dessen Wohnung in der Rue de Rennes bezieht. Am Ortsrand von Saint-Germain, in der Rue de Mareil Nr. 59*bis* mietet er – um dort mit Laure zu leben? – ein einstöckiges Haus mit Garten, das von einer Mauer umgeben ist und das heute fast vollständig von Bäumen verborgen wird. Von der im Obergeschoß gelegenen Terrasse aus, wo Bataille gern schreibt oder meditiert, überblickt man das Tal von St.-Germain.

1938

Das Heilige im Alltagsleben betitelt Michel Leiris seinen – einzigen – Vortrag am ›Collège de Sociologie‹ vom 8. JANUAR, in dem er eine subjektive Begriffsbestimmung des Heiligen anstrebt.

»Worin besteht *mein* Heiliges? Welche Gegenstände, Orte und Situationen erwecken in mir jene Mischung aus Furcht und Hingabe, jene zweideutige, vom Herannahen eines sowohl verlockenden als auch gefährlichen, glorreichen und zurückgestoßenen Etwas bestimmte Einstellung, jene Mischung aus Respekt, Begierde und Schrecken, die für das psychologische Anzeichen des Heiligen gelten kann?

Es geht hier nicht darum, meine Wertskala zu definieren, deren Spitze dann das einnehmen würde, was für mich am gewichtigsten und (im gewöhnlichen Sinne des Wortes) am heiligsten ist. Es geht vielmehr darum, durch einige unauffällige, dem alltäglichen Leben entlehnte Züge hindurch – die außerhalb dessen stehen, was heute das offizielle Heilige ausmacht (Religion, Vaterland, Moral) – die Momente aufzudecken, welche die qualitative Charakterisierung meines Heiligen erlauben und zur Bestimmung der Grenze beitragen könnten, von der an ich weiß, daß ich mich nicht mehr auf dem Boden der gewöhnlichen (unbedeutenden oder ernsthaften, angenehmen oder schmerzlichen) Dinge bewege, sondern in eine radikal verschiedene Welt eingetreten bin, die von der profanen Welt ebenso klar geschieden ist wie das Feuer vom Wasser.« (Leiris 1979, 228)

Leiris synthetisiert sein Bild des Heiligen aus disparaten Faktoren, die er seiner Kindheit entlehnt:

»Etwas Glorreiches, Ehrwürdiges wie die väterlichen Attribute oder das große Felsenhaus. Etwas Ungewöhnliches wie die Ausstattung der Jockeys oder bestimmte Wörter mit exotischem Klang. Etwas Gefährliches wie die glühenden Kohlen oder das von Strolchen unsicher gemachte Buschland. Etwas Zwiespältiges wie die Hustenanfälle, die einen peinigen und gleichzeitig zum Helden einer Tragödie erheben. Etwas Verbotenes wie der Salon, in dem die Erwachsenen ihre Rituale vollzogen. Etwas Geheimes wie die Zusammenkünfte im Gestank des Aborts. Etwas Schwindelerregendes wie der Sprung galoppierender Pferde oder die immer wieder doppelbödigen, bodenlosen Baukästen der Sprache. Etwas, das für mich – und ich wüßte kaum, wie ich es mir anders vorstellen sollte – auf die eine oder andere Weise vom Übernatürlichen geprägt ist.

Wenn eines der ›heiligsten‹ Ziele, die der Mensch sich vorschreiben kann, darin besteht, eine – soweit wie nur möglich – genaue und intensive Kenntnis seiner selbst zu erwerben, so erscheint es wünschenswert, daß ein jeder seine Erinnerungen mit der größtmöglichen Aufrichtigkeit durchforscht und daß er zu diesem Zwecke untersucht, ob er nicht einen Hinweis entdeckt, welche *couleur* gerade für ihn der Begriff des Heiligen besitzt.« (Leiris 1979, 237 f.)

Le sacré dans la vie quotidienne liefert nicht nur Elemente einer privaten Mythologie. Leiris artikuliert hier seine von Sokrates und Freud flankierte Poetik, eine Art von Auto-Ethnographie, die sich in *L'Age d'homme* sowie in *La Règle du jeu* materialisiert. Jean Wahls Note (in der *N.R.F.*, Nr. 293, 1. 2. 1938) über diese Sitzung des ›Collège‹ weist den publizierten Text als eine Raffung aus: Leiris habe in seinem Vortrag auch die Pariser Bordelle und die Beschwörungen abessinischer Hexer* tangiert – also mehrere Aspekte des kollektiven Heiligen.

17. Januar: während der Inaugural-Sitzung der ›Société de psychologie collective‹, die in einem kleinen Hörsaal der Sorbonne stattfindet (cf. Ferdière, p. 136 f.**), bringt Bataille den Vorschlag ein,»Die Haltung gegenüber den Toten« – ein Tabu – zum Generalthema der künftigen Versammlungen zu machen, den Menschen als mit Todesbewußtsein ausgestattetes Tier begreifend. Er regt eine sowohl ethnologische als auch historische (chronologische) Vergleichung des Umgangs mit dem Tod und den Toten an, ferner das Studium von Verhaltensweisen, die zum Anormalen, zur sexuellen Pathologie gehören. Zum letzten Punkt zitiert Bataille zwei Beispiele: ein Mädchen, das lachen muß, wenn sie von einem Toten reden hört, den sie kennt; ein Mann, der bei einer Beerdigung erigiert.*** (Cf. II, 283, 287) Ihn interessiert die Frage, in welchem Maße der Mensch fähig ist, die durch den Tod ausgelösten Depressionen in einem stärkenden Sinne zu benutzen, wobei er an die heftigen Reaktionen denkt, die der Tod in archaischen Gesellschaften auslöst: Verschwendungen, Orgien, Plünderungen. Ihn fesselt

---

* Gewiß brachte Leiris etwas aus dem Vortrag ein, den er im Februar 1935 vor der ›Société des Africanistes‹ gehalten hatte:»Un rite médico-magique éthiopien: le jet du danqârâ.« *Aethiopica*, Nr. 2, 1935.

** Aus Gründen der Geheimhaltung mußte man, erinnert sich Ferdière, durch eine Geheimtür in der Rue Saint-Jacques, gegenüber dem Collège de France, das Gebäude betreten. – Ferdière verwechselt in seinen Memoiren allerdings das ›Collège de Sociologie‹ mit der ›Société de psychologie collective‹.

*** Bezug auf eine Veröffentlichung des Engländers C. W. Valentine:»La psychologie génetique du rire.« *Journal de psychologie normale et pathologique*, Nr. 9–10, 1936. Quelle für jenen Mann, der der Beerdigung seines Vaters fernbleibt, um nicht sexuell erregt zu werden, könnte eine Fallstudie aus der Jahrhundertwende von dem Gerichtsmediziner Alexandre Lacassagne sein (cf. Volta, p. 279).

folglich weniger das vertraute Verhalten angesichts des Todes – die Trauer – als das paradoxe, exzentrische, das sich in Gelächter, sexueller Erregung, kollektiven Exzessen manifestiert.

Auf dem Gebiet des Sakralen habe sich die Wertigkeit der Toten verkehrt, lautet die erste These, die Bataille vorbringt. Die Toten stünden heute auf der Seite des Erlaubten (*faste, fas,* auch: günstig, rechts) statt auf der Seite des Verbotenen (*néfaste, nefas,* auch: unheilvoll, links). Diese Hypothese, bei der sich Bataille auf R. Hertz beruft (*Contribution à une étude sur la représentation collective de la mort,* 1907), unterstellt, daß die Gesellschaft psychologisch strukturiert sei. Jene psychologische Struktur enthalte einen in links und rechts polarisierten Bereich, der außerhalb der einzelnen Individuen und unabhängig von ihnen existiere. Bataille wirft damit die Frage einer Kollektiv-Seele auf, d. h. die Frage, ob das »Ganze, das von der Gesellschaft, der Gemeinschaft gebildet wird, mehr umfaßt als die Summe ihrer Bestandteile« (II, 285). Im Kontrast zu Rabaud, für den sich die Gesellschaft aus Individuen zusammensetzt, ist in Batailles Sicht die Gesellschaft ein Individuum oder Organismus.

Mit seiner zweiten Hypothese argumentiert Bataille – in Anlehnung an Freud: *Massenpsychologie und Ich-Analyse,* 1921 – abermals gegen den Biologisten Rabaud und dessen These von einer unmittelbaren gesellschaftsbildenden Sympathie. Durch den gemeinsamen Ekel, den Abscheu, das Entsetzen vor den Toten seien die vorzeitlichen Menschen vereint worden. (Cf. II, 285) Die Bestattung ist das erste Zeugnis der Existenz von Verboten, und der unberührbare Charakter eines Leichnams macht diesen per definitionem zu etwas Heiligem. Das für Tabus und Verbote, Grundlegende, das Abstoßende, die Angst, will Bataille als gesellschaftliches Bindemittel verstanden wissen.

Die Haltung gegenüber den Toten werde außerdem durch die Tatsache determiniert, so Batailles letzte Hypothese, daß der Tote ein *Sozius* im Sinne Janets* sei, kein Feind oder Fremdkörper. Bataille möchte das Thema zu einem Kapitel der »Psychologie des Sozius« machen, wenn er auch hinsichtlich der »Erklärung der Tatsachen« zu Hegels Phänomenologie neigt, deren Autor zufolge der Mensch tötend den Tod erkenne, und nicht zu Freud (*Totem und Tabu*: »Das Tabu und die Ambivalenz der Gefühlsregungen«), der die Einstellung zu den Toten auf ihre Schutzbedürftigkeit zurückführt. (Cf. II, 286–287)

---

* Pierre Janet: »Les troubles de la personnalité sociale.« *Annales médico-psychologiques,* Nr. 95, 1937.

In *L'hygiène mentale* (Nr. 5 u. 6, Mai u. Juni 1938) wird zwar eine Reihe von Vorträgen angekündigt, die das Generalthema »Les attitudes envers la mort« unter juristischen (Julien Reinach), ethnologischen (Leiris/Denise Scheffner), religiösen (Abbé Paul Jury), psychoanalytischen (Dr. Daniel Lagache), psychopathologischen (Dr. Borel), kunstgeschichtlichen (Camille Schuwer/G. Duthuit) etc. Gesichtspunkten beleuchten wollen. (Cf. II, 444 f.) Es ist jedoch ungewiß, ob die bis Juni des Jahres vorgesehenen Vorträge je gehalten wurden – die ›Société de psychologie collective‹ hatte keine Zukunft.

Viele der in seinem Konzept für die ›Société de psychologie collective‹ nur angeschnittenen Themen vertieft Bataille am 22. Januar und 5. FEBRUAR unter dem Titel *Attraction et repulsion* (Anziehung und Abstoßung) vor dem ›Collège‹. *Tropismes, sexualité, rire et larmes* (Tropismen, Sexualität, Gelächter und Tränen) lautet der Untertitel der ersten Hälfte seines Vortrags, in welchem er den individuellen Kern jeder menschlichen Gesellschaft mit Gegenständen, Orten, Glaubensvorstellungen, Personen und Bräuchen assoziiert, die einen »heiligen Charakter« besitzen. Dieser Komplex gehöre einer bestimmten Gruppe an, sei ihr aber – als ein Gegenstand der Abstoßung – äußerlich. Der soziale Kern wird als Tabu definiert, als etwas so Unberührbares und Unbenennbares wie Leichen, Menstrualblut, Parias. (Cf. II, 310) Der im wesentlichen erschreckende Inhalt dieses Kerns, um den die menschliche Existenz kreist, interveniere in den Beziehungen der Menschen untereinander wie ein vermittelndes Element. Daß die für den Menschen spezifischen Formen der Interattraktion, die Sexualität und das Lachen, *mediatisiert* seien, exemplifiziert Bataille anhand der bereits erwähnten Fallgeschichten aus der psychopathologischen Literatur. Induktiv gelangt er zu dem Paradox: was Freude auslöst, löst auch die Depression aus, und umgekehrt. (Cf. II, 315) In einer kommunikativen Situation sei es möglich, unbewußt oder automatisch eine Depression in Erregung zu transformieren. Diese Fähigkeit zur Inversion – der Verzweiflung in Kraft, des linken Heiligen in rechtes – werde erworben durch die Partizipation an der Aktivität des heiligen, zugleich abstoßenden und vermittelnden Kerns.

So mediatisiere der generell abstoßende Charakter der Geschlechtsteile, wodurch er dem Beziehungsatom, dem *heiligen Kern* zugeschrieben werden kann, die sexuelle Kommunikation.

Was Bataille dem Lachen abspricht, erfüllt für ihn das *Schweigen:* die äußerste Vermenschlichung oder Mediatisierung der Beziehungen zwischen Mann und Frau. Erst in dem Maße, in dem ein von tragischem Schauder getragenes Schweigen auf dem Leben laste, sei dies zutiefst menschlich. (Cf. II, 318) Für Bataille macht dies die Größe der erotischen Vereinigung Liebender aus. (Cf. *L'apprenti sorcier*, Kap. XI)

Unter dem Gesichtspunkt von Anziehung und Abstoßung beschreibt Bataille in seinem Vortrag vom 5. Februar die *gesellschaftliche Struktur*. Seine Ausführungen fokussieren sich auf die Siedlung (Großstadt, Stadt, Dorf) als dem fundamentalen Element der menschlichen Gesellschaft, dessen Äquivalent die Zelle im Organismus darstellt. (Cf. *La sociologie sacrée et les rapports entre ›société‹, ›organisme‹, ›être‹*) Als »heiligen Kern«, d. h. als Ort der Anziehung und Abstoßung, definiert er die Kirche im traditionellen Dorf. Repräsentieren die Ereignisse Geburt und Heirat den anziehenden Pol im kirchlichen Leben, so repräsentiert der Tod sein Gegenstück: Bataille erinnert in diesem Kontext an den einstigen Brauch, Leichname direkt unter den Fliesen der Kirche beizusetzen, sowie an die unter dem Altar eingelassenen Gebeine eines Heiligen. Die durch die letztgenannten Tatsachen belegte Abstoßungskraft garantiert die Stille in der Kirche, das auf die Elevation folgende Schweigen. (Cf. II, 325) Obwohl die affektive Intensität der Gläubigen bei der Elevation zweifellos niedriger sei als bei einem realen Opfer (Bataille spielt hier, im Rekurs auf Leiris: *L'Afrique fantôme*, 1934, auf die Tieropfer der Schwarzen an), lasse sich – sowohl beim symbolischen Opfer der Christen als auch bei der Tötung der ›Primitiven‹ – die Gefühlsbewegung, von der die Teilnehmer ergriffen werden, auf eine vehemente *abstoßende* Kraft zurückführen. (Cf. II, 327) Ausgehend von der Ambiguität des Heiligen, weist Bataille auf die von Robert Hertz (op. cit.) gesehene Reversibilität der gegensätzlichen Bewertungen hin (während ein verfaulender Leichnam als unrein gilt, rückt das Skelett, die ausgebleichten Knochen auf die Seite des Reinen). Eine Wertverschiebung, Verwandlung des Heiligen, die ausschließlich von links (unrein) nach rechts (rein) möglich sei, behauptet Bataille, und schlußfolgert, daß der Zentralkern einer Siedlung der Ort sei, an dem das linke Heilige in rechtes, der Gegenstand der Abstoßung in einen der Anziehung und die Depression in Erregung umgewandelt werde. (Cf. II, 330) Die Erzeugung heiliger – tabuierter – Dinge setze die Integrität der menschlichen Existenz aufs Spiel. In letzter Instanz werfe das Verbrechen (die ›Primitiven‹ betrachten ja jeden Todesfall als ein magisches Verbrechen), bzw. dessen Symbolisierung in der Tragödie, die der Kräfteverausgabung* entgegenstehen-

---

* Hollier (1979, 228) vermutet, daß sich Bataille stillschweigend auf eine Arbeit von Konrad Theodor Preuss bezieht: »Der Ursprung der Religion und Kunst«, *Glo-*

den Hindernisse um. Bataille schließt axiomatisch: weder eine individuelle noch eine kollektive Existenz sei ohne Verlust, ohne Energieverausgabung – und Verbotsüberschreitung – möglich. Der Mensch sei zu dem verurteilt, was ihm am meisten Furcht einflöße. (Cf. II, 331–332; auch: *Les sociétés animales*)

Am 19. Februar sollte Caillois zum Komplex *Macht* vor dem ›Collège de Sociologie‹ sprechen. Da er erkrankt ist, ergreift Bataille zum Thema *Le pouvoir* das Wort, wobei er Caillois' mündliche Instruktionen berücksichtigt, vieles dessen Buch *L'Homme et le sacré* (1939) entlehnt, ihn jedoch ausdrücklich nicht ersetzen will. Folglich knüpft er an seinen letzten Vortrag an:

»Ich werde diesmal versuchen, von Anfang bis Ende die dynamische Verwandlung von Linkem in Rechtes, dann von Rechtem in Linkes zu beschreiben, indem ich von dem grauenhaften Bild eines Gemarterten zur Majestät der Pontifizes und der Könige, dann zur Majestät der Herrscher von Vichy im Cut* übergehe.« (II, 338)

Den Gekreuzigten mit der linken Form des Heiligen identifizierend, demonstriert Bataille, wie das ursprünglich Abstoßende zu einem Gegenstand ekstatischer Faszination und Verehrung wurde. Jesus bezeichnet er als Usurpator der Macht, da eins mit dem einzigen, allmächtigen und ewigen Gott. Die Priester wiederholen den Ritus des Königsmordes *(rex)* und nehmen ihrerseits die Verbrechen der ganzen Welt auf sich, indem sie sich mit dem Opfer – dem ermordeten König – identifizieren.** (Cf. II, 344) Das Kreuz propagiert eine tragische Kommunion (Gemeinschaft, Einssein), die der Zerreißung.

Konstantin der Große verkörpert für Bataille jene Vereinigung

---

bus, Nr. 86 u. 87, 1904/1905. Nach Preuss sind die heiligen Dinge dasjenige, was von den Körperöffnungen ausgestoßen wird: verausgabte Kräfte im Sinne Batailles. Ein Beispiel für die konkrete, mit der Erzeugung von Heiligem einhergehende *Abstoßung*, der im Psychischen die *Verdrängung* aus dem Bewußtsein entspricht.

* Bezieht sich auf eine Denkmalseinweihung, in Vimy, für im 1. Weltkrieg gefallene englische Soldaten. Der Präsident Albert Lebrun hastete bei der Zeremonie im Cut auf eine Tribüne, um emphatische Parolen auszurufen. Als diese Szene 1936 in einer Wochenschau gezeigt wurde, lachten die Zuschauer unisono. (Cf. II, 337)

** Bataille überträgt die von Frazer *(The Golden Bough)* geschilderte Sündenbock-Rolle des Königs bzw. der Personalunion von König und Heiligem auf Christus. Der Königsmord verstanden als Reaktion auf ein Desäquilibrium der Ordnung der Dinge, auch auf die Minderung der Stärke des Königs infolge von Gebrechen. (Cf. II, 339 f.) Bataille verweist in diesem Zusammenhang auf das Werk von Georges Dumézil: *Ouranos-Varuna. – Étude de mythologie comparée indo-européenne*, 1934.

von militärischer und heiliger Macht, die für die Konstituierung einer stabilen und regelnden Macht, welche der König gegen die Gesellschaft ausspielt, unerläßlich ist. (Cf. II, 341, 345) »Die Macht sei die institutionelle Vereinigung der heiligen und der militärischen Macht in einer einzigen Person, die diese zu ihrem eigenen individuellen Vorteil benutzt und nur dadurch zum Vorteil der Institution« (II, 342), formuliert Bataille wie schon in *Die psychologische Struktur des Faschismus* (I, 360 f.). Eine vergleichbare Machtposition schreibt er den römischen Liktoren zu: befugt zur Hinrichtung der Untertanen (militärische Macht), aber zugleich auch zur Mantik (religiöse Macht). Den zeitgenössischen Repräsentanten der Macht gebreche es indes an heiligem Charakter; sie seien nicht mehr ein Objekt von Anziehung und Abstoßung, sondern nur noch eines von Gelächter. (Cf. II, 337 f.) Diese Art von Macht töte die heiligen Dinge, beraube sie ihres verbrecherischen Inhalts, wodurch sie selbst die Fähigkeit einbüße, den der Macht wesentlichen religiösen und militärischen Aspekt anzunehmen, und sich erschöpfe. (Cf. II, 347) »Die *Macht* in einer Gesellschaft unterscheide sich von der Erzeugung einer religiösen Gewalt, einer heiligen, in einer Person konzentrierten Gewalt. Sie unterscheide sich ebenfalls von der militärischen Macht eines Führers.« (II, 342)

Bataille lehrt das Nein zur Katharsis, zur Sublimierung. Er plädiert gegen die christliche Identifikation mit dem Opfer (dem getöteten König) und für die Henker Christi und den Königsmörder, auf daß die Religion zur Tragödie und die Frömmigkeit zu schamanischer Energie werde. Er privilegiert jene durch die Profanisierung des Heiligen bewirkte Sakralisierung des Menschen. Um die intensive Bewegung im Zentrum der menschlichen Gruppen zu erhalten, ist er von der Notwendigkeit der Erneuerung des Verbrechens überzeugt. Denn unter dem Titel *Le pouvoir* verfolgt Bataille die unumschränkte Affirmation der Existenz, definiert als die sie belebende, transindividuelle »Gesamtbewegung«, die für das Sozialleben konstitutiv sei. (Cf. II, 343)

Der *Structure et fonction de l'armée* (Struktur und Funktion der Armee) widmet Bataille seinen Vortrag vom 5. MÄRZ vor den Collégiens. Da es kein Skript seines Exposés gibt, extrahiere ich aus den undatierten *Essais de sociologie* (II, 205−249) einige Aussagen Batailles zur Armee.

L'armée mystique (Die mystische Armee). – Die Armee bilde innerhalb der Gesellschaft eine in sich zurückgezogene Welt, eine Art Staat im Staat. (Cf. II, 234) Sie sei in ihrer Struktur dem gesellschaftlichen Ganzen analog.

Die Armee »ist kein schlichtes Mittel wie die Fabriken oder die Felder, sie ist ruhmreich und lehrt zu leben, zu leiden und zu sterben auf der Suche nach dem Ruhm. Sie genügt sich selbst und dient der Gesellschaft nur obendrein« (II, 235). »Die Armee verschafft sich erst in dem Augenblick die Totalität der Existenz, da sie das Leben eines jeden von denen, die sie in einem einzigen aggressiven Körper und in einer Seele vereint, an ihr Schicksal bindet. Um eine korrekte und entschiedene Verwirklichung dieser gemeinsamen Inbrunst festzulegen, schart sie die Soldaten um ein heiliges Emblem, ebenso wie eine Kirche die Häuser um sich schart, die das Dorf bilden.« (II, 236) Diese Embleme (ein Gegenstand, ein Feldzeichen, eine Fahne, eine Person oder ein Heerführer) »werden von dem *Körper*, der sie besitzt, wie die Entsprechung einer *Seele* behandelt: man zieht eher den Tod vor, als ihrer durch die Feinde beraubt zu werden. Umgekehrt ist es *leicht*, für diese nach Eroberungen gierende und erobungslustige Seele zu sterben« (II, 236).

Le sacrifice (Das Opfer)*. – Bataille unterscheidet den militärischen Tod vom religiösen Tod (dem Opfer, der Tragödie). Sei der Tod für den Solda-

---

* *Le sacrifice,* aus dem hier zitiert wird, entstand erst im August 1938 und war für *La limite de l'utile ou La Part maudite* bestimmt (cf. VII, 538 f.). Daß das Opfer ein Ausdruck der inneren Übereinstimmung von Tod und Leben sei, ist die ›These‹ dieses Textes. Während die »Heilsökonomie«, d. h. ein am Jenseits ausgerichtetes Leben, die *Verschwendung* der Reichtümer verhindert, also alles dem Heil nicht Dienliche – wie das Opfer und das Fest –, kennt die »Opferökonomie« den ruinösen Potlatsch. In der »Todesfreude« sieht Bataille schließlich ein Äquivalent der Opferhandlung.

Dem Buchprojekt *La Part maudite* kann, sowohl thematisch wie auch zeitlich, *La royauté de l'Europe classique* (Das Königtum im klassischen Europa) zugeordnet werden (II, 222–232). Statt um eine historische Analyse, wie es der Titel suggeriert, bemüht sich Bataille hier um den Nachweis, daß das Heilige, das Heterogene ein soziales, sinn- und einheitsstiftendes Agens ist.

Den sakralen Charakter der Heterogenität eines Königs setzt er in Gegensatz zum abstoßenden Charakter (»linkes Heiliges«) der Heterogenität des Elenden. Allein der Souveränität, repräsentiert durch die königliche Macht, billigt er positives Handeln zu, wogegen die Welt des Elends zur zerstörerischen Verneinung verurteilt sei. Zwischen diesen heterogenen Blöcken situiert Bataille die Bourgeoisie, als Vertreter der *homogenen* Welt. Die Bourgeoisie paktiere gerne mit dem Königtum unter der Prämisse, daß dessen eigene Willküräkte beschränkt bleiben und die Elenden paralysiert werden, um nicht zu einer Gefahr zu werden; aber letztlich läßt Bataille die Bereitschaft der Bourgeoisie zum Komplizentum mit der Macht auf ›metaphysischen‹ Interessen beruhen: in den *heiligen* Elementen der königlichen Pracht finde die homogene Gesellschaft der Bourgeoisie eben einen *Daseinsgrund*, an dem es ihr mangele. Ohne die ›mediatorische‹ wie stabilisierende Funktion der homogenen Welt der Bourgeoisie zu unterschätzen, erklärt Bataille das Heterogene zur Basis des Homogenen (z. B. die Funktion des Goldes als des Irrationalen in der Ökonomie), mehr noch: erklärt die irrationalen Leidenschaften der heiligen Welt zur Existenznotwendigkeit. Dem puren Utilitarismus der Bourgeoisie, einen Keil treibend zwischen die beiden heterogenen Welten, gebreche es an irgendeiner Möglichkeit zur Sinngebung.

ten etwas Zufälliges, dem er die Stirn biete, so sei er für den Opferpriester etwas Unabwendbares, das er jedesmal auf das Opfer abwälzen müsse. (Cf. II, 238) Nur der Opfernde könne menschliches Sein hervorbringen, denn das Opfer sei notwendig zur Bewußtmachung des »DU BIST Tragödie« (II, 239). Erst wenn sich der Soldat des tragischen Charakters des menschlichen Schicksals bewußt werde, d. h. der Notwendigkeit des Opfers, würden sich ihm heroische Möglichkeiten erschließen.

Die Menschen des religiösen Todes repräsentierten durch das Opfer die einzig unerschrockene Haltung angesichts des Todes. Allerdings hätten die Priester das destruktive Opfer pervertiert, umfunktioniert zur Garantie gegen die künftige Zerstörung, zum Unterpfand der christlichen Ewigkeit.

La structure sociale (Die gesellschaftliche Struktur). – Das Militär in entwickelten Zivilisationen wird da aus Adligen und Söldnern bestehend als ein Modell der Heterogenität interpretiert. Die Armee stelle im Verhältnis zur Gesellschaft so etwas wie einen Fremdkörper, etwas »ganz anderes« dar. (Cf. auch *Die psychologische Struktur des Faschismus*, Kap. VIII) Die Funktion der militärischen Gruppe, »deren zweideutiger Aspekt genau dem der sozialen Struktur entspricht, besteht im Gemetzel, dessen Handwerkszeug sie ostentativ trägt, aber so, daß die prächtigsten Kleider im Vergleich zu diesen elenden Schmuckstücken ärmlich erscheinen. So verhält sich ein Soldat zum Metzger wie ein lieblicher Duft zum Gestank der Geschlechtsteile: in beiden Fällen wird ein infames Element gegen ein prahlerisches und glänzendes Element ausgetauscht, und in beiden Fällen wird der Glanz der Infamie des entgegengesetzten Glieds entnommen« (II, 249).

Bataille versucht den Unterschied zwischen religiöser Welt, einer Welt der Tragödie und *innerer* Konflikte, einerseits und andererseits einer militärischen Welt zu kennzeichnen, die dem Geist der Tragödie von Grund auf feindselig gegenübersteht und die Aggressivität ständig nach außen verlegt, die Konflikte *exteriorisiert,* den Tod als eine Quelle äußerer Lust betrachtet: der Tod ist für den Soldaten das, was er dem Feind bereitet. (Cf. II, 349, 351)

Zu einer Homogenisierung, einer Reduktion auf die *Einheit* führe die – imperative – »heilige Handlung« der *positiven* Elemente der *heterogenen* Welt. Eine solche *Einheit* unter den Menschen betrachtet Bataille als Prämisse der Existenz, da sie ein *Sinn* sei, den sich eine Kollektivität *übereinstimmend* gebe. Die menschliche Existenz »IST die Übereinstimmung einer Gesamtheit von Menschen, die sich in einer ihnen gemeinsamen heiligen ›Handlung‹ vereinigen und *anerkennen*« (II, 231).

Ein Vorzug von Batailles Ausführungen liegt in der Distinktion zwischen Einheit und Gleichheit: einer Einheit, die durch die *trennende* imperative Geste eines Mächtigen verbürgt wird. Nur kann die für die menschliche Existenz als essentiell bezeichnete »Übereinstimmung«, welche sich in einer »heiligen Handlung« manifestiert, sehr viele Gesichter haben, den Krieg mit eingeschlossen. Das Sakrale, das Heterogene als Katalysator jeglicher menschlicher Einheit exponierend, läßt Bataille einem die Freiheit, diesen existentiell bedeutsamen Sinn (in der Einheit) als Konvention bzw. willkürliche Wertsetzung zu deuten.

Aus dem Resümee seiner Konferenz, vorgebracht am 19. März, geht hervor, daß Bataille noch einen anderen Gesichtspunkt zur Sprache gebracht hat:

»Das letzte Mal habe ich die revolutionären Sorgen, die Europa seit mehreren Jahrhunderten aufgewühlt haben, als eine Entwicklung der religiösen Erregung, das heißt der tragischen Erregung dargestellt. Ich habe gezeigt, daß diese Entwicklung die Fähigkeit der tragischen Welt zu einer Zerstörung bekundete, die nichts verschont. Es ist mir möglich gewesen zu sagen, daß diese Welt selbst ohne Ende an ihrer eigenen Vernichtung gearbeitet hatte: vor unseren Augen führt diese Vernichtung zum Tod des revolutionären Geistes, der heute in einem Menschen nicht mehr existieren kann, ohne aus ihm einen Ort zerreißender Widersprüche zu machen. Aber ich habe vor allem auf die Tatsache Nachdruck gelegt, daß die revolutionären Kämpfe, indem sie erst eine sinnlos gewordene religiöse Welt vernichteten, und dann sich selbst vernichteten, der militärischen Welt Tür und Tor öffneten: es ist, mit anderen Worten, möglich geworden zu sagen, daß die hauptsächliche Wirkung der großen europäischen Revolutionen die Entwicklung des Nationalmilitarismus gewesen ist. Sogar in dem Augenblick, da wir vor unseren ohnmächtigen Nörgeleien stehen, bestimmt *allein* der militärische Geist das Schicksal von Menschenmassen, die sich, die einen übererregt und die anderen niedergeschmettert, im Zustand der Hypnose befinden.« (II, 349 f.)*

19. März, ›Collège de Sociologie‹: *Confréries, ordres, sociétés secrètes, églises* (Bruderschaften, Ordensgemeinschaften, Geheimgesellschaften, Kirchen). Bataille vertritt bei diesem Vortrag neuerlich Caillois, der dem Redner lediglich – am 2. März – ein zweiseitiges Konzept mit auszuarbeitenden Stichworten zur Verfügung gestellt hatte (cf. II, 354–357, 452 f.). Das Sujet ist den Köpfen beider entsprungen, jedoch steht Bataille vor der Schwierigkeit, seinen und Caillois' Standpunkt – der in bezug auf die Funktion des ›Collège‹ wesentlich von dem Batailles abweicht – zugleich zu vertreten. (Bataille versieht sein Vortragsmanuskript übrigens mit Zeichen, die Art der Akzentuierung bestimmter Passagen festlegend.)

Dem Reich der Waffen könne nur das der Tragödie – verstanden als Ausdruck des Verbrechens – entgegengestellt werden. Allein die Tragödie sei imstande, die Menschen zum Schweigen zu zwingen und ein freies, autonomes Reich zu begründen. Den tragischen Geist, der die Individuen beseele, setzt Bataille mit der Freiheit und

---

* Diese Aussagen verweisen auf einen Text aus dem *Manuel de l'Anti-Chrétien: Les guerres sont pour le moment les plus forts stimulants de l'imagination* (II, 392–399).

der Integrität der Existenz gleich. Einzig eine neue heftige, ungelegene, souveräne *religiöse Organisation* könne dem vom Nationalismus indoktrinierten *status quo* Widerpart bieten, d. h. andere Werte, für die zu leben wie zu sterben sich lohne. (Cf. II, 353) Zum ersten Mal artikuliert Bataille hier einen Gedanken, mit dem er sich seit der Gründung von ›Acéphale‹ trägt: eine Religion ins Leben zu rufen (cf. VI, 369). – Auf die Kardinalfrage, wie es dem Menschen der Tragödie möglich sei, seiner Umgebung Schweigen zu gebieten, antwortet Bataille: das Reich, dem der Mensch der Tragödie angehört, könne vermittels einer *Wahlgemeinschaft* oder einer *Geheimgesellschaft* verwirklicht werden. (Cf. II, 354) Jene »sekundären Organisationsformen« sollen alle die Ansprüche befriedigen, die von der primären gesellschaftlichen Organisation nicht abgedeckt werden.

Darauf zitiert Bataille Caillois' Definitions- und Charakterisierungsansätze von Geheimgesellschaften (bzw. Geheimbünden). Caillois präzisiert in seinem Konzept das bereits in *Der Winterwind* Gesagte, wobei er, seiner eigenen Äußerung zufolge, fast alles Dumézil verdankt (*Le problème des Centaures*, 1929; *Flamen-Brahman*, 1935):

»Im Inneren einer Gruppe entwickelt sich und kommt zutage eine Gruppierung ganz anderer Art. Sie ist
– beschränkter
– geschlossener: geheimnisvoll
– aktivistischer
Sie kann sich auf eine bestimmte Gesellschaft beschränken oder mit anderen Gruppierungen der gleichen Art verbunden sein, die in benachbarten Gesellschaften existieren.« (II, 354)

Die Merkmale, die Caillois einer Geheimgesellschaft, insbesondere den Bruderschaften (Männerbünden) zuschreibt, wie Elektion der Teilnehmer, Initiation, Polarität des Heiligen (konservatives versus transgressives, orgiastisches Heiliges), Verausgabung, kollektive Ekstase und paroxystischer Tod, machen seine Nicht-Teilnahme an ›Acéphale‹ um so rätselhafter. Es sei denn, Caillois' Ablehnung beruhte auf einem gewissen Ungenügen hinsichtlich des aktivistischen, exoterischen Charakters dieser Geheimgesellschaft, erkennt er doch in seinem Exposé eine – wünschenswerte – Verbindung der »Jugendbünde, *der* Männerbünde *mit den Modalitäten politischer Organisationen*«, genauer: der »kommunistischen und faschistischen Parteien, die, *ohne Artillerie und ohne Flotte,* aber nach der Art von *Geheimsekten*, auf dem okkupierten Territorium *ihr Lager* *aufgeschlagen haben*« (II, 357)*. Die Fortsetzung von Batailles Vortrag ähnelt mehr einer Replik. Zwar hebt er anerkennend hervor, daß Caillois – in der Nachfolge von Balzac, Baudelaire, Nietzsche, [D. H. Lawrence], Dadaisten – die Geheimgesellschaft in den Dienst der Wiederverjüngung der gealterten Gesellschaft gestellt sieht, bezweifelt jedoch grundsätzlich ihre Überlebensfähigkeit. Anhand der Freimaurer demonstriert er die zwangsläufige und regelmäßige Assimilation von Geheimbünden, die stabil werden und stabilisierend wirken, statt dynamisch zu bleiben. (Cf. II, 358 f.) Geleitet von der Idee der Verausgabung und der Souveränität, grenzt Bataille die *Komplott-Gesellschaft*, zu welcher Caillois' Ausführungen tendieren, von der *existentiellen Geheimgesellschaft* ab: die erstere werde gebildet, um zu handeln, nicht um zu existieren, sie sei also ebenso servil wie das Militär; die letztere entstehe, um zu existieren und handle dennoch. (Cf. II, 359. Die Suche nach einem Mittelweg läßt Bataille offenbar die Reversibilität dieser Definition übersehen.) »Existentiell« heißt hier purer Seinswille ohne besonderes Ziel, Streben nach Existenz, Favorisierung eines vehementen, exuberanten, tragischen, dionysischen Lebens, das die Liebe zum Tod einschließt.

»Die große Kraft des Prinzips der ›Geheimgesellschaft‹ besteht genau darin, daß sie die einzig radikale und wirksame Negation darstellt, die einzige nicht nur in Phrasen bestehende Negation des Notwendigkeitsprinzips, in dessen Namen die Gesamtheit der heutigen Menschen am Schlamassel der Existenz mitarbeitet.« (II, 360)

Im März wiederholen Laure und Bataille ihren Besuch von Sades ›Grab‹, diesmal mit Louise und Michel Leiris. In Épernon, wo sie sich einquartiert haben, sieht Laure ihren letzten Film: *One way passage* (1932) von Tay Garnett (diese dramatische Komödie nimmt Laures Schicksal vorweg: die Protagonistin des Films lebt und liebt in dem Bewußtsein, daß sie unheilbar krank ist). Laure

»ging in den Tag hinein, als ob der Tod sie nicht aushöhlte, und wir kamen in der prallen Sonne am Rande des von Sade bezeichneten Pfuhls an. Die Deutschen drangen gerade in Wien ein und die Luft war bereits mit einem Kriegsgeruch beladen. Als wir abends zurückkamen, wünschte Laure, Zette und Leiris auf dem Weg mitzureißen, der uns gefiel. Das Nachtessen,

---

* Caillois rekurriert auf einen Brief von Marcel Mauss an den Historiker Élie Halévy (*Bulletin de la Société Française de philosophie*, Okt.–Dez. 1936), dessen Wortlaut er gegen den Strich interpretiert – als Apologie des Verschwörertums.

das wir besorgt hatten, hatten Laure und ich absichtlich dort gekauft, wo wir das Nachtessen der Ivanovs bestellt hatten. Aber kaum heimgekommen, verspürte Laure den ersten Anfall des Übels, das sie tötete: Sie hatte starkes Fieber und legte sich zu Bett ohne zu wissen, daß sie nicht mehr aufstehen sollte« (V, 525 f.).

Sie unterzieht sich im Centre français de médecine et de chirurgie (12, rue Boileau, Paris 16e) zwei Monate lang einer stationären Behandlung (vermutlich lungenchirurgische Maßnahmen).

Corps célestes (Himmelskörper), in der Frühjahrsausgabe von *Verve* (Nr. 2) mit Illustrationen (3 Tintezeichnungen und 2, »Le Soleil« und »La Lune« betitelte lithographische Reproduktionen) von André Masson abgedruckt, ist ein vom Geist der kopernikanischen Revolution getragener Text, der die Geozentrik in Frage stellt, eine kosmische Homogenität postuliert.

Die Sonne (= das Universum) versieht Bataille mit den positiven Vorzeichen der energetischen *Verausgabung*, des Glanzes, der kollektiven Bewegung, der Exteriorisation; sie vertritt das Außen oder die Materie.

Die gefräßige, kalte und glanzlose Erde (= die menschliche Existenz) stellt er als vom Prinzip der Akkumulation, der Absorption, der Knappheit und des Mangels geleitet dar; sie kennzeichnet die Abschließung, die Atomisierung, die Individuation, die Trennung zwischen Innen und Außen.

». . . indem es [sc. das Menschenwesen] versucht – um diese Welt, die ihm nahe ist, besser abzuschließen –, sich den Urgrund all dessen, was ist, vorzustellen, strebt es danach, an die Stelle der augenscheinlichen verschwenderischen Fülle des Himmels die Gier zu setzen, die es darstellt: so löscht es allmählich das Bild einer sinnlosen und anspruchslosen himmlischen Wirklichkeit aus und ersetzt es durch die Personifizierung (anthropomorpher Natur) der *unveränderlichen* Idee des Guten.« (I, 518)

Ist die Verausgabung die Wahrheit des Universums, dann sind die Akkumulation (die Verausgabung der Verausgabung), das Parasitentum die Wahrheit des Menschen bzw. die Umkehr der universellen Wahrheit. Die Welt der Nützlichkeit, der Akkumulation von Energie, der unersättlichen Gier, dieses gegen die Gesamtbewegung des Universums existieren werde von den Menschen als *Fluch* empfunden. Bataille weist zwei Wege auf, der Gier, der Welt des Nützlichen, der »kalten Bewegung« zu entkommen: die Gabe seiner selbst (in der Erotik, der Ekstase) oder der angesammelten Reichtümer (im Potlatsch, im Fest, in der Verschwendung). (I, 519) Was für das Universum gilt, ohne daß Energieknappheit oder -erschöpfung einen Schatten auf die Verausgabung werfen, läßt sich auf die fragilen irdischen Existenzen nicht ohne den Gedanken an das Risiko der Selbstvernichtung übertragen. Der *Tod* stülpt die *Autonomie* der Menschen um, er läßt sie zurückkehren zur Kommunikation.

»Durch den Verlust können die Menschen die freie Bewegung des Universums wiederfinden, sie können tanzen und kreisen in einem Rausch, der befreiend ist wie der der großen Sternenschwärme, aber in der gewaltsamen Verausgabung ihrer selbst sind sie gezwungen wahrzunehmen, daß sie in der Gewalt des Todes leben.« (I, 520)

Die Konferenz vom 2. APRIL, mit Bataille und Caillois als Referenten, trägt den Titel *Die heilige Soziologie der gegenwärtigen Welt.* Das Fragment von Batailles Diskurs (II, 362−363) läßt auf eine Art Bilanz der vorangegangenen Aktivitäten des ›Collège‹ schließen. Er verliest dabei wahrscheinlich das von Caillois redigierte Manifest *Pour un Collège de Sociologie* und stellt die Publikation einer summarischen Bibliographie in Aussicht.

Am 15. April erscheint in *Mesures* (Nr. 2) – neben Texten von René Daumal, Henry Miller, Jean Paulhan und Caillois – *L'obélisque.**

---

* Walter Benjamin schreibt im Brief vom 28. 5. 1938 an Max Horkheimer über diesen Text, nachdem er Caillois' Arbeit *L'aritidé* im gleichen Heft von *Mesures* als profaschistisches Zeugnis kritisiert hat:»Georges Bataille, der im gleichen Heft eine immerhin harmlosere [sc. als Caillois'] Deutung der Place de la Concorde gibt, ist Bibliothekar an der Bibliothèque Nationale. Ich sehe ihn häufiger bei Gelegenheit meiner Arbeit. Sie haben sich den maßgebenden Eindruck von ihm, soviel ich weiß, schon bei der Lektüre des ›Acéphale‹ verschafft. In dem gedachten Aufsatz hat er seine idées fixes mehr oder minder possierlich in der Art eines Bilderbogens aneinandergereiht, der die verschiedenen Phasen einer ›geheimen Geschichte der Menschheit‹ an Ansichten der Place de la Concorde illustriert. Diese geheime Geschichte ist ausgefüllt von dem Kampf des monarchischen, statischen, hier ägyptischen Prinzips mit dem anarchischen, dynamischen, derzeit aktualen des zerstörenden und befreienden Zeitverlaufs, den Bataille bald im Bild des endlosen Sturzes, bald in dem der Explosion anspricht. Bataille und Caillois haben gemeinschaftlich ein Collège de sociologie sacrée gegründet, in dem sie junge Leute öffentlich für ihren Geheimbund [sc. ›Acéphale‹] anwerben – einen Bund, dessen Geheimnis nicht zum wenigsten in dem besteht, was seine beiden Stifter eigentlich miteinander verbindet.«
Als Horkheimer vorschlägt, diesen Brief in der *Zeitschrift für Sozialforschung* zu veröffentlichen, bittet ihn Benjamin mit Brief vom 3. 8. 1938, den Bataille betreffenden Passus auszulassen, da er auf dessen Wohlwollen, auch in seiner Eigenschaft als Mitarbeiter der Bibliothèque nationale, künftig noch angewiesen sei:»Das Fragment würde ihm nicht entgehen, da die Zeitschrift in dem ihm besonders unterstellten Arbeitssaal ausliegt; es mit Gelassenheit aufzunehmen, ist er nicht der Mann. –«

André Masson, Illustrationen zu
Corps célestes, 1938

Ruinen des Sade-Schlosses La Coste, 1948

In der MAI-Ausgabe der *N.R.F.* werden Vorträge von Bataille und Caillois über den Mythos annonciert. Weder die Exposés noch das Datum der Veranstaltung sind bekannt; das Thema freilich war *en vogue*, wie einige zeitgenössische Publikationen zeigen.*

Vier Redner, Bataille, Jean Wahl, Denis de Rougemont und Pierre Klossowski, ergreifen am 19. MAI, einem Donnerstag, zum Thema *La tragédie* (Die Tragödie) das Wort. Allein Klossowskis Beitrag ist erhalten: Er besteht in der Verlesung seiner Übersetzung von Kierkegaards *Antigone*, enthalten in *Entweder-Oder* (1843), 1. Teil, III: »Der Reflex des antiken Tragischen in dem modernen Tragischen. Ein Versuch im fragmentarischen Streben. Gelesen vor den Symparanekromenoi [Todesästhetikern].«

Auf Einladung Jean Paulhans veröffentlichen die Gründer des ›Collège‹ in der *N.R.F.* (Nr. 298) vom 1. JULI *Pour un Collège de Sociologie,* bestehend aus den Texten *L'apprenti sorcier* (Bataille), *Le sacré dans la vie quotidienne* (Leiris), *Le vent d'hiver* (Caillois) sowie einer von Caillois verfaßten *Einführung,* welche die in *Acéphale* (Juli '37) veröffentlichte *Note sur la fondation d'un Collège de Sociologie* wieder aufnimmt, jedoch die Ambitionen des ›Collège‹ expliziter macht:

»Der Mensch wertet gewisse seltene, flüchtige und heftige Augenblicke seiner ganz persönlichen Erfahrung bis zum Äußersten auf. Das *Collège de Sociologie* geht von dieser Gegebenheit aus und bemüht sich, im Herzen der sozialen Existenz gleichwertige Entwicklungen festzustellen: in den grundlegenden Phänomenen der Anziehung und der Abstoßung, die die soziale Existenz bestimmen, wie auch in ihren ausgeprägtesten und bezeichnendsten *Zusammensetzungen,* wie zum Beispiel der Kirchen, der Armeen, der Bruderschaften, der Geheimgesellschaften. Drei Hauptprobleme beherrschen dieses Studium: das der Macht, das des Heiligen, das der Mythen. Ihre Lösung ist nicht allein eine Frage der Information und der Auslegung: es ist darüber hinaus notwendig, daß dieses Studium die *gesamte* Tätigkeit des Menschen umfaßt. Es erfordert gewiß eine Arbeit, die mit einer Ernsthaftigkeit, einer Uneigennützigkeit und einer kritischen Strenge gemeinsam in Angriff genommen wird, die nicht nur imstande sind, die etwaigen Ergebnisse glaubwürdig erscheinen zu lassen, sondern auch gleich zu Beginn der Forschung Respekt einzuflößen. Es verhüllt jedoch eine

---

* Lévy-Bruhl, *La Mythologie primitive* (1935); Artaud, »El teatro francés busca un mito.« *El Nacional* (Mexiko), Juni 1936; Breton, *Position politique du Surréalisme* (1935); Caillois, *Le Mythe et l'homme* (1938); Landsberg: »Introduction à une critique du mythe.« *Esprit*, Jan. 1938; Guastella, *Le Mythe et le livre* (1939); Queneau: »Le mythe et l'imposture.« *Europe*, Juni 1939; Sartre: Rezension von Denis de Rougemonts »L'Amour et l'Occident«. *Europe*, Juni 1939.

»Le paysage« (Die Landschaft). *Verve*, Nr. 3, Juni.

Das menschliche Universum hat sich also nicht geschlossen wie ein großes leuchtendes Nebelgrab, denn die unendliche Vielfalt der Erscheinungen hat mit Leichtigkeit die veränderlichen Perspektiven der Hoffnung angeordnet: der Stern der Drei Könige erstrahlt immer in vollem Glanz, wenn er über dem zum Tod führenden Weg leuchtet. (. . .)

Jede Gestalt, der der Mensch begegnet, ist dazu bestimmt, Zeugnis abzulegen von dem Schicksal, das ihn unter dem Himmel seines Planeten trägt: sie muß irgendeine verständliche Antwort auf seine fast unsinnige Befragung bilden. (. . .)

Die Langeweile gestattet es nicht mehr, weiterhin [wie die Wespe] mit Ungestüm an der Scheibe zu zerschmettern. Sie verleiht gewissermaßen dem Menschen, den sie bedrückt, die Möglichkeit, das Universum mit den hoffnungslosen und verständnislosen Augen der sterbenden Wespe zu betrachten. Aber während die Wespe, die ihren zerschmetterten Körper auf dem Boden wälzt, sich – gegen Ende einer langen Schwäche – nur vom Tod überwältigen lassen kann, hat der Mensch, den die Langeweile zersetzt, die Möglichkeit, aus seiner abscheulichen Erfahrung Schlüsse zu ziehen. Er hat nicht allein die ferne Erinnerung an die sprühenden Illusionen: in seinen ruhigen, aber in Richtung auf einen fliehenden Horizont verlorenen Augen verdoppelt das Bild des endgültigen Welkseins das Bild der Blume in ihrem Glanz. Er betrachtet dann die Welt der Illusionen mit träger Wut. Er hüllt sich in dumpfes Schweigen, und mit einer Freude, die ihn ängstigt, setzt er den nackten Fuß auf den feuchten Boden, um zu spüen, wie er in der Natur versinkt, die ihn vernichtet. (I, 521, 522)

Hoffnung ganz anderer Art, die dem Vorhaben seinen ganzen Sinn verleiht: der Ehrgeiz, daß die so gebildete Gemeinschaft über ihren Ausgangsplan hinausgeht, vom Willen zur Erkenntnis zum Willen zur Macht hinübergleitet, der Kern einer weitreichenderen Verschwörung wird – die feste Erwartung, daß dieser Körper eine Seele findet.« (Caillois 1974, 72)

Fünfundzwanzig Jahre später schreibt Caillois von dem Bedürfnis der Collégiens,

».. . der Gesellschaft ein aktives, unbestrittenes, gebieterisches, verheerendes Heiliges wiederzugeben, Bedürfnis, das einen Kompromiß schließt mit dem Vergnügen, das kühl, korrekt, wissenschaftlich zu interpretieren, was wir damals – ohne Zweifel naiverweise – die tiefen Triebkräfte der Kollektivexistenz nannten. Ich sagte, ein aktives Heiliges: *terroristisch* entschlossen wir uns damals zu sagen, zumindest unter uns, um auszudrücken, daß wir von etwas mehr träumten als von der schlichten Aktion. Wir dachten an ich weiß nicht welche schwindelerregende Ansteckung, an eine epidemische Aufwallung. Es versteht sich, daß wir dem Epitheton *terroristisch* nicht die höchst spezielle Bedeutung verliehen, die es angesichts des jüngsten Zeitgeschehens erhalten hat. Wir beriefen uns auf die Chemie und den jähen, zündenden, unwiderstehlichen Charakter gewisser Reaktionen.« (Caillois 1976, 7 f.)

Von Leiris' Text *Das Heilige im Alltagsleben* angeregt, beginnt Laure mit der Niederschrift ihrer Notizen zu *Das Heilige* (Laure 1980, 39–44, 237 f.). Wenn sie über dieses Thema mit Leiris auch diskutiert, so verbirgt sie doch ihr Geschriebenes vor jedermann. Ihren *Le sacré* betitelten Aufzeichnungen gehen buddhistische Meditationsübungen voraus, deren Technik sie sich autodidaktisch aneignet.
Am 15. Juli verläßt sie, von Krankheit geschwächt, ihr Dienstbotenzimmer am Bois de Boulogne (Bvd. Lannes, Paris XVI) und zieht in Batailles Haus in St.-Germain-en-Laye ein. Ihr Gesundheitszustand verschlechtert sich so sehr, daß sie schon Ende AUGUST zum letzten Mal das Haus verläßt.

»Ich nahm sie im Auto von dem Haus in Saint-Germain in den Wald mit. Sie stieg nur ein einziges Mal aus: vor dem vom Blitz getroffenen Baum. Auf dem Hinweg fuhren wir durch die Montaigu-Ebene, wo sie sich an der Schönheit der Hügel und Felder berauschte. Aber kaum waren wir in den Wald hineingefahren, da bemerkte sie zu ihrer Linken zwei tote *Raben*, die an den Ästen eines Niederwaldbaumes hingen . . .

Ich wünschte, daß er mich überall begleiten und mir stets
vorausgehen möge
*wie ein Herold seinem Ritter**

---

* Zitat aus Laures Gedicht *Der Rabe* (op. cit., 51). (B. M.)

Wir waren von dem ›Haus‹* nicht weit entfernt. Ich sah die beiden Raben einige Tage später, als ich zu derselben Stelle ging. Ich sagte es ihr: sie zitterte und ihre Stimme versagte so sehr, daß ich Angst hatte. Ich begriff erst nach ihrem Tod, daß sie die Begegnung mit den toten Vögeln als ein Zeichen betrachtet hatte. Laure war damals nur noch ein lebloser Körper (. . .).« (V, 526)

Es wäre ein Irrtum, sich unter dem Zusammenleben Bataille −Laure eine Idylle vorzustellen. Ihre gefühlsmäßige Ambivalenz gegen den Geliebten vermochte ihre Krankheit nicht zu mindern (cf. ihren Brief an Leiris, in: Laure 1980, 184 ff.).

». . . ich habe Angst vor der Bemitleidung . . . und – *sogar jetzt* – ist es mir unmöglich, irgendein Wesen auf der Welt zu beneiden. (. . .) Mein Übel ist so tief mit meinem Leben verbunden, daß es nicht von dem getrennt werden kann, was ich erlebt habe. Nun? Vielleicht ist das abermals eines dieser Unglücke, die sich in Glück verwandeln: Ihr werdet später verstehen, was ich damit sagen will . . .« (Laure im März '38 an Freunde, op. cit., 224)

Bataille beginnt im August mit der Niederschrift von *Le sacré*. Er verspricht Georges Duthuit, der mit der Herausgeberschaft einer Nummer der *Cahiers d'Art* betraut ist, seinen Text für die Zeitschrift. (Cf. V, 506)

Vom 7. OKTOBER datiert die von Caillois verfaßte *Déclaration du Collège de Sociologie sur la crise internationale,* die von Bataille und Leiris (von diesem widerwillig) unterzeichnet wird.

Anlaß des Statements ist das Münchener Abkommen vom 29. 9. 38 zwischen Deutschland, England, Frankreich und Italien, das die von Hitler seit November 1937 geschürte Krise um die in der ČSR lebenden Deutschen vorerst beendigt und die Kriegsgefahr bannt.

Das ›Collège‹ denunziert die gegenüber Deutschland konzessive Appeasement-Politik Englands und seines Alliierten Frankreich, die die Prager Regierung zwang, der Abtretung deutschbesiedelter Gebiete zuzustimmen. Von Kritik verschont bleibt auch die Nicht-einmischungs-Politik der USA nicht:

»Man muß auch an die Haltung der öffentlichen Meinung in Amerika erinnern, die jenseits des Ozeans, also in genügender Entfernung, ein Unverständnis zeigte, ein Pharisäertum und eine gewisse platonische Donquichoterie, die für Demokratien mehr und mehr charakteristisch zu sein scheint.« (I, 539)

---

* Ibd.

Bezeichnend für das ›Collège‹ ist jedoch weniger die in der *Déclaration* artikulierte moralische Verurteilung der internationalen Politik denn die Bewertung der psychologischen Reaktionen des Kollektivs angesichts der Kriegsgefahr:

»Das *Collège de Sociologie* betrachtet das allgemeine Fehlen einer lebhaften Reaktion angesichts des Krieges als ein Zeichen der *Entmännlichung* des Menschen. Es zweifelt nicht daran, daß die Ursache dafür in der Lockerung der gegenwärtigen gesellschaftlichen Bande zu finden ist, in ihrem fast Nicht-Vorhandensein aufgrund der Entwicklung des bürgerlichen Individualismus. Ohne Anteilnahme prangert es die Wirkung an: Menschen, die so allein, so schicksalslos sind, daß sie völlig mittellos vor der Möglichkeit des Todes stehen, Menschen, die, da sie keine tiefen Gründe haben zu kämpfen, notwendigerweise feige werden vor dem Kampf, vor irgendeinem Kampf, und wie [sich ihres Schicksals] bewußte und resignierte Hammel im Schlachthof stehen.« (I, 539 f.)

Obwohl das ›Collège‹ sich primär als Forschungs- und Studieneinrichtung versteht und nicht als politische Organisation, lassen es die aktuellen Ereignisse opportun erscheinen, die *Erklärung* mit einem Solidaritätsaufruf zu beschließen. Das ›Collège‹ lädt jene ein, heißt es,

»denen die Angst als einzigen Ausweg die Schaffung vitaler Bande zwischen den Menschen aufgezeigt hat, sich ihm [sc. dem ›Collège]« anzuschließen, außerhalb jeder anderen Entschlossenheit als dem Sichbewußtwerden der *absoluten Verlogenheit* der gegenwärtigen politischen Formen und der Notwendigkeit, prinzipiell eine Form kollektiver Existenz wiederherzustellen, die irgendeine geographische oder soziale Begrenzung außer Betracht läßt und es erlaubt, ein wenig Haltung zu bewahren, wenn der Tod droht« (I, 540).

Die *Erklärung zur internationalen Krise* erscheint simultan in den November-Ausgaben der Zeitschriften: *N.R.F., Esprit* und *Volontés*. Im entsprechenden Heft der *N.R.F.* (Nr. 302) sind übrigens mehrere Stellungnahmen enthalten, die das Münchener Abkommen ebenfalls mißbilligen (Petitjean, Benda, Schlumberger, Arland, Montherlant, Rougemont, Audiberti, Pourrat, Lecomte).

Die *Deklaration* läßt Hans Mayer mit dem ›Collège‹ Kontakt aufnehmen. Der dreißigjährige Jurist und Historiker, wie Walter Benjamin Stipendiat des Instituts für Sozialforschung, trifft mit den drei Initiatoren des ›Collège‹ in einem Café zusammen:

»Caillois führte ein glanzvolles Gespräch. Bataille erinnerte bisweilen an jene großen Schauspieler, die ein ausdrucksloses Gesicht vorweisen im Tageslicht, um abends auf der Bühne alles verkörpern zu können, auch das ganz Unerwartete, die alt und jung sein können nach Belieben. (. . .)

»Le masque« (Die Maske), für *Minotaure* bestimmter Text.

Nichts im unverständlichen Universum ist menschlich *außer nackter Gesichter, die in einem Chaos fremder oder feindseliger Erscheinungen die einzigen offenen Fenster sind. Der Mensch verläßt nur in dem Augenblick die unerträgliche Einsamkeit, in dem das Gesicht eines seiner Mitmenschen aus der Leere von allem übrigen auftaucht. Doch die Maske übergibt ihn einer noch furchtbareren Einsamkeit: denn ihr Vorhandensein bedeutet, daß sogar das, was gewöhnlich beruhigt, sich plötzlich mit einem finsteren Willen, Entsetzen zu verbreiten, aufgeladen hat; wenn das, was menschlich ist, maskiert ist, gibt es nichts Vorhandenes mehr außer der Animalität und dem Tod. (. . .)*
. . . DIE MASKE IST DAS FLEISCHGEWORDENE CHAOS. Sie ist vor mir vorhanden wie ein Mitmensch, und dieser mich anstarrende Mitmensch hat das Gesicht meines eigenen Todes in sich aufgenommen: durch dieses Vorhandensein ist das Chaos nicht mehr die dem Menschen fremde Natur, sondern der Mensch selbst, der mit seinem Schmerz und seiner Freude das belebt, was den Menschen zerstört, der in die Besessenheit von diesem Chaos gestürzte Mensch, das seine Vernichtung und sein Verfaulen ist, der von einem Dämon besessene Mensch, der die Absicht der Natur verkörpert, ihn sterben und verfaulen zu lassen. Was unablässig von Gesicht zu Gesicht kommuniziert wird, ist für das menschliche Leben so wertvoll, so beruhigend wie das Licht. Wird die Kommunikation durch eine plötzliche Entscheidung unterbrochen, wird das Gesicht durch die Maske der Nacht zurückgegeben, ist der Mensch nur noch dem Menschen feindselige Natur, und die feindselige Natur ist völlig von der heimtückischen Leidenschaft des maskierten Menschen beseelt. (. . .)
Was in der Übereinstimmung der offenen *Gesichter kommuniziert wird, ist die beruhigende Stabilität der auf der hellen Oberfläche des Bodens zwischen den Menschen errichteten Ordnung. Aber wenn das Gesicht sich verschließt und sich mit einer Maske bedeckt, gibt es keine Stabilität und keinen Boden mehr. Die Maske kommuniziert die Ungewißheit und die Gefahr schlagartiger Änderungen, die so unvorhersehbar und so unmöglich zu ertragen sind wie der Tod. Ihr Eindringen befreit das, was man zur Aufrechterhaltung der Stabilität und der Ordnung in Ketten gelegt hatte. (. . .)*
. . . eine Maske genügt, um den homo sapiens *in eine Welt zurückzuwerfen, über die er nichts weiß, weil sie die Natur der Zeit und ihrer heftigen unvorhersehbaren Änderungen besitzt. Die Zeit läßt den ewigen Greis in das ständig wiedererstehende Chaos ihrer Nacht eintreten. Es inkarniert sich im* maskierten verliebten jungen Mann. (II, 403–405)

Er blieb unkenntlich. Allein er wollte mit mir zusammen sein. So trafen wir uns regelmäßig, zweimal im Monat, in einem Café. Einmal brachte ich den Historiker Konrad Heiden mit, weil sich Bataille für einen Autor interessierte, der ein Buch über den ›Führer‹ geschrieben hatte.* Es kam nichts heraus bei dem Gespräch zu dritt. Bei unseren Gesprächen zu zweit gab es kaum geistige Spannung, doch herzliche Sympathie auf beiden Seiten. Ich freute mich über einen redlichen und hilfsbereiten Menschen, der freier war von Vorurteilen als irgendein anderer von allen, denen ich damals begegnete: Caillois nicht ausgeschlossen. (. . .)
Man mußte sich um Hegel kümmern und die deutschen Romantiker, um Marx und um die Tiefenpsychologen. Darum suchte er das Gespräch mit Benjamin, und wohl auch mit mir. (. . .)
Bataille wollte mich gewinnen: wohl auch für seine Entgrenzungen. Es kam aber nur zu knappen Hinweisen auf ›Erfahrungen‹, die man machen müsse. Ich bin ausgewichen, fast ohne zu verstehen.« (H. Mayer 1982, 239, 240 f., 242 f.)

René Bertelé rezensiert in *Europe* (Nr. 190) vom 15. Oktober unter der Überschrift »A travers les revues: sciences de l'homme et sociologie sacrée« die Textsammlung *Pour un Collège de Sociologie* (deren Veröffentlichung in der *N.R.F.* erstmals eine breite Öffentlichkeit mit dem Denken der Collégiens konfrontierte: Batailles und Caillois' Inaugural-Vorlesung fand nur *inter pares* statt). Bataille wird als fanatischer und wirrer Nietzscheaner mit einem Hang zum Anarchismus eingestuft, Leiris' objektive Strenge bei der Schilderung affektiver Phänomene aus der Kindheit gelobt, Caillois konzediert Bertelé Talent wie auch Puerilität, wobei er neben einem vermeintlichen Mystizismus dessen faschistoide Tendenzen rügt: Caillois setze das ›Collège‹ dem Risiko aus, zum ideologischen Hilfsinstrument eines künftigen Diktators zu werden.
»Sociologie sacrée« betitelt Georges Sadoul seine zehnseitige Kritik der selben Publikation in *Commune* (Revue littéraire pour la défense de la culture, Nr. 60, Sept.−Okt.). Der Ex-Surrealist Sadoul verwendet ebenfalls den größten Teil seines Artikels darauf, Caillois vom Standpunkt eines Marxisten den Prozeß zu machen. Ihm wirft er vor: Exklusivität, Weltflucht, Machthunger, Verachtung der Masse, Propagierung von Individualismus und Aristokratismus, Negation der Gesellschaft – ihrer ökonomischen Struktur und ihrer Klassen (für Caillois gebe es nur Herren, d. h. Intellektuelle oder Adlige und Knechte), *in summa*: er unterstellt ihm die Verfolgung eines im ›Dritten Reich‹ lebendigen Ideals, das eines

---

* *Adolf Hitler.* – Das Zeitalter der Verantwortungslosigkeit. Eine Biographie (I), Zürich 1936. (B. M.)

feudalistischen Systems unter der Oberherrschaft der Weisen des
›Collège‹.

»Für die Herren Professoren des Collège ist die Soziologie die Wissenschaft
von der Negation der wirklichen Soziologie. Und ihr eroberungslustiger,
abwegiger, deliranter und paranoischer Imperialismus gründet sich auf
einer völligen Fehleinschätzung der elementarsten gesellschaftlichen Wirklichkeiten.«

Leiris' *Das Heilige im Alltagsleben* verwirft Sadoul als irrelevant für
die Soziologie, sein Beitrag sei nichts als das Psychogramm eines
Kleinbürgers. Bataille wird als zwischen Skatologie und Eschatolo-
gie schwankend karikiert:

»Im ganzen Werk von Herrn Bataille gibt es einen Willen oder vielmehr
eine Anwandlung zur Macht, der es kaum gelingt, falsche Hoffnungen zu
erwecken. In seinen philosophischen Schriften, wie übrigens auch in seinen
unterderhand veröffentlichten Romanen, verwechselt der Autor ständig –
um nach Marx und Engels einen Ausdruck Feuerbachs wieder aufzunehmen – Sperma und Urin; man begreift, daß die Macht-Illusion sehr unvollkommen ist. *Der Zauberlehrling* führt den vorausgegangenen Schriften
Herrn Batailles nicht eine einzige neue Kraft zu.«

Verrät sich mit dieser Polemik gegen Bataille nicht der stramme
*Sur*realist wider Willen, der empört aufschreit, wenn das tabuierte
›Niedrige‹ auch nur genannt wird?

Am 2. NOVEMBER beginnt Laure zu agonisieren. Die Eindrücke ihres
Gefährten, 1939 notiert:

»Während Laures Agonie fand ich im Garten, der damals verkommen war,
mitten unter Laub und verdorrten Pflanzen eine der schönsten Blumen, die
ich gesehen habe: eine ›herbstfarbene‹ kaum geöffnete Rose. Trotz meiner
Verwirrung pflückte ich sie und brachte sie Laure. Laure war damals in sich
selbst versunken, von einem undefinierbaren Delirium verschluckt. Aber
als ich ihr die Rose gab, erwachte sie aus ihrem seltsamen Zustand, sie
lächelte mir zu und brachte einen ihrer letzten vernehmbaren Sätze über die
Lippen: ›Sie ist bezaubernd‹, sagte sie. Dann führte sie die Blume an ihre
Lippen und küßte sie mit wahnsinniger Leidenschaft, so als ob sie alles
hätte festhalten wollen, was ihr entglitt. Aber das währte nur einen Augenblick: sie warf die Rose genauso zurück, wie Kinder ihr Spielzeug zurück-
werfen, und wurde wieder unbeteiligt bei allem, was in ihre Nähe kam,
krampfhaft atmend.« (V, 512)

» . . . Laures Gesicht hatte eine unerklärliche Ähnlichkeit mit dem Gesicht
dieses so furchtbar tragischen Mannes: ein ausgebranntes, halb irrsinniges
Ödipus-Gesicht. Diese Ähnlichkeit nahm im Laufe ihrer langen Agonie zu,

während das Fieber sie quälte, vielleicht besonders während ihrer entsetzlichen Wutausbrüche und ihrer Anwandlungen von Haß gegen mich. (. . .)
. . . ich habe Laure geflohen (ich habe sie, verängstigt, geistig geflohen, ich habe ihr oft die Stirn geboten, ich habe ihr bis zum Ende Beistand geleistet, und es wäre unfaßbar gewesen, es im Rahmen meiner Kräfte nicht mehr zu tun, aber in dem Maße, in dem sie sich der Agonie näherte, flüchtete ich mich in eine krankhafte Betäubung; manchmal betrank ich mich . . . , manchmal wurde ich auch geistesabwesend).« (V, 504 f.)

Allein, Bataille arbeitet an seinem Text *Le sacré:*

»Während der letzten Tage von Laures Krankheit, am Nachmittag des 2. November, war ich zu dem Passus gekommen, wo ich die Übereinstimmung des ›Grals‹, auf dessen Suche wir uns befinden, mit dem Gegenstand der Religion zum Ausdruck bringe. Ich beendete ihn mit diesem Satz: ›Das Christentum hat das Heilige *substantialisiert,* aber das Wesen des Heiligen, in dem wir heute die brennende Existenz der Religion wiedererkennen, ist vielleicht das allerungreifbarste Geschehen zwischen den Menschen, da das Heilige nur ein privilegierter Augenblick kommunieller Einheit, ein Augenblick konvulsivischer Kommunikation dessen ist, was gewöhnlich erstickt wird‹. Am Rand fügte ich sogleich hinzu, um – zumindest für mich selbst – deutlich auf den Sinn der letzten Zeilen hinzuweisen: ›Identität mit der Liebe‹. (. . .) Der Augenblick kam, an dem ich Laure in ihrem Zimmer besuchen konnte. Ich näherte mich ihr und bemerkte sofort, daß es ihr viel schlechter ging. Ich versuchte, mit ihr zu sprechen, aber sie antwortete auf nichts mehr, sie brachte zusammenhanglose Sätze hervor, in einem unermeßlichen Delir versunken; sie sah mich nicht mehr, sie erkannte mich nicht mehr. Ich begriff, daß alles zu Ende ging und daß ich nie mehr mit ihr sprechen könnte, daß sie so in ein paar Stunden sterben würde und wir nie mehr miteinander sprächen. Die Krankenschwester sagte mir ins Ohr, daß dies das Ende wäre: ich schluchzte auf; sie hörte mich nicht mehr. Die Welt brach erbarmungslos zusammen. Meine Ohnmacht war so groß, daß ich nicht einmal mehr ihre Mutter und ihre Schwestern daran hindern konnte, ins Haus und in ihr Zimmer einzudringen. Sie lag vier Tage lang im Sterben. Vier Tage lang blieb sie geistesabwesend, wandte sich gemäß einer unvorhersehbaren Laune an die einen und die anderen, unvermittelt leidenschaftlich und alsbald wieder erschöpft; kein einziges Wort erreichte sie mehr. Für kurze Augenblicke der Ruhe wurden ihre Sätze vernehmbar: sie bat mich, in ihrer Tasche und in ihren Papieren etwas zu suchen, das man unbedingt finden mußte; ich zeigte ihr alles, was da war, aber ich habe das von ihr Gewünschte nicht finden können. Ich sah in diesem Moment nur und zeigte ihr einen kleinen Umschlag aus weißem Papier, der einen Titel trug: *Das Heilige.* (. . .) Ich mußte es aufgeben, das von ihr Gewünschte zu finden; die ›Zeit‹ war bereit, ihr den ›Kopf abzumähen‹*, und sie mähte ihn

---

* Von Laure 1937 in Siena geschrieben (cf. dies. 1980, 75). (B. M.)

ihr ab, und ich verharrte vor dem, was kam, voller Leben, aber nicht imstande, etwas anderes als ihren Tod zu begreifen.« (V, 505–507)

Laures Mutter läßt durch Marcel Moré, der in seiner Eigenschaft eines Vertrauten der Familie Peignot als Mittelsmann im Sterbehaus fungiert, an Bataille den Wunsch herantragen, einen Priester kommen zu lassen. Bataille schlägt ihre Bitte kategorisch aus.

»Im Zimmer der Sterbenden saßen die Mutter und die ältere Schwester an der einen Seite des Bettes, Bataille und zwei oder drei seiner Freunde an der anderen. Man maß sich mit Blicken und lauerte. Die im Sterben Liegende konnte nicht mehr sprechen, und die beiden Parteien suchten – natürlich in völlig entgegengesetztem Sinne – zu erforschen, ob sie durch irgendeine Geste, ein Kreuz-Zeichen zum Beispiel, zu verstehen geben würde, daß sie beim Herannahen des Todes ihren Glauben wiedergefunden hätte.« (Moré, zit. nach: Laure 1980, 224)

Laure gibt nichts von einer Rekonversion zu erkennen. Aber Michel Leiris erinnert sich, eine Parodie der Bekreuzigung wahrgenommen zu haben, die ihn einen »heiligen Schauder« verspüren läßt:

» . . . eine große Kälte, die mir über das Rückgrat lief und von der der intime Gefährte der Sterbenden mir kurz darauf versicherte, daß sie ihm in Gestalt eines bläulichen Gleißens, das von meinem Kopf ausging, erschienen war, als wir sahen, wie jene, die nur noch phantastisch weit entfernt zu existieren schien, versuchte, ein halbes Kreuzzeichen verkehrt herum zu schlagen – die Geste, sich die eine Schulter zu berühren, dann die andere, und das war alles –, und zwar mit einem Ausdruck intensiver Freude und Ironie, wie ein junges Mädchen, das uns einen bösen Streich hätte spielen wollen; versuchte, aber nicht vollendete, als ob sie begehrt hätte, ganz bis zum Rand zu gehen, um uns Angst zu machen, indem sie vor uns – die wir ihre Freunde und nicht mehr und nicht weniger Atheisten waren als sie – das Bild einer möglichen, wenn auch offenkundig ketzerischen Konversion aufstellte.« (Leiris 1955, 225; cf. auch: ibd., p. 239 u. ders. 1976, 344–345)

Sie stirbt am 7. November im Alter von fünfunddreißig Jahren.

» . . . Laure starb schließlich in dem Augenblick, da sie eine der Rosen, die man gerade vor ihr ausbreitete, emporhob; sie hielt sie mit einer völlig erschöpften Bewegung vor sich, und mit einer abwesenden, unendlich schmerzerfüllten Stimme schrie sie fast: ›Die Rose!‹ (Ich glaube, das waren ihre letzten Worte.)« (V, 512)

Michel Leiris verabschiedet sich von der Freundin, indem er seine Hand auf ihre Stirn legt, ihr als eine Art Reisegeld oder Talisman fünf Würfel – Symbol des Schicksals, das man in seinen Händen hält – in den Sarg legt.

Bataille mit seiner Tocher Laurence, um 1938

Batailles Haus in Saint-Germain-en-Laye, 1981

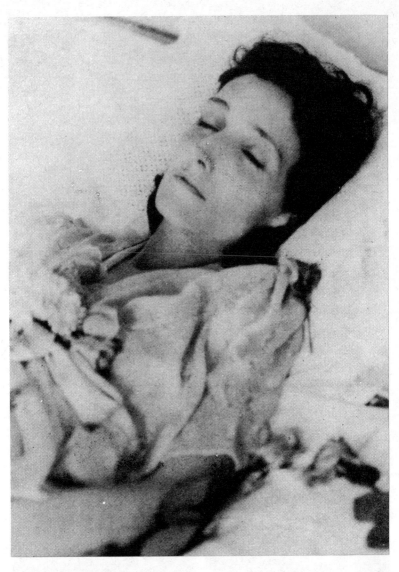

Laure auf dem Totenbett, 1938
». . . vor sechs Jahren *tötete* die Neurose an meiner Seite. Verzweifelnd
kämpfte ich, ich hatte keine Angst, ich hielt das Leben für das Stärkere.
Zuerst siegte das Leben, aber die Neurose kehrte wieder und der *Tod* zog
bei mir ein.« Bataille, *Sur Nietzsche*, 1944

»Als die Tochter ihren Geist aufgegeben hatte, sagte die Mutter zu mir:
›Wenn sie einmal aus dem Haus gebracht ist, gehört ihr Leichnam mir, da
sie ja nicht durch die Ehe vereint waren.‹ Und sie verlangte einen Gottes-
dienst. Als ich diese Forderung an Bataille weitergegeben hatte, beauf-
tragte er mich diesmal abermals mit der Antwort: ›Sollte man jemals die
Frechheit so weit treiben, eine Messe zu lesen, dann würde er auf den
Priester am Altar schießen!‹ (. . .) . . . ich erreichte bei der Mutter, daß sie
von ihrem Plan absah.

Dennoch mußte man zur Einsargung schreiten. Ich sehe noch das Zimmer: in der Mitte der Sarg; in einer Ecke die zwei mit einem Trauerflor
verschleierten Frauen; in der gegenüberliegenden Ecke Bataille und seine
Freunde in heller Kleidung und mit rosafarbenen und himmelblauen Kra-
watten. Die Stille wurde bloß durch das Geräusch gestört, das die Angestellten des Beerdigungsinstitutes verursachten. In dem Augenblick, wo sie
den Sarg schließen wollten, machte Bataille einige Schritte nach vorn und
legte auf den Körper der Toten *Die Hochzeit von Himmel und Hölle**,
deren Seiten er aus dem Heft der N.R.F. gerissen hatte. Dann ging er auf
seinen Platz zurück. Darauf gab mir die Mutter ein Zeichen, daß sie mich
sprechen wolle: ›Ich möchte Bataille umarmen‹, sagte sie zu mir. ›Können
Sie ihn darum bitten?‹ Ich besorgte den Auftrag. ›Sehr gern‹, antwortete er
mir. Dann sah man diese zwei Wesen, die sich seit mehreren Tagen feindselig, fast mit Haß angeblickt hatten, aufeinander zugehen und sich über dem
Sarg umarmen . . .« (Moré, op. cit., 224 f.)

Colette Peignot wird in Le Vésinet (Yvelines) beigesetzt, unweit der
Rue de Mareil in St.-Germain-en-Laye, wo auf einer Anhöhe der
Friedhof liegt.

Nach Laures Bestattung geht Bataille in einem Zustand »ekstatischer Verwirrung« durch einen Wald, wo er auf ein verlassenes
Haus stößt. »Ich irrte selbst verlassen umher. Ich hoffte, ich hoffte
unendlich, daß die Welt meiner Verzweiflung vor mir liegen möge –
vielleicht wunderbar, aber unerträglich. Ich hoffte und ich zitterte.«
(V, 510) Das Haus jedoch, dessen Inneres er durch ein Fenster
inspiziert, bietet das Bild einer der heitersten Formen des Lebens –
wenn auch jetzt angehalten, erstarrt. »In diesem Augenblick, aus
der Tiefe meiner größten Not heraus, schien es mir so, daß Laure
mich nicht verlassen hatte und ihre unglaubliche Sanftmut im Tod
weiterhin durchschimmern würde, so wie sie zu ihren Lebzeiten bis
in die haßerfülltesten Brutalitäten (jene, an die ich mich nicht ohne
Schrecken erinnern kann) durchschimmerte.« (Ibd.)

An dem Imperativ »la chance contre la masse«, der an erster Stelle
der für die Gruppe ›Acéphale‹ (?) formulierten Dikta *Les onze*

---

* Blake war es, den Laure zuletzt wiederlesen wollte. (B. M.)

agressions (II, 385) steht, orientieren sich Batailles Reflexionen in *La chance* (Das Glück/Der Zufall), einem in *Verve* (Nr. 4, November) publizierten Text (I, 541−544). Von dem Axiom ausgehend, daß menschliche Existenz die Fähigkeit bedeute, sich einen Sinn zu verleihen, sieht Bataille den Sinn der menschlichen Existenz mit seltenen glücklichen Zufällen verknüpft. Die Masse freilich werde vom Primat des »Verdienstes« beherrscht, die Moral der »großen Zahl« reduziere die Bedeutung, den Wert des Menschenlebens auf die nützliche Arbeit. Diminution des Lebens-Sinns, den Bataille zurückführt auf den »egoistischen Konsum« der menschlichen Glücksfälle, die im Rahmen einer kollektiven Verausgabung, beispielsweise eines Festes, ein Bestandteil der Befreiung und des Stolzes hätten sein können. Dem doppelten Bedürfnis der Menge, sich einer beliebigen Chance hinzugeben und alle Formen des Glanzes/ Ruhms abzuwerten, alle Glücksfälle herabzuwürdigen, entspreche in exemplarischer Weise der amerikanische Filmstar: eine Art verfälschtes, da tarifiertes Heiliges, Götze des Menschen, der Ressentiment hat.

Dem ›esoterischen‹ Diskurs von *La chance* und seiner politischen Abstinenz läßt Bataille einen ›exoterischen‹ folgen, der unter dem Eindruck der Sudetenkrise sowie der scheiternden Volksfrontregierung steht: *La structure des démocraties* (Die Struktur der Demokratien), eine Vorlesung, mit dem das ›Collège de Sociologie‹ nach sechsmonatiger Pause seine Tätigkeit am Dienstag, dem 13. DEZEMBER, wiederaufnimmt.* Innerhalb der Struktur der Demokratien dualistisch ein heiliges (definiert durch die Integrität des nationalen Territoriums) und ein Gebiet der Diskussion (bestimmt vom Gleichgewicht, vom Austausch und »Handel«) unterscheidend, konstatiert er die Fragilität, ja eine tödliche Krise der Demokratien, welche auf die Provokationen eines Hitler mit Passivität reagierten.

---

* Die Existenz dieser Veranstaltung, an der u. a. Julien Benda mit einer Intervention teilnahm, belegen eine Ankündigung in der *N.R.F.* und der Artikel Bertrand d'Astorgs, »Au collège de sociologie«, in *Les nouvelles lettres* (Nr. 5). Von Bataille selbst sind bloß Stichworte (cf. Hollier 1979, 338−340) zum Vortrag erhalten, die kaum mit dem von d'Astorg Mitgeteilten korrespondieren. Bataille vertritt in diesen Notizen einen föderalistischen, d. h. polyzephalen Standpunkt; ferner verweisen sie darauf, daß die Entfaltung von Grundfragen (wie Morphologie, Prinzip der Zusammensetzung, Übergang vom Organismus zur Gesellschaft, Prinzip der Individuation etc.) ein Bestandteil des Vortrags sein sollten (Batailles Vorliebe für das unermüdlich vorgetragene Paradigma, vom Einzeller zur Gesellschaft hinführend).

»Aber Herr Bataille, dessen Pessimismus der Verzweiflung ziemlich nahe sein muß, und der zuerst Herrn Benda in seinem äußersten Rekurs auf die Vernunft beizupflichten schien, ließ einige Sätze hören, die plötzlich treffend und tiefgründig klangen: der Soziologe trat hinter dem Lyriker zurück, ein menschlicher Ton erhob sich. Es gibt Momente, sagte der Redner (. . .), in denen der Mensch, selbst wenn er nicht mehr weiß, ob wesentliche Werte in den Kampf verwickelt sind, das Tête-à-tête mit dem Leiden und dem Tod akzeptieren muß, ohne im voraus wissen zu wollen, welche Realität daraus hervorgehen wird.« (B. d'Astorg, op. cit.)

Batailles »Pessimismus« hinsichtlich der Demokratien dürfte temporär, von den Aktualitäten bestimmt sein; markant jedoch der nietzscheanische Tenor (Affirmation des Fatums), das Kredo »Todesfreude«.

Als einzige Publikation ›Acéphales‹ in diesem Jahr erscheint Michel Leiris' *Miroir de la tauromachie* (Coll. ›Acéphale‹, G.L.M.-Editeur; dt.: *Spiegel der Tauromachie*, München 1982), von Masson illustriert. Das der Erinnerung an Laure gewidmete Buch* wurde 1937 geschrieben und im November-Heft der *N.R.F.* 1938 zuerst veröffentlicht. Den nächsten Titel der Reihe ›Acéphale‹ sollte Maurice Heines *Tableau de l'amour macabre* bilden, geplant wurde auch eine Blake-Monographie mit Illustrationen von Masson, aber diese Projekte wurden nicht realisiert.

Auf Batailles Wunsch zieht Patrick Waldberg in das Haus von St.-Germain, um dem Freund Gesellschaft zu leisten. In Laures Sterbebett schlafend, vermeint Bataille den Leichnam der Geliebten über dem Bett schweben zu sehen und von ihr Botschaften zu erhalten. (Waldberg, 27. 3. 82) In diesem Zeitraum könnte sein Gespräch mit dem Swami Siddheswarānanda, einem Hindu-Mönch, stattgefunden haben:

». . . ich war mit ihm eine Stunde lang zusammen: in seinem rosafarbenen Kleid hatte er mir durch seine Eleganz, seine Schönheit, die glückliche Vitalität seines Lachens gefallen.« (V, 281)

Alles in seinem jetzigen Leben bezieht sich oder verweist auf Laure. Sei es die Vorbereitung einer Ausgabe ihrer Schriften – ihre Manu-

---

* Obwohl Laure Leiris' Konzeption von der »Literatur als Stierkampf« in Zweifel gezogen hatte: der Schriftsteller setze sein Leben nicht wirklich aufs Spiel, hatte sie eingewandt. – Leiris sollte im Alter seine Stierkampf-Begeisterung als puren Snobismus deuten . . .

skripte handschriftlich kopierend –, sei es die gesteigerte Todesfaszination (wobei der Tod und Laure für ihn zu Synonymen werden), die Niederschrift der atheistischen *Elf Aggressionen*, oder seien es die Meditationsübungen, die die Verstorbene praktiziert hatte.

»In der Tat hat sich Bataille seit 1938 *Yoga*-Übungen gewidmet, allerdings ohne den Regeln der traditionellen Disziplin genau zu folgen, in großer Verwirrung und in einem bis zum Äußersten getriebenen geistigen Aufruhr. Ein Todesfall hat ihn 1938 erschüttert.« (VII, 462)

1939

Ein Mensch dagegen, der nicht die Kraft hat, seinem Tod einen stärkeren Wert zu verleihen, ist etwas »Totes«.
Bataille, *Die Kriegsgefahr*

In der »Wüste«, in der ich voranschreite, herrscht eine völlige Einsamkeit, die die tote Laure noch öder macht.
Bataille, Journal vom 3. 10. 39

Bei der Durchsicht von Laures nachgelassenen Manuskripten entdeckt Bataille eine frappierende Koinzidenz:

»Als alles zu Ende war, saß ich vor ihren Papieren und konnte jene Seiten lesen, die ich während ihrer Agonie bemerkt hatte. Die Lektüre all ihrer Schriften, die mir völlig unbekannt waren, rief zweifellos eine der heftigsten Gemütsbewegungen meines Lebens hervor, doch nichts konnte mich mehr treffen und erschüttern als ein den Text abschließender Satz, in dem sie vom Heiligen spricht. Ich hatte ihr gegenüber niemals diese paradoxe Idee zum Ausdruck bringen können: daß das Heilige *Kommunikation* ist. Zu dieser Idee war ich erst in dem Augenblick gelangt, in dem ich sie ausgedrückt habe, einige Minuten bevor ich bemerkte, daß Laure zu agonisieren begonnen hatte. Ich kann auf die genaueste Weise sagen, daß nichts von dem, was ich ihr gegenüber je zum Ausdruck gebracht habe, dieser Idee geähnelt hatte (. . .). Wir führten übrigens nie ›intellektuelle Gespräche‹ (es kam sogar vor, daß sie es mir zum Vorwurf machte; sie war dazu verleitet, eine Geringschätzung zu befürchten: in Wirklichkeit verachtete ich nur die unvermeidbare Unvorsichtigkeit ›intellektueller Gespräche‹).

Am Schluß von Laures Text gelang es mir, mühselig diese paar hingekritzelten Sätze zu entziffern:

›Das poetische Werk ist heilig, insofern es Schöpfung eines topischen Ereignisses ist, ›Kommunikation‹ empfunden wie die *Nacktheit*. Es ist Vergewaltigung seiner selbst, Entblößung, Kommunikation mit anderen über das, was Lebensgrund ist; jedoch dieser Lebensgrund ›verschiebt sich‹.‹ Was sich in nichts von den letzten von mir zitierten Zeilen meines eigenen Textes unterscheidet. (Die Idee der ›kommuniellen Einheit‹ ist dem, was Laure zum Ausdruck brachte, selbst wesentlich.)« (V, 507 f.)

Die Koinzidenz bezieht sich auf Batailles in den *Cahiers d'Art* (Nr. 1−4) publizierten Essay *Le sacré* (I, 559−563). Im gleichen Heft finden sich übrigens Beiträge von Georges Duthuit, Roger Caillois und André Masson. Der Herausgeber Duthuit veröffentlicht hier die Antworten auf seine Umfrage bezüglich des Selbstverständnisses bildender Künstler.

Le sacré hat unter anderem die Autonomie der Kunst zum Gegenstand. In dem Moment, da sich die Kunst ihrer schöpferischen Potenzen bewußt wird, vermag sie sich vom bloßen Ausdruck und von der sklavischen Abbildung der Welt zu befreien: das Schöne und Wahre sowie die Gegenwart wie die Vergangenheit hinter sich lassend, den Kampf des Guten gegen das Böse übertreffend, ist sie nun in der Lage, sich ihre eigene Wirklichkeit zu schaffen. Jene Autonomie verdankt sich nach Bataille der Trennung von *Heiligem* und transzendenter *Substanz*. »Das Christentum hat das Heilige *substantialisiert*, aber das Wesen des Heiligen, in dem wir heute die brennende Existenz der Religion wiedererkennen, ist vielleicht das allerungreifbarste Geschehen zwischen den Menschen, da das Heilige nur ein privilegierter Augenblick kommunieller Einheit, ein Augenblick konvulsivischer Kommunikation dessen ist, was gewöhnlich erstickt wird.« (I, 562) Ziel der autonomen Kunst sei dieser »privilegierte« oder »heilige Augenblick«,* den die Kunstübung allerdings nur wiedererscheinen lassen, beschwören, aber nicht festhalten oder substantialisieren könne. Der Tod Gottes läßt, Bataille zufolge, die letzten Einschränkungen des menschlichen

---

* Bataille verweist mit diesem Begriff auf Émile Dermenghem (»L'instant chez les mystiques et chez quelques poètes.« *Mesures*, Juli 1938) und Jean-Paul Sartre (*La nausée*, 1938), die ihn in seinem Sinne benutzen.

»Le sacré«. Cahiers d'Art, Nr. 1–4

. . . Gott stellte die einzige Grenze dar, die dem menschlichen Willen Widerstand leistete; frei von Gott, ist dieser Wille nackt der Leidenschaft überlassen, der Welt eine Bedeutung zu verleihen, die ihn berauscht. Wer schöpferisch tätig ist, wer bildlich darstellt oder schreibt, kann in der bildlichen Darstellung oder in der Schrift keinerlei Grenze mehr gelten lassen: er verfügt plötzlich allein *über alle menschlichen Konvulsionen, die möglich sind, und er kann vor diesem Erbe der göttlichen Macht – die ihm zusteht – nicht ausweichen. Er kann auch nicht danach streben zu wissen, ob dieses Erbe denjenigen, den es* heiligt, verzehren *und* zerstören *wird. Aber er lehnt es jetzt ab, das, ›von dem er besessen ist‹, den Beurteilungen von Angestellten anzuvertrauen, denen die Kunst sich unterwarf. (I, 563)*

Willens, der Welt und seinem Schicksal eine berauschende Bedeutung zu verleihen, verschwinden: der Kreative kann und muß das Erbe der göttlichen Macht annehmen – eingedenk der Gefahr, daß es ihn vernichtet.

Daß die zugänglichen Gebiete des Heiligen rituelles Opfer, Erotik, Ekstase, Tragödie heißen, darauf verweisen vier vom Autor ausgewählte Abbildungen, ein litauisches Hügelgrab, einen Stierkampf, das dem Dionysoskult geweihte Phallusmonument auf Delos sowie ein aztekisches Menschenopfer darstellend (ursprünglich vorgesehen waren außerdem die Sujets: Pferdeschädel, Blitz, Eruption und Folter, d. h. die Zerstückelung des Chinesen).

Um Nietzsches Wahnsinn zu gedenken, dieser vor 50 Jahren in Turin stattgefundenen Tragödie, schreibt Bataille am 3. JANUAR die ersten Seiten von *La folie de Nietzsche* (I, 545–547).

10. Januar: *Naissance de la littérature* (Geburt der Literatur) ist der Vortrag des Gräzisten René M. Guastella vor dem ›Collège de Sociologie‹ betitelt (cf. Hollier 1979, 343–362). Vermutlich trägt er ein Kapitel aus seinem 1940 erscheinenden Buch *Le mythe et le livre* (Untertitel: Essai sur l'origine de la littérature) vor, in welchem er die These vertritt, daß die Literatur in Griechenland – mit Euripides – geboren wird aus der »Scheidung zwischen Staatsbürger und Stadtstaat«. Die privaten »literarischen Mythen«, Werk des Individuums, hätten die anonymen kollektiven Mythen der Antike ersetzt. Guastella neigt zu einer Diskreditierung der Literatur, bringt sie doch eine Vielzahl unverbindlicher ephemerer Mythen hervor, die zur gesellschaftlichen Zersetzung beitrügen. Die »natürlichen Mythen« von einst, getragen vom Konsens kaum differenzierter Menschen, seien – unter den Attacken der Sophisten zum Abdanken gezwungen – mit dem im 5. Jahrhundert in Griechenland sich entwickelnden Menschentypus unvereinbar, den Individualismus und Egoismus charakterisierten.

---

* Äußerungen eines SS-Führers der Ordensburg Vogelsang im Herbst 1937: »Was wir Ausbilder des Führernachwuchses wollen, ist ein modernes Staatswesen nach dem Muster der hellenischen Stadtstaaten. Diesen aristokratisch gelenkten Demokratien mit ihrer breiten ökonomischen Helotenbasis sind die großen Kulturleistungen der Antike zu danken. 5–10 von Hundert der Bevölkerung, ihre beste Auslese, sollen herrschen, der Rest hat zu arbeiten und zu gehorchen. (. . .) Die Auslese der neuen Führerschicht vollzieht die SS, – positiv durch die Nationalpolitischen Erziehungsanstalten (Napola) als Vorstufe, durch die Ordensburgen als die wahren Hochschulen der kommenden nationalsozialistischen Aristokratie sowie durch ein anschließendes staatspolitisches Praktikum . . .« (Zit. nach: Eugen Kogon, *Der SS-Staat*, Stockholm 1947, p. 21 f.)

Als zweite Veranstaltung des ›Collège‹ kündigt die *N.R.F.* einen Vortrag Batailles an, *Hitler et l'ordre teutonique* (Hitler und der Deutsche Ritterorden), der für den 24. Januar angesetzt ist. Seine Informationen über die deutschen Ordensburgen, geschaffen zur Heranbildung der künftigen Eliten*, bezog Bataille möglicherweise aus Alphonse de Chateaubriants Buch *La Gerbe des forces* (1937; dt.: *Geballte Kraft. – Ein französischer Dichter erlebt das neue Deutschland*, 1938). Der Versuch, die Ritterorden wiederaufstehen zu lassen und sie zu Zellen der neuen Führerschicht zu machen, »erhitzte mehr als eine Phantasie. Dem war so, besonders unter uns, die das *Collège de sociologie* gegründet hatten . . .« (Caillois 1974, 92) Die in den Ordensburgen verkörperte Idee der Wahlgemeinschaft könnte Bataille angezogen haben, jedoch sämtliche seiner Schriften aus diesem Zeitraum schließen die Möglichkeit aus, daß er in seinem Vortrag zu einem Apologeten Hitler-Deutschlands à la Chateaubriant wurde. Gewiß liebäugelte der Kern des ›Collège‹ mit der Idee einer geistigen Elite, deren Intentionen – abgewandt von nationalen, materiellen und Klasseninteressen – allerdings mit der faschistischen Ideologie schwer vereinbar sind.

Pierre Klossowski nimmt den 150. Jahrestag der Revolution von 1789 zum Anlaß, über *Le marquis de Sade et la Révolution** vor dem ›Collège‹ zu sprechen. In seiner Rede vom 7. FEBRUAR (abgedruckt in Klossowskis erstem Buch: *Sade, mon prochain*, 1947, ²1967) rechnet Klossowski Sade gewissermaßen der Gegenaufklärung zu, stellt ihn als Demaskierer der revolutionären Ideale dar. Sade habe die französische Revolution in jenen Teufelskreis einschließen wollen, der darin besteht, daß »eine schon gealterte und korrumpierte Nation, die mutig das Joch ihrer monarchischen Regierung abschüttelt, um eine republikanische anzunehmen, sich nur durch zahlreiche Verbrechen wird behaupten können; denn sie befindet sich bereits im Verbrechen . . .« (Sade, *La Philosophie dans le boudoir*, 1795) Bataille wird das Bild, das Klossowski von Sade entwirft, als konstruiert kritisieren:

». . . es ist nur noch ein Teil von Verkettungen, wo eine geschickte Dialektik Gott, die theokratische Gesellschaft und die Revolte des Grandseigneurs (der seine Privilegien bewahren und seine Pflichten leugnen will) aneinanderreiht. Das ist in gewisser Weise sehr hegelisch, aber ohne die Strenge Hegels. (. . .)

----

* Maurice Heine folgt seinem Beispiel, indem er am 9. April einen identisch betitelten Vortrag hält, aber nicht im Rahmen des ›Collège‹.

Illustrationen zu *Le sacré*, 1939:

1. Sakraler Ort in Litauen

2. Der Torero Villalta vor dem Stier, den er töten wird
3. Der Phallus auf Delos (um 300 v. Chr.)

4. Opferung durch Herausreißen des Herzens bei den Azteken, Mexiko

Ein wenig rasch zieht Klossowski eine Schlußfolgerung aus einem brillanten Passus der *Philosophie im Boudoir*, in dem Sade vorgibt, den republikanischen Staat auf dem Verbrechen zu gründen. Von da an war es verlockend, von der Tötung des Königs, einem Ersatz der Tötung Gottes, eine soziologische Anschauung abzuleiten, welche die Theologie gründet und die Psychoanalyse leitet (und die von den Ideen Joseph de Maistres herrührt . . .). All das ist fragil. Der Satz, den Sade Dolmancé unterstellt hat, ist nur ein logischer Hinweis, einer der tausend erbrachten Beweise für den Irrtum einer Menschheit, die die Zerstörung und das Böse nicht in Betracht zieht. Klossowski geht schließlich so weit, von der Argumentation Dolmancés zu sagen, daß sie bloß da sein könnte, um die Lügenhaftigkeit des republikanischen Prinzips aufzuzeigen: auf so viel gelehrte Wahrsagerei antwortet der Marquis nur mit Unbekümmertheit.« (1947: IX, 247 f.)

Für den 21. Februar annonciert die *N.R.F.* eine Fastnachts-Gedächtnisfeier des ›Collège‹ mit Bataille als Redner. Dieses winterliche Fest zu thematisieren, mit dem sich Verausgabung, Verschwendung, Blasphemie, Travestien und Maskierung assoziieren lassen, entspräche durchaus dem Geist des ›Collège‹ – es gibt jedoch keinerlei Dokumente, die Batailles Aktivität belegen würden.

Caillois jedenfalls nimmt am 21. Februar den Tod des letzten französischen Scharfrichters, Anatole Deibler, zum Anlaß, über die *Soziologie des Henkers* (cf. Hollier 1979, 396–420) zu sprechen. Die Mythologisierung der Person Deiblers in der Tagespresse ist Caillois ein Beweis dafür, daß der Henker noch immer ambige Emotionen provoziert, die dem *Heiligen* zukommen. Der außergewöhnliche Status des Henkers prädestiniert dazu. Sowohl verehrt als auch diskreditiert und gefürchtet, einerseits privilegiert, andererseits entrechtet, zugleich Priester, Substitut des Königs, Hexer und Verbrecher. Das Paar Henker - Souverän in Mythologie und Folklore gründet auf der Homologie der Situation der beiden: einzig in ihren Vollmachten (verurteilen – begnadigen, hinrichten), zur Marginalität verurteilt, da unberührbar, selbst habituell kaum unterscheidbar . . .

Eine Umfrage in der Zeitschrift *Volontés* (Nr. 14, Februar) über die *Directeurs de conscience*** animiert die Collégiens zu einem – letzten – kollektiven Statement. Jules Monnerot fragt in seiner Enquête u. a., ob man das »Eindringen eines *neuen Universalismus* in die abendländische Geschichte« für notwendig halte, um eine Wieder-

---

* Einige Konnotationen dieses Ausdrucks: Beichtväter, Bewußtseinsleiter, Gewissensleiter, geistige (Ver)Führer, Trendsetter.

kehr der Stammesreligionen »zu vermeiden, zu überschreiten und zu beherrschen«. Die erste Frage lautet: »Meinen Sie, daß die Bewußtseinsleitung eine organische Funktion in den menschlichen Gemeinschaften ist? Oder im Gegenteil, daß die Gesellschaft, in der wir leben, die Gemeinschaft, der wir angehören, eine Art Mannesalter erreicht hat, das es ihr gestattet, auf Leiter zu verzichten?« (Cf. Hollier 1979, 106) Die lakonische Antwort des ›Collège‹ (sie wird in *Volontés* Nr. 18 vom Juni erscheinen) signalisiert nicht zuletzt eine Entfremdung zwischen Monnerot und Batailles Kreis: gerade jene von der Umfrage aufgeworfenen Probleme versuche das ›Collège de Sociologie‹ zu »vertiefen und zu lösen«, heißt es, ja es sei bestrebt, die Antwort auf die in der Enquête gestellten Fragen »zu *sein*« (cf. Hollier 1979, 129 f.). Nicht-Antwort, in der ein gewisses Ressentiment gegen Monnerot mitschwingt: konkurriert er nicht durch seine Fragestellung mit dem Kolleg? – Sympathisanten und Mitglieder des ›Collège‹ veröffentlichen ihre Antworten separat in *Volontés* (Duthuit, Guastella, Libra, Paulhan, Wahl – Klossowski, Landsberg, Moré und de Rougemont treten als christlich-personalistische Fraktion auf).

Die Veranstaltung vom 7. und 21. MÄRZ des ›Collège‹ bestreitet der Ethnologe Anatole Lewitzky (1901–1942), ein Mauss-Schüler und Mitarbeiter des Musée de l'Homme, mit einem Referat über *Schamanismus* (cf. Hollier 1979, 424–446). »Die Frage begeisterte mich, denn in dem Schema, das das meine (das von Mauss) war, gab es eine völlige Antinomie zwischen Magie und Religion. Die Magie ist ein theurgischer Akt, der die übernatürlichen Kräfte zwingt, sich zu beugen, während die Religion im wesentlichen eine Unterwerfung unter Gott ist. Ich fühlte mich damals sehr luziferisch, ich hielt Luzifer für den effektiven Aufrührer.* Der Schamanismus war mir also wichtig als Synthese zwischen den religiösen Kräften und dem Gebiet der höllischen Dinge. Bataille war seinerseits ungefähr in der gleichen Stimmung. Aber der Unterschied war, daß Bataille wirklich Schamane werden wollte.« (Caillois 1970, 7) Ein Aspekt der letztgenannten Ambition tritt in Caillois' Schilderung der »charismatischen Natur« von Batailles »Macht« zutage: »Das war ein seltsamer Mann, ruhig, fast plump, doch sogar seine Schwerfälligkeit hatte etwas Faszinierendes. Das Merkwürdigste war dies: dieser Mann, der nicht cholerisch war, war fähig, fast kunstgerecht und,

---

* Cf. Caillois' Essay »The Birth of Lucifer«. *Verve* (Nr. 1, Dezember 1937); dt. in: Heyden-Rynsch, V. von der (Hrsg.), *Riten der Selbstauflösung*, München 1982. (B. M.)

wenn man so sagen darf, von selbst wütend zu werden. Ohne daß irgendeine Provokation es erklärte, geriet er in zugleich aufrichtige und gekünstelte, äußerst verwirrende Wutanfälle.« (Op. cit., 8)*

*Les rites des associations politiques dans l'Allemagne romantique*** betitelt Hans Mayer seinen Vortrag vom 18. APRIL vor dem ›Collège‹. »Ich schlug vor, als man mich um ein Referat ersuchte, aus meinen Arbeiten zu Büchner die Gedanken über die politischen deutschen Geheimgesellschaften im Zeitalter der Romantik vorzutragen. Die Satzungen eines ›Tugendbundes‹ klangen wörtlich fort in den Satzungen der SS, mitsamt der Formel ›Verräter verfallen der Feme‹. Das war deutsches Residuum geblieben.« (Mayer 1982, 241)

Aus organisatorischen Gründen wird ein Vortrag Walter Benjamins auf den Herbst verschoben. »Benjamin plante ein Referat, wie er abweisend verlauten ließ, über ›Die Mode‹. Heute ordnet man das ohne weiteres unter: Paris als Hauptstadt des 19. Jahrhunderts. Ein Aspekt also aus dem geplanten Hauptwerk.« (Mayer, ibd.)

Ein Paroxysmus der Gesellschaft, das *Fest*, bildet den Gegenstand der Veranstaltung des ›Collège‹ vom 2. MAI. Es ist wahrscheinlich, daß Roger Caillois das 4. Kapitel seines in Vorbereitung befindlichen Buches *L'homme et le sacré* (»Le sacré de transgression: théorie de la fête«, 1939, ²1950) vorträgt. Gestützt auf die Arbeiten von Dumézil, Mauss, Durkheim, Frazer, Hertz, Marcel Granet und Lévy-Bruhl unterscheidet Caillois ein konservatives Heiliges der Regelung (bestimmt von Verbot, Arbeitsalltag, Akkumulation und Haushalten) von einem Heiligen der Übertretung (bestimmt von Aufhebung der Regeln, von Verschwendung, Konsum, Exzessen, Orgien, Promiskuität, Umkehr der gesellschaftlichen Rollen), unter dessen Vorzeichen das Fest steht. Auf die profane Zeit, wo sich das Heilige fast ausschließlich durch Verbote manifestiert, folgt in den traditionsgebundenen ethnischen Gruppen periodisch die Zeit des

---

* »Wie *Napoleon*, zum Erstaunen Talleyrands, seinen Zorn zur gewählten Zeit bellen und brüllen ließ und dann wieder, ebenso plötzlich, zum Schweigen brachte, so soll es der starke Geist auch mit seinen wilden Hunden machen; er muß, wie heftig auch immer in ihm der Wille zur Wahrheit ist – es ist sein wildester Hund –, zur gewählten Zeit der leibhafte Wille zur Unwahrheit, der Wille zur Ungewißheit, der Wille zur Unwissenheit, vor allem zur Narrheit sein *können*.« (Nietzsche, *Umwertung aller Werte*, Würzbach-Ausg., 4. Buch, Kap. 6, Nr. 497)
** Die bei Hollier (1979, 448–474) abgedruckte Originalfassung in französisch stellt die erste und bisher einzige Publikation dieses Textes dar.

Festes, wo die Verletzung der Verbote obligatorisch wird, und die Caillois als heilig bezeichnet. Indem die Transgressionen* während des Festes dennoch Sakrilegien bleiben, bewahren sie ihre rituelle, sakrale Natur. Die Funktion des Festes sei die Aktualisierung der »Urzeit«, d. h. die Wiedererlangung und Neugestaltung des schöpferischen Cahos. Caillois' Ausführungen schließen mit dem Bedauern, daß in den modernen Zivilisationen die Zeit des Festes gleichsam vakant sei. Dem Arbeitsalltag stünde zum Ausgleich nur der Urlaub gegenüber, der – individualisiert, der Entspannung und nicht dem Paroxysmus dienend – die Kriterien des Heiligen nicht erfüllt. So prophezeit er den Gesellschaften ohne Fest den Tod.

Am Rande dieses Vortrags gibt es den nachstehenden Dialog zwischen André Masson und Paul-Ludwig Landsberg: »›Was meinen Sie [fragt Masson Landsberg], was die Deutschen machen werden, wenn sie in Paris eintreffen? Was machen sie mit dem Collège de Sociologie?‹ Und er hat mir wie aus der Pistole geschossen geantwortet: ›Sie werden das Collège erhalten und seine Mitarbeiter standrechtlich erschießen lassen.‹« (Masson/Thévenin 1980, 27)

In einer limitierten Auflage von 200 numerierten Exemplaren lassen Bataille und Leiris im Frühjahr *Le sacré* von Laure erscheinen. (Die Veröffentlichung in einem Verlag hätte sehr wahrscheinlich den Widerspruch von Laures Verwandten herausgefordert.) Die Publikation wird an Freunde verteilt, und daß Jean Bernier mit einem Exemplar bedacht wurde, beweist Batailles Loyalität.

---

* Indem Baudrillard zwischen Gesetz (oder Verbot) und Regel differenziert, ist das Fest nicht mehr länger eine Gestalt der *Transgression*, weder eine Regenerierung des Gesetzes noch dessen Überschreitung: ». . . das Rituelle, die rituelle Liturgie des Festes gehört weder zum Gebiet des Gesetzes noch zu dem der Transgression, es gehört zum Gebiet der Regel.« (Baudrillard 1979, 189) ». . . das Schema des Gesetzes und des Verbotes verlangt nach dem umgekehrten Schema der Transgression und Befreiung. *Aber was sich dem Gesetz widersetzt, ist überhaupt nicht die Abwesenheit des Gesetzes, es ist die Regel.* Die Regel spielt mit einer immanenten Verkettung arbiträrer Zeichen, während sich das Gesetz auf eine transzendente Verkettung notwendiger Zeichen gründet. Die eine ist ein Zyklus und ein Zurückgreifen auf konventionelle Verfahren, das andere ist eine Instanz, die in der irreversiblen Kontinuität begründet wurde. Die eine gehört zum Gebiet der Verpflichtung, das andere zum Gebiet des Zwangs und des Verbots. Weil das Gesetz eine Trennungslinie errichtet, kann und muß es überschritten werden . . .« (Op. cit., 180) Baudrillards Kritik rückt das Fest in die Nähe des *Spiels*, des Rituals und integriert es in den Bereich der *Regel*, der von einer dualen Beziehung determiniert wird. Dadurch befindet sich das Fest außerhalb der Welt des Gesetzes, des Sozialen und des Sinns, die von einer polaren – dialektischen Beziehung – beherrscht wird.

Auf 99 Seiten haben sie um den zentralen Text *Das Heilige* Gedichte und Fragmente der Verstorbenen versammelt, die das Problem des Heiligen zu tangieren scheinen. In den von Bataille und Leiris redigierten Anmerkungen zu dieser Textsammlung heißt es:

»Die Darstellung des in diesem Text zum Ausdruck gebrachten ›*Heiligen*‹ legt von einer gelebten Erfahrung Zeugnis ab: sie widersetzt sich nicht dem Begriff, den die Soziologen aus dem Studium der weniger entwickelten Gesellschaften als der unseren gewinnen –, aber sie ist davon offenkundig unterschieden. Es handelt sich darum, was das Wort – zu Recht oder zu Unrecht – im Bewußtsein evoziert. Zu Unrecht würde in diesem Falle bedeuten: ohne Beziehung zu der gemeinsamen Erfahrung, die die Existenz des Heiligen begründet hat.

Es hat tatsächlich den Anschein, daß diese Darstellung zu einer Definition führt, die niemals zum Ausdruck gebracht worden ist (weder von Laure noch von anderen), die aber, von dem Text selbst ausgehend, abgeleitet werden kann.

Diese Definition würde das Heilige mit Augenblicken verbinden, in denen die Isoliertheit des Lebens in der individuellen Sphäre auf einmal gesprengt ist, Augenblicke der Kommunikation nicht bloß der Menschen untereinander, sondern der Menschen mit dem Universum, in dem sie gewöhnlich wie Fremde sind: Kommunikation könnte hier im Sinne einer Verschmelzung verstanden werden, eines Verlustes seiner selbst, dessen Integrität bloß mit dem Tod vollendet wird, von dem die erotische Verschmelzung ein Ebenbild ist. Eine derartige Auffassung weicht von derjenigen der französischen soziologischen Schule ab, die bloß die Kommunikation der Menschen untereinander berücksichtigt; sie zielt darauf ab, zu identifizieren, was die mystische Erfahrung erfaßt und was die Riten und Mythen der Gemeinschaft ins Spiel bringen.« (Laure 1980, 237)

Mit der Edition von Laures Schriften, die fortzusetzen beabsichtigt ist, verfolgen die beiden Freunde mehr als eine posthume Eloge auf die Freundin/Geliebte, mehr, als ihr ein Buch-Denkmal zu setzen: sie betrachten es als eine Verpflichtung – ganz im Sinne der Autorin –, die *Botschaft*, als die sie Laures Texte begreifen, mitzuteilen.

»Ist es nötig hinzuzufügen, daß man eine der heftigsten Existenzen, eine der am meisten von Konflikten Geschüttelten, die jemals gelebt haben, nicht auf welches definitive Bild auch immer reduzieren kann? Begierig auf zärtliche Liebe und begierig auf Katastrophen, schwankend zwischen äußerster Kühnheit und entsetzlichster Angst, im Verhältnis zu den wirklichen Menschen ebenso unbegreiflich wie ein legendenhaftes Wesen, zerfetzte sie sich an Dornen, mit denen sie sich umgab, bis sie bloß noch eine Wunde war, ohne sich jemals von etwas und von jemandem einsperren zu lassen.« (Ibd.)

Laure selbst etwas Heiliges, unberührbar und unfaßbar? Muß man die Kürze der Charakterisierung der Autorin darauf zurückführen, daß die Edition für Freunde bestimmt ist, die Laure also hinreichend kannten? oder aber auf die Schwierigkeit Batailles (?), der Person Laures gerecht zu werden? Der Wunsch nach Diskretion, affektive Vorbehalte mögen eine Rolle gespielt haben, ihr Portrait auf die nötigsten Worte zu beschränken – der Prozeß ihrer Wiedervergegenwärtigung hat bei Bataille erst begonnen (cf. *Le coupable*).

Folie, guerre et mort (Wahnsinn, Krieg und Tod) ist die Nr. 5 von *Acéphale* überschrieben, die im JUNI herauskommt. Die Zeitschrift ist im Format kleiner geworden, hat keinen Verlag mehr (als Auslieferung werden die Galeries du Livre genannt, der Versammlungsort des ›Collège‹), und das Heft enthält weder Anzeigen noch Illustrationen noch einen Autoren-Namen. Sie ist das ausschließliche Produkt Batailles, auf dessen Konto alle drei Beiträge gehen: *La folie de Nietzsche, La menace de guerre, La pratique de la ›joie devant la mort‹*. (I, 545–558) Die Texte auf den 23 Seiten von *Acéphale* frappieren durch ihre poetische, zugleich suggestive und vehemente Sprache. Das Nietzsche-Memorandum wird mit einem Bild der Erfüllung in der Zerrissenheit und in der Selbstopferung eröffnet, denn der sich mit Dionysos oder dem Gekreuzigten identifizierende Nietzsche ist gemeint. Einen Spruch aus seinem *Zarathustra* stellt Bataille dem Text voran: »Ja noch, wenn es [sc. das Lebendige] sich selber befiehlt: auch da muß es sein Befehlen büßen. Seinem eigenen Gesetz muß es Richter und Rächer und Opfer werden.« Das sich selbst gebietende, einsame, dionysische, wahnsinnige Subjekt vergleicht Bataille mit einem Menschen, der in sich die vollständige Existenz sämtlicher Menschen verkörpert. Der Kopf dieses »Fleischgewordenen« würde zum Schauplatz eines ruhelosen Kampfes, der Gefahr der Explosion wie auch Visionen ausgesetzt, die von der Allmacht bis zur Nichtigkeit reichen.

»Er könnte sich nämlich nicht damit begnügen, zu denken und zu sprechen, denn eine innere Notwendigkeit würde ihn zwigen, zu leben was er denkt und was er sagt. Ein solcher Fleischgewordener würde eine so große Freiheit erfahren, daß keine Sprache hinreichen würde, ihre Lebendigkeit wiederzugeben (die Sprache der Dialektik nicht mehr als andere). Einzig das derartig fleischgewordene menschliche Denken würde ein Fest, dessen Trunkenheit und Zügellosigkeit nicht weniger stürmisch wären als das Gefühl des Tragischen und die Angst. Das hat die Einsicht zur Folge – ohne daß irgendeine Ausflucht bleibt –, daß der ›fleischgewordene Mensch‹ *auch* verrückt werden sollte.« (I, 547)

Ähnlich Blake (»Wären Andere nicht töricht gewesen, würden wir es sein«), erfüllt für Bataille ausschließlich der Verrückte die menschliche Integralität.* Diese Fähigkeit spricht er der Philosophie, der Literatur und der Kunst ab, die das Begehren lediglich artikulierten, statt das Gedachte und Ausgedrückte zu leben. Den »ohnmächtigen Delirien«, die das symbolische Handeln hervorbringt, hält er ein weiteres *Sprichwort der Hölle* von Blake entgegen: »Wer begehrt, aber nicht handelt, brütet Pest.« Nicht die Entscheidung zwischen Vernunft und Wahnsinn wird zur Debatte gestellt, vielmehr die zwischen Betrug und dem Willen, sich selbst zu gebieten und zu siegen. Der tragische Mensch Nietzsches-Batailles, für den Tod und Wahnsinn die Pracht eines Festes besitzen, ist aus Liebe zum Leben und zum Schicksal dazu verhalten, zunächst das Opfer seiner eigenen Gesetze zu werden – die Erfüllung seines Schicksals verlangt seinen Untergang.

»Wer sich bis zum Äußersten im Nachdenken über die Tragödie gebildet hat, sollte also – anstatt im ›symbolischen Ausdruck‹ der zerreißenden Kräfte zu schwelgen – jenen die Konsequenzen lehren, die ihm ähnlich sind. Er sollte sie durch seine Unbeugsamkeit und seine Bestimmtheit dazu bringen, sich zu organisieren und nicht mehr, im Vergleich zu Faschisten und Christen, Wracks zu sein, die von ihren Gegnern verachtet werden. Denn ihnen obliegt die Aufgabe, der Masse jener, die von allen Menschen eine servile Lebensweise fordern, die Chance aufzuerlegen: die Chance, das heißt das, was sie sind, aber aus Willensschwäche aufgeben.« (I, 549)

Im folgenden, *La menace de guerre* (Die Kriegsgefahr) betitelten Text deutet Bataille an, innerhalb welcher Art von Gemeinschaft er sich die Durchführung dieses Ziels vorstellt: »man muß eine regelrechte Kirche bilden« (cf. 19. 3. 38: *Confréries, ordres . . .*). Diese streitbare Kirche müsse sich die Bekämpfung geschlossener Systeme der Knechtschaft zum *primum movens* machen, sich von militäri-

---

* Weniger eine Apologie des wahnsinnigen denn des tragischen Menschen, denn Batailles enger Begriff des Wahnsinns gestattet es nicht, den Wahnsinn als Bruch mit der Kommunikation, als einen Akt der Revolte und der Befreiung zu verstehen. So läßt er in *La folie de Nietzsche* die Logik über den irren Diskurs siegen, da letzterer zu »monoton«, zu »wenig anziehend« sei (cf. I, 546), obwohl er erkennt, daß Gott und Verb, der normgemäße Sprachgebrauch die Garanten der Vernunft sind. Grundsätzlich bezweifelt er die Möglichkeit, willentlich mit den Regeln der Kommunikation zu brechen, weil er das mit einer Zerstörung des sozialen Ausdrucksapparats gleichsetzt (cf. I, 548), die zu vollziehen ihm offenbar paradox vorkommt. Für Batailles Verständnis hat Nietzsche einfach den Verstand verloren, wenn auch auf eine glanzvolle Weise, die ihn von den übrigen Geisteskranken unterscheidet.

Die elf Aggressionen (Manuel de l'Anti-Chrétien)

1. DIE CHANCE
   GEGEN DIE MASSE
2. DIE KOMMUNIELLE EINHEIT
   GEGEN DIE HOCHSTAPELEI DES INDIVIDUUMS
3. EINE WAHLGEMEINSCHAFT
   VERSCHIEDEN VON DER BLUT-, BODEN- UND INTERESSEN-
   GEMEINSCHAFT
4. DIE RELIGIÖSE MACHT DER TRAGISCHEN GABE SEINER SELBST
   GEGEN DIE MILITÄRISCHE, AUF GIER UND ZWANG
   BERUHENDE MACHT
5. DIE SICH STÄNDIG WANDELNDE UND GRENZEN VERNICHTENDE
   ZUKUNFT
   GEGEN DEN WILLEN DER UNBEWEGLICHKEIT DER
   VERGANGENHEIT
6. DER TRAGISCHE GESETZESBRECHER
   GEGEN DIE UNTERWÜRFIGEN OPFER
7. DIE UNERBITTLICHE GRAUSAMKEIT DER NATUR
   GEGEN DAS ENTWÜRDIGENDE BILD EINES GUTEN GOTTES
8. DAS FREIE UND GRENZENLOSE LACHEN
   GEGEN ALLE FORMEN HEUCHLERISCHER FRÖMMIGKEIT
9. DIE ›LIEBE ZUM SCHICKSAL‹, SELBST DEM HÄRTESTEN,
   GEGEN DAS KAPITULIEREN DER PESSIMISTEN ODER DER
   ÄNGSTLICHEN
10. DAS FEHLEN VON BODEN UND JEDER GRUNDLAGE
    GEGEN DEN SCHEIN DER STABILITÄT
11. DIE TODESFREUDE
    GEGEN JEDE UNSTERBLICHKEIT (II, 385 f.)

schen wie von ökonomischen Werten lossagen, die sowohl in faschistischen als auch in demokratischen Gesellschaften hochgehalten würden. (Cf. I, 551) Ein kontemporärer Text, die Fragmente zu einem *Manuel de l'Anti-Chrétien* (II, 375–399), an denen Bataille zwischen 1938 und 1940 arbeitet, erledigt außerdem Christentum und Kommunismus unter dem Gesichtspunkt, daß sie knechtische Ideologien sind, die einmal mehr den Menschen darauf reduzieren, das lebende Abbild des Guten und der Vernunft zu sein. Für die, die willens sind, eine Welt zu schaffen, die nicht auf der Angst errichtet ist (Gide), die dem Verbalismus des Sektierertums (nicht zuletzt den der Parteien!) die Verschwiegenheit vorziehen, für die, die fähig sind, sich das Obszöne zu etwas Heiligem zu machen (anstelle der Gestalt Gottes), für alle die, die im Menschen auch und noch die *verschwenderische Fülle* zu sehen vermögen (statt nur das gefräßige Tier), entwirft Bataille das *Lehrbuch des Antichristen.* Diese nietzscheanische »Einführung in eine Doktrin«, die sich als Ermutigung zum Kampf versteht, präzisiert m. E. das Projekt, eine Kirche zu bilden.

Nicht wenige Texte Batailles aus dieser Zeit entstehen im Bannkreis von Ernst Jüngers *Der Kampf als inneres Erlebnis* (1922), *La pratique de la joie devant la mort* (Die Praxis der Todesfreude), der letzte in *Acéphale* publizierte Text, einbegriffen.* Die *Praxis der Todesfreude* stellt das erste literarische Dokument von Batailles

---

* Bataille schätzt an Jüngers von expressionistischem Pathos getränkten Epos vordergründig dessen Objektivität, d. h. die fehlende Beschönigung der Grauen des Krieges. Entscheidend für seine Inklination dürfte jedoch sein, daß Jünger sich einer utilitaristischen Betrachtungsweise des Krieges enthält, was es gestattet, den Krieg dem heterogenen Bereich jenseits der Berechnung einzuverleiben. Der Krieg sei die Gestalt der Verausgabung, der Soldat setze sein Leben aufs Spiel . . . In *La limite de l'utile* liest Bataille *Der Kampf als inneres Erlebnis* unter dem Gesichtspunkt der Äquivalenzen von Kampf, rituellem Opfer und mystischem Leben (cf. VII, 251). Als Negation der Arbeit begriffen, ordnet er den Krieg in die gleiche souveräne Kategorie ein, der das Spiel und die Religiosität angehören. Die Transgression des Tötungsverbotes, die der Krieg impliziert, verleiht ihm das Attribut *sacré.* (Cf. »Qu'est-ce que l'histoire universelle?« *Cr.,* Nr. 111–112, 1956) Im folgenden zitiere ich einige Passagen aus Jüngers Buch, die Batailles Aufmerksamkeit gefunden haben oder haben könnten.
»Es gäbe noch viel zu berichten. Von Männern, die gellend und lange lachten, nachdem ein Geschoß ihnen den Schädel zertrümmert . . .« (p. 18)
»Früher war der Krieg von Tagen gekrönt, an denen Sterben Freude war, die sich erhoben über die Zeiten als schimmernde Denkmäler männlichen Mutes.« (p. 24)
»In göttlichen Funken spritzt Blut durch die Adern, wenn man zum Kampfe über die Felder klirrt im klaren Bewußtsein eigener Kühnheit. (. . .) Auf solchen Gipfeln der Persönlichkeit empfindet man Ehrfurcht vor sich selbst. Was könnte auch *heiliger* sein, als der kämpfende Mensch? Ein Gott?« (p. 46)

Meditationsübungen dar, denen er sich spätestens seit Winter 1938/39 ernsthaft widmet. Der Text zerfällt in einen ›theoretischen‹ und einen ›praktischen‹ Teil; letzterer reflektiert vor-mystische Zustände, eine erste Phase der Ekstase. Bataille schildert die Hilfsmittel oder ›Stützen‹ tradierter Meditationsübungen, die auf ein versunken-ekstatisches Bewußtsein zielen. Die Konzentration auf unwillkürliche Körperfunktionen (Atmung, Herzschlag) oder auf Wörter und Sätze (das ist die Funktion der Yoga-Sûtras) gehört ebenso zu den traditionellen Methoden wie die Evokation von Bildern, Vorstellungen, die bedrohlich und düster (bei Bataille auch obszön oder lächerlich) sein können. Die fundamentalen Schritte Batailles heißen Stille/Schweigen und Dramatisierung. (Cf. Bruno 1963) Gegenstand der ersten Meditationen ist der Friede, dann die Todesfreude, ihre ›Stütze‹ sind rhythmisierte Sätze (cf. I, 555−557); diese Art von Meditation will das diskursive (logische, verbale) Denken anhalten, Stille im Meditierenden herbeiführen und eine Art luzider Schläfrigkeit erzeugen: sie dient zur Selbsthypnose.

Die herakliteisch genannte Meditation (I, 557−558) hat den Krieg und den eigenen Tod zum Gegenstand; Hilfsmittel sind hierbei visuelle Vorstellungen ad Vernichtung. Die *Herakliteische Meditation* gehört der Methode der Dramtisierung an, sie beabsichtigt, durch Paroxysmen des Grauens den Meditierenden in eine Art Weißglut zu versetzen.

Bataille skizziert so die Wege zu einer induzierten Ekstase, die zu suchen er nicht nachlassen wird. Bedeutet Ekstase doch wörtlich eine Ortsveränderung, ein Außer-sich-sein, das Aufbrechen des Gefängnisses der persönlichen Partikularität, den Übergang vom Bereich des Diskurses (der Geschwätzigkeit des Ich) zum Bereich des Schweigens und damit zur erweiterten Kommunikation, die das Subjekt zur Erfahrung der Grenzen, wenn nicht des Unmöglichen, öffnet. – Unter diesem Aspekt wird die Frage zweitrangig, an wel-

---

». . . die Ekstase. Dieser Zustand des Heiligen, des großen Dichters und der großen Liebe ist auch dem großen Mute vergönnt. Da reißt Begeisterung die Männlichkeit so über sich hinaus, daß das Blut kochend gegen die Adern springt und glühend das Herz durchschäumt. Das ist ein Rausch über allen Räuschen, Entfesselung, die alle Bande sprengt.« (p. 53)

Gelegentlich suggeriert die Übersetzung von Jean Dahel (*La guerre notre mère*, 1934) Werte, die im deutschen Original fehlen, so z. B. das Opfer: »Die ungeheure Summe der Leistung birgt Allgemeines, das uns alle verbindet« (p. 48) wird übersetzt mit »la somme immense des sacrifices consentis forme un seule holocauste qui nous unit tous« (cf. VII, 253).

chen Vorbildern Bataille sich orientierte.* Im ›thereotischen‹ Teil
der *Praxis der Todesfreude* kommt zum Ausdruck, wie fern ihm
jegliche Orthodoxie liegt:

»Es ist Grund vorhanden, hinsichtlich der ›Todesfreude‹ und ihrer Praxis
das Wort *Mystik* zu gebrauchen, aber das drückt nur eine Ähnlichkeit affektiver Art zwischen dieser Praxis und derjenigen der Mönche Asiens oder
Europas aus.« (I, 554)

Distanzierung auch von den wesentlichen Inhalten der christlichen
Religionen:

»Die ›Todesfreude‹ ist nur dem vorbehalten, für den es kein *Jenseits* gibt;
sie ist der einzige Weg geistiger Redlichkeit, den das Streben nach der
Ekstase verfolgen kann. (. . .)
    Einzig eine schamlose, unkeusche Heiligkeit hat einen ziemlich gelunge-
nen *Selbstverlust* zur Folge. Die ›Todesfreude‹ besagt, daß das Leben von

---

* Würde nicht eine tragisch-dionysische Existenz Batailles Aspirationen leiten,
ließe sich seine Mystik als eine Amalgamierung asiatischer und christlicher Elemente
bezeichnen. So gehört z. B. die Dramatisierung zum Repertoire sowohl tibetanischer
als auch christlicher Mystik. Das Numinose als Mysterium tremendum bildet einen
festen Bestandteil der mystischen Erfahrung; es dient initial als düsterer Hintergrund
für die ekstatische Verklärung, in der der Ekstatiker aus der Nacht der Angst und des
Grauens zum Licht emporgehoben wird. Daß Bataille mit den Loyolischen *Exerzitien*
aus der mystischen Phase seiner Jugend her vertraut war, darf man voraussetzen. Die
Dramatisierung machen sich ebenfalls tantrisch-yogische Meditationen zunutze, »die
die Betrachtung des eigenen Skeletts oder auch das religiös-magische Vorkommen
von Schädeln und Leichen einschließen« (Eliade). Die tantrischen Sexualpraktiken
dagegen wird Bataille ablehnen, nicht zuletzt deshalb, weil sich hinter der Zurückhaltung des Spermas eine Ideologie des Haushaltens und der Akkumulation von Kräften
verbirgt und die Frau bei diesen Übungen zum Ekstase-Vehikel degradiert wird.
    Nur eine Spur führt zu einem regelrechten Lehrbuch fernöstlicher Meditation:
G. C. Lounsbery, *Buddhist meditation on the southern school. – Theory and practice
for westerners* (engl. u. franz. 1935), eine Einführung, auf die Laure zurückgegriffen
hatte. Aber neben Mircea Eliades religionsgeschichtlicher Studie *Yoga. – Essai sur
les origines de la mystique indienne* (1936; dt.: 1960, 1977) und, später, den Publikationen des Swāmi Vivekānanda und des Swāmi Siddheswarānanda, über die er sich
abschätzig äußern sollte, beherrschen vorzugsweise christliche Mystiker und Schriftsteller die gegenwärtigen und künftigen Lektüren Batailles: Angelika von Foligno,
Johannes vom Kreuz, Thomas von Aquino, Dionysios Areiopagites, Meister Eckhart, Therese von Avila, Kierkegaard, Blake . . . Man kann annehmen, daß Bataille
in puncto mystischer und yogischer Techniken entscheidende Hinweise Jean Bruno
verdankt, wie er Bibliothekar an der Bibliothèque nationale. Jedoch hat Bataille nie
an den einschlägigen Studienzirkeln teilgenommen, die Bruno in den vierziger Jahren
frequentierte.
    Apropos Wege zur Ekstase: Bataille war außer dem Alkohol allen übrigen Dro-
gen abgeneigt. Nackte Frauen, Angst und Schrecken, Einsamkeit (*moderato*) und
Tod heißen seine Exzitanzien.

Fast überall gibt es Sprengstoffe, die vielleicht bald meine Augen blenden werden. Ich lache, wenn ich daran denke, daß diese Augen hartnäckig nach Gegenständen verlangen, die sie nicht zerstören. (I, 558)

der Wurzel bis zum Gipfel verherrlicht werden kann. Sie beraubt alles, was geistiges oder moralisches *Jenseits*, Substanz, Gott, unveränderliche Ordnung oder Heil ist, der Bedeutung. Sie ist eine Apotheose des Vergänglichen, eine Apotheose des Fleisches und des Alkohols wie auch der Trancen der Mystik.« (Ibd.)

Dabei möchte Bataille den Mystiker der Todesfreude nicht zu einer *vita contemplativa* verhalten wissen:

». . . die Totalität des Lebens – die ekstatische Kontemplation und die luzide Erkenntnis, *die sich in einer Tat erfüllen,* die unfehlbar zum Wagnis wird – ist auf ebenso unerbittliche Weise sein Los, wie es der Tod für den Verurteilten ist.« (I, 553)

Batailles Aussage bezüglich der »Tat« bleibt so sibyllinisch wie der ganze Text nur eine Andeutung der nötigen Schritte zur Bewußtseinsveränderung ist.

Diese – übrigens letzte – Ausgabe von *Acéphale* ruft bei den meisten von Batailles Freunden Befremdung hervor.

»Bataille zog aus diesen extravaganten Litaneien [sc. des wahnsinnigen Nietzsche] den praktischen Schluß, daß der Tag, an dem ein Sprengstoff seine Augen blenden würde, für ihn ein Tag des Gelächters wäre. Ich konnte es mir nicht versagen ihn zu fragen, auf welche Art von Gelächter er anspiele. Ich mußte mich mit einer rätselhaften Antwort begnügen: ›Es gibt so viele Arten des Gelächters.‹ Worauf ich erwiderte, daß diese Art mir ein wenig *gezwungen* erschien.« (Duthuit 1944, 47)

Patrick Waldberg reklamiert die Überschätzung Nietzsches, dieser »Pseudophilosophie eines Provinzprofessors«, qualifiziert die »Todesfreude« als Humorlosigkeit und unterstellt Bataille eine als Streben nach Integrität getarnte Wirklichkeitsflucht (cf. ders. 1944). Neben Jean Paulhan und Jean Wahl reagiert auch Caillois mit Unbehagen auf Batailles *Acéphale*-Texte. Brieflich – er hält sich in Argentinien auf – läßt er Bataille wissen, daß der Raum, den er der Mystik, dem Drama, dem Wahnsinn und dem Tod einräume, ihm unvereinbar scheine mit den Prinzipien, von denen das ›Collège de Sociologie‹ ausgegangen sei (cf. II, 366). Und Michel Leiris sagt einen Tag vor der nächsten Sitzung des ›Collège‹, bei der er einen Rechenschaftsbericht über die Aktivitäten der Organisation seit ihrem Bestehen vortragen sollte, seine Teilnahme ab. In seinem an Bataille adressierten Brief vom 3. JULI begründet er seinen Schritt mit Zweifeln an der methodischen Strenge der bisherigen Forschungen des ›Collège‹. Leiris beklagt nicht allein die Nichtbeachtung der von Durkheim, Mauss und Hertz erarbeiteten Methoden der Soziologie, er kritisiert darüber hinaus die Überbewertung der Rolle des Heiligen im ›Collège‹ und stellt mit Bedauern fest, daß die »geistig-moralische Gemeinschaft«, die zu bilden die Collégiens beabsichtigt hatten, einfach inexistent ist – seines Erachtens mangels einer expliziten Doktrin, die jedem Orden, jeder Religion vorausgehen müsse. (Cf. II, 454 f.*)

So ist Bataille gezwungen, allein die Veranstaltung vom 4. Juli, *Le Collège de Sociologie* (II, 364–374), zu bestreiten. Der Dissens gibt Anlaß zu einer kritischen Retrospektive anstelle der vorgesehenen Bilanz. Bataille streift allerdings nur die Motive, die zu dem internen Konflikt geführt haben, wobei er insbesondere Leiris' Ruf nach mehr wissenschaftlicher Strenge bedauert. Müßte es umgekehrt nicht mehr befremden, daß das ›Collège‹ den klassischen akademischen Rahmen niemals gesprengt hat? das Heilige, das Fest, die Ekstase, den Exzeß zwar thematisiert hat, selbst aber dem Exzeß sich verschloß? »Soweit das Collège de Sociologie keine offene Tür auf das Chaos ist, in dem jede Gestalt sich bewegt, sich erhebt und untergeht, [keine offene Tür] auf die Konvulsion der Feste, der menschlichen Kräfte und Opfer, bedeutet es allerdings nur Leere.« (II, 365)

Auf dem Wege eines philosophischen Diskurses, der von der Feststellung der Partikularität – der Inkohärenz und Diskontinuität – des menschlichen Seins ausgeht, möchte Bataille demonstrieren, daß die Entwicklung des ›Collège‹ die Notwendigkeit der gegenwärtigen Krise in sich selber trug.

Heute lesen wir seinen Vortrag freilich auf der Folie seiner Theorie der Verausgabung, appliziert auf Bereiche der Kommunikation (Erotik, Opfer, Fest). An seinem Paradebeispiel der Zellteilung zeigt Bataille, daß das Wachstum eine Überfülle, einen Überschuß generiert, der das Einzelwesen zur Verschwendung treibt: das Ganze vermag seine Integrität nicht zu bewahren, und durch einen Riß, eine Wunde und einen Substanzverlust verdoppelt sich der

---

* Leiris' temporäre Demissionierung muß Bataille als persönlichen Affront aufgenommen haben, obwohl Leiris in weiser Voraussicht seinen Brief mit »Michel Leiris, Mitglied des Collège de Sociologie« unterzeichnet hatte. Er schreibt ihm daher noch am Abend des 3. Juli einen zweiten Brief: »Ich bin jedoch überrascht, daß Du diesen Brief so aufgenommen hast, als ob Du darin persönlich gemeint wärest: ich stelle keine Gleichsetzung zwischen Dir und dem Collège de Sociologie her, und wenn ich das Collège de Sociologie kritisiere, dann als Ganzes, als Organisation, der ich selber angehöre.« (B.N. n.a.fr. 15854, f.47)

Einzeller. Ohne große argumentative Akrobatie überträgt er dieses Schema der zwei Phasen – Überfülle, Riß und Substanzverlust –, das in bezug auf die ungeschlechtliche Fortpflanzung legitim ist, auf das Sexualleben geschlechtlich differenzierter Tiere und schließlich auf das des Menschen. Die menschliche Kommunikation verlaufe über verborgene Risse. Diese Kommunikation verbinde die Liebenden durch Wunden, in welchen sich ihre Einheit, ihre Integrität im – erotischen – Fieber auflöse. Die Liebe sei ein Ausdruck des Bedürfnisses, zu opfern: jede Einheit (sprich: jedes Individuum) müsse sich in einer anderen verlieren, die sie übersteigt.

Jenseits der Verausgabung situiert Bataille den Übergang von der Leidenschaft zur Stabilität des »bedrückenden« Ehelebens, in dem das »Herz« keine Rolle spiele.* Diese beiden elementaren Formen sexueller Verbindung vergleicht er mit den Gestalten sozialer Gruppierungen: die Ehe, als eine Interessengemeinschaft, entspricht der juristisch und administrativ konstituierten Gesellschaft, während die leidenschaftliche Einheit der Liebenden in der »Herzensgemeinschaft« ihre Entsprechung findet. Allein die letzte Konstellation schließe die Möglichkeit erotischer Perversitäten (fern der genitalen Finalität) wie auch der *Selbstverschwendung* bis zum eigenen Untergang ein. Eine Analogie zum sexuellen Riß erblickt Bataille in den Initiationsriten, den Opfern, den Festen: Momente des kollektiven *Verlustes* (Außersichseins) und der *Kommunikation* der Individuen untereinander. Beschneidungsriten, Orgien sowie die Bezeichnung des Ausgangs der geschichtlichen Vereinigung als »kleinen Tod« machen diese Annäherung plausibel. Den *gesellschaftlichen* Rissen, die mit den Rissen der Geschlechtsteile koinzidieren, wird von Bataille mehr Bedeutung beigemessen: Krieg und Königsmord hätten mit dem Geschlechtsakt nur das gemeinsam, daß sie durch einen Substanzverlust vereinigten, und zwar zum Vorteil der gesellschaftlichen Macht. Das »Heilige«, definiert Bataille, sei Kommunikation zwischen Wesen und dadurch Bildung neuer Wesen.

Doch die Hypothese, räumt er ein, daß hinter jedem Akt der Verausgabung selbstlose, konstruktive Motive stehen – wie Konsolidierung der Gemeinschaft, Generierung einer neuen Einheit, persönliche Liebe –, lasse sich nicht generalisieren. Ist die Lebensüberfülle der erste Impuls zur Verausgabung, so kann diese durchaus eine Eigendynamik annehmen und, exklusiv vom Tod, vom Bruch mit jeder individuellen Diskontinuität fasziniert, vor nichts haltma-

---

* Das ist die Regel – gilt sie auch für Batailles Ehe? Artikuliert er hier womöglich einen Mangel?

chen, wie im Falle der ›Liebe um der Liebe willen‹, wo der Andere nichts als eine austauschbare Herausforderung ist, sich selbst zu überschreiten:

»Wenn ein Mann und eine Frau durch die Liebe vereint sind, bilden sie gemeinsam eine Verbindung, ein völlig abgekapseltes Wesen; wenn aber das ursprüngliche Gleichgewicht beeinträchtigt wird, kann es sein, daß die rein erotische Jagd zu der Jagd der Liebenden, die anfangs nur sie selbst zum Gegenstand hatte, hinzukommt oder sie ersetzt. Das Bedürfnis, sich zu verlieren, übersteigt in ihnen das Bedürfnis, sich zu finden. In diesem Augenblick ist die Gegenwart eines Dritten nicht mehr zwangsläufig, wie zu Beginn ihrer Liebe, das größte Hindernis. Jenseits des gemeinsamen Wesens, dem sie in ihrer Umarmung begegnen, suchen sie eine maßlose Vernichtung, wo der Besitz eines neuen Gegenstands, einer neuen Frau oder eines neuen Mannes, bloß ein Vorwand zu einer noch vernichtenderen Verausgabung ist.« (II, 372)

Schildert Bataille den Mystiker unter dem Aspekt der ›Verausgabung um der Verausgabung willen‹, so charakterisiert er sich selbst, bzw. seine prekäre aktuelle Situation innerhalb des ›Collège‹:

»Auf dieselbe Art kümmern sich Menschen, die religiöser sind als die anderen, nicht mehr streng um die Gemeinschaft, für die die Opfer dargebracht werden. Sie leben nicht mehr für die Gemeinschaft, sie leben nur noch für das Opfer. So werden sie allmählich von dem Wunsch besessen, durch Ansteckung ihre Opfer-Raserei zu verbreiten. Ebenso wie die Erotik mühelos bis zur Orgie gleitet, strebt das Opfer, indem es zum Selbstzweck wird, über die gemeinschaftliche Enge hinaus nach universeller Bedeutung.« (II, 372)

Der unermeßliche Gott gestatte es zwar jedem, sich verlierend in ihm wiederzufinden (vgl. z. B. Matthäus X, 39), wer sich jedoch nur verlieren wolle wie Therese von Avila (»ich sterbe, nicht zu sterben«, rief sie aus), für den bleibe diese Möglichkeit unbefriedigend. ». . . die organisierte Zusammensetzung der Wesen ist offenbar ohne den geringsten Sinn, wenn es sich um die Totalität der Dinge handelt . . .« (II, 373) Die Konzeption des ›Collège‹, schließt Bataille, habe zwangsläufig eine so bodenlose Befragung wie die vorstehende eingeleitet. »Es kann sein, daß ich manchmal den Eindruck erwecke, mit einer trübseligen Voreingenommenheit bei der Erwägung des Unmöglichen zu verweilen. Ich könnte mit einem einzigen Satz antworten. Ich werde es heute nicht tun.« (Ibd.)

Notizen in seinem Vortragsmanuskript (II, 374) weisen darauf hin, daß er Caillois' brieflich artikulierte Einwände und Vorschläge ursprünglich diskutieren wollte. Stattdessen beginnt er am 3. Juli mit einer schriftlichen Antwort an Caillois, die er aus Zeitmangel und Erschöpfung erst am 20. abschließt. Aus Batailles Brief (s. Hollier 1979, 551−556) geht hervor, daß Caillois nicht mehr zu dem Inauguralmanifest des ›Collège‹ steht und daß ihn der »apokalyptische« Ton Batailles ängstigt.

»Sehr rasch ist uns klargeworden, daß, wenn wir hinsichtlich des Forschungsgegenstandes völlig übereinstimmten, wir nicht die gleiche Art hatten, ihn zu behandeln und Konsequenzen daraus zu ziehen. Zwischen Bataille und mir gab es eine sehr seltene geistige Übereinstimmung, eine Art Osmose hinsichtlich des Grundes der Dinge, und zwar in einem solchen Maße, daß der Teil des einen und der des anderen oft ununterscheidbar waren. Doch wir trennten uns in bezug auf den Gebrauch, der von diesen Forschungen zu machen war. Und Bataille neigte dazu, immer auf seiten der mystischen Sphäre vorzudringen. (. . .) Die Anzeichen mehrten sich, daß für Bataille die theoretischen Forschungen des Collège bloß einen Weg zu einer Ekstase bildeten, die man wirklich religiös oder mystisch nennen muß, wobei es sich von selbst versteht, daß es sich um eine atheistische Mystik handelte.« (Caillois 1970, 7, 8)

Davon abgesehen muß Caillois den Entwurf einer »offiziellen Doktrin« vorgeschlagen haben, und dies auf der Grundlage von: 1. Batailles »Theorie der zusammengesetzten Wesen«, 2. »dem Gegensatz des Heiligen und des Profanen, verglichen mit der Gabe seiner selbst zugunsten eines umfassenderen Wesens«. Auch hat er zu verstehen gegeben, daß das ›Collège‹ auf lange Sicht die geistliche Macht beanspruchen müsse. Bataille erwidert darauf, daß dieser Gedanke auch für ihn verführerisch sei, das ›Collège‹ jedoch nur die Frage nach der geistlichen Macht aufwerfen und ihre Notwendigkeit bekräftigen könne.

Trotz aller Divergenzen sieht Bataille eine Übereinstimmung in wesentlichen Punkten zwischen Leiris, Caillois und sich. Man kommt überein, im Rahmen eines »Konzils«, das im Oktober abgehalten werden soll, dem ›Collège‹ modifizierte Statuten zu geben. Bataille möchte auf seinen in *La critique sociale* veröffentlichten Arbeiten eine Vorlesungsreihe aufbauen. Ab Oktober soll das ›Collège‹ mit einer eigenen Zeitschrift an die Öffentlichkeit treten. Noch steht deren Titel (Bataille nennt »Religio«, »Nemi«, »Dianus«, »Ouranos«) zur Diskussion . . .

Der 3. SEPTEMBER, Datum der Kriegserklärung der Westmächte an Deutschland, durchkreuzt diese Pläne. Die Mobilmachung zerstreut Batailles Freunde (Caillois bleibt in Argentinien, Leiris wird nach Algerien geschickt), das ›Collège de Sociologie‹ hört zu existieren auf.* Ein Jahr später, vom Krieg geläutert, wird Caillois die Soziologen des ›Collège‹ folgendermaßen portraitieren:

»Wir waren einige Zerstreute, Ungeschickte, ohne Energie und Ausdauer, aber empfindlich für die geheimen Erschütterungen des Universums, keineswegs betäubt noch euphorisch, sehr intelligent und immer auf der Lauer, keineswegs erregt, keineswegs frenetisch, verloren in Menschenmengen, die Wut und Delirium, Rachsucht und Panik verblendeten oder die die Betäubung sanfter Agonien einschläferte. Wir waren die letzten bewußten Wesen auf dieser Welt, die sie zu sehr verhätschelt hatte, und wir ahnten, daß sie im Verschwinden begriffen war, ohne vorauszuahnen, daß wir nicht geboren waren, um sie zu überleben, sondern vielmehr – wenn ihre Ruinen einmal wiederaufgerichtet waren – zum Elend, zum Spott und zum Vergessen bestimmt. (. . .) Wir waren zu feinsinnig, zu gelehrt, zu schwierig, zu unfähig, uns mit einem Spiel zu begnügen, das uns nicht erfüllte. Dann kamen wir zu spät, wir waren zu wenige, unsere Herzen waren zu schwach. (. . .)

Wir werden Redner gewesen sein. (. . .) Wir haben nicht zur Morgenröte gehört. Wir frieren leicht, sind schwerfällig, schnell beim Verstecken in den Mauerlöchern und erspähen immer nur geringe Beuten. Wir sind die unheimliche, vorsichtige Fledermaus der Dämmerungen, der Vogel der Erfahrung und der Weisheit, der nach dem Lärm des Tages hervorkommt und sich bis zur Finsternis fürchtet, die er ankündigt. Es gefällt uns, uns Wesen der Dämmerung zu nennen.

Wir bekräftigen sehr laut unseren Geschmack an der Gewalt, Männer am falschen Platz, die vielleicht verzweifelt gewesen wären, wenn sie erlebt hätten, wie ihre Wünsche erfüllt worden werden. (. . .)

Das Haus brannte und wir räumten den Schrank auf. Es war eher nötig, den Brand zu schüren. Wir wagten es nicht. (. . .) Nicht schuldig zu sein tröstete uns, daß wir in einer Zeit schwach waren, wo Schwäche die größte Schuld war. Auch haben wir keine Arche gebaut, um zu retten, was gerettet werden sollte. (. . .)

Es fehlte uns ebenfalls dieser Großmut, diese Gleichgültigkeit gegenüber dem Schicksal, die, mangels großer Freude, eine Vertrautheit mit schlimmeren Zerrüttungen verleiht, die die kommende Welt uns bringen wird. (. . .)

Wir waren zu schwach, zu verliebt in sehr alte und sehr gebrechliche Dinge, an denen wir mehr hingen als es uns schien: Schönheit, Wahrheit, Gerechtigkeit, jede Subtilität. Wir konnten sie nicht opfern. Und als wir begriffen, daß man gerade dieses Opfer bringen mußte, sind wir zurückgewichen und haben uns an unserem Platz wiedergefunden, auf der anderen Seite, in dieser alten und angefaulten Welt, die veraltet ist und jetzt liquidiert werden muß.« (1946, 159 ff.)

---

* Noch im Oktober erwartete Jean Paulhan für die *N.R.F.* ein Manifest des ›Collège‹, vermutlich eine Stellungnahme zur Kriegserklärung (cf. Hollier 1979, 573).

Etwa zur gleichen Zeit löst sich die Gruppe ›Acéphale‹ auf.

»Bei der letzten Zusammenkunft, mitten im Wald, waren wir bloß vier, und Bataille bat feierlich die drei anderen, so freundlich zu sein, ihn zu töten, damit dieses Opfer, das den Mythos begründet, das Überleben der Gemeinschaft sichern möge. Diese Gunst wurde ihm versagt.« (Waldberg, *Acéphalogramme*, 15)

Eine andere Deutung, ein Verdacht drängt sich mir auf. Wollte der Kopf ›Acéphales‹, da ja das Heilige per definitionem an die Stelle des Geopferten tritt, zum »Gott Bataille« (Laure) werden?

Mit zwanzigjährigem Abstand äußert sich Bataille über die Auflösung der Gruppen, beinahe unwillig, und ohne daß immer klar würde, ob die Geheimgesellschaft oder das ›Collège‹ gemeint ist:

». . . der Beginn des Krieges [machte] die Bedeutungslosigkeit des Versuchs, um den es sich handelte, entschieden spürbar. Tatsächlich beschlossen meine Freunde von *Acéphale* und ich nach einigen Wochen, zumindest provisorisch alles aufzugeben, was wir begonnen hatten (und von dem ich sagen muß, daß meines Wissens nichts Bedeutsames daraus geworden ist). Die Aufgabe schien mir von Anfang an unwiderruflich zu sein.« (VI, 370)

»Ein Mißklang trat ein zwischen Bataille und der Gesamtheit der Mitglieder, die mehr als Bataille von der unmittelbaren Sorge des Krieges in Anspruch genommen waren.« (VII, 462)

Für den vom Wehrdienst Dispensierten macht sich der Krieg zunächst in Luftschutzübungen bemerkbar, zu denen er in der Bibliothèque nationale verpflichtet ist.

Unter dem Gefühl, eine Niederlage erlitten zu haben, eröffnet er am 5. September sein erstes Tagebuch, aus dem 1943 *Le coupable* werden wird.

»In vollkommener Einsamkeit beginnt er in den ersten Kriegstagen *Der Schuldige* zu schreiben, worin er nach und nach eine heterodoxe mystische Erfahrung und gleichzeitig einige seiner Reaktionen angesichts der Ereignisse beschreibt.« (VII, 462) »Dieses Buch ist das heimtückische, um so hartnäckigere Gelächter eines Mannes, der sich bemühte, sich unter günstigen Umständen (er tat es mit Mühe und Not, und alles in allem war es vergeblich) in der Perspektive des Todes einzuschließen (das Leben ergriff ihn alsbald wieder, das allerheftigste, aber manchmal das zerrissenste). (. . .)

Niemals hatte der Autor, der damals zweiundvierzig Jahre alt war, ein Tagebuch geführt. Aber indem er bald die geschriebenen Seiten vor sich hatte, nahm er wahr, daß er nie etwas geschrieben hatte, an dem er genauso hing, nichts, das ihn so voll und ganz zum Ausdruck brachte. Er sollte nur die Passagen weglassen, die von Dritten sprachen (besonders von der

. . . das Opfer ist die Kommunikation der Angst *(. . .)*, die Summe der kommunizierten Angst nähert sich im Prinzip der Summe kommunikabler Angst. *Zu starke Reaktionen machen die Operation wirkungslos: jene, die sie verspüren, geben das Opfer auf. (VII, 279 f.)*

Zwischen meinem Mitmenschen und mir existiert eine kommunikative *Bindung, eine Bindung, die an den* heiligen *Teil meiner selbst und den der anderen rührt. Diese Bindung* existiert; *um sie zu heiligen, bedarf es keiner rituellen Handlungen. Dieses Fehlen einer Bindung empfand ich allein. (VII, 542)*

Es kommt auch vor, daß unser Mitmensch sich gewissermaßen freiwillig opfert, *daß er aus eigenem Antrieb* heilig *wird (wie der* Verrückte). *(V, 440)*

Toten, auf die sein Freund Michel Leiris in *La Règle du jeu* anspielt): dieses Buch wird auf die heftigste Weise von Tränen beherrscht, es wird auf die heftigste Weise vom Tod beherrscht.« (Ca. 1958–1960: V, 494)

Der Schuldige bezeichnet einen Menschen, der auf der Erde wie ein Fremder ist und dessen labyrinthischer* Weg, der seiner Existenz Sinn verleihen soll, ihn von den Anderen entfernt.

»Er befragt also voller Angst die letzten Möglichkeiten: die Ekstase, die Chance, das Lachen. Er erklimmt mit großer Mühe und erschöpft schwindelerregende Hänge. Am Gipfel angelangt, bemerkt er, daß diese Möglichkeiten nur sind, was sie sind . . . Indem er sich dann zu jenen umdreht, deren Ebenbild er ist und für deren Abgesandten er sich hielt, erblickt er sich, nicht ohne Ironie, von ihnen getrennt. Die Tatsache, den Gipfel zu erreichen, wird von ihnen wie ein Vergehen betrachtet, dessen er sich schuldig gemacht hat. Wenn dem nicht so wäre, wäre dies nicht der Gipfel: ohne mögliche Vergebung, hat er die Ruhe, den Seelenfrieden der anderen eingebüßt.« (1944: V, 493)

Fragmente aus *Le coupable* (L'Amitié) und dem ihm korrespondierenden Tagebuch:

7. September: »(. . .) Ich werde nicht vom Krieg, sondern von mystischer Erfahrung sprechen. Der Krieg ist mir nicht gleichgültig. Ich gäbe freiwillig mein Blut, meine Erschöpfungszustände und dazu noch diese Momente der Bestialität, zu denen wir beim Herannahen des Todes gelangen . . . Aber wie könnte ich einen Augenblick lang meine Unwissenheit vergessen und daß ich mich in einem Kellergang verirrt habe? Diese Welt, ein Planet und der bestirnte Himmel sind für mich wie ein Grab (in dem ich nicht weiß, ob ich ersticke, ob ich weine oder ob ich mich in eine Art nicht erkennbarer Sonne verwandle). Ein Krieg vermag eine so vollkommene Nacht nicht zu erleuchten.« (V, 246)

. . . .

9. September: »(. . .) Die Orgie, der ich heute nacht beiwohnte (an der ich teilnahm), war allervulgärster Art. Doch meine Einfachheit brachte mich rasch auf die Höhe des Schlimmsten. Inmitten von Schreien, Gebrüll, fallenden Körpern blieb ich still, zärtlich, nicht feindselig. In meinen Augen ist das Schauspiel furchtbar (aber noch furchtbarer sind die Gründe, die Mittel, mit welchen sich andere diesen Schrecken und diese Bedürfnisse vom Leibe halten, die keinen anderen Ausweg haben als diesen).

---

* *Le coup-able*: der Abschneidbare (Ariadne-Faden). »Diese Aufzeichnungen verbinden mich wie ein Ariadnefaden mit meinen Mitmenschen, das übrige erscheint mir unnütz.« (V, 251)

Keine ewige Verdammnis, keine Scham. Die Erotik, die Zurschaustellung von Frauen mit schweren Brüsten und schreiendem Mund, die deren Horizont sind, sind mir um so begehrenswerter, als sie jede Hoffnung ausschließen. Das gleiche gilt nicht für die Mystik, deren Horizont Verheißung und Licht ist. Ich ertrage sie schlecht und kehre rasch zum erotischen Erbrochenen zurück, zu seiner Frechheit, die nichts und niemanden verschont. Es ist mir angenehm, in die schmutzige Nacht einzudringen und mich stolz in ihr einzuschließen. Das Mädchen, mit dem ich aufs Zimmer gegangen bin, hatte die fast schweigsame Einfalt eines Kindes. Jene, die mit Wucht von einem Tisch auf den Boden stürzte, war von unscheinbarer Sanftheit: einer Sanftheit, die vor meinen betrunkenen gleichgültigen Augen verzweifelte.« (V, 247)

. . . .

12. September: »(. . .) Ich wollte mir selbst die Schuld geben. Am Rand eines Bettes sitzend, dem Fenster und der Nacht gegenüber, habe ich mich darin geübt, darin verbissen, selbst *ein Kampf* zu werden. Die Gier, zu opfern, die Opfergier opponierten in mir wie die Zähne zweier Räderwerken, wenn sie sich, im Augenblick, wo die Antriebswelle sich zu bewegen beginnt, festhalten.« (V, 250)

. . . .

14. September: »Ich bin gestern an Laures Grab gegangen, und seit ich meine Tür durchschritten habe, war die Nacht so schwarz, daß ich mich gefragt habe, ob es mir möglich wäre, mich auf der Straße zurechtzufinden; so schwarz, daß ich an der Gurgel gepackt wurde, ohne an etwas anderes denken zu können: es war mir also unmöglich, in diesen Zustand von Halbekstase hineinzukommen, der jedesmal begann, wenn ich den selben Weg einschlug. (. . .) Als ich den Friedhof betrat, war ich selbst zum Verrücktwerden bewegt: ich hatte Angst vor ihr und es schien mir so, daß, wenn sie mir erschiene, ich nur noch vor Schrecken würde schreien können. Trotz der extremen Finsternis war es möglich, (. . .) die Gräber, die Kreuze und die Steinplatten zu erkennen; ich bemerkte auch zwei Glühwürmchen. Aber das pflanzenüberwucherte Grab Laures bildete, ich weiß nicht warum, das einzige völlig dunkle Gebiet. Davor angelangt, nahm ich mich vor Schmerz in meine eigenen Arme, ohne noch etwas zu wissen, und in diesem Augenblick war es, als ob ich mich undeutlich verdoppelte und als ob ich *sie* umarmte. Meine Hände verloren sich um mich, und mir schien, ich berührte, atmete sie: eine außerordentliche Sanftheit bemächtigte sich meiner, und dies geschah genauso, wie wenn wir plötzlich einander begegneten; wie wenn die Hindernisse, die zwei Menschen trennen, weggefallen sind. Dann, bei der Vorstellung, daß ich wieder ich selbst würde, auf meine drückenden Notwendigkeiten beschränkt, begann ich zu stöhnen und sie um Verzeihung zu bitten. Ich weinte bitterlich und wußte mir keinen Rat mehr, weil ich wohl wußte, daß ich sie aufs neue verlieren würde. Eine unerträgliche Scham packte mich bei der Vorstellung dessen, was ich gerade wurde, zum Beispiel der, der ich in diesem Moment bin, in dem ich

schreibe, und noch schlimmer. Ich hatte nur eine Gewißheit (aber diese Gewißheit war berauschend): daß die Erfahrung von Menschen, die man verloren hat, wenn sie sich von gewöhnlichen Gegenständen des Treibens löst, in keiner Hinsicht beschränkt ist. (. . .) Das Sein brennt von Mensch zu Mensch durch die Nacht, und es brennt um so mehr, wenn die Liebe imstande war, die Gefängnismauern, die jede Person einschließen, zum Einsturz zu bringen: was könnte es Großartigeres geben als die Bresche, durch die zwei Menschen einander erkennen, der Vulgarität und der Plattheit entrinnend, und die das Unendliche hineinbringt. (. . .) Wenigstens der, der über das Grab hinaus liebt, hat das Recht, in sich die Liebe von ihren menschlichen Grenzen zu befreien und nicht zu zögern, ihr so viel Bedeutung zu verleihen wie nichts anderem, das ihm vorstellbar scheint.« (V, 499 ff.)

. . . .

20. September: »(. . .) Das durchsichtige Geheimnis des Lichtes, der Verwirrung und des Todes, die ganze Majestät des zu Ende gehenden Lebens, meine glückliche Sinnlichkeit, meine Perversion – ich werde nicht aufgeben, was ich bin, ich, der sich mit der maßlosen Sanftheit dieser rissigen Welt vermischt: rissig durch die Gehässigkeit, durch die gemeine Raserei der Massen, durch das mit Schrecken beladene Elend um des Glücks willen; wie sehr mag ich, was ich bin! aber ich bin dem Tod treu geblieben (wie eine Verliebte).« (V, 502)

. . . .

24. September: »Gestern dem Concert Mayol, der ersten seit Beginn der Feindseligkeiten in Paris eröffneten Vorstellung beigewohnt: manchmal raffinierte Vorführung nackter oder mehr als nackter schöner Mädchen. Nur eine Szene erinnerte an den Krieg: in einem Schutzraum, in dem einige fiktive Personen niedrigen Possen freien Lauf lassen. Da sind schöne Mädchen, die keine Gasmaske haben. Eine Krankenschwester verteilt Wattebäusche an sie und erklärt ihnen ganz leise deren Gebrauch im Falle eines ›Gasalarms‹. Dieser Alarm wird – irrtümlich – gepfiffen. Die Mädchen eilen hinter die Kulissen, um auf die Wattebäusche Pipi zu machen. Als sie zurückgekehrt sind, Mund und Nasenlöcher verstopft, eilt der ›Blockwart‹ herbei: er hat sich geirrt. Großes Geschrei: der Vorhang fällt. Ein Betrunkener fährt den ›Blockwart‹ an: er hat sie parfümiert; er möge die Unglücklichen umarmen.« (V, 503)

. . . .

28./29. September: »(. . .) Um meinen erotischen Gewohnheiten zu entsagen, sollte ich ein neues Mittel erfinden, mich zu kreuzigen: es sollte nicht weniger berauschend sein als der Alkohol. (. . .)
Ich nehme mir eine erste Form der Askese vor: eine völlige Einfachheit. Die extreme Wandlungsfähigkeit, der Wechsel von Erregungen und Niedergeschlagenheiten macht die Existenz inhaltsleer: nichts Schlimmeres als ein Übermaß an brennenden Anwandlungen. Ich stelle mir zu guter Letzt die Armut wie eine Heilung vor.« (V, 257, 258)

Die Kreuzigung, das ist der Schmerz über den Verlust Laures . . .
Der 2. OKTOBER beendet Batailles relative Einsamkeit: Denise
Legentil, die Frau eines Schauspielers, wird seine Geliebte. Mitsamt
ihrem Baby wird sie in das Haus in Saint-Germain-en-Laye ein-
ziehen.

In Laures Zimmer findet der Betrunkene sie als unerwartete
Besucherin vor:

». . . die ›zerbrechliche Illusion‹, in die ich an jenem Tag eingetreten bin,
hatte nichts Zerbrechliches oder Illusorisches. Es genügt, daß ich mich der
Verglasung einer Tür nähere: was ich sehe, das Zimmer, das ich glaubte
verlassen zu müssen, und durch das Fenster dieses Zimmers das alte Dach
des Prioriats, darüber der Hügel und der Wald, und mitten im Zimmer, auf
und ab gehend und mich nicht sehend, schön wie ein Insekt mit tausend
Farben, blind wie ein Himmel . . . sie hat vor einem Monat dieses Zimmer
betreten; keine andere Frau hätte schweigsam, schön und auf schweigsame
Weise unantastbar genug sein können, um es zu betreten: wenigstens ohne
daß ich ebenso darunter leide, wie ein klarer Spiegel darunter litte, trüb zu
werden.« (4. 11. 39: V, 515)

. . . .

12. Oktober:»Gestern, im Büro eines Arbeitskollegen, verspürte ich, während dieser telefonierte, Angst, und ohne daß etwas bemerkt werden
konnte, war ich in mich selbst versunken, die Augen auf das Totenbett
Laures geheftet (das, in dem ich mich jetzt jeden Abend schlafen lege).
Dieses Bett und Laure befanden sich genau an der Stelle meines Herzens,
oder genauer: mein Herz *war* die auf diesem Bett ausgestreckte Laure
(. . .). Im Büro und während eines Teils des Abends blieben die hochgehal-
tene Rose und der Schrei lange *in meinem Herzen.* Laures Stimme war
vielleicht nicht *schmerzerfüllt,* sie war vielleicht ganz einfach *zerreißend.* Im
gleichen Augenblick stellte ich mir vor, was ich schon am Morgen empfunden hatte: ›eine Blume nehmen und sie bis zur Übereinstimmung betrachten . . .‹ Dies war eine *Vision,* eine *innere,* durch eine schweigend ertra-
gene Notwendigkeit aufrechterhaltene *Vision;* dies war keine freie Reflexion.« (V, 512)

. . . .

13. Oktober: »(. . .) Die Ekstase ist *Kommunikation* zwischen Wörtern
(diese Wörter sind nicht notwendigerweise definierbar), und die Kommunikation besitzt eine Bedeutung, die die Wörter nicht hatten: sie annihiliert
sie – ebenso annihiliert das Licht eines Sterns (langsam) den Stern selbst.

Die Kommunikation braucht die Unabgeschlossenheit, die Wunde, den
Schmerz. Die Abgeschlossenheit ist ihr Gegenteil.« (V, 266)

. . . .

16. Oktober: »(. . .) Ich betrachte gerade zwei Marter-Fotografien.* Diese

446

Bilder sind mir vertraut geworden: eines davon ist dennoch so grauenhaft, daß ich es nicht fertiggebracht habe.

Ich mußte mit dem Schreiben innehalten. Ich hatte mich, wie ich es oft tue, vor das offene Fenster gesetzt: kaum saß ich, da geriet ich in eine Art Ekstase. Diesmal zweifelte ich nicht mehr, wie ich es schmerzlicherweise am Vortag getan hatte, daß ein solcher Zustand nicht intensiver wäre als die erotische Wollust. Ich sehe nichts: *das* ist weder sichtbar noch spürbar. *Das* macht traurig und schwermütig, nicht zu sterben. (. . .) Die Bilder des Entzückens trügen. *Was da ist,* entspricht völlig dem Entsetzen. Das Entsetzen hat es kommen lassen: es bedurfte eines heftigen Lärms, damit *das da ist.*« (V, 268 f.)

. . . .

21. Oktober: Bataille bricht mit jenen Freunden, auf die er sich »zu Unrecht verlassen hatte«. So auch mit Patrick Waldberg, dem der Widerspruch zwischen Batailles Philosophieren (»Todesfreude«) und seinem Verhalten ein Grund zur Trennung ist: Bataille verkriecht sich bei Alarm vor Angst im Keller, weiß Waldberg zu berichten, während er selbst sich freiwillig zur französischen Armee meldet. – Gleichzeitig macht Queneau nach fünf Jahren den ersten Schritt zu einer Versöhnung mit Bataille. (Cf. V, 513 f.)

Aus Colomb-Béchar (Algerien) erhält er einen vom 29. Oktober datierenden Brief Michel Leiris', mit dem dieser in bewegenden Worten Laures Todestags gedenkt. (Cf. V, 516 f.)

Maurice Heine notiert unter dem Datum des 31. Oktober in seinem Tagebuch ein Gespräch mit Bataille, aus dem dessen opportunistische Lebensstrategie, auch dessen Skepsis, hervorgehen:

»Bibliothèque Nationale. Georges Bataille erwischt mich am Ende der Stufen des Katalogsaals. Wir reden fast laut, wir sind fast allein.

Er sagt zu mir:

Sie haben unrecht, sich auf einen moralischen Standpunkt zu stellen. *Ich* stelle mich auf einen tierischen Standpunkt. Ich bin kein Mensch unter Menschen, ich bin ein Tier. Die förmlichen Zugeständnisse, die man von mir verlangt, bin ich bereit zu machen. Ich bin eine Mücke; man kann mich zerquetschen, aber ich werde keinen überflüssigen Lärm machen, um meine Anwesenheit anzuzeigen, und ich werde mich nicht so verhalten, als wäre ich ein Elephant.

Ich entgegne ihm:

Ich weiß nicht, ob aus moralischen Gründen, aber ich kann es nicht

---

* Die Zerstückelung, ›Opferung‹ eines Chinesen darstellend, ein Bild der sadistischen Ekstase. Batailles dionysischer ›Gott‹, sein Sprungbrett von der Angst in die Ekstase, aus der persönlichen Partikularität heraus in den »Grund der Welten«. Cf. p. 85, auch V, 139 f. u. 275 f. (B. M.)

akzeptieren, mit dem Kapital und dem Papst verbunden zu sein, noch das Londoner goldene Kalb anzubeten, gekrönt mit der Tiara von St. Peter. Ich bin Atheist und ich will es weiterhin sein und sagen.

Er erwidert mir:

Ich glaube, daß es wohl schwieriger wäre zu mogeln, wenn Hitler oder besonders Stalin hier regierten. Mit demokratischen Regierungen kann man sich arrangieren, man kann mogeln und leben.

Nein, sage ich zu ihm, oder nur noch kurze Zeit. Die Demokratien brennen darauf, den ›totalitären‹ Staaten ähnlich zu werden und machen alle Anstrengungen, zu einer von Weichtieren ausgeübten Tyrannei zu gelangen, das heißt zur gemeinsten und unerträglichsten Form der Tyrannei. Jedenfalls: wäre ich dazu gezwungen, von Stalin, dessen Politik ich gar nicht bewundere, regiert zu werden, würde ich mein Recht fordern, mich frei über das Kapitel Gott auszusprechen. Und diese Freiheit ist mir wertvoller als alle anderen. Sie werden ja sehen, ob Chamberlain und Pius XII. sie Ihnen lassen wird.« (Heine 1970, 51)

· · · · · · · · · · · — — — — — — ·

12. NOVEMBER »Eine meiner ersten ›Meditationen‹ – im Augenblick der Benommenheit und der ersten Vorstellungen: plötzlich spüre ich, wie ich mit einer unwiderlegbaren Intensität ein erigiertes Geschlechtsteil geworden bin (am Vortag hatte ich mich auf die gleiche Weise unbeabsichtigt in einen Baum verwandelt: meine Arme hatten sich wie Äste über mir aufgerichtet). Der Gedanke, daß sogar mein Körper und mein Kopf nur noch ein riesiger Penis waren, nackt und blutunterlaufen, schien mir so absurd, daß ich vor Lachen ohnmächtig zu werden glaubte. Ich dachte dann, daß eine so straffe Erektion nur durch eine Ejakulation aufhören könnte: eine so komische Situation wurde, ehrlich gesagt, unerträglich. Ich konnte übrigens nicht lachen, so stark war die Straffheit meines Körpers. Wie der Gemarterte verdrehte ich die Augen, mein Kopf hatte sich zurückgebeugt. In diesem Zustand verschaffte mir die grausame Darstellung der Marter, des ekstatischen Blicks, der bloßgelegten blutenden Rippen eine zerreißende Konvulsion: ein Aufblitzen fuhr mir ebenso wollüstig von unten bis oben durch den Kopf wie das Schießen des Samens ins Geschlechtsteil.« (V, 517 f.)

· · · · · · · · · · · — — — — — — ·

21. November: Bataille beteiligt sich an der zweiten von drei *Discussions sur la guerre*, die zwischen dem 7. November und 5. Dezember stattfinden, mit einem knappen Referat (cf. Bataillard et al. 1978, 127–134). Zugegen sind: Bataillard, Brecher, Huang, A. Koyré, P.-L. Landsberg, M. Moré, Georges Pelorson, Prévot, Sinding, Jean Touchard und Jean Wahl.*

Batailles Diskussionsbeitrag ist ein Plädoyer für die Übereinstimmung mit der im Tod implizierten Unabgeschlossenheit der

Geschichte, für Nietzsches Liebe zur »Unwissenheit um die Zukunft«. (Cf. V, 262)

».. . mir liegt daran zu zeigen, wie der Mensch sich erfüllen könnte, indem er der Unabgeschlossenheit aller Dinge, in der er lebt, zustimmt und darin nicht mehr einen Gegenstand zur Orientierung erkennt, sondern einen Grund zur Glorie. (. . .)
Ist es unter diesen Umständen nicht das Beste, auf der Unwissenheit, in der wir leben, zu bestehen und auf dem Gefühl heftiger Trunkenheit, das sich eines jeden bemächtigt, der die Größe des Menschen in dieser Unwissenheit erkennt.« (Op. cit., 128)

Die mit Caillois diskutierte Frage klingt an, wenn er die Darstellung der unabgeschlossenen Welt mit der Notwendigkeit einer »geistlichen Macht« und geistiger Werte assoziiert. In der dualistischen Konstruktion seines Diskurses stellt der Bereich der Politik den Antagonisten dar, d. h. die weltliche Macht und das Streben nach Abgeschlossenheit, nach Beendigung der Geschichte. Dennoch ist Bataille skeptisch genug, sich des ›synthetischen‹ Schrittes zu enthalten, weder für die herkömmlichen religiösen noch politischen – und seien sie revolutionär – Modi einzutreten. Gewißheit hat er nur darüber, daß

»der Wille zur Unabgeschlossenheit, zur Freiheit und zur Veränderung auf alle Fälle mit jenen [kollidiert], die im voraus Zwecke und Mittel festsetzen wollen. Er verabscheut vor allem die Ideologie, das Geschwätz, die Reduktion des brutalen und ungehörigen Lebens auf die Regeln der Sprache« (op. cit., 130).

Die Unabgeschlossenheit, der Tod und das unstillbare Begehren sind in Batailles Augen Teil jener stets offenen Wunde, ohne die das Leben der Paralyse anheimfällt. (Cf. V, 260) Der Krieg, verstanden als günstige Bedingung zur Kommunikation, als eine Herausforderung, die menschlichen Begrenztheiten zu überschreiten?
Zumindest gibt Bataille zu verstehen, sich nicht dem Imperativ des Handelns, der die Widersprüche ausmerzt, beugen zu wollen, sich nicht vom Kampf vereinnahmen lassen zu wollen.
Option für die Ekstase (statt des Wissens), für die Selbstverschwendung im Opfer, für das Lachen, für eine nicht-diskursive,

---

* Ort der Veranstaltung ist möglicherweise Marcel Morés Wohnung am Quai de la Mégisserie. Dort versammelten sich regelmäßig der Abbé Fessard, L. Schestow, der russische Existenzphilosoph Nicolai Berdjajew und – sporadisch – Klossowski, Bataille und Queneau. (Waldberg am 12. 7. 81 an den Autor)

vom Glücksfall geleitete Existenz – fern der Arbeit und der Sorge um die Zukunft.

25. November: »Mit der boshaften Leidenschaft und Luzidität, deren ich fähig bin, wünschte ich bei mir, *daß das Leben sich entkleidet.* Seit der Kriegszustand existiert, schreibe ich dieses Buch, alles übrige ist sinnlos in meinen Augen. Ich will nur noch leben: Alkohol, Ekstase, nackte Existenz wie eine nackte – und erregte – Frau.« (V, 276 f.)

. . . .

8. Dezember: »Ich schreibe all das in meinem Bett mit einem grauen Flanellrock auf dem Kopf. Ich fühle mich so jener näher, die ihn ausgezogen hat, um mich zu umarmen. An jedem dieser Tage Wermut, Gin und zwei nackte Körper: entweder spiele ich mit ihrem [sc. Denises] Baby, oder es weint und ich bin entsetzt und gereizt angesichts von hoffnungslosen Weinkrämpfen oder Wutanfällen oder unvermeidbaren Beschäftigungen. Es bedurfte einer beständigen Schlaflosigkeit, um wieder lange schreiben zu können. Manchmal jedoch gleite ich noch flüchtig in die Ekstase: eine Art kurzes Aufblitzen aus einem Jenseits, dessen Unberuhigtheit blendet (eine so intensive Unberuhigtheit, daß meine innere Turbulenz einen *Augenblick lang* sich abkühlt).

Unabgeschlossen, unberuhigt, das ist das Jenseits, in dem meine Person und sogar mein Name verlorengehen: dieses Jenseits transzendiert nur meine Grenzen, nur die *fragilen* Grenzen, mit deren Hilfe ich weiterlebe.« (V, 520 = Ende des 1. Tagebuch-Heftes)

Etwa synchron zur Niederschrift von *Le coupable* konzipiert Bataille ein Buch über das *Heilige*, ausgehend von seinem Essay *Le sacré* in den *Cahiers d'Art* und erweitert durch die Anmerkungen zu Laures Buch sowie seinen letzten Vortrag vor dem ›Collège‹. Der von Leiris gesehenen Identität von Heiligem und Liebe wegen soll ein Passus aus seinem – Bataille in Dankbarkeit dedizierten – Buch *L'âge d'homme* (1939) berücksichtigt werden (cf. Leiris 1975, 179). Veröffentlichen möchte er das Buch eventuell unter dem Pseudonym Lord Auch »als eine Fortsetzung der Erklärung der Geschichte des Auges«. (Cf. I, 683 f.) Welche Bedeutung er dem Essay *Le sacré* beimißt, ist aus einer Tagebucheintragung vom 30. September und 1. Oktober ersichtlich:

»Dieser Text ist vielleicht kühl: die ›Kommunikation‹ ist in ihm ungeschickterweise nicht weniger fern, nicht weniger schwierig als in den meisten meiner veröffentlichten Schriften. Der demonstrative Teil hat dennoch einige von jenen berührt, an die ich mich wirklich wandte. [*Anm. Batailles*: Die Zustimmung, nicht weniger vage, nicht weniger fern als die Kommunikation selbst, entsprach dem, was ich wünschen konnte. Es wäre indessen kindisch, viel mehr zu erwarten als aufrichtige Unvorsichtigkeiten, auf die rasch Reserven folgen (solange die Wunde nicht vertieft wird, solange es nicht darum geht, *tödlich* zu verletzen). Éluard verblüffte mich, indem er mir sagte, daß er fürchte, darin einen neuen ›Heils‹-Weg zu finden.] Ich glaube, daß die bleibende Unwissenheit oder Ungewißheit wenig bedeuten; es ist nicht mehr möglich, jetzt die Hoffnung zu beschränken: für Menschen, deren Leben notwendigerweise mit einem langanhaltenden Gewitter identisch ist – das allein durch den Blitz erlöst werden kann –, kann das Erwartete nicht weniger unbändig sein als das Heilige.

Wenn eine wesentliche Veränderung stattfindet, muß man sie nicht auf Schriften zurückführen. Wenn Sätze einen Sinn haben, so vereinigen sie nur, was gesucht wurde. Diejenigen, die offen herausschreien, sterben an ihrem Lärm. Was notwendig ist: eine Schrift auslöschen, indem man sie in den Schatten der Wirklichkeit stellt, die sie ausdrückt. Diese Redlichkeit könnte sich keinesfalls mehr aufdrängen als sie sich mir aufdrängt, wenn es um diesen Artikel geht.« (V, 505 f.)

Über den Entwurf hinaus geht eine erste, 1945 aufgegebene Fassung von *La part maudite* (Der verfemte Teil), *La limite de l'utile* (Die Grenze des Nützlichen) betitelt. Mit *La limite de l'utile* (VII, 181–280) beginnt Bataille mit den zehn Jahren währenden – strenggenommen auf 1927 (*L'œil pinéal*) zurückgehenden – Vorarbeiten zu seinem (nicht nur) ökonomischen Hauptwerk, dem »Essai d'économie générale«, *La part maudite*.

Ausführlich läßt er sich über die ›Epistemologie‹ aus, auf deren Folie seine Arbeit entsteht. Erkenntnis durch Lachen, Tränen, Erotik heißt seine Methode, eine Erkenntnis, die sich nicht nur mit Apperzeption, sondern mit Reaktionen und Emotionen verbunden weiß. Lachend enthülle sich ihm die Natur der Dinge, verrate sich (cf. VII, 525 ff., VIII, 562). Im Vorwort zur *Expérience intérieure* wird er schreiben:

»Die Analyse des Lachens hatte mir ein Feld von Koinzidenzen zwischen den Gegebenheiten einer *gemeinsamen* und *strengen* emotionalen Erkenntnis und jenen der diskursiven Erkenntnis eröffnet. Die *sich ineinander verlierenden* Inhalte, diverse Formen der Verausgabung (Lachen, Heroismus, Ekstase, Opfer, Poesie, Erotik oder andere) definierten von selbst ein Gesetz der *Kommunikation*, das die Spiele der Isolierung und des Verlustes der Wesen regelt. Die Möglichkeit, *in einem bestimmten Punkt* zwei Arten von Erkenntnis zu vereinigen, die bisher einander entweder fremd waren oder gröblich durcheinander gebracht wurden, verlieh dieser Ontologie ihre unverhoffte Festigkeit: die Bewegung des Denkens ging ganz und gar verloren, fand sich aber ganz und gar wieder in einem Punkt, wo die Menge einhellig lacht. Ich verspürte darüber ein Gefühl des Triumphs: vielleicht ungerechtfertigt, verfrüht? . . . mir scheint, nein.« (V, 11)

Bataille fordert die größtmögliche Annäherung von Erkenntnis und

Existenz: das wäre die Erfahrung, welche die Existenz von sich selbst und von der Welt hat.

»Die praktische Erkenntnis ist berechtigt, ihren Gegenstand wie ein totes Ding zu betrachten, aber sie verwirklicht nur einen Teil des Willens zur Erkenntnis: ich habe den angstvollen Wunsch, diesem Universum, dem ich preisgegeben bin und das mich überall zu meinem Verlust aufstachelt, sein Geheimnis zu entreißen, *als ob es ein lebendiges Mädchen wäre* [*am Rand:* Beziehung zwischen erkennen wollen und entkleiden wollen]. (. . .) Denn es gibt keine nackte Erkenntnis ohne Angst, es gibt keine ohne Erlösungsschrei.« (VII, 547)

Das Lachen ermöglicht den Sprung vom Möglichen ins Unmögliche und vice versa. (Cf. V, 347) Nichtsdestoweniger ist es in Batailles Verständnis eine Manifestation der Angst, und zuletzt lähmt die emotionale Erkenntnis den Autor selbst:

»Während ich dieses Buch schrieb, geschah es, daß ich vor Angst erstickte. Die Notwendigkeit, es zu schreiben, war die eines – endlosen, bis zur Erschöpfung gehenden – polizeilichen Verhörs. Ich konnte es kaum erwarten, vergessen, aufs neue lachen zu können, nicht mehr als ein Gelächter, ein Blatt im Wind zu sein. Aber ich hielt daran fest, darauf wartend, daß die übermäßige Nervosität vorüberginge. Eine solche Arbeit, so schien es mir, war keiner anderen gleich, und ich erstickte gerade dann, wenn ich mir dessen bewußt wurde. Nicht zufällig verschob ich sie eines Tages auf später, eigentlich ohne triftigeren Grund als die Furcht. (. . .) Was mir abverlangt, abgenötigt wurde, ist eine unerreichbare Selbstbeherrschung: in dem Augenblick, wo ich hätte in Tränen ausbrechen müssen, wo nichts feindseliger wurde, als das Vorhaben, ein Buch zu schreiben.« (VII, 522 f.)

Derart wirkt das exzessive Denken der Verausgabung auf das Subjekt zurück . . . Bataille legt Wert darauf zu betonen, daß der Ausgangspunkt der *Limite de l'utile* nicht etwa erlebte Erfahrungen, sondern äußere Gegebenheiten wie das Opfer, der Krieg, die Ökonomie des Festes, das Lachen etc. seien. (Überflüssig hinzuzufügen, daß er themenbezogene Literaturstudien* betreibt.) Selbst der Erkenntnisakt, den er lachend vollziehe, sei unpersönlich: was ihn lachen mache, argumentiert Bataille, mache auch andere lachen, folglich sei der Gegenstand des Gelächters *universeller* Art . . .

Was mit dem Übergang von einer fragmentarischen Schreibweise *(Le coupable)* zu einer kohärenten, diskursiven an Radikalität verlorengeht, kompensiert die ›These‹ des Buches. Der *Limite de l'utile* könnte »Wer verliert, gewinnt« als Motto vorangestellt werden. Primat der Verausgabung der Reichtümer (und deren unproduktive Konsumtion) vor der Produktion und Akkumulation – demonstriert anhand von Potlatsch- oder Opfergesellschaften. Beleuchtung von menschlichen Tätigkeiten, die sich den Prinzipien der Ökonomie von Produktion – Konsum nicht unterordnen lassen – Tätigkeiten, die sich Selbstzweck sind: Luxus, Trauerzeremonien, Kriege, Kulte, die Errichtung von Prachtbauten, Spiele, Theater, Künste, die perverse Sexualität usw. (Cf. *La notion de dépense*, I, 305) Eine solare, ›pinealische‹, unvernünftige, heterologische Betrachtung der Welt als ein Verlust ohne Kompensation der verschwendeten Energie, die Welt als Abfall und Überschuß. Untersuchung der Natur im Rahmen des Universums, nicht in demjenigen der beschränkten Ökonomie, die an der rückhaltlosen Verausgabung ebensowenig partizpiert wie am Tod und am Un-Sinn – die Natur als Modell der Verschwendung.

Was *La limite de l'utile* als eine Vorstufe der *Part maudite* verspricht, ist nichts geringeres als die Basis einer »allgemeinen Ökonomie«, der »Wissenschaft vom Gebrauch der Reichtümer«, eine Art Umwertung aller kanonisierten Werte der technokratischen bzw. der Konsumgesellschaften. Also eine Theorie des Luxus, des Exzesses. *Das* exzessive Prinzip dieser Anti-Ökonomie heißt Tod:

»Einzig die aufwendige und unnütze Verausgabung hat Sinn – die Ökonomie hat keinen Sinn, sie ist nur ein Residuum, aus dem man das Gesetz des Lebens gemacht hat, während der Reichtum im luxuriösen Austausch des Todes liegt: das Opfer, der ›verfemte Teil‹, jener, der der Investierung und den Äquivalenzen entkommt und der nur verzehrt werden kann. Wenn das Leben nur ein Bedürfnis ist, *um jeden Preis* fortzudauern, dann ist die Verzehrung ein Luxus *ohne Preis*. In einem System, in dem das Leben vom Wert und vom Nützlichen beherrscht wird, wird der Tod ein unnützer Luxus und die einzige Alternative.« (Baudrillard 1982, 245)

Was sich mit der »allgemeinen Ökonomie« und der von ihr postulierten Äquivalenzen Sein = Verausgabung = Exzeß = Kommunikation = Souveränität = Kontinuität . . . ankündigt, ist ein Skandal für alle Teleologie, alle Ratiologik, für jede Sinn- und Nutzenrechnung. Der Erwerb verhält sich zur *homogenen* Welt der Arbeit und der Vernunft wie die Gabe oder die Verausgabung zur *heterogenen* Welt des Exzesses, der Ekstase, der Transgression, des Wahnsinns.

---

* Soziologische, geschichtliche, religionsgeschichtliche, philosophische, literarische, naturwissenschaftliche. Die Namen Max Weber (*Die protestantische Ethik und der Geist des Kapitalismus*, 1904/1905), Benjamin Franklin, Luther . . . via Weber, Caillois *(Theorie des Festes)*, (Durkheim, Mauss), Bernardino de Sahagún (die Azteken aus der Sicht eines spanischen Franziskaners im 16. Jh.: *Histoire des Choses de la Nouvelle Espagne,* 1880), Frazer, S. Reinach, Dussard, Loisy, Nietzsche, (Heidegger, Jaspers), Kierkegaard, (Hegel, Marx), D. H. Lawrence, E. Jünger, P. Janet und Eddington repräsentieren einige Kontexte.

Die Verausgabung stellt eine Ziellosigkeit dar: ein »Loch« im Bereich der Ziele – sie ist kein »Gut« (cf. VI, 423), eher ein Un-Ding. Luxus und Exzeß, symbolischer Tod und Verausgabung, da weder von produktiven noch von reproduktiven Eigenschaften behaftet, entziehen sich jedweder Funktionalisierung. Die Wissenschaft der Verschwendung und des Exzesses zeichnet aus, daß sie sich, gleich einer reinen Herausforderung, Inkommensurabilität ihrerseits der Dienstbarkeit verweigert, bezieht sie doch ihre Gegenstände auf die ziel- und sinnlose Verschwendung der Energieüberschüsse. ». . . diese Definition des Seins und des Exzesses [kann] philosophisch nur dort begründet werden, wo der Exzeß die Begründung überschreitet . . .« (OW, 100)

Einer Gestalt des Exzesses, der Erotik, widmet Bataille noch im gleichen Jahr ein Buchprojekt. Dieser Plan zu einer *Phénoménologie érotique* (cf. VIII, 523 ff.) nimmt erst zwischen 1950 und 1954 als *Histoire de l'érotisme* – verworfene Fassungen von *L'Érotisme* – Gestalt an. *L'Érotisme* sollte den letzten von insgesamt drei Teilbänden der *Part maudite* bilden (cf. VII, 471). Der enge Bezug zu *La part maudite* wird einsichtig, wenn man sich daran erinnert, daß für Bataille die Erotik eine Art Selbstverlust impliziert: indem das Subjekt sich selbst überschreitet, partizipiert es an einer Erfahrung, die das Sein an seine Grenze treibt: der »kleine Tod« während des Orgasmus. Die Prämisse für die Kommunikation (für den Zugang zum Heiligen) isolierter Wesen ist, daß sie sich (ineinander) verlieren.

Nun, Bataille schwebt vor, die »entsetzliche« *condition humaine* mit Begriffen der Sexualität zu übersetzen. (Cf. VIII, 524) Jenes geplante Buch über das Heilige – wird es nicht in *La part maudite*, mehr noch: in *L'Érotisme* aufgehen?

Ganz im Geist von *Le sacré* schreibt Bataille *Les mangeurs d'étoiles* (I, 564–568). Der Text ist für eine Art Hommage an André Masson bestimmt, die Armand Salacrou initiiert und finanziert.*

Es ist Batailles zweite, dem Schaffen des Freundes gewidmete kritische Arbeit. Doch nur ein einziges Gemälde Massons wird im Text erwähnt: die *Piège à Soleil* (Sonnenfalle) aus dem Jahr 1938 (Abb. 81 in: Waldberg 1972), als visuelle Analogie zu Raymond

---

* *André Masson* (mit Beiträgen von Jean-Louis Barrault, Georges Bataille, André Breton, Robert Desnos, Paul Éluard, Armel Guerne, Pierre-Jean Jouve, Madeleine Landsberg, Michel Leiris, Georges Limbour und Benjamin Péret), Rouen 1940. Der 124 Tafeln enthaltende Band erscheint aber erst 1945.

Roussels Stern, genauer: als Entsprechung des Entgrenzungswunsches, den Bataille sowohl auf den Stern als auch auf die *Sonnenfalle* projiziert. Diese Sparsamkeit ist jedoch Methode: Batailles Interesse zentriert sich auf die Tätigkeit der Kunstübung, auf die signifizierende Praxis, und nicht so sehr auf das Werk; auf die Intensitäten, die sich materialisiert haben, und nicht auf die Inhalte, das Repräsentierte.

So bezeichnet er die visualisierten Gestalten bei Masson als Ausdruck von Kraftbewegungen im *status nascendi*. Ihre Eigenschaft sei es, zu explodieren und sich im Weltraum zu verlieren; die gemalten Gegenstände drängen in die Natur ein, verschmölzen mit ihr. Selbst die Porträts André Massons wiesen diese Heliozentrik auf: sie drängen in die Wolken und den Himmel ein, um sich ekstatisch zu annihilieren. Metaphern, Synonyme für die Tedenz zur Verausgabung, zum Verlust, zur Verschwendung . . .

Zur Illustration der Beziehung Mensch—Universum zitiert Bataille eine Anekdote aus Raymond Roussels (1877—1933) Leben*.

»›Von einem Mittagessen bei Camille Flammarion (das dem Besuch eines Observatoriums folgte) brachte Raymond Roussel einen kleinen Keks in Form eines Sternes mit fünf Zacken mit. Er ließ eine Silberschachtel von der gleichen Größe und Form, mit einem Glasdeckel anfertigen, dann schloß er den Stern mit Hilfe eines winzigen silbernen Vorhängeschlosses darin ein (dieses Vorhängeschloß ist kaum einige Millimeter groß). Ein an die Silberschachtel gebundenes Pergamentetikett erinnerte an die Herkunft des kleinen Kekses. Der nach Roussels Tod verkaufte Gegenstand wurde zufällig auf dem Flohmarkt entdeckt. Er gehörte mir nicht, aber er blieb einige Monate in meiner Schublade, und ich kann nicht ruhig über ihn sprechen. Die dunkle Absicht Roussels scheint sehr mit dem eßbaren Charakter des Sternes verbunden zu sein: offenbar wollte er sich den eßbaren Stern konsequenter und realer aneignen, indem er ihn nicht verzehrte. Der merkwürdige Gegenstand bedeutete für mich, daß Roussel auf seine Weise den von ihm gehegten Traum erfüllt hatte, ›einen Stern vom Himmel zu essen‹.‹

Die gleiche Begierde des ›Sternenessers‹ kommt in der *Piège à soleil* von Masson zum Ausdruck.

Die Grenzen unserer Gefräßigkeit bis zu den Sternen zu erweitern, ist ohne Zweifel ein ohnmächtiger Anspruch. Der Gedanke eines sich zu eigen

---

* Gewiß einer der Veröffentlichungen des Roussel-Kenners Leiris entnommen, etwa: »Documents sur Raymond Roussel.« *Nouvelle Revue Française* (Nr. 259, April 1935). Roussel entspricht in doppelter Hinsicht der Batailleschen Demonstrationsabsicht, hielt er sich doch für prädestiniert, für ein Genie, als solches gekennzeichnet durch einen *Stern* auf der Stirn.

gemachten Sternes ist einer der absurdesten Gedanken, die formuliert werden können (was ein italienischer oder katholischer Stern, oder, verlockender, aber nicht weniger verrückt: ein Monsieur Raymond Roussel gehörender Stern wäre). Wenn es aber nicht möglich ist, einen Stern der menschlichen Kleinheit anzupassen, so ist es dem Menschen erlaubt, sich seiner zu bedienen, um seine elenden Grenzen zu sprengen. Derjenige, der sich vorstellt, wie er einen Stern ißt, selbst wenn er ihn sich lustig von der Größe eines kleinen Kekses dächte, kann nicht die Absicht haben, ihn auf die Größe dessen zu reduzieren, was er unbehindert in der Hand hält: er muß die Absicht haben, größer zu werden, bis er sich in der blendenden Tiefe des Himmels verliert.« (I, 566 f.)

Bataille macht explizit, daß er die künstlerische Aktivität, hinter der er den Willen sieht, an die Sterne heranzureichen, als eine kritische, entblößende versteht, die idealerweise alles Seiende, Bestehende, Tradierte radikal in Frage stellt, zumindest eine gewisse anthropozentrische und daher reduktionistische, erstarrte Perspektive erschüttert, die der Bildrahmen und das Fenster begrenzt, so wie der »feste Boden« (der Wirklichkeit, der Wahrheit, des Sinns etc.) sie fundiert. Wir lebten mit manipulierten, reduzierten Modellen der Welt.

»Aber es stimmt, daß der Boden, der Rahmen und das Fenster sich in der Gewalt der Erde befinden, die sich am Himmel dreht. Und das Ewige, der himmlische Vater, das Logische, das die unveränderliche Wahrheit des Bodens garantierte, ist tot: so daß der Mensch sich als der Raserei des Universums preisgegeben entdeckt. Der unbewegliche Gegenstand, der festgesetzte Boden, der himmlische Thron sind die Illusionen, in deren Ruinen kindischerweise die menschliche Kleinheit fortbesteht: wenn der anbrechende Tag die Allmacht der Zeit, des Todes und der überstürzten Bewegung bringt, bis zum Schrei des Sturzes; denn es stimmt, daß es keinen Boden gibt, weder ein Oben noch ein Unten, sondern ein leuchtendes Fest der Sterne, die für alle Zeiten den ›Taumel des Bacchanals‹ kreisen lassen . . .« (I, 567)

Nacht, Wald, Vulkan, Sterne bilden die dionysische Folie der Kunst André Massons. Für Bataille ist sie ein Echo der aggressiven Stimme Heraklits, William Blakes, auch der »Nacht- und Sonnenstimme« Nietzsches. Auf den »Vorplätzen der Kathedralen«, an hochgelegenen Orten, wo der »Winterwind« sich erhebt, situiert er sie.

Die Sternenesser ist auch ein Essay über die Prämissen subversiver Kunst. Diese faßt Bataille in den Begriffen Geburt, Genialität, Selbstverlust, Kommunikation, Wunde . . . Dabei trennt er sich von der idealistisch-mystizistischen Vorstellung von Genialität als eines Zustands der Gnade. Genie liiert er mit Kreativität, Geburt:

»Das neue Leben bildet sich nur in der Spalte und in den blutenden Falten der Mutter; ein neues Leben ist zumindest der Versuch einer Tötung.« (I, 565)

Zerstörerische Geburt, die nichts als die Erfüllung ihres Schicksals verfolgt, und deren Kehrseite der sich selbst besitzende Künstler, die Identifikation, der Kommerz und der Handel ist:

»Der Welt, die ihm [sc. dem Genie] zu einigen bezahlten Arbeiten verhilft, kann er nur den Tod in Erinnerung rufen, der an ihm nagt.« (I, 565)

Derart verkörpert das Genie à la Bataille die Wunde, die Entselbstung, den exzessiven Selbstverlust, der erst zur Kommunikation befähigt. Gleich einer Eruption, einer »Geburt« lasse das Genie – das definitionsgemäß jegliche Genealogie sprengen und über die Evolution hinausgehen muß – aus der bestirnten Leere eine neue Welt auftauchen, selbst wenn das nur hieße, bisher isolierte, verstreute, heterogene Impulse zu einer explosiven Mischung zu vereinen:

». . . der ›Augenblick des Genies‹ hat ›Elemente‹, die bisher isoliert waren, in einer neuen ›Gesamtbewegung‹ vereint. Und in diesem Fall sind die Elemente, die noch nicht versammelt worden sind: *das menschliche Leben,* begierig, die Grenzen zu sprengen, die in ihm das Bedürfnis und die *ungeahnte glühende Sehnsucht nach dem Universum* geweckt haben.« (I, 568)

André Masson, Sonnenfalle (1938)

Ich werde ärgerlich, wenn ich an die Zeit der ›Tätigkeit‹ denke, die ich – während der letzten Friedensjahre – auf die Anstrengung verwendete, meine Mitmenschen zu erreichen. Ich mußte diesen Preis zahlen. Sogar die Ekstase ist sinnlos, gesehen als private Übung, die nur für einen Einzelnen wichtig ist.

Selbst wenn man Überzeugten predigt, liegt im Predigen ein Element der Verzweiflung. Die tiefe Kommunikation verlangt das Schweigen. Zuletzt beschränkt sich die Handlung, die das Predigen darstellt, auf dies: seine Tür schließen, um die Rede (den Lärm, das Mechanische des Außen) zum Stillstand zu bringen.

Die Tür muß gleichzeitig offen und geschlossen bleiben. – Was ich gewollt habe: die tiefe Kommunikation der Menschen mit Ausschluß der für Vorhaben notwendigen Bande, welche die Rede bildet. Ich wurde mit der Zeit sehr leicht verletzlich, jeden Tag innerlich mehr verwundet. Wenn ich mich in die Einsamkeit flüchtete, so geschah das gezwungenermaßen. Es ist mir jetzt gleichgültig, daß alles tot ist – oder scheint.

Der Krieg machte meiner ›Tätigkeit‹ ein Ende, und mein Leben fand sich um so weniger vom Gegenstand seines Strebens getrennt. Eine Wand der Gewohnheit trennt von diesem Gegenstand. Schließlich konnte ich es, hatte ich die Kraft dazu: ich warf die Wand um. Nichts Erholsames war mehr vorhanden, das die Anstrengungen illusorisch machte. Es wurde einmal möglich, sich mit der unerbittlichen, kristallklaren Fragilität der Dinge zu verbinden – ohne darauf bedacht zu sein, auf die mit sinnlosen Problemen belasteten Geister einzugehen. Eine Wüste, gewiß nicht ohne Trugbilder, die alsbald vertrieben waren . . . (1940: V, 109)

Documents, Nr. 5/1929: Speicher mit Puppen, Gerümpel und Staub.

Documents, Nr. 8/1930: Klebepapier und Fliegen, Foto J.-A. Boiffard

Literaturverzeichnis

Adamov, Arthur, *L'Homme et L'Enfant,* Gallimard, Paris 1968
Alexandrian, Sarane, *Le surréalisme et le rêve,* Gallimard, Paris 1974
(Anonym) »Que signifie Contre-Attaque?« *Documents 35,* Nr. 6 (Brüssel, Nov./
  Dez. 1935), p. 33
Arban, Dominique, »Cinq minutes avec Georges Bataille.« *Le Figaro littéraire,*
  Nr. 117 (17. Juli 1948), p. 5
Barrault, Jean-Louis, *Erinnerungen für morgen,* dt. von Ruth Henry, S. Fischer,
  Frankfurt a. M. 1975 (Fischer-Tb. 1567)
Barthes, Roland, *Über mich selbst,* dt. von Jürgen Hoch, Matthes & Seitz, München
  1978
– *Les sorties du texte,* in: *Bataille,* Union Générale d'Éditions, Paris 1973 (10/18-Tb.
  805)
Bataillard, Bataille et al. »Discussions sur la guerre.« *Digraphe,* Nr. 17 (Dezember
  1978), p. 119–139
Bataille, Georges, »Conocimiento de América latina.« *Imán,* Nr. 1 (Paris, April
  1931), p. 198–200
– *A propos de ›Pour qui sonne le glas?‹ d'Ernest Hemingway,* in: *L'Espagne libre,*
  Calmann-Lévy, Paris 1946, p. 120–126
– »Le victoire militaire et la banqueroute de la morale qui maudit.« *Critique,* Nr. 40
  (September 1949), p. 789–803
– »L'existentialisme.« *Critique,* Nr. 41 (Oktober 1950), p. 83–86
– »Le silence de Molloy.« *Critique,* Nr. 48 (Mai 1951), p. 387–396
– »Hemingway à la lumière de Hegel.« *Critique,* Nr. 70 (März 1953), p. 195–210
– »Hegel, la mort et le sacrifice.« *Deucalion,* Nr. 5 (1955), p. 21–43
– »Hegel, l'homme et l'histoire (II).« *Monde nouveau-Paru,* Nr. 97 (1956), p. 1–14
– *Documents.* – Édition établie par Bernard Noël, Mercure de France, Paris 1968
– *La Rosace,* in: Laure, *Écrits,* Jean-Jacques Pauvert, Paris 1977, p. 305–310
– *Der Sonnen-Anus,* dt. von Gerd Bergfleth, in: Ruth Hagengruber (Hrsg.), *Inseln
  im Ich. – Ein Buch der Wünsche,* Matthes & Seitz, München 1980
Baudrillard, Jean, *Kool Killer oder der Aufstand der Zeichen,* dt. von Hans-Joachim
  Metzger, Merve, Berlin 1978
– *De la séduction,* Éditions Galilée, Paris 1979
– *Der symbolische Tausch und der Tod,* dt. von Gerd Bergfleth, Gabriele Ricke und
  Ronald Voullié, Matthes & Seitz, München 1982
– *Les stratégies fatales,* Grasset, Paris 1983
Baudry, Jean-Louis, *Écriture, fiction, idéologie,* in: *Tel Quel. Théorie d'ensemble,*
  Éditions du Seuil, Paris 1968, p. 127–147
Beauvoir, Simone de, *In den besten Jahren,* dt. von Rolf Soellner, Rowohlt, Reinbek
  1980 (Rowohlt-Tb. 1112)
Bergfleth, Gerd, *Theorie der Verschwendung,* in: Bataille, *Die Aufhebung der Öko-
  nomie,* Rogner & Bernhard, München 1975, p. 289–406
Bernier, Jean, *L'amour de Laure,* Flammarion, Paris 1978
Bisiaux, Marcel, »Notes pour mémoire: Georges Bataille.« *Arts,* Nr. 424
  (14.–20. August 1953), p. 5
Breton, André, *Entretiens,* Gallimard, Paris 1969 (›idées‹ 284)
– *Die Manifeste des Surrealismus,* dt. von Ruth Henry, Rowohlt, Reinbek 1977 (›das
  neue buch‹ 95)

Bruno, Jean, »Les techniques d'illumination chez Georges Bataille.« *Critique*, Nr. 195–196 (Aug.–Sept. 1963), p. 706–720

Cabaud, Jacques, *Simone Weil. – Die Logik der Liebe*, dt. von Franziska Maria Marbach, Karl Alber, Freiburg u. München 1968

Caillois, Roger, *Le rocher de Sisyphe*, Gallimard, Paris 1946
– »Entretien avec Roger Caillois.« *La Quinzaine littéraire*, Nr. 97 (16.–30. Juni 1970), p. 6–8
– *Approches de l'imaginaire*, Gallimard, Paris 1974
– *L'homme et le sacré*, Gallimard, Paris 1976 (›idées‹ 357)

Chapsal, Madeleine, *Les écrivains en personne*, Union Générale d'Éditions, Paris 1973 (10/18-Tb. 809)

Chatain, Jacques, *Georges Bataille*, Seghers, Paris 1973 (›Poètes d'aujourd'hui‹ 217)

Clébert, Jean-Paul, »Georges Bataille et André Masson.« *Les lettres nouvelles* (Mai 1971), p. 57–80

Delteil, Georges, »Georges Bataille à Riom-ès-Montagnes.« *Critique*, Nr. 195–196 (Aug.–Sept. 1963), p. 675–676

Documents: s. Bataille 1968

Dubief, Henri, »Témoignage sur ›Contre-Attaque‹ (1935–36).« *Textures '70*, Nr. 6 (Brüssel 1970), p. 52–60
– *Le déclin de la Troisième République*, Éditions du Seuil, Paris 1976 (›Points histoire‹ 113)

Duthuit, Georges, »Vers un nouveau mythe? Prémonitions et défiances: Georges Duthuit à André Breton.« *VVV*, Nr. 4 (New York, Februar 1944), p. 45–49

Eliade, Mircea, *Le sacré et le profane*, Gallimard, Paris 1979 (›idées‹ 76)

Fardoulis-Lagrange, Michel, *G. B. ou un ami présomptueux*, Le Soleil Noir, Paris 1969

Ferdière, Gaston, *Les mauvaises fréquentations. – Mémoires d'un psychiatre*, Simoën, Paris 1978

Fraenkel, Théodore, »Georges Bataille, mon ami«. *Les lettres francaises*, Nr. 935 (12.–18. Juli 1962), p. 1

Gandon, Francis, »Les guenilles de l'histoire.« *Nouvelle Revue Française*, Nr. 357 (Oktober 1982), p. 174–192

Gasché, Rodolphe, *Archiloque*, in: *Nietzsche aujourd'hui? 1. Intensités*, Union Générale d'Éditions, Paris 1973 (10/18-Tb. 817)

Heine, Maurice, »Extrait du journal de Maurice Heine.« *Textures '70*, Nr. 6 (Brüssel 1970), p. 49–51

Hemingway, Ernest, *Tod am Nachmittag*, dt. von Annemarie Horschitz-Horst, Rowohlt, Reinbek 1978 (Rowohlt-Tb. 920)

Hollier, Denis, *La prise de la Concorde. – Essais sur Georges Bataille*, Gallimard, Paris 1974 (a)
– »La Place de la Concorde.« *gramma*, Nr. 1 (Herbst 1974), p. 137–161 (b)
– (Hrsg.) *Le Collège de Sociologie. – Textes de Bataille, Caillois, Guastella, Klossowski, Kojève, Leiris* u. a., Gallimard, Paris 1979 (›idées‹ 413)

Index Bio-bibliographicus Notorum Hominum, edidit Jean-Pierre Lobies, Denise Masson-Steinbart, François-Pierre Lobies, Biblio Verlag, Osnabrück 1978

Kapralik, Elena, *Antonin Artaud. – Leben und Werk des Schauspielers, Dichters und Regisseurs*, Matthes & Seitz, München 1977

Klossowski, Pierre, *Sade, mon prochain*, Éditions du Seuil, Paris 1947
– »Lettre sur Walter Benjamin.« *Mercure de France*, t. 315 (1952), p. 456–457
– »Entre Marx et Fourier.« *Le Monde*, supplément au no. 7582 (31. 5. 1969)
– »De Contre-Attaque à Acéphale.« *Change*, Nr. 7 (1970), p. 103–107

Kojève, Alexander, »Entretien.« *La Quinzaine littéraire*, Nr. 53 (1.–15. 7. 1968), p. 18–20

– *Hegel. – Kommentar zur Phänomenologie des Geistes,* dt. von Iring Fetscher und Gerhard Lehmbruch, Suhrkamp, Frankfurt a. M. 1975 (stw 97)
Kristeva, Julia, *Polylogue,* Éditions du Seuil, Paris 1977
– *Die Revolution der poetischen Sprache,* dt. von Reinold Werner, Suhrkamp, Frankfurt a. M. 1978 (es 949)
Krogmann, Angelica, *Simone Weil,* Rowohlt, Reinbek 1979 (rm 166)
Landrieux, Maurice, *La cathédrale de Reims: un crime allemand,* H. Laurens, Paris 1919
Laure, *Schriften,* dt. von Bernd Mattheus, Matthes & Seitz, München 1980
Leiris, Michel, *Fourbis (La Règle du jeu* II), Gallimard, Paris 1955
– *Brisées,* Mercure de France, Paris 1966
– *Mannesalter,* dt. von Kurt Leonhard, Suhrkamp, Frankfurt a. M. 1975
– *Frêle Bruit (La Règle du jeu* IV), Gallimard, Paris 1976
– *Das Auge des Ethnographen,* dt. von Rolf Wintermeyer, Syndikat, Frankfurt 1978
– *Die eigene und die fremde Kultur,* dt. von Rolf Wintermeyer, Syndikat, Frankfurt a. M. ²1979
– Gobeil, Madeleine, »Interview with Michel Leiris.« *Sub-Stance,* Nr. 11–12 (1975), p. 44–60
Masson, André, »Georges Bataille.« *Bulletin des Bibliothèques de France,* 7. Jg., Nr. 7 (Juli 1962), p. 475–477
– *Le rebelle du surréalisme,* Hermann, Paris 1976
– u. Thévenin, Paule, »*Acéphale* ou l'illusion initiatique.« *Cahiers Obliques,* Nr. 1 (1980), p. 23–30
Mayer, Hans, *Ein Deutscher auf Widerruf. – Erinnerungen I,* Suhrkamp, Frankfurt a. M. 1982
Métraux, Alfred, »Rencontre avec les éthnologues.« *Critique,* Nr. 195–196 (Aug.– Sept. 1963), p. 677–684
Nadeau, Maurice, *Geschichte des Surrealismus,* dt. von Karl Heinz Laier, Rowohlt, Reinbek 1968 (rde 240/241)
Papiers des groupes Contre-attaque et Acéphale. Bibliothèque nationale, Paris; Département des manuscrits, Nouvelles acquisitions françaises 15952
Papiers Maurice Heine, t. XIV. – Correspondance et varia. Bibliothèque nationale, Paris; Département des manuscrits, Nouvelles acquisitions françaises 24397
Paz, Octavio, *Die Rückseite des Lachens,* in: ders., *Essays* 1, dt. von Carl Heupel u. Rudolf Wittkopf, Suhrkamp, Frankfurt a. M. 1979
– *Sexualität und Erotik,* in: op. cit. 1979 (a)
Peignot, Jérôme, *Ma Mère diagonale,* in: Laure, *Écrits,* Jean-Jacques Pauvert, Paris 1977, p. 9–49
Perniola, Mario, *L'instant éternel. – Bataille et la pensée de la marginalité,* aus dem Italienischen von François Pelletier, Méridiens/Anthropos, Paris 1982
Pétrement, Simone, *Simone Weil. – A Life,* Pantheon Books, New York 1976
Piel, Jean, *La rencontre et la différence,* Fayard, Paris 1982
– *Georges Bataille et Raymond Queneau pendant les années 30–40,* in: Katalog *Bataille 4.– Georges Bataille et Raymond Queneau,* Association Billom-Bataille, Billom 1982 (a), p. 3–9
Queneau, Raymond, »Premières confrontations avec Hegel.« *Critique,* Nr. 195–196 (1963), p. 694–700
Rabourdin, Dominique, *Notes sur Jean Bernier,* in: Bernier, op. cit., p. 7–51
Richir, Marc, »La fin de l'histoire. Notes préliminaires sur la pensée politique de Georges Bataille.« *Textures '70,* Nr. 6 (Brüssel 1970), p. 31–47
Schorsch, Eberhard, *Sexuelle Deviationen,* in: Schorsch/Schmidt (Hrsg.), *Ergebnisse zur Sexualforschung,* Ullstein, Frankfurt a. M.–Berlin–Wien 1976 (Ullstein-Tb. 3301)

Schulmann, Fernande, »Une amitié: deux disparus.« *Esprit*, Nr. 322 (November 1963), p. 671–673

Sesonske, Alexander, *Jean Renoir. – The French Films, 1924–1939*, Harvard University Press, Cambridge-London 1980

Short, Robert Stuart, *Contre-Attaque*, in: *Entretiens sur le Surréalisme*, Mouton, Paris–Den Haag 1968, p. 144–176

Souvarine, Boris, *Prologue*, in: *La Critique Sociale. –1931–1934*, (Reprint), Editions de la Différence, Paris 1983, p. 7–26

Volta, Ornella, *Der Vampirismus*, in: Lo Duca (Hrsg.), *Das Tabu in der Erotik*, dt. von Edith Heuser u. Martin Schulte, Desch, Basel 1969, p. 231–320

Waldberg, Patrick, *Acéphalogramme*. Unveröffentlichtes Maschinenskript

– »Vers un nouveau mythe? Prémonitions et défiances: Patrick Waldberg à Isabelle Waldberg.« *VVV*, Nr. 4 (New York, Februar 1944), p. 41–43

– *Der Surrealismus*, dt. von Ruth Henry, DuMont Schauberg, Köln ²1972

– *Taro Okamoto. – Le baladin des antipodes*, Éditions de la Différence, Paris 1976

Will-Levaillant, Françoise, »André Masson et le livre.« *Bulletin du Bibliophile*, Nr. II (1972), p. 129–155

Von zwei Tierköpfen überragter azephalischer Gott. Gnostische Gemme